D0726722

CB: 25 239

LABYRINTHES

Mary Elizabeth Braddon est l'Agatha Christie de l'époque victorienne. Née en 1835, elle est d'abord comédienne, puis se lance dans l'écriture de romans mystérieux avant d'épouser l'éditeur londonien Maxwell, qui a publié son best-seller, *Le Secret de Lady Audley*, en 1862. Elle aura six enfants et publiera jusqu'à sa mort, en 1915, plus de quatre-vingts romans.

Du même auteur,
dans la même collection :

MARY ELIZABETH BRADDON

LE SECRET DE LADY AUDLEY

Traduit de l'anglais par
Mme Charles Bernard-Derosne

Édition revue et corrigée

LIBRAIRIE DES CHAMPS-ÉLYSÉES
17, rue Jacob 75006 Paris

Titre de l'édition originale
LADY AUDLEY'S SECRET

© MARY ELIZABETH BRADDON
ET L.C.E.-HACHETTE LIVRE, 2004.

Tous droits de traduction, de reproduction, d'adaptation,
de représentation réservés pour tous les pays.

1

Lucy

C'était par une avenue de tilleuls, bordée de prairies, qu'on arrivait dans la partie reculée d'un bas-fond planté d'arbres séculaires et couvert de luxuriants pâturages. Sur la hauteur, les troupeaux de bœufs semblaient vous regarder passer avec curiosité, s'étonnant peut-être de votre présence en cet endroit dénué de tout chemin, à moins que vous n'eussiez besoin d'aller au château.

À l'extrémité de l'avenue, s'élevait un vieil arceau surmonté d'un campanile muni d'une lourde horloge détraquée, dont l'unique aiguille sautait brusquement d'une heure à l'autre, sans parcourir les divisions intermédiaires. Passé ce portique, on entrait dans les jardins d'Audley Court.

Devant vous s'étendait une pelouse unie, parsemée de massifs de rhododendrons qui poussaient en cet endroit plus magnifiques qu'en tout autre lieu du comté. À droite se trouvaient le potager, le vivier et un verger entouré par un fossé sans eau et un mur en ruine, plus épais qu'élevé et entièrement couvert de traînées de lierre, d'orpin à fleurs jaunes et de mousse noirâtre. À gauche, une large allée sablée qui, bien des années auparavant, lorsque la résidence était un couvent, avait servi de promenade à de paisibles nonnes, et un mur garni d'espaliers et ombragé d'un côté par de gros chênes qui masquaient le fond du paysage et enveloppaient les bâtiments et les jardins de leurs épais ombrages.

Le manoir faisait face à l'arceau et occupait les trois côtés d'un quadrilatère ; c'était une vieille construction, irrégulière et sans la moindre symétrie. Les fenêtres étaient inégales, les unes avec de lourds meneaux en pierre enrichis de vitraux coloriés ou de frêles châssis qui remuaient avec fracas à la moindre brise, d'autres plus modernes semblant avoir été construites la veille. De grandes cheminées surgissaient çà et là sur la crête du toit, si ruinées par le temps et l'usage qu'elles eussent paru prêtes à crouler si elles n'avaient été soutenues par l'enchevêtrement du lierre qui envahissait le mur et la toiture même et venait les enlacer. Dans un coin d'une tourelle située dans un angle du bâtiment, une porte étroite avait l'air de se dérober à l'œil des curieux, comme désireuse de garder un secret – une magnifique porte de vieux chêne, pourtant, parsemée de gros clous de fer à tête carrée et tellement épaisse que le marteau, en retombant sur elle, lui faisait rendre un bruit sourd et que les visiteurs agitaient une sonnette perdue dans les feuilles de lierre, de crainte que le bruit du marteau ne pût jamais se faire entendre à l'intérieur de la demeure.

C'était une vieille résidence qui ravissait tous ceux qui la visitaient, leur inspirant l'impatient désir de se retirer du monde et l'idée de venir se fixer là pour toujours, regarder dans les eaux fraîches de l'étang et compter les bulles produites à la surface de l'eau par les carpes et les gardons. Le calme semblait avoir choisi ce lieu pour asile, étendant sa main assoupissante sur les fleurs et les arbres, sur les eaux et les paisibles allées, sur les coins obscurs des vieux appartements à l'ancienne mode, les profondes embrasures ménagées derrière les vitraux peints, les prairies basses et les superbes avenues – et même sur le puits à l'eau stagnante, frais et abrité selon l'usage d'autrefois et caché dans un bosquet derrière les jardins, avec sa poulie paresseuse qui n'avait jamais tourné et sa corde pourrie qui avait laissé tomber dans l'eau le seau qu'elle ne pouvait plus retenir.

Au-dedans comme au-dehors, c'était une habitation magnifique – une habitation dans laquelle on n'aurait pu se hasarder seul sans s'égarer ; une habitation où aucune pièce ne faisait suite à une autre, chacune débouchant dans une chambre adjacente qui aboutissait à une autre au milieu de la maison, où un escalier étroit et contourné conduisait à une porte qui menait dans une partie du bâtiment dont on se croyait très éloigné ; une habitation dont le plan n'avait jamais été tracé par la main d'un architecte, mais était l'œuvre de ce vieil et excellent constructeur, le Temps, qui, ajoutant une pièce aujourd'hui, en démolissant une demain, renversant une cheminée contemporaine des Plantagenêt, en élevant une dans le style des Tudor, ici jetant bas un pan de mur saxon, là érigeant un arceau dans le style normand, perçant une rangée de hautes fenêtres du règne de la reine Anne et construisant une salle à manger de la bonne époque de Georges Ier de Hanovre à la place du réfectoire qui existait depuis la conquête, avait fini, en l'espace de onze siècles, par produire une demeure telle qu'il eût été impossible d'en trouver une pareille dans tout le comté d'Essex. Dans une semblable maison, il existait naturellement des chambres secrètes, dont l'une avait été découverte par la petite-fille du propriétaire actuel, sir Michael Audley. Un jour qu'elle jouait dans la chambre des enfants, le parquet avait résonné sous ses pieds, et l'attention ayant été éveillée par ce bruit, on avait enlevé une partie du plancher et découvert une échelle conduisant à une cachette entre le parquet et le plafond de la pièce inférieure – une cachette tellement étroite que, pour s'y tenir, il fallait ramper sur les mains et les genoux et se coucher tout de son long, et cependant assez grande pour contenir un coffre de vieux chêne sculpté, à demi rempli de vêtements ayant appartenu à un prêtre qui s'était probablement caché en cet endroit dans ces jours malheureux où il y avait danger de mort pour qui donnait asile à un prêtre catholique romain, ou pour qui faisait dire la messe dans sa maison.

Le large fossé extérieur était sec et couvert d'herbes ; les arbres du verger, chargés de fruits, balançaient au-dessus leurs branches noueuses et éparses qui formaient des dessins fantastiques sur la verdure des talus. Le vivier, comme nous l'avons dit, était dans l'intérieur de cette clôture : c'était une nappe d'eau qui s'étendait sur toute la longueur du jardin et bordait une avenue appelée l'allée des tilleuls ; une avenue si protégée du soleil et du ciel, rendue si impénétrable à l'œil par la voûte épaisse formée par les arbres, qu'elle semblait un lieu propice pour des conciliabules secrets ou pour des entrevues dérobées ; un lieu fait pour tramer un complot en toute sécurité, ou pour prononcer des serments d'amour ; et pourtant il était à peine à vingt pas du château.

Cette sombre voûte de verdure était terminée par le bosquet où se trouvait le vieux puits dont nous avons parlé, à demi enseveli sous les branches entrelacées et les hautes herbes. Il devait avoir rendu de grands services autrefois, sans nul doute, et les nonnes y avaient peut-être puisé de l'eau fraîche avec leurs belles mains ; maintenant il était abandonné, et nul ne savait à Audley Court si la source en était tarie ou non. Malgré la solitude et le mystère de cette avenue de tilleuls, je ne pense pas qu'elle ait jamais été le théâtre d'événements romanesques. Souvent, à la fraîcheur du soir, sir Michael Audley y fumait son cigare en se promenant en long et en large, son chien sur les talons et sa jeune et jolie femme gazouillant à côté de lui. Mais au bout de dix minutes le baronnet et sa compagne se lassaient du frissonnement des tilleuls, du calme de l'eau cachée sous les larges feuilles des nénuphars, et de la longue perspective de verdure avec le puits en ruine au bout ; alors ils retournaient à leur salon blanc où milady jouait les rêveuses mélodies de Beethoven et de Mendelsshon jusqu'à ce que son mari s'endormît dans son fauteuil.

Sir Michael Audley était âgé de 56 ans et avait épousé une seconde femme trois mois après le cinquante-cinquième anniversaire de sa naissance. C'était un homme gros, grand et robuste ; il avait une voix basse et sonore, de beaux yeux noirs et une barbe grise – une barbe grise qui lui donnait un air vénérable bien contre son gré, car il était aussi vif qu'un jeune homme et un des plus intrépides cavaliers du pays. Pendant sept années il était resté veuf avec une fille unique, Alicia Audley, âgée alors de 18 ans et nullement satisfaite de voir venir une belle-mère s'installer au château ; car miss Alicia avait été suprême maîtresse dans la maison de son père depuis sa plus tendre enfance : elle avait tenu les clefs, elle les avait fait sonner dans la poche de son tablier de soie, elle les avait perdues dans le bosquet, elle les avait laissées tomber dans le vivier et avait causé à leur sujet toute espèce de tracas du jour où elle était entrée dans sa treizième année et s'était, en conséquence de tout cela, illusionnée au point de se croire sincèrement l'ordonnatrice de la maison.

Mais aujourd'hui, le règne de miss Alicia était passé, et lorsqu'elle demandait la moindre chose à la gouvernante, celle-ci lui répondait qu'elle en parlerait à milady, qu'elle consulterait milady, et que, si milady le voulait, elle le lui donnerait volontiers. Aussi, la fille du baronnet, qui montait parfaitement à cheval et avait un joli talent de peintre, passait-elle la plus grande partie de ses journées hors de la maison, chevauchant dans les sentiers verts bordés de haies, faisant des croquis des enfants des chaumières, des garçons de charrue, des troupeaux et de tout être vivant qui se trouvait sur son passage. Elle se refusa avec une détermination obstinée à se lier intimement avec la jeune femme du baronnet ; et, tout aimable qu'était celle-ci, il lui fut complètement impossible de surmonter les préventions et l'éloignement d'Alicia ou de convaincre la jeune fille dépouillée de ses privilèges qu'elle ne lui avait pas causé un tort cruel en épousant sir Michael Audley.

Lady Audley, à la vérité, en devenant la femme de sir Michael, avait contracté un de ces mariages de nature à attirer sur une femme l'envie et la haine de toutes les autres femmes. Elle était venue dans le pays en qualité d'institutrice dans la famille d'un chirurgien qui vivait dans un village voisin d'Audley Court. On ne savait sur elle qu'une chose, c'est qu'elle avait répondu à un avis inséré dans le *Times* par Mr Dawson, le chirurgien, et qu'elle avait renvoyé, pour les renseignements, à la directrice d'une institution de Brompton où elle avait été précédemment sous-maîtresse ; ceux-ci avaient été si satisfaisants qu'on avait cru inutile d'en prendre d'autres et que miss Lucy Graham avait été agréée par le chirurgien comme préceptrice de ses filles. Ses qualités, si brillantes et si nombreuses, faisaient paraître étrange qu'elle eût répondu à un avis offrant une rémunération aussi médiocre que celle proposée par Mr Dawson ; mais miss Graham semblait parfaitement satisfaite de sa position et enseignait aux jeunes filles à jouer les sonates de Beethoven, à copier les dessins d'après nature de Creswick, et traversait trois fois le dimanche le triste village enfoui dans les terres, pour se rendre à l'humble petite église, aussi contente que si elle n'eût eu de plus haute aspiration en ce monde que d'agir ainsi le reste de sa vie.

Ceux qui l'observaient s'accordaient à dire que c'était une douce et aimable nature, toujours riante, toujours heureuse et s'accommodant de tout.

Partout où elle allait, elle semblait apporter avec elle la joie et la lumière. Dans la chaumière du pauvre, son beau visage brillait comme un rayon de soleil. Elle s'asseyait volontiers un quart d'heure pour causer avec une vieille femme et paraissait aussi heureuse de l'admiration de la mégère édentée que si elle eût écouté les compliments d'un marquis ; en se retirant, elle ne laissait rien derrière elle – car son modique salaire ne lui permettait pas le plaisir de la charité –, et la vieille femme, néanmoins, ne manquait pas de lui témoigner tout son ravissement pour sa grâce, sa beauté et son affabilité, comme elle ne l'avait jamais fait pour la femme du vicaire qui l'avait presque toujours nourrie et habillée. Miss Lucy Graham, on le voit, était douée de ce magique pouvoir de fascination qui permet à une femme de charmer avec un mot ou d'enivrer avec un sourire. Tout le monde l'aimait, l'admirait et faisait son éloge. Le garçon qui ouvrait la barrière sur son passage courait raconter à sa mère avec quels aimables regards et avec quelle douce voix elle l'avait remercié pour son petit service. À l'église, le bedeau qui lui ouvrait le banc du chirurgien, le vicaire qui voyait ses beaux yeux bleus fixés sur lui pendant qu'il prêchait son simple sermon, le messager qui venait quelquefois lui apporter de la station du chemin de fer une lettre ou un paquet, sans jamais s'attendre à une gratification, ceux qui l'employaient ou qui lui rendaient visite, ses élèves, les domestiques, tous, grands ou petits, unissaient leurs voix pour déclarer que Lucy Graham était la plus charmante fille qui eût jamais existé.

Ce cri unanime avait-il pénétré jusque dans les appartements silencieux d'Audley Court, ou était-ce simplement l'effet produit par le charmant visage se montrant chaque dimanche matin dans le banc du chirurgien ? Toujours est-il que sir Michael Audley éprouva un violent désir de faire plus ample connaissance avec l'institutrice de Mr Dawson. Il n'eut qu'à s'en ouvrir au digne docteur, qui s'empressa d'organiser une petite réunion à laquelle furent invités le vicaire et sa femme, le baronnet et sa fille.

Cette délicieuse soirée décida du sort de sir Michael. La tendre fascination de ces yeux bleus si doux et si touchants, la gracieuse élégance de ce cou svelte et de cette tête penchée avec ces splendides boucles de cheveux au reflet doré, cette charmante voix qui résonnait comme une suave mélodie, la parfaite harmonie qui régnait dans tous ses charmes et donnait un double attrait aux enchantements de cette femme ; toutes ces séductions, enfin, le subjuguèrent, il lui fut aussi impossible d'y résister que de se soustraire à sa destinée. La destinée ! vraiment, cette femme était sa destinée ! Il n'avait jamais aimé auparavant. Qu'avait été son mariage avec la mère d'Alicia ? Une triste affaire, une espèce de contrat passé pour conserver dans la famille une propriété qui aurait bien pu en sortir sans cela. Qu'avait été son amour pour sa première femme ? Une pâle, pitoyable et vacillante étincelle, trop infime pour être éteinte, trop faible pour brûler. Mais cette fois c'était l'amour… cette fièvre avec ses désirs impatients, cette vague et misérable incertitude, ces terribles craintes que son âge ne fût un obstacle insurmontable à son bonheur, cette maudite barbe grise qu'il détestait, cette envie effrénée de redevenir jeune, d'avoir une belle chevelure noire et une taille élancée, comme à 20 ans ; ces nuits sans sommeil et ces jours pleins de tristesse, si rayonnants s'il avait le bonheur d'entrevoir la suave figure derrière les rideaux de croisée lorsqu'il avait dépassé la maison du chirurgien, tous ces symptômes révélaient la vérité et disaient trop clairement que sir Michael Audley, à 55 ans, était atteint de la terrible fièvre qu'on appelle l'amour.

Je ne pense pas que le baronnet eût compté d'abord sur sa fortune ou sur sa position pour décider le succès de ses recherches amoureuses. S'il eut cette pensée, il dut la repousser avec horreur. Il lui était trop pénible de croire un instant qu'une personne aussi aimable et aussi pure pût se donner en retour d'une riche maison et d'un vieux titre de noblesse. Non ; il espérait qu'ayant eu une existence toute de travail et de dépendance, étant très jeune – nul ne connaissait exactement son âge, et elle paraissait avoir un peu plus de 20 ans –, la jeune fille n'avait dû avoir aucun attachement ; il espérait, se trouvant le premier à s'occuper d'elle, par ses attentions délicates, une généreuse sollicitude, un amour qui lui rappellerait le père qu'elle avait perdu, par une protection qui lui deviendrait nécessaire, subjuguer son jeune cœur et obtenir une promesse de sa main. Véritable roman d'un jour, qui, malgré tout, semblait en bonne voie de se réaliser. Lucy Graham ne paraissait en aucune façon dédaigner les attentions du baronnet ; il n'y avait rien cependant dans ses manières des ignobles artifices employés par les femmes qui désirent captiver un homme riche. Elle était si habituée à l'admiration de tous, petits et grands, que la conduite de sir Michael fit très peu d'impression sur elle. Au reste, il était resté veuf si longtemps qu'on avait abandonné l'idée qu'il se remariât jamais. À la fin, cependant, Mrs Dawson aborda ce sujet avec l'institutrice. La femme du chirurgien était assise dans la chambre d'étude, occupée à travailler, pendant que Lucy donnait les dernières touches à quelques aquarelles réalisées par ses élèves.

— Savez-vous, ma chère miss Graham, dit Mrs Dawson, que vous devez vous considérer comme une fille très heureuse ?

L'institutrice releva sa tête penchée sur son ouvrage et regarda avec étonnement sa maîtresse, en rejetant en arrière une ondée de boucles de cheveux, les plus merveilleuses boucles du monde – soyeuses et légères comme du duvet, flottant sans cesse près de sa figure et formant une pâle auréole autour de sa tête quand le soleil les éclairait.

— Que dites-vous, ma chère Mrs Dawson ? demanda-t-elle en trempant son pinceau dans le bleu de mer broyé sur sa palette, et en l'arrangeant avec soin avant de le poser sur la délicate bande de pourpre qui illuminait l'horizon dans l'aquarelle.

— Oui, ma chère enfant, je dis qu'il ne dépend que de vous de devenir lady Audley et la maîtresse d'Audley Court.

Lucy Graham laissa tomber le pinceau sur la peinture, devint écarlate jusqu'à la racine de ses beaux cheveux, puis pâle, encore plus pâle que ne l'avait jamais vue Mrs Dawson.

— Ma chère enfant, ne vous troublez pas ainsi, dit doucement la femme du chirurgien, vous savez que personne ne vous oblige à épouser sir Michael si vous ne voulez pas. Ce serait cependant un magnifique mariage ; il a des revenus considérables et il est le plus généreux des hommes. Votre position serait élevée, et vous pourriez faire beaucoup de bien ; mais, comme je vous le disais, vous devez être complètement guidée par vos propres sentiments. Je dois seulement ajouter que, dans le cas où ses attentions ne vous seraient pas agréables, il serait réellement peu honorable de votre part de les encourager.

— Ses attentions !... l'encourager !... murmura Lucy, comme désorientée par ces paroles. Je vous en prie... je vous en prie, Mrs Dawson, ne me parlez plus ainsi. Je n'ai aucune idée de tout cela, c'est la dernière chose à laquelle j'aurais pensé.

Elle appuya ses coudes sur la table et, entrelaçant ses mains sur sa figure, elle sembla réfléchir profondément pendant quelques minutes. Elle portait autour du cou un étroit ruban noir qui retenait un médaillon, une croix ou une miniature peut-être, mais cet objet, quel qu'il fût, restait continuellement caché dans ses vêtements. Une fois ou deux, pendant qu'assise elle réfléchissait en silence, elle retira une de ses mains de devant sa figure et saisit le ruban avec un mouvement nerveux, le tirant d'un air à demi boudeur et le tordant en tous sens entre ses doigts.

— Je crois qu'il y a des êtres prédestinés au malheur, Mrs Dawson, dit-elle bientôt ; ce serait pour moi une trop grande bonne fortune que de devenir lady Audley.

Elle prononça ces mots avec un tel accent d'amertume que la femme du chirurgien leva les yeux sur elle avec surprise.

— Vous, prédestinée au malheur, ma chère enfant ? je pense que vous devriez être la dernière personne à parler ainsi, vous, une créature si gaie, si heureuse que chacun prend plaisir à vous voir. Certes, je ne sais trop comment nous ferions si sir Michael vous enlevait de chez nous...

Après cette conversation, elles revinrent souvent sur

le même sujet, et Lucy ne manifesta plus aucune émotion. C'était chose tacitement convenue dans la famille du médecin que le jour où sir Michael se proposerait, l'institutrice l'accepterait volontiers, et en vérité, les candides Dawson auraient taxé d'acte de folie le rejet d'une telle offre de la part d'une fille sans fortune.

Un soir, vers le milieu du mois de juin, sir Michael était assis en face de Lucy Graham, devant une croisée du petit salon du chirurgien. La famille étant sortie de l'appartement, il profita de l'occasion pour aborder le sujet si cher à son cœur. En quelques mots solennels, il offrit sa main à l'institutrice. Il y avait quelque chose de touchant dans la manière et dans le ton à moitié suppliants avec lesquels il s'adressa à elle ; pouvant à peine espérer être agréé par cette belle jeune fille, il la priait de le plutôt repousser, quoique ce refus dût lui briser le cœur, que d'accepter son offre si elle ne devait pas l'aimer.

— Je ne pense pas, Lucy, dit-il avec solennité, qu'une femme puisse commettre une plus grande faute que d'épouser un homme qu'elle n'aime pas. Vous m'êtes si chère, ma bien-aimée, que, malgré le profond attachement que j'ai pour vous, et malgré toute l'amertume que me donne la seule pensée d'un refus, je ne voudrais pas vous voir commettre une telle faute au prix de toute ma félicité. Si mon bonheur pouvait être accompli par une telle action, ce qui ne pourrait pas arriver, répéta-t-il avec vivacité, le malheur seul serait le résultat d'un mariage inspiré par tous autres motifs que la sincérité et l'amour.

Lucy Graham ne regardait pas sir Michael, mais elle avait les yeux fixés au-dehors, sur les vapeurs du crépuscule et sur le paysage confus qui s'étendait derrière le petit jardin. Le baronnet essaya d'apercevoir son visage, mais elle ne lui présentait que son profil, et il ne put saisir l'expression de ses yeux ; s'il eût pu le faire, il eût remarqué un regard inquiet qui semblait vouloir percer l'obscurité lointaine et distinguer au-delà… bien au-delà, dans un autre monde.

— Lucy, vous m'entendez ?

— Oui, fit-elle gravement, mais non avec froideur, et ne paraissant en aucune façon offensée par ses paroles.

— Et votre réponse ?

Elle ne détourna pas son regard du paysage enveloppé dans les ténèbres et resta pendant quelques instants complètement silencieuse ; tout à coup, se tournant vers lui avec une passion soudaine qui illuminait son visage d'une nouvelle et merveilleuse beauté que le baronnet aperçut même dans l'obscurité grandissante, elle tomba à ses pieds.

— Non… Lucy… non… non !… s'écria-t-il vivement ; non, pas là… pas là…

— Si… là… là… dit-elle avec une passion étrange qui l'agitait et rendait le son de sa voix aigre et perçant, là, et pas ailleurs. Que vous êtes bon !… Que vous êtes noble et généreux, mon ami ! Certes, il ne manque pas de femmes cent fois supérieures à moi qui pourront vous aimer tendrement, mais vous m'en demandez trop. Vous m'en demandez trop ! Songez à ce qu'a été ma vie, songez seulement à cela. Dès ma plus tendre enfance, je n'ai vu que pauvreté. Mon père était un gentilhomme instruit, accompli, généreux, beau, mais pauvre. Ma mère… mais ne parlons pas d'elle. Je n'ai éprouvé que misère, pauvreté, épreuves, vexations, humiliations, privations de toute sorte. Vous ne pouvez savoir, vous qui vivez parmi ceux dont la vie est si douce et si facile, vous ne pouvez pas vous figurer tout ce que nous avons à endurer, nous autres, pauvres êtres. Ne m'en demandez pas trop. Je ne puis pas être désintéressée ; je ne puis pas fermer les yeux aux avantages d'une telle alliance. Je ne puis pas… je ne puis pas…

Outre sa surexcitation et l'impétuosité de sa passion, il y avait quelque chose d'indéfinissable dans ses manières qui remplit le baronnet d'une vague frayeur. Elle restait à ses pieds sur le parquet, tapie plutôt qu'agenouillée, ses vêtements blancs et légers collés sur elle, sa blonde chevelure ruisselant sur ses épaules, ses grands yeux bleus brillant dans l'ombre et ses mains crispées sur le ruban noir qui serrait son cou, comme s'il eut dû l'étrangler.

— Ne m'en demandez pas trop, continua-t-elle de répéter, j'ai été intéressée dès mon enfance.

— Lucy, Lucy, expliquez-vous. Avez-vous de l'aversion pour moi ?

— De l'aversion pour vous !... non !... non !...

— Mais alors, il y a quelqu'un que vous aimez ?

Elle partit d'un éclat de rire à cette question.

— Je n'aime personne dans le monde, répondit-elle.

Quoique enchanté de cette réponse, le rire étrange de Lucy et ces quelques mots vibrèrent dans le cœur de sir Michael. Il garda quelques instants le silence, puis il dit avec un certain effort :

— Bien, Lucy, je ne veux pas trop vous demander. Je suis un vieux fou ; mais si vous n'avez pas d'aversion pour moi, et si vous n'en aimez pas un autre, je ne vois pas de raisons qui nous empêchent d'être heureux. C'est une association, Lucy.

— Oui.

Le baronnet la souleva dans ses bras, lui donna un baiser sur le front et, après lui avoir tranquillement souhaité une bonne nuit, il sortit de la maison et courut droit devant lui.

Il courut droit devant lui, ce vieil enfant, parce qu'une certaine émotion s'emparait violemment de son cœur ; ce n'était pas de la joie, ce n'était pas le plaisir du triomphe, mais quelque chose ressemblant presque à du désappointement, une espèce d'aspiration étouffée et déçue qui pesait lourdement sur son cœur, comme si elle avait porté la mort dans son sein. C'était la mort de cet espoir qui venait d'expirer à la voix de Lucy. Tous ses doutes, toutes ses craintes, toutes ses aspirations timides venaient de finir. Il devait se contenter, comme les hommes de son âge, de se marier pour sa fortune et sa position.

Lucy Graham monta lentement l'escalier qui conduisait à sa petite chambre, au faîte de la maison. Elle plaça sur la commode son bougeoir qui répandait une lumière douteuse et s'assit sur le bord de son lit blanc, calme et blanche comme les rideaux drapés autour d'elle.

— Plus de dépendance, plus d'occupation servile, plus d'humiliations, toute trace de la première existence effacée, tous vestiges d'identité ensevelis et oubliés, excepté cela… excepté cela…

Pendant ce temps, sa main gauche n'avait pas abandonné le ruban noir noué autour de son cou. Elle le retira de son sein en prononçant ces paroles et fixa l'objet qui y était attaché.

Ce n'était ni un médaillon, ni une miniature, ni une croix : c'était un anneau enveloppé dans un long carré de papier ; ce papier, moitié imprimé, moitié écrit, était jauni par le temps et chiffonné par des plis nombreux.

2

À bord de l'*Argus*

Il lança le bout de son cigare dans l'eau et, s'accoudant sur le bastingage du bâtiment, contempla les vagues.

— Ah ! qu'elles sont monotones, bleues, vertes et opales ; opales, bleues et vertes ; ma foi, elles sont très belles dans leur genre, mais les voir pendant trois mois, c'est beaucoup trop, surtout…

Il n'essaya pas de terminer sa phrase ; sa pensée sembla se perdre au milieu des flots et le transporter à mille lieues.

— Pauvre chère petite, quelle joie ! murmura-t-il en ouvrant son porte-cigares et en examinant nonchalamment le contenu ; quelle joie et quelle surprise ! Pauvre chère petite ! Après trois ans et demi… aussi elle sera bien étonnée.

Celui qui parlait ainsi était un jeune homme d'environ 25 ans, grand et bien bâti, au visage bronzé par le soleil, aux yeux bruns qui laissaient échapper une tendre expression à travers leurs cils noirs ; une moustache et une barbe épaisses couvraient toute la partie inférieure de son visage. Il portait un large costume gris et un feutre mou négligemment jeté sur sa chevelure noire. George Talboys – il se nommait ainsi – était un des passagers de la cabine arrière à bord du vaisseau l'*Argus*, chargé de laine d'Australie et assurant le trajet de Sydney à Liverpool.

Les passagers de l'arrière de l'*Argus* étaient peu nombreux. Un vieux négociant en laine, qui, après avoir fait fortune dans les colonies, retournait dans son pays natal avec sa femme et ses filles ; une gouvernante de 35 ans qui rentrait dans son pays pour épouser un homme dont elle avait reçu les serments quinze ans auparavant ; la fille sentimentale d'un riche marchand de vin d'Australie qu'on envoyait en Angleterre pour y compléter son éducation, et George Talboys, tels étaient les seuls passagers de première classe.

Ce George Talboys était la vie et l'âme du bâtiment ; nul ne savait qui il était, ce qu'il était, d'où il venait, mais chacun l'aimait. À dîner, il occupait le bout de la table et aidait le capitaine à faire les honneurs du repas. Il débouchait les bouteilles de champagne, il buvait à la santé de tous ceux qui se trouvaient là ; il racontait des histoires bouffonnes et donnait le signal du rire avec un si joyeux entrain qu'à moins d'être un bourru on ne pouvait s'empêcher de l'imiter par pure sympathie. Il organisait aussi le vingt-et-un et d'autres jeux amusants et faciles qui absorbaient le petit cercle réuni autour de la lampe de la cabine, au point qu'un ouragan aurait pu tout bouleverser au-dessus de leur tête sans que personne s'en aperçût ; mais il avouait franchement qu'il n'entendait rien au whist, qu'il était incapable de distinguer un cavalier d'une tour sur un échiquier.

De fait, Mr Talboys n'était en aucune façon un personnage lettré. La pâle gouvernante avait essayé de causer avec lui de la littérature du jour, mais George s'était contenté de caresser sa barbe et de la regarder d'un air maussade, en proférant de temps en temps des « ah, oui ! » et « certainement… ah ! ». La jeune fille sentimentale, qui allait en Angleterre pour perfectionner son éducation, avait voulu le tâter sur Shelley et Byron ; mais il lui avait magnifiquement ri à la figure, comme si la poésie était une plaisanterie. Le négociant en laine l'avait sondé sur la politique, mais il ne semblait pas posséder là-dessus des connaissances très profondes. Aussi avait-on pris le parti de le laisser suivre sa fantaisie : fumer son cigare, causer avec les matelots, flâner sur le pont, regarder dans l'eau et se rendre agréable à chacun à sa manière. Lorsque l'*Argus* ne fut plus qu'à une distance de quinze jours de l'Angleterre, tout le monde remarqua qu'un changement s'opérait chez George Talboys. Il devint remuant et inquiet, tantôt si gai que la cabine retentissait de ses éclats de rire, tantôt morose et pensif. Il finissait par fatiguer les matelots, quoiqu'il fût leur favori, en leur adressant de perpétuelles questions sur le moment probable où l'on toucherait terre. Serait-ce dans dix, onze, douze ou treize jours ? Le vent était-il favorable ? Combien de nœuds le bâtiment filait-il à l'heure ? Bientôt après il était saisi d'un accès de colère, il courait sur le pont, criant que le vaisseau était une vieille et détestable coquille de noix, que ses propriétaires l'avaient trompé en lui vantant la rapidité de marche de l'*Argus* au lieu de l'avertir que leur bâtiment n'était pas fait pour transporter des passagers, des créatures vivantes et pressées, des êtres ayant cœur et âme, mais seulement pour charger de lourdes balles de laine, qui pouvaient bien pourrir sur mer sans qu'aucun dommage s'ensuivît.

Le soleil disparaissait dans la mer, et George Talboys

allumait son cigare dans cette soirée d'août dont nous parlons. Dix jours encore, comme les matelots le lui avaient dit, et dans l'après-midi il pourrait apercevoir les côtes d'Angleterre.

— Je veux aborder par le premier bateau que nous rencontrerons, s'écria-t-il, dans une coquille d'huître au besoin ; et, par Jupiter, s'il le faut, je nagerai jusqu'à terre !

Ses amis de l'arrière-cabine, à l'exception de la pâle gouvernante, riaient de son impatience ; elle soupira en observant le jeune homme qui s'irritait contre la lenteur des heures, repoussait son verre de vin sans y avoir goûté, se remuait impatiemment sur le sofa de la cabine, montait et descendait l'échelle de la dunette et regardait les vagues.

Comme le disque empourpré du soleil s'éteignait dans l'eau, la gouvernante monta l'escalier de la cabine pour se promener sur le pont, pendant que les passagers restaient à table dans l'entrepont. Elle s'arrêta lorsqu'elle aperçut George et, se tenant debout à côté de lui, elle contempla les teintes cramoisies qui s'affaiblissaient à l'occident.

Cette femme, très tranquille et très réservée, prenait rarement part aux jeux de l'arrière-cabine ; elle ne riait jamais et parlait peu ; toutefois George Talboys et elle avaient été bons amis pendant la traversée.

— Mon cigare vous incommoderait-il, miss Morley ? dit-il en le retirant de sa bouche.

— Pas le moins du monde ; continuez de fumer, je vous en prie. J'étais venue seulement regarder le coucher du soleil. Quelle délicieuse soirée !

— Oui, oui ; délicieuse, je l'avoue, répondit-il avec impatience ; mais si longtemps encore, si longtemps encore, dix interminables jours et dix mortelles nuits avant de débarquer…

— C'est vrai, soupira miss Morley. Voudriez-vous que ce temps fût moins long ?

— Si je le voudrais ? oh ! certes oui. Et vous, ne le désirez-vous pas ?

— À peine.

— Il n'y a donc personne en Angleterre que vous aimiez ?… personne qui attende votre arrivée ?…

— J'espère que si ! dit-elle tristement.

Ils gardèrent le silence quelques instants, lui, fumant son cigare avec une impatience furieuse, comme s'il avait pu hâter la marche du vaisseau par sa continuelle agitation ; elle, fixant mélancoliquement dans le ciel obscurci des yeux bleus qui semblaient s'être ternis sur des livres imprimés en caractères très fins et sur de minutieux travaux d'aiguille, des yeux flétris peut-être par des pleurs secrètement versés dans les mortelles heures des nuits solitaires.

— Voyez ! dit George, indiquant subitement le côté opposé à celui vers lequel miss Morley regardait, voilà la nouvelle lune.

Elle leva ses regards sur le pâle croissant, et son visage était presque aussi pâle et aussi blafard.

— C'est la première fois que nous la voyons ; nous devons faire un vœu, dit George : je sais ce que je souhaite.

— Quoi donc ?

— De promptement revoir la patrie.

— Pourvu que nous n'y trouvions aucune déception à notre arrivée ! répondit la gouvernante avec tristesse.

— Aucune déception !…

Il tressaillit comme s'il avait été foudroyé et lui demanda ce qu'elle voulait signifier.

— Je veux dire, répondit-elle en parlant avec rapidité et en agitant ses petites mains, je veux dire qu'à mesure que ce long voyage tire à sa fin, l'espoir s'affaiblit dans mon cœur ; une crainte nouvelle s'empare de moi, et j'appréhende de ne pas trouver tout au gré de mes désirs. Celui que je viens rejoindre peut avoir changé de sentiments à mon égard ou bien, après avoir conservé jusqu'à ce moment ceux qu'il nourrissait autrefois, il peut les perdre en un instant à la vue de mon pauvre visage flétri – on me disait jolie fille, Mr Talboys, lorsque je m'embarquai pour Sydney, il y a quinze ans. Mais le monde peut l'avoir corrompu, l'avoir rendu égoïste et intéressé, et dans ce cas il me fera bon accueil pour ce que je puis avoir économisé pendant ces quinze années. Ne peut-il pas aussi être mort ? Je pense à toutes ces choses, Mr Talboys ; je vois passer toutes ces scènes dans mon esprit et j'en ressens les angoisses vingt fois par jour. Vingt fois par jour ! répéta-t-elle ; je pourrais dire mille fois.

George Talboys était resté pétrifié, son cigare à la main, et l'écoutait avec tant d'attention que, comme elle prononçait les derniers mots, ses doigts se relâchèrent et son cigare manqua tomber à l'eau.

— Je m'étonne, continua-t-elle, s'adressant plutôt à elle-même qu'à lui, et à voix basse, je m'étonne en pensant combien j'étais pleine d'espoir lorsque le vaisseau mit à la voile ; je me représentais la joie du retour, les paroles échangées, les exclamations et les regards ; mais depuis ce dernier mois de voyage, jour après jour, heure après heure, mon courage s'affaiblit, mes espérances s'évanouissent, et je redoute l'arrivée autant que si je revenais en Angleterre pour assister à des funérailles.

Le jeune homme changea brusquement d'attitude et regarda en face sa compagne avec un regard alarmé. Elle vit à la lueur de la lune que ses joues avaient pâli.

— Quelle folie ! s'écria-t-il en donnant un coup de poing sur le bastingage du vaisseau, quelle folie de me laisser effrayer par toutes ces histoires !... Pourquoi venez-vous me dire toutes ces choses ?... Pourquoi bouleverser tous mes sens et me glacer de terreur, lorsque je suis sur le point de rejoindre la femme que j'aime, ma femme, dont le cœur est aussi pur que la lumière du jour, chez laquelle je ne m'attends pas plus à trouver un changement qu'à voir demain un autre soleil se lever dans le ciel ?

— Votre femme, c'est différent. Vous n'avez pas de raisons de partager mes craintes. Je viens en Angleterre retrouver un homme que je devais épouser il y a quinze ans. Il était trop pauvre alors pour se marier. Une position de gouvernante m'ayant été offerte dans une riche famille d'Australie, je le persuadai de me laisser accepter cette proposition afin que, restant libre et sans aucune charge, il pût faire son chemin en Angleterre pendant que j'économiserais quelque argent pour nous aider lorsque nous commencerions à vivre ensemble. Je ne pensais pas être aussi longtemps absente ; mais les choses ont mal tourné pour lui en Angleterre. Voilà mon histoire, et vous pouvez comprendre mes appréhensions. Elles ne peuvent avoir aucune influence sur vous. Mon cas est exceptionnel.

— Le mien aussi, dit George avec impatience, très exceptionnel même, quoique jusqu'à ce moment, je vous le jure, je n'eusse jamais éprouvé la moindre inquiétude sur le résultat de mon retour. Mais vous avez raison, je n'ai que faire de vos appréhensions. Vous avez été absente pendant quinze ans ; toutes sortes de choses peuvent arriver en quinze ans. Quant à moi, il n'y a maintenant que trois ans et demi ce mois-ci que j'ai quitté l'Angleterre. Que pourrait-il être arrivé dans un espace de temps aussi court ?

Miss Morley regarda Talboys avec un sourire lugubre, sans lui répondre. Cette ardeur fiévreuse, la franchise et l'impatience de cette nature étaient si étranges et si nouvelles pour elle qu'elle le contemplait avec un mélange d'étonnement et de compassion.

— Ma jolie petite femme ! mon innocente et bien-aimée petite femme ! Vous ne savez pas, miss Morley, dit-il, ayant repris toute son ancienne confiance, vous ne savez pas que j'ai quitté la pauvre petite pendant qu'elle était endormie, tenant son enfant dans ses bras, sans lui laisser rien que quelques lignes à peine lisibles pour lui annoncer que son fidèle époux l'avait ainsi abandonnée ?

— Abandonnée !... s'écria la gouvernante.

— Voici. J'étais officier dans un régiment de cavalerie lorsque je vis pour la première fois ma chère petite. Nous tenions garnison dans un triste port de mer où elle vivait avec son vieux père, un gueux, un officier de marine en demi-solde, un vieux fourbe de profession, aussi pauvre que Job, l'œil toujours à l'affût d'un coup de fortune. Je vis clair dans ses viles manœuvres afin d'attraper un de nous pour sa jolie fille ; je compris les pièges pitoyables et grossiers qu'il tendait pour attirer quelque épais dragon ; je ne me trompai point à toutes ses aimables invitations dans un mauvais cabaret du port, à ses beaux discours sur la noblesse de sa famille, à sa fierté simulée, à ses faux airs d'indépendance et aux larmes mensongères qui coulaient de ses vieux yeux chassieux lorsqu'il parlait de son unique enfant. C'était un vieil ivrogne, hypocrite, prêt à vendre ma pauvre petite au plus offrant. Heureusement pour moi, je pus être alors ce plus fort enchérisseur, car mon père a de la fortune, miss Morley ; et comme ma chère femme et moi nous nous étions aimés à première vue, nous nous épousâmes. Mon père, cependant, n'eut pas plus tôt appris que j'étais marié à une petite demoiselle sans le sou, la fille d'un vieux lieutenant en demi-solde adonné à la boisson, qu'il m'écrivit une lettre furieuse où il me signifiait qu'il ne voulait plus avoir de rapports avec moi et qu'à partir du jour de mon mariage la pension annuelle qu'il m'allouait était suspendue. Il n'y avait pas moyen de rester dans un régiment comme le mien sans autre chose que ma paye d'officier pour vivre et entretenir une jeune femme ; aussi vendis-je mon brevet, pensant qu'avant d'en avoir épuisé le prix je pourrais sûrement me caser quelque part.

» Je partis avec ma chérie pour l'Italie, où nous menâmes un magnifique train de vie aussi longtemps que durèrent mes mille livres ; mais lorsque notre trésor se trouva réduit à quelques centaines de livres, nous retournâmes en Angleterre, et ma chère femme ayant eu la fantaisie d'être près de son ennuyeux vieillard de père, nous

nous établîmes dans une petite ville d'eaux où il s'était retiré. À peine eut-il appris que j'avais encore quelques centaines de livres qu'il nous témoigna une affection incroyable et insista pour que nous prissions pension chez lui. Nous y consentîmes, toujours pour plaire à ma chérie qui avait en ce moment particulièrement droit à voir satisfaire tous les caprices et toutes les fantaisies de son cœur innocent. Nous vécûmes donc avec lui, et, finalement, il nous dépouilla. Lorsque je parlais de sa conduite à ma petite femme, elle se contentait de hausser les épaules et de me dire qu'elle aimait mieux ne pas mécontenter son pauvre papa. Aussi, pauvre papa dépensa-t-il follement en un rien de temps notre petit pécule.

» Sentant alors la nécessité de me procurer des ressources, je partis pour Londres et j'essayai de me placer dans un comptoir de négociant comme commis, caissier, comptable ou quelque chose de ce genre. Je dois supposer que je portais sur moi le cachet d'un dragon obtus, car je ne pus trouver personne qui eût confiance en ma capacité et je retournai, harassé, découragé, auprès de ma bien-aimée, que je trouvai en train de nourrir un fils, héritier présomptif de la pauvreté de son père. Pauvre petite, elle était bien abattue, et lorsque je lui racontai l'insuccès de mon voyage à Londres, elle fut consternée et éclata en soupirs et en lamentations, me disant que je n'aurais pas dû l'épouser pour ne lui apporter que pauvreté et misère, et que je lui avais causé un tort cruel en la prenant pour femme. Par le ciel, miss Morley, ses pleurs et ses reproches me rendirent presque fou ; j'entrai dans un accès de fureur contre elle, contre moi-même, contre son père, contre le monde et tous ses habitants, et je sortis de la maison en déclarant que je n'y rentrerais plus. Je marchai dans les rues, hors de moi, toute la journée, avec la ferme intention de me jeter à la mer, pour laisser ma pauvre femme libre de contracter un meilleur mariage. Si je me noie, il faudra que son père ait soin d'elle, pensais-je ; ce vieil hypocrite ne pourra lui refuser un asile ; mais, tant que je vis, elle n'a pas le droit de lui réclamer quoi que ce soit.

» Je gagnai une ancienne jetée en bois avec l'intention d'y attendre la nuit, et alors de me laisser tomber doucement de son extrémité dans l'eau. Mais, pendant que j'étais assis en cet endroit, fumant ma pipe et regardant d'un œil indifférent la mer profonde, deux hommes survinrent, et l'un d'eux commença à parler des mines d'or d'Australie et de la grande fortune qu'on pouvait amasser dans ce pays. Il me parut qu'il était sur le point de s'embarquer dans un ou deux jours et qu'il essayait de persuader son ami de l'accompagner dans son expédition. J'écoutai ces individus pendant plus d'une heure, les suivant de long en large sur la jetée et ne perdant pas un mot de leur dialogue. Après cela, je liai moi-même conversation avec eux et j'appris qu'il y avait un vaisseau partant de Liverpool trois jours plus tard, sur lequel devait s'embarquer l'un de ces hommes. Il me donna tous les renseignements que je lui demandai, et me dit, en outre, qu'un gaillard robuste et vigoureux comme moi ne pouvait pas manquer de réussir dans les mines.

» Cette ouverture fit jaillir en moi une résolution si soudaine que le rouge et la chaleur me montèrent au visage et que l'exaltation agita tous mes membres. À tout événement, ce parti valait mieux que le suicide. En supposant même que je m'éloignasse furtivement de ma bien-aimée, je la laissais en sécurité sous le toit de son père, j'arrivais dans le nouveau monde, j'y faisais ma fortune et je revenais, au bout d'une année, déposer mes richesses à ses pieds ; car, à ce moment, j'étais si confiant que je comptais faire fortune en un an ou à peu près. Je remerciai l'individu pour les informations qu'il m'avait données et, bien tard dans la soirée, j'allai rôder du côté de mon logis. La température était glaciale, mais j'étais trop surexcité pour sentir le froid et je marchai à travers les rues paisibles, le visage fouetté par la neige, le cœur plein d'espérance et de désespoir en même temps. Mon beau-père était assis dans la salle à manger et buvait du grog ; ma femme, à l'étage supérieur, dormait paisiblement avec son enfant sur son sein. Je m'assis et lui écrivis quelques lignes dans lesquelles je lui disais que je ne l'avais jamais plus aimée qu'à ce moment où je semblais l'abandonner, que j'allais tenter la fortune dans le nouveau monde, et que, si je réussissais, je lui rapporterais l'aisance et le bonheur ; que, si j'échouais, au contraire, elle ne me reverrait jamais. Je partageai le reste de notre argent – un peu plus de quarante livres – en deux parts égales ; je lui laissai l'une et je mis l'autre dans ma poche. Je m'agenouillai et je priai pour ma femme et pour mon enfant, la tête appuyée sur la blanche courtepointe qui les recouvrait. Je n'étais pas habitué à prier, mais Dieu sait avec quel cœur je le fis à ce moment-là. Je déposai un seul baiser sur son front et sur celui de l'enfant, et je me glissai doucement hors de la chambre. La porte de la salle à manger était ouverte, et le vieillard assoupi sur son journal ; il leva la tête en entendant mes pas dans le couloir et me demanda où j'allais. « Fumer dans la rue », lui répondis-je. Et comme c'était mon habitude, il me crut. Trois nuits après j'étais en mer, voguant vers Melbourne, en qualité de passager de seconde classe, avec des outils de mineur pour tout bagage et environ sept shillings en poche.

— Et vous avez réussi ? demanda miss Morley.

— Non pas sans avoir longtemps désespéré du succès ; non pas sans avoir eu longtemps la pauvreté pour compagne. Je me demandais souvent, en jetant un regard sur ma vie passée, si ce dragon brillant, oisif, extravagant, sensuel, habitué à sabler le champagne, était bien le même homme qui, assis sur la terre humide, rongeait une croûte de pain moisi dans les déserts du nouveau monde. Je me cramponnais au souvenir de ma bien-aimée ; la confiance que j'avais en son amour et en sa fidélité était comme la clef de voûte qui reliait le présent au passé – l'unique étoile qui illuminait les épaisses ténèbres de l'avenir. Je vivais familièrement avec des hommes mauvais, dans une atmosphère de désordre, d'ivrognerie et de débauche ; mais l'influence purifiante de mon amour me sauva de tous ces dangers. Maigre, décharné, à demi mourant de faim, je me regardai un jour dans un mauvais fragment de miroir et je fus effrayé de mon propre aspect. Pourtant je travaillais, malgré les désappointements et le désespoir, malgré les rhumatismes, la fièvre et la famine, et à la fin je triomphai.

Il y avait tant de bravoure, d'énergie, de persévérance, de joyeuse fierté du succès dans le récit des difficultés qu'il avait surmontées que la pâle gouvernante ne put s'empêcher, en le contemplant, d'exprimer son admiration.

— Comme vous avez été courageux !

— Courageux ! s'écria-t-il avec un joyeux éclat de rire ; est-ce que je ne travaillais pas pour ma chérie ! Pendant tous ces cruels temps d'épreuves, sa jolie main blanche ne me montrait-elle pas le bonheur dans l'avenir ? Je la voyais sous ma mauvaise tente de toile, assise à mes côtés avec son enfant dans ses bras, aussi bien que je l'avais vue dans l'unique et heureuse année de notre vie conjugale. Enfin, par une triste et brumeuse matinée, il y a juste trois mois, mouillé jusqu'aux os par une pluie fine, enfonçant jusqu'au cou dans la boue et la terre glaise, mourant de faim, affaibli par la fièvre, engourdi par les rhumatismes, je fis rouler sur le sol, avec ma pioche, une grosse pépite, et je découvris ainsi un filon d'une certaine importance. Quinze jours après, j'étais l'homme le plus riche de toute la petite colonie des environs. Je partis aussitôt pour Sydney, où je réalisai ma trouvaille, qui valait un peu plus de vingt mille livres. Immédiatement je m'embarquai sur ce vaisseau pour l'Angleterre, et dans dix jours… dans dix jours je reverrai ma bien-aimée.

— Mais pendant tout ce temps, n'avez-vous jamais écrit à votre femme ?

— Jamais, jusqu'à la semaine qui a précédé le départ de ce bâtiment. Lorsque tout tournait mal, je ne pouvais pas lui écrire pour lui raconter mes luttes contre le désespoir et la mort. J'attendais une meilleure fortune, et lorsqu'elle arriva, je la prévins que je serais en Angleterre presque en même temps que ma lettre, et je lui donnai mon adresse dans une taverne de Londres où elle pourrait m'envoyer une réponse et m'apprendre où je la trouverais, quoiqu'il soit peu probable qu'elle ait quitté la maison de son père.

Après ces mots, George devint rêveur et lança quelques bouffées de fumée tout en réfléchissant. Sa compagne ne troubla pas ses méditations. Le dernier rayon de ce jour d'été venait de s'éteindre, et la pâle lueur de la lune éclairait seule le ciel.

Tout à coup, Talboys lança au loin son cigare et, se tournant du côté de la gouvernante :

— Miss Morley, s'écria-t-il, si, en arrivant en Angleterre, j'apprends qu'il est survenu quelque accident à ma femme, je tomberai raide mort !

— Mon cher Mr Talboys, pourquoi penser à ces choses ? Dieu est plein de bonté pour nous, il ne veut pas nous affliger au-delà de nos forces. Je vois peut-être les choses un peu en noir, car la longue monotonie de ma vie m'a laissé trop de temps pour m'appesantir sur mes chagrins.

— Et ma vie, à moi, toute d'activité, de privation, de travail, d'alternances d'espoir et de désespoir, ne m'a pas laissé le temps de penser aux risques de malheur qui pouvaient arriver à ma chère petite femme. Quel aveugle insouciant j'ai été !... trois ans et demi ! et pas une ligne, pas un mot d'elle ou d'une créature qui la connût ! Que ne peut-il pas être arrivé !

L'esprit agité, George commença à parcourir en long et en large le pont solitaire, suivi par la gouvernante qui essayait de le calmer.

— Je vous répète, miss Morley, que, jusqu'à notre conversation de ce soir, je n'avais pas l'ombre d'une crainte ; maintenant, je me sens dans le cœur ce malaise, cette terreur accablante dont vous me parliez il y a une heure. Laissez-moi seul, je vous en prie, surmonter à ma manière ces mauvaises dispositions.

Elle s'éloigna de lui en silence et s'assit sur le pont du vaisseau.

George Talboys marcha pendant quelque temps, la tête inclinée sur la poitrine, ne regardant ni d'un côté ni d'un autre ; puis, au bout d'un quart d'heure environ, il revint à l'endroit où la gouvernante était assise.

— J'ai prié, dit-il, j'ai prié pour ma chère adorée.

Il prononça ces mots presque dans un murmure, et, à la lumière de la lune, miss Morley put apercevoir sur son visage une expression de calme ineffable.

3

Reliques cachées

Ce même soleil d'août qui avait disparu dans l'immensité de l'océan éclairait de ses lueurs rougeâtres le large cadran de la vieille horloge sur l'arceau couvert de lierre qui menait dans les jardins d'Audley Court.

Le couchant était d'un cramoisi ardent. Les meneaux des croisées et les treillages étincelants frappés par ces rayons rougeâtres semblaient en feu ; la lumière affaiblie se jouait dans les feuilles des tilleuls de l'avenue et changeait la surface tranquille du vivier en une plaque de cuivre poli. Dans ces obscurs enfoncements d'églantiers et de broussailles au milieu desquels était caché le vieux puits, la rouge clarté pénétrait par lueurs vacillantes, et les herbes humides, et la poulie de fer rouillée, et la charpente de bois brisée paraissaient tachées de sang.

Le beuglement d'une vache dans les prairies si calmes, le saut d'une truite dans l'étang, les dernières notes d'un oiseau fatigué, le grincement des roues des chariots sur la route éloignée rompaient de temps en temps le silence du soir et rendaient plus profond le calme qui régnait en ce lieu. Il était presque accablant, ce calme du crépuscule. Ce repos absolu devenait pénible par son intensité, et on éprouvait la même sensation que si un cadavre avait été quelque part, au milieu de cette masse grise de bâtiments recouverts de lierre, tant était funèbre la tranquillité de tout ce qui l'entourait.

Comme l'horloge de l'arceau sonnait huit heures, une porte s'ouvrit doucement derrière la maison, et une jeune fille parut dans les jardins. Mais la présence même d'un être humain rompit à peine le silence : car la jeune fille glissa sur le gazon épais et, pénétrant dans l'avenue par le côté du vivier, disparut dans l'ombre épaisse des tilleuls. Ce n'était pas positivement une jolie fille, mais son apparence était de celles que l'on appelle généralement intéressantes. Intéressante peut-être, parce que, dans sa figure pâle et ses brillants yeux gris, dans ses traits fins et ses lèvres serrées, il y avait quelque chose qui dénotait un empire sur soi-même peu ordinaire chez une femme de 19 ou 20 ans. Elle eût été jolie, je pense, n'eût été un défaut dans son frêle visage ovale. Ce défaut était une absence complète de couleur. Pas une teinte d'incarnat ne colorait la blancheur de cire de ses joues, pas une ombre de teinte brune ne réparait la pâle fadeur de ses cils et de ses sourcils, pas un reflet d'or ou d'ébène ne relevait le blond monotone de sa chevelure. Sa toilette même était entachée des mêmes défauts ; la mousseline de sa robe vert lavande était passée à un gris fané, et le ruban noué autour de son cou se fondait dans la même teinte neutre.

Sa figure était effilée et mince, et en dépit de son humble costume, elle avait la grâce et la tournure d'une grande dame ; mais ce n'était qu'une simple paysanne, du nom de Phœbe Marks, élevée comme domestique dans la famille de Mr Dawson et que lady Audley avait choisie pour femme de chambre après son mariage avec sir Michael.

Cet événement avait été naturellement une étonnante bonne fortune pour Phœbe, qui avait vu ses gages triplés et qui n'avait presque rien à faire dans le service déjà complet du château : aussi devint-elle un objet d'envie parmi ses amies, autant que milady dans les cercles élevés.

Un homme, assis sur la charpente en bois du puits en ruine, se leva en voyant la femme de chambre de milady sortir des ténèbres épaisses des tilleuls et se tint debout devant elle au milieu des herbes sauvages et des broussailles.

J'ai déjà dit que cet endroit était inculte, situé dans un bosquet bas et humide isolé du reste des jardins, et seulement visible des croisées du grenier de la partie postérieure de l'aile occidentale du château.

— Eh bien, Phœbe, dit l'homme en fermant le couteau avec lequel il avait dépouillé de son écorce une branche d'épine noire, tu viens à moi avec si peu de bruit et si subitement que je t'ai prise pour un esprit malin. J'ai passé à travers champs, je suis arrivé ici par l'ouverture dans le fossé, et je prenais un instant de repos avant d'aller à la maison demander si tu étais de retour.

— Je puis voir le puits de la croisée de ma chambre à coucher, Luke, répondit Phœbe en montrant un vitrage ouvert à un pignon du toit ; je t'ai vu assis là et je suis descendue pour causer avec toi ; il vaut mieux causer ici qu'à l'intérieur de la maison, où il y a toujours quelqu'un pour vous écouter.

L'homme était un gros rustre, aux larges épaules, à la tournure lourde, d'environ 33 ans. Sa chevelure, d'un rouge foncé, tombait sur son front, et ses sourcils épais recouvraient une paire d'yeux d'un gris verdâtre ; son nez était large et bien proportionné, mais sa bouche avait une forme grossière et une expression bestiale. Avec ses joues colorées, sa chevelure fauve et son cou de taureau, il ressemblait à un des bœufs robustes qui paissaient dans les prairies des environs du château.

La jeune fille s'assit familièrement à côté de lui, sur la charpente du puits, et posa une de ses mains, devenues blanches dans ses nouvelles et douces fonctions, sur son large cou.

— Es-tu content de me voir, Luke ?

— Naturellement, je suis content, ma chère, répondit-il d'une façon grossière, en rouvrant son couteau et recommençant à racler sa branche d'épine.

Ils étaient proches cousins, avaient été compagnons de jeu dans leur enfance et liés d'amitié dans leur jeunesse.

— Tu ne parais pas enchanté ; tu pourrais me regarder, Luke, et me demander si mon voyage m'a fait du bien

— Il n'a pas mis un brin de couleur sur tes joues, ma fille, dit-il en lui lançant un regard par-dessus ses épais sourcils : tu es aussi blanche que tu l'étais la dernière fois que je t'ai vue.

— Mais on m'a dit que les voyages rendent aimable, Luke. J'ai traversé sur le continent, avec milady, des endroits curieux de tous genres, et tu sais que lorsque j'étais enfant, les filles de Mr Horton m'ont appris à parler un peu français, et j'ai trouvé cela bien agréable de pouvoir me faire comprendre des gens à l'étranger.

— Aimable ! s'écria Luke Marks avec un rire dur, qui a besoin que tu sois aimable, je te le demande ? Pas moi ; lorsque tu seras ma femme, tu n'auras pas beaucoup de temps pour l'amabilité, ma fille ! Quant au français, que je sois pendu, Phœbe, mais je suppose que lorsque nous aurons économisé à nous deux assez d'argent pour acheter une ferme, tu n'iras pas tenir de beaux discours aux vaches !

Elle se mordit les lèvres en entendant les paroles de son amant et détourna les yeux. Lui, continua de tailler et de couper son bâton pour façonner un manche grossier, sifflant doucement entre ses dents tout le temps et ne jetant pas un seul regard sur sa cousine.

Ils restèrent silencieux pendant quelques instants, mais bientôt elle ajouta, la figure toujours tournée du côté opposé à son compagnon :

— Quelle belle chose pour celle qui était autrefois miss Graham, de voyager avec sa femme de chambre et son courrier dans une voiture à quatre chevaux, avec un mari persuadé qu'il n'y a pas un seul endroit sur la terre digne de porter les pieds de sa femme !

— Oui, c'est une belle chose, Phœbe, d'avoir beaucoup d'argent, et j'espère que tout cela est un avertissement pour toi, ma chère, d'économiser tes gages pour pouvoir nous marier.

— Et qu'était-elle dans la maison de Mr Dawson, il y a seulement trois mois ? continua la jeune fille, comme si elle n'avait pas entendu les paroles de son cousin : une domestique comme moi, recevant des gages et travaillant, pour les gagner, plus durement que moi. Si tu avais vu, Luke, ses pauvres robes usées, raccommodées, maintes fois reprisées, tournées et retournées, et malgré tout cela ayant bon air sur elle, je ne sais comment. Elle me donne plus ici, comme sa femme de chambre, que jamais elle a gagné chez Mr Dawson ; oui !... je l'ai vue quitter le parloir avec quelques souverains et quelques pièces d'argent dans la main, que venait justement de lui donner son maître pour payer son trimestre, et maintenant, vois-la.

— Ne fais pas attention à elle, prends soin de toi-même, Phœbe ; c'est tout ce que tu as à faire. Que penserais-tu, par exemple, d'une auberge pour toi et pour moi, ma fille ? Il y a beaucoup d'argent à gagner dans une auberge.

La jeune fille ne bougea pas, la figure détournée de celle de son amant, les mains nonchalamment pendantes sur les plis de sa robe et ses pâles yeux gris fixés sur les dernières lueurs rouges qui s'éteignaient au loin derrière les troncs d'arbres.

— Tu devrais visiter l'intérieur de l'habitation, Luke, elle a l'air d'une veille ruine au-dehors, mais tu verras l'appartement de milady, tout or et peintures, grandes glaces qui vont du parquet au plafond, plafonds ornés de peintures aussi, qui coûtent des centaines de livres, la gouvernante me l'a dit, et tout cela pour elle !

— Elle a de la chance, murmura Luke avec indifférence.

— Si tu l'avais vue, lorsque nous étions à l'étranger, avec une foule de beaux messieurs toujours pendus à ses talons ; sir Michael n'était pas jaloux d'eux, mais fier seulement de la voir autant admirée. Si tu l'avais entendue rire et causer avec eux, leur renvoyant leurs compliments et leurs beaux discours, et eux de continuer et de l'en accabler, comme avec des roses. Elle rendait tout le monde fou partout où elle allait. Sa manière de chanter, de jouer, de danser, son délicieux sourire et ses boucles dorées, toute sa personne faisait l'unique sujet de la conversation, tout le temps de notre séjour.

— Est-elle au château, ce soir ?

— Non, elle est partie avec sir Michael pour aller dîner aux Beeches ; ils ont sept ou huit miles à faire et ils ne doivent être de retour qu'après onze heures.

— Alors, Phœbe, si l'intérieur de la maison est aussi beau que tu le dis, je serais enchanté d'y jeter un coup d'œil.

— Tu le pourras ; Mrs Barton, la gouvernante, te connaît de vue et ne s'opposera pas à ce que je te montre quelques-unes des plus belles pièces.

Il faisait presque nuit lorsque les cousins quittèrent le bosquet et se dirigèrent lentement vers la maison. La porte par laquelle ils entrèrent conduisait dans la salle des domestiques, située juste à côté de la chambre de la gouvernante. Phœbe Marks s'arrêta un instant pour lui demander si elle pouvait introduire son cousin dans les appartements, et, en ayant reçu la permission, elle alluma une chandelle à la lampe de la salle et fit signe à Luke de la suivre dans une autre partie de la maison.

Les longs corridors, lambrissés de chêne noir, étaient plongés dans une obscurité peuplée de fantômes, la lumière portée par Phœbe produisant seulement un petit point lumineux dans les larges passages à travers lesquels la jeune fille conduisait son cousin. Luke regardait de temps en temps avec méfiance par-dessus ses épaules, à demi effrayé par le craquement de ses grosses bottes garnies de clous.

— C'est une habitation mortellement triste, Phœbe, dit-il comme ils débouchaient d'un passage dans une salle principale qui n'était pas encore éclairée ; j'ai entendu parler d'un meurtre commis ici dans le temps jadis.

— Il y a assez de meurtres en ce temps-ci, sans parler de celui-là, répondit la jeune femme montant l'escalier et suivie par le jeune homme.

Elle lui fit traverser un grand salon tendu de satin, avec des moulures dorées, des meubles de Boule, des armoires incrustées, des bronzes, des camées, des statuettes et mille riens élégants qui brillaient dans la demi-obscurité ; puis elle le conduisit dans une salle du matin, tapissée d'épreuves gravées, de peintures de prix et, de là, dans une antichambre où elle s'arrêta, tenant le flambeau levé au-dessus de sa tête.

Le jeune homme jeta un regard émerveillé autour de lui, la bouche et les yeux ouverts.

— C'est une bien belle salle, et qui doit avoir coûté force argent.

— Regarde les peintures sur les murs, dit Phœbe, indiquant les panneaux de la chambre octogonale, ornés de Claude et de Poussin, de Wouvermans et de Cuyp. J'ai entendu dire que cela seul valait une fortune. Ceci est l'entrée de l'appartement de milady, autrefois miss Graham.

Elle souleva un lourd rideau vert qui fermait l'entrée, introduisit le paysan ébahi dans un boudoir féerique, puis dans un cabinet de toilette dans lequel les portes ouvertes d'une garde-robe et un monceau de vêtements jetés sur un sofa indiquaient assez que tout était resté exactement comme l'avait laissé celle qui l'occupait.

— J'ai à ranger toutes ces affaires avant le retour de milady ; tu peux t'asseoir ici, Luke, pendant ce temps ; ce ne sera pas long.

Le cousin jetait autour de lui des regards gauches et embarrassés, stupéfait par les splendeurs de cette pièce ; après quelque hésitation, il choisit le siège le plus confortable et s'assit avec soin tout au bord.

— J'aurais voulu te montrer les bijoux, Luke, mais je ne puis pas, car elle garde toujours les clefs sur elle ; ils sont là, dans ce coffre, sur la table de toilette.

— Quoi ! là-dedans ? s'écria Luke, fixant le coffre massif en noyer incrusté de cuivre, mais c'est assez grand pour serrer tous les habits que j'ai jamais possédés.

— Et c'est rempli autant qu'il est possible de diamants, de rubis, de perles et d'émeraudes, répondit Phœbe, occupée, en parlant, à plier les robes de soie qui produisaient leur frôlement ordinaire, et en les posant une à une sur les tablettes de la garde-robe.

Comme elle secouait les plis de la dernière, un bruit de clefs surprit son oreille, et elle mit sa main dans la poche.

— C'est bien la première fois que, contre son habitude, milady a laissé les clefs dans sa poche ! Je puis te montrer les bijoux, si tu le désires, Luke.

— Oui, je veux bien jeter un coup d'œil là-dessus, ma fille, dit-il en se levant de dessus son fauteuil et tenant le flambeau pendant que sa cousine ouvrait l'écrin.

Il poussa un cri d'admiration lorsqu'il vit les parures étinceler sur les coussins de satin blanc. Il éprouva le besoin de saisir les fragiles joyaux, de les retourner et d'évaluer leur valeur. Peut-être un saisissement d'envie et de désir ardent passa-t-il sur son cœur, en pensant combien il lui serait facile de s'emparer de l'un deux.

— Ah ! un de ces diamants assurerait notre existence, Phœbe, dit-il en tournant et retournant un bracelet dans ses grosses mains rouges.

— Pose cela, Luke, pose vite cela ! s'écria la jeune fille avec un regard de terreur ; comment peux-tu dire de telles choses ?

Il remit le bracelet à sa place à contre cœur et en soupirant, puis il continua d'examiner l'écrin.

— Qu'est-ce que c'est que ça ? demanda-t-il bientôt, montrant du doigt un bouton de cuivre dans la charpente de la boîte.

Ce disant, il le poussa, et un tiroir secret sortit de l'écrin.

— Viens donc voir ici ! s'écria Luke, enchanté de sa découverte.

Phœbe Marks jeta à terre la robe qu'elle était en train de plier et se pencha sur la table de toilette.

— Ah ! je ne connaissais pas ceci, je suis curieuse de voir ce qu'il y a là-dedans.

Il n'y avait pas grand-chose là-dedans, ce n'était ni de l'or ni des pierreries, mais simplement un petit soulier d'enfant en laine, enveloppé dans un morceau de papier, et une petite boucle de cheveux soyeux et d'un blond pâle évidemment coupée sur la tête d'un petit enfant. Les yeux gris de Phœbe se dilatèrent en examinant le petit paquet.

— Voilà donc ce que milady cache dans le tiroir secret, murmura-t-elle.

— C'est une singulière guenille à conserver dans un tel meuble, jeta Luke négligemment.

Les lèvres minces de la jeune fille se contractèrent avec un étrange sourire.

— Tu voudras bien témoigner de l'endroit où j'ai trouvé ceci, dit-elle en plaçant le petit paquet dans sa poche.

— Quoi, Phœbe, tu ne vas pas être assez folle pour prendre ça !

— Je préfère garder cela que le bracelet de diamants dont tu voulais t'emparer. Tu auras ton auberge, Luke.

4

En première page du *Times*

Robert Audley était censé être avocat. Comme avocat, son nom était inscrit dans la Law List ; comme avocat, il avait son appartement dans Fig-Tree Court, dans le quartier du Temple ; comme avocat, il avait consommé le nombre voulu de dîners qui forment la grande épreuve que traverse l'aspirant au barreau pour arriver à la réputation et à la fortune. Si toutes ces conditions peuvent faire d'un homme un avocat, Robert en était un, indéniablement. Mais il n'avait jamais eu de cause à plaider, ou n'avait jamais essayé, ni même envié d'en avoir une pendant les cinq années entières que son nom était resté peint sur une des portes de Fig-Tree Court. C'était un beau garçon, paresseux, insouciant, d'environ 27 ans, fils unique du plus jeune frère de sir Michael Audley. Son père lui avait laissé quatre cents livres de rente, revenu que ses amis l'avaient engagé à augmenter en embrassant le barreau. Comme il avait trouvé, après mûres considérations, plus d'ennui à s'opposer aux désirs de ses amis qu'à consommer un certain nombre de dîners et à prendre deux chambres dans le Temple, il avait adopté le dernier parti et, sans rougir, s'intitulait lui-même avocat.

Quelquefois, lorsque la température était brûlante et qu'il s'était épuisé dans le pénible labeur de fumer sa pipe allemande et de lire des nouvelles françaises, il consentait à aller se promener dans les jardins du Temple, où, s'allongeant en quelque endroit ombragé, pâle et flegmatique, avec son col de chemise rabattu et un foulard de soie bleu négligemment noué autour du cou, il racontait aux graves jurisconsultes qu'il était épuisé par excès de travail.

Les vieux hommes de loi riaient malicieusement à cette fiction plaisante, mais ils convenaient tous que Robert Audley était un excellent camarade, au bon cœur, et même un curieux garçon ayant un fond d'esprit piquant et d'originalité tranquille sous son indolence, sa flânerie, son insouciance et ses manières irrésolues. C'était un homme qui ne ferait jamais son chemin dans le monde, mais qui est incapable de tuer une mouche. En vérité, ses appartements étaient convertis en un véritable chenil, par son habitude de donner asile à tous les vilains chiens égarés et surpris par la nuit, qu'il attirait par ses regards dans la rue et qui le suivaient, poussés par une banale affection.

Robert passait toujours la saison de la chasse à Audley Court ; non qu'il fut chasseur distingué comme Nemrod, car il aimait mieux trotter tranquillement, en toute sécurité, sur un mauvais cheval bai, pacifique, aux membres solides, et se maintenir à une très respectable distance des cavaliers intrépides, son cheval sachant aussi bien que lui que la chose la plus contraire à ses désirs était d'être exposé à se tuer.

Le jeune homme était le grand favori de son oncle, et sa jolie, espiègle, gaie et folâtre cousine miss Alicia Audley ne le dédaignait pas le moins du monde. La bonne disposition de la jeune demoiselle, seule héritière d'une très belle fortune, aurait pu sembler à d'autres hommes bien digne d'être cultivée, mais cette pensée ne se présenta pas même à l'esprit de Robert Audley. Alicia était une très jolie fille, une charmante fille, sur laquelle il n'y avait rien à dire – une fille à remarquer entre mille ; mais c'était là le plus haut degré où son enthousiasme pût s'élever. L'idée de faire tourner à quelque résultat avantageux pour lui l'inclination de sa jeune cousine n'entra jamais dans son cerveau frivole. Je me demande même s'il eut jamais une idée bien exacte de la fortune de son oncle, et je puis certifier qu'il ne compta jamais un instant sur la chance qu'il pût lui revenir, en cas d'accident, quelque partie de cette fortune. De sorte qu'un beau matin, le facteur lui apporta les billets de faire-part du mariage de sir Michael et de lady Audley, en même temps qu'une lettre très indignée de sa cousine qui lui racontait comment son père venait d'épouser une espèce de poupée de cire, pas plus âgée qu'elle, avec des boucles blondes et un perpétuel ricanement ; car je suis fâché de dire que l'humeur sémillante de lady Audley taquinait Alicia au point de lui faire qualifier ainsi ce joli rire musical qui avait été tant admiré chez la ci-devant miss Lucy Graham. Quoique tous ces documents intéressassent Robert Audley, leur connaissance n'éveilla aucun étonnement dans la nature apathique de ce gentleman. Il lut la lettre irritée d'Alicia avec ses lignes croisées et recroisées sans retirer un instant de ses lèvres couvertes de moustaches le bout d'ambre de sa pipe allemande. Lorsqu'il eut terminé la lecture de la missive, pendant laquelle il avait gardé ses sourcils noirs relevés vers le milieu du front – c'était sa seule manière, soit dit en passant, d'exprimer sa surprise –, il la jeta d'un air délibéré, ainsi que les billets de faire-part, dans le panier aux vieux papiers et, posant sa pipe, se prépara lui-même à épuiser le sujet.

— J'ai toujours dit que le vieux buffle se remarierait, murmura-t-il, après environ une demi-heure de réflexion. Alicia et milady, sa belle-mère, vont être là-dedans comme marteau et tenailles. J'espère qu'elles voudront bien ne pas se quereller à la saison de la chasse, ou se dire des choses déplaisantes à dîner ; les querelles troublent toujours la digestion.

Vers onze heures du matin, le lendemain de la soirée lors de laquelle se passèrent les événements relatés dans mon précédent chapitre, le neveu du baronnet traversait Blackfriarsward en flânant hors du Temple et se dirigeait vers la City. Il avait obligé, dans une mauvaise heure, quelque ami nécessiteux en apposant l'antique nom des Audley sur un billet de complaisance ; lequel billet n'ayant pas été touché par le garçon de recette, Robert Audley était sommé de payer. Dans ce dessein, il avait monté en se promenant Ludgate Hill, avec sa cravate bleue dont les bouts flottaient à l'air brûlant du mois d'août, et de là était entré dans une banque située, au frais, dans un sombre passage hors du cimetière St Paul, où il prit les arrangements nécessaires pour vendre une centaine de livres de bons consolidés.

Il avait terminé cette affaire et flânait au coin du passage, guettant un *hansom*[1] pour le ramener au Temple, lorsqu'il fut presque renversé par un homme d'à peu près son âge, qui se précipita aveuglément dans l'étroit débouché.

— Soyez assez bon pour regarder où vous allez, mon ami, dit doucement Robert au passant impétueux, vous devriez avertir les gens avant de les jeter par terre et de les piétiner.

L'étranger s'arrêta subitement, regarda fixement l'interlocuteur et alors reprit haleine.

— Bob ! s'écria-t-il avec l'accent du plus grand étonnement. J'ai touché la terre anglaise seulement à la fin de la nuit dernière, et je vous rencontre ce matin !

— Je vous ai vu quelque part auparavant, mon ami barbu, dit Mr Audley en examinant avec calme le visage animé de l'autre, mais que je sois pendu si je puis me rappeler en quel endroit et à quelle époque.

— Quoi ! s'écria l'étranger, allez-vous me dire que vous avez oublié George Talboys ?

— Non, je ne l'ai pas oublié, dit Robert avec une énergie qui ne lui était en aucune façon habituelle.

---

1. Petite voiture à deux roues. Le cocher y était assis à l'arrière, les rênes passant au-dessus du toit. *(N.d.É)*

Et accrochant alors son bras à celui de son ami, il le conduisit dans le sombre passage et lui dit avec son indifférence habituelle :

— Et maintenant, George, apprenez-nous tout ce qui s'est passé.

George Talboys le lui apprit. Il raconta la même histoire qu'il avait exposée, dix jours avant, à la pâle gouvernante, à bord de l'*Argus*, puis, bouillant et hors d'haleine, déclara qu'il avait un paquet de bons d'Australie et qu'il avait besoin de les mettre en banque au comptoir de MM. X…, qui avaient été ses banquiers plusieurs années auparavant.

— Je sors justement de leurs bureaux, dit Robert, nous y retournerons ensemble et nous conclurons cette affaire en cinq minutes.

Ils parvinrent à l'arranger à peu près en un quart d'heure, et alors Robert Audley proposa immédiatement le *Crown and Sceptre* ou le *Castle,* à Richmond, où ils pourraient faire un bout de repas et causer du bon vieux temps où ils étaient ensemble à Eton. Mais George dit à son ami qu'avant d'aller n'importe où, avant de toucher à un morceau ou de rompre son jeûne, avant de se restaurer d'aucune façon après un voyage de nuit de Liverpool par le train express, il devait passer par un certain *coffee-house* de Bridge Street, Westminster, où il s'attendait à trouver une lettre de sa femme.

— Alors, j'irai avec vous, proposa Robert. Quelle idée d'avoir une femme, George, quelle absurde plaisanterie !

Comme ils traversaient Ludgate Hill, Fleet Street et le Strand dans un rapide *hansom*, George Talboys glissa dans l'oreille de son ami toutes les espérances folles et tous les rêves qui avaient pris un si grand empire sur sa nature ardente.

— Je prendrai une villa sur le bord de la Tamise, Bob, pour ma petite femme et moi ; et nous aurons un yacht, Bob, mon vieil ami, et nous nous étalerons sur le pont et nous fumerons, pendant que ma charmante petite jouera de sa guitare et nous chantera des chansons. Elle est pour tout le monde comme ces femmes dont je ne sais plus le nom, qui donnèrent tant de tracas à ce pauvre vieil Ulysse, ajouta le jeune homme dont le savoir classique n'était pas très considérable.

Les garçons du *coffee-house* de Westminster reculèrent à la vue de cet étranger aux yeux enfoncés, à la barbe longue, avec ses habits de coupe coloniale et ses manières étranges et agitées ; mais il avait été un vieil habitué de l'établissement quand il était au service, et dès qu'ils apprirent qui il était, ils s'empressèrent de lui offrir leurs bons offices.

Il n'avait pas besoin de grand-chose – une bouteille d'eau pétillante seulement, et savoir s'il y avait au comptoir une lettre à l'adresse de George Talboys.

Le garçon apporta le soda-water avant même que les jeunes gens eussent pris place dans un sombre recoin près du foyer éteint.

— Non, il n'y a pas de lettre à ce nom.

Le garçon dit ces mots avec une parfaite indifférence, en époussetant machinalement la petite table d'acajou.

Le visage de George se couvrit de la pâleur de la mort.

— Talboys, répéta-t-il, peut-être n'avez-vous pas entendu distinctement le nom, T, A, L, B, O, Y, S. Allez regarder encore, il doit y avoir une lettre.

Le garçon haussa les épaules en quittant la salle et revint au bout de trois minutes annoncer qu'il n'y avait aucun nom ressemblant à celui de Talboys dans la case aux lettres. Il y avait Brown, et Sanderson, et Pinchbek ; seulement trois lettres.

Le jeune homme but son eau pétillante en silence et, posant alors ses coudes sur la table, couvrit sa figure de ses mains. Il y avait quelque chose dans son air qui disait à Robert Audley que ce désappointement, insignifiant en apparence, était en réalité une déception pleine d'une grande amertume. Il contempla pensivement son ami, mais n'essaya pas de lui adresser la parole.

Bientôt George leva la tête et, prenant machinalement dans un tas de journaux, sur la table, un *Times* graisseux de la veille, il jeta ses yeux distraits sur la première page.

Je ne puis dire combien de temps il pâlit sur un paragraphe au milieu de la liste des décès, avant que son esprit bouleversé pût bien en saisir le contenu ; mais après une pause considérable, il tendit le journal à Robert Audley et, avec un visage qui était passé du bronze foncé à une maladive blancheur, livide et sombre, avec un calme effrayant, posa le doigt sur une ligne qui contenait les mots suivants : *Le 24 du courant, à Ventnor, île de Wight, Helen Talboys, âgée de 22 ans.*

5

La pierre tumulaire à Ventnor

Oui, il était écrit noir sur blanc : *Helen Talboys, âgée de 22 ans*.

Lorsque George disait à la gouvernante à bord de l'*Argus* que, s'il apprenait quelque mauvaise nouvelle de sa femme, il tomberait mort, il parlait avec une parfaite bonne foi. Et cependant il avait devant ses yeux les plus mauvaises nouvelles qui pussent lui parvenir, et il restait insensible, pâle et abattu, fixant d'un air hébété la figure consternée de son ami.

La soudaineté du coup l'avait étourdi. Dans l'état étrange et confus de son esprit, il commença à se demander ce qui était arrivé et comment cette seule ligne du *Times* avait pu produire un si terrible effet sur lui.

Alors, par degrés, cette vague conscience de son malheur disparut lentement de son esprit, remplacée par un pénible sentiment des objets extérieurs. La lumière éclatante du soleil d'août ; les volets poudreux des croisées et les stores à la peinture flétrie ; une rangée d'affiches salies par les mouches et fixées sur le mur ; le foyer triste et éteint ; un vieillard au crâne dénudé assoupi sur le *Morning Advertiser*, le garçon en savates pliant une nappe froissée et le beau visage de Robert Audley qui l'examinait d'un air alarmé et compatissant ; il sentit que tous ces objets prenaient des proportions gigantesques et se fondaient l'un dans l'autre dans des taches noires qui flottaient devant ses yeux. Il entendit comme le bruit assourdissant d'une demi-douzaine de machines à vapeur qui tempêtaient et grondaient à ses oreilles, puis il ne se rendit plus compte de rien, excepté que quelqu'un ou quelque chose tombait pesamment sur le sol.

Il ouvrit les yeux vers la fin de la soirée, dans une chambre fraîche et sombre, dont le silence était rompu seulement de temps en temps par le bruit lointain des voitures. Il jeta autour de lui des regards étonnés, mais presque indifférents. Son vieil ami Robert Audley fumait, assis à côté de lui. George était étendu sur une couchette basse, en fer, en face d'une croisée ouverte sur laquelle était une rangée de fleurs et deux ou trois oiseaux dans des cages.

— Avez-vous envie d'une pipe, voulez-vous fumer, George ? demanda tranquillement son ami.

— Non.

Il passa quelques instants à regarder les fleurs et les oiseaux ; un canari chantait en trilles aiguës un hymne au soleil couchant.

— Les oiseaux vous ennuieraient-ils, George ? Je les retirerai de la chambre.

— Non, je préfère les entendre chanter.

Robert Audley secoua les cendres de sa pipe, posa avec tendresse la précieuse écume de mer sur le chambranle de la cheminée, et, passant dans la pièce voisine, revint aussitôt avec une tasse de thé fort.

— Prenez ceci, George, dit-il en plaçant la tasse sur une petite table, près de l'oreiller de George ; cela vous fera du bien à la tête.

Le jeune homme ne répondit pas, mais regarda lentement autour de la chambre et, fixant enfin le visage grave de son ami :

— Bob… où sommes-nous ?

— Dans mon logis, mon cher garçon, au Temple. Vous n'avez pas de logement à vous, ainsi vous pouvez bien rester avec moi pendant que vous êtes à Londres.

George passa deux ou trois fois sa main sur son front ; puis, avec une certaine hésitation, il dit tranquillement :

— Ce journal, ce matin, Bob… qu'était-ce donc ?

— Ne songez plus à cela maintenant, vieil enfant ; buvez un peu de thé.

— Oui, oui ! s'écria George violemment, se dressant lui-même sur le lit et le fixant avec des yeux creux. Je me souviens de tout. Helen, mon Helen ! ma femme, ma bien-aimée, mon seul amour ! morte ! morte !

— George, dit Robert Audley en posant doucement sa main sur le bras du jeune homme, pensez que la personne dont vous avez lu le nom dans le journal peut ne pas être votre femme. Il peut bien avoir existé quelque autre Helen Talboys.

— Non, non ! l'âge correspond au sien, et Talboys n'est pas un nom très commun.

— Ce peut être une faute d'impression pour Talbot.

— Non, non, non ! ma femme est morte !

Il se débarrassa de la main de Robert, qui le retenait, et, sautant en bas de son lit, il se dirigea vers la porte.

— Où allez-vous donc ? s'écria son ami.

— À Ventnor, voir son tombeau.

— Pas ce soir, George, pas ce soir. J'irai moi-même demain avec vous par le premier train.

Robert le reconduisit à son lit et le força doucement

à se recoucher. Il lui donna alors une potion soporifique que lui avait laissée le médecin qu'on avait fait appeler au *coffee-house* de Westminster, lorsque George s'était évanoui.

Aussi George Talboys tomba-t-il dans un lourd assoupissement et rêva qu'il arrivait à Ventnor, qu'il trouvait sa femme vivante et heureuse, mais ridée, vieillie et grisonnante, et son fils devenu un grand jeune homme.

Le jour suivant, de bon matin, il était assis en face de Robert Audley, dans une voiture de première classe d'un train express, roulant à travers le joli pays découvert qui mène à Portsmouth.

Ils prirent la voiture de Ryde pour Ventnor par la chaleur brûlante d'un soleil de midi. Lorsque les jeunes gens en sortirent, les voyageurs qui attendaient furent saisis à la vue de George avec son visage livide et sa barbe en désordre.

— Qu'allons-nous faire, George ? demanda Robert Audley, nous n'avons aucun indice pour trouver ceux que nous avons besoin de voir.

Le jeune homme le regarda avec une expression triste et abattue. Le gros dragon était aussi faible qu'un enfant, et Robert Audley, le plus indécis et le moins énergique des hommes, se trouva appelé à agir pour un autre. Il se montra supérieur à lui-même et au niveau de la circonstance.

— Ne vaudrait-il pas mieux nous informer de Mrs Talboys à un des hôtels de l'endroit, George ?

— Elle s'appelait Maldon, du nom de son père, murmura George, il ne peut pas l'avoir laissée mourir seule ici.

Robert entra directement dans un hôtel où il s'enquit d'un Mr Maldon.

— Oui, lui répondit-on, il y a un gentleman de ce nom qui habite Ventnor, un certain capitaine Maldon ; sa fille est morte dernièrement.

Le garçon voulut bien aller s'enquérir de son adresse.

L'hôtel était plein d'activité en cette saison ; les gens sortaient et entraient, et il y avait un grand vacarme de domestiques et de garçons dans la salle d'attente. George Talboys s'appuya contre les piliers de la porte avec la même expression qui avait tant effrayé son ami dans le *coffee-house* de Westminster. Le pire était maintenant confirmé. Sa femme, la fille du capitaine Maldon, était morte.

Le garçon revint au bout de cinq minutes, informer que le capitaine Maldon était logé à Landsdowne Cottage, au numéro 4.

Ils trouvèrent facilement la maison, un méchant petit cottage aux croisées basses donnant sur l'eau.

— Le capitaine Maldon est-il chez lui ?

— Non, répondit la propriétaire, il est allé se promener sur la plage avec son petit-fils. Ces messieurs voudraient-ils entrer et s'asseoir un instant ?

George suivit machinalement son ami dans le petit salon de devant, couvert de poussière, pauvrement meublé et tout en désordre, avec des débris de jouets d'enfant éparpillés sur le plancher, et une vieille odeur de tabac qui imprégnait les rideaux de mousseline des croisées.

— Regardez, dit George, indiquant une peinture accrochée au manteau de la cheminée.

C'était son propre portrait, peint jadis, alors qu'il était dragon. C'était une excellente peinture qui le représentait en uniforme, avec son cheval dans le fond du paysage.

Le mieux intentionné des hommes aurait peut-être été un consolateur à peine aussi prudent que Robert Audley. Il n'adressa pas un mot au pauvre veuf et s'assit tranquillement, tournant le dos à George, regardant au-dehors par l'ouverture de la croisée.

Pendant quelque temps, le jeune homme erra en tous sens dans la chambre, examinant et touchant parfois les colifichets épars.

Sa boîte à ouvrage, avec une broderie inachevée, son album rempli d'extraits de Byron et de Moore, dans lesquels il reconnut son propre griffonnage, quelques livres qu'il lui avait donnés et une touffe de fleurs flétries dans un vase qu'ils avaient acheté en Italie.

— Son portrait était habituellement suspendu à côté du mien, murmura-t-il. Je voudrais bien savoir ce qu'on en a fait.

Puis après une demi-heure de silence :

— Je voudrais voir la propriétaire de la maison ; je voudrais l'interroger sur…

Il ne put continuer et cacha sa figure entre ses mains.

Robert appela la dame de la maison. C'était une créature bavarde, d'une nature excellente et habituée à côtoyer la maladie et la mort, car plusieurs de ses locataires étaient venus mourir chez elle. Elle raconta tous les incidents des dernières heures de Mrs Talboys, comment elle était arrivée à Ventnor, une semaine seulement avant sa mort, au dernier degré de la consomption, et comment, jour après jour, elle avait baissé et succombé inévitablement à la fatale maladie.

— Monsieur est-il un parent ? demanda-t-elle à Robert Audley en entendant George pousser un soupir.

— Oui, c'est le mari de la dame.

— Quoi ! s'écria la femme ; celui qui l'a abandonnée aussi cruellement et l'a laissée avec son joli petit garçon sur les bras de son pauvre vieux père, comme me l'a raconté si souvent le capitaine Maldon, avec des larmes dans ses pauvres yeux !

— Je ne l'ai pas abandonnée ! se récria George.

Et il raconta l'histoire de ses trois années de lutte acharnée.

— A-t-elle parlé de moi ?… demanda-t-il. A-t-elle parlé… de moi au… au… dernier moment ?

— Non, elle est partie aussi paisible qu'un agneau. Elle parlait peu le premier jour, mais à la fin elle ne connaissait plus personne, pas même son petit garçon ni son pauvre vieux père, qui s'en affligeait vivement. Une fois, elle devint comme folle et parla de sa mère et de la cruelle honte de mourir dans un pays étranger ; et c'était vraiment pitoyable de l'entendre.

— Sa mère est morte lorsqu'elle n'était qu'une enfant. Penser qu'elle a parlé d'elle, et pas une seule fois de moi…

La femme le conduisit dans la petite chambre à coucher dans laquelle son épouse était morte. Il s'agenouilla à côté du lit et baisa tendrement l'oreiller, au grand scandale de la propriétaire.

Pendant qu'il était prosterné, priant peut-être, la face ensevelie dans ce modeste oreiller blanc comme neige, la femme prit quelque chose dans un tiroir. Elle lui donna cet objet lorsqu'il se releva : c'était une longue tresse de cheveux enveloppée dans du papier argenté.

— Je l'ai coupée lorsqu'elle était déjà dans son cercueil, la pauvre enfant.

Il pressa les précieuses boucles sur ses lèvres.

— Voilà la chère chevelure que j'ai baisée si souvent lorsque sa tête reposait sur mon épaule. Mais elle était toujours ondoyante et bouclée alors, et celle-là est plate et raide.

— C'est l'effet de la maladie, dit la dame. Si vous voulez voir où elle repose, Mr Talboys, mon petit garçon vous montrera le chemin du cimetière.

George Talboys et son fidèle ami s'approchèrent du lieu tranquille où, sous un monticule de terre à peine recouvert de quelques traces de gazon frais, reposait cette femme dont le sourire affable avait tant de fois fait rêver George dans les lointains antipodes.

Robert laissa le jeune homme à côté de la tombe fraîchement recouverte et, revenant au bout d'un quart d'heure environ, le trouva immobile à la même place. Le jeune veuf leva bientôt la tête et dit que s'il y avait quelque part aux environs un marbrier, il désirait lui donner un ordre.

On trouva très aisément le marbrier, et, s'asseyant au milieu des débris qui encombraient l'atelier, George Talboys traça au crayon cette courte inscription pour la pierre tumulaire du tombeau de sa femme :

CONSACRÉ À LA MÉMOIRE DE
HELEN
FEMME TENDREMENT AIMÉE DE GEORGES TALBOYS
QUI QUITTA CETTE VIE
LE 24 AOÛT 1857, À L'ÂGE DE 22 ANS
PROFONDÉMENT REGRETTÉE PAR SON INCONSOLABLE
ÉPOUX

6

N'importe où, n'importe où, hors du monde

Lorsqu'ils retournèrent à Landsdowne Cottage, il se trouva que le vieillard n'était pas encore rentré, aussi descendirent-ils vers la plage pour le rencontrer. Après une courte recherche, ils le trouvèrent assis sur un tas de cailloux, lisant un journal et mangeant des noisettes. Le petit garçon, à quelque distance de son grand-père, s'amusait à creuser dans le sable avec une bêche de bois. Le crêpe qui entourait le mauvais chapeau du vieillard et la pauvre petite blouse noire de l'enfant frappèrent George au cœur. Partout où il allait, il trouvait confirmé le grand malheur de sa vie.

— Mr Maldon, dit-il en s'approchant de son beau-père.

Le vieillard leva les yeux et, posant son journal, se leva du tas de cailloux avec un salut cérémonieux. Ses cheveux rares et négligés avaient des teintes grisonnantes ; il avait un nez pincé et crochu, des yeux bleus humides et la bouche d'une expression irrésolue ; il portait ses vêtements usés avec une affectation de noblesse ridicule ; un lorgnon se balançait sur sa redingote boutonnée jusqu'au cou, et il avait une canne dans sa main dépourvue de gant.

— Juste ciel ! s'écria George ; vous ne me reconnaissez pas ?

Mr Maldon tressaillit et rougit violemment, avec quelque chose d'effrayé dans le regard, lorsqu'il reconnut son gendre.

— Mon cher ami, je ne vous reconnaissais pas… cette barbe vous change tellement. Ne trouvez-vous pas que cette barbe vous change beaucoup. Ne le trouvez-vous pas, monsieur ? dit-il, en appelant au témoignage de Robert.

— Grand Dieu ! s'écria George Talboys ; c'est ainsi que vous me recevez ? Je viens en Angleterre pour trouver ma femme morte la semaine qui a précédé mon arrivée, et vous commencez par me parler de ma barbe, vous, son père !

— C'est vrai, c'est vrai ! murmura le vieillard, essuyant ses yeux injectés de sang ; c'est un rude coup… un rude coup, mon cher ami. Si vous étiez arrivé ici seulement une semaine plus tôt…

— Si j'avais été ici, s'écria George dans une explosion de douleur et de passion, j'ai peine à croire que je l'aurais laissée mourir. Je l'aurais disputée à la mort. Oui… oui… Ô Dieu ! pourquoi l'*Argus* ne s'est-il pas englouti avec tous ceux qui étaient à bord avant que je vinsse pour voir ce jour fatal ?

Il commença à parcourir la plage de long en large, son beau-père jetant sur lui des regards abattus et frottant ses yeux affaiblis avec un mouchoir.

J'ai la ferme conviction que ce vieillard ne traitait pas trop bien sa fille, pensa Robert en examinant le lieutenant en demi-solde. Il semble avoir presque peur de George.

Pendant que dans son agitation le jeune homme se promenait de long en large, avec la fièvre des regrets et du désespoir, l'enfant courut à son grand-père et se suspendit aux pans de son habit.

— Allons à la maison, grand-papa, allons à la maison, je suis fatigué.

George Talboys se retourna au son de la voix enfantine et jeta sur l'enfant de longs et brûlants regards. Il avait les yeux bruns et la chevelure noire de son père.

— Mon chéri ! mon chéri ! dit George, prenant l'enfant dans ses bras ; je suis ton père qui a traversé la mer pour te retrouver, veux-tu m'aimer ?

Le petit gaillard le repoussa.

— Je ne vous connais pas, j'aime grand-papa et Mrs Monks, à Southampton.

— Georgey a un caractère à lui, monsieur, dit le vieillard. Il a été gâté.

Ils regagnèrent lentement le cottage, et une fois encore George Talboys raconta l'histoire de cet abandon qui avait paru si cruel. Il parla aussi des vingt mille livres placées par lui le jour précédent. Il n'avait pas le courage de poser de questions sur le passé, et son beau-père lui dit seulement que peu de mois après son départ, ils étaient partis de l'endroit où George les avait laissés, pour aller vivre à Southampton, où Helen avait eu quelques élèves au piano et où ils faisaient très bien leurs affaires jusqu'au moment où, la santé l'abandonnant, elle était tombée dans un état de dépérissement qui avait amené sa mort. Semblable à un grand nombre de lugubres histoires, celle-ci était d'une brièveté terrible.

— Cet enfant semble fou de vous, Mr Maldon, dit George après un moment de silence.

— Oui, oui, répondit le vieillard en caressant la chevelure bouclée de l'enfant ; oui, Georgey aime bien son grand-papa.

— Alors il vaut mieux qu'il reste avec vous. L'intérêt de mon argent sera à peu près de six cents livres par an. Vous pourrez en prendre là-dessus une centaine pour l'éducation de Georgey et laisser le reste s'accumuler jusqu'à ce qu'il soit en âge. Mon ami que voilà sera le curateur, et s'il veut accepter cette charge, je le constituerai tuteur de l'enfant, consentant pour le moment à le laisser à vos soins.

— Mais pourquoi ne prendriez-vous pas soin de lui vous-même, George ? demanda Robert Audley.

— Parce que je m'embarquerai sur le vaisseau qui quittera le plus tôt Liverpool pour l'Australie. Je serai mieux dans les mines ou dans le fond des bois que je ne pourrai jamais l'être ici. De cette heure je renonce à la vie civilisée, Bob.

Les yeux du vieil homme étincelèrent quand George annonça sa détermination.

— Mon pauvre ami, je crois que vous avez raison, je crois réellement que vous avez raison. Le changement, la vie sauvage, la… la…

Il hésita et s'interrompit, Robert le fixant avec attention.

— Vous êtes bien pressé d'être débarrassé de votre gendre, je crois, Mr Maldon.

— Débarrassé de lui, le cher garçon ! oh, non, non ! mais pour son propre avantage, mon cher monsieur, pour son propre avantage, vous savez.

— Je pense que, pour son propre avantage, il ferait mieux de rester en Angleterre et de veiller sur son fils.

— Mais je vous dis que je ne puis pas ! s'écria George ; chaque pouce de ce sol maudit est odieux à mon cœur. J'ai besoin de fuir loin de lui, comme je m'éloignerais d'un cimetière. Je veux retourner à Londres ce soir, arranger demain matin de bonne heure cette affaire d'argent et partir pour Liverpool sans retard. Je serai bien mieux lorsque j'aurai mis la moitié du monde entre moi et son tombeau.

Avant de quitter la maison, il s'esquiva pour parler à la propriétaire et lui adressa plusieurs questions.

— Étaient-ils pauvres ? demanda-t-il ; étaient-ils à court d'argent lorsque mon épouse était malade.

— Oh, non ! répondit la femme, quoique le capitaine soit mal vêtu, il a toujours sa bourse pleine de souverains. La pauvre jeune dame ne manquait de rien.

George fut soulagé par ces paroles, quoiqu'il fût intrigué de savoir comment cet ivrogne de lieutenant en demi-solde pouvait avoir trouvé l'argent nécessaire à toutes les dépenses de la maladie de sa fille. Mais il avait l'esprit trop abattu par l'infortune qui l'avait rendu incapable de penser à la moindre chose, et ne posa pas d'autres questions ; il se dirigea avec son beau-père et Robert Audley vers le bateau sur lequel ils devaient se rendre à Portsmouth.

Le vieillard adressa à Robert un très cérémonieux adieu.

— Vous ne m'avez pas présenté à votre ami, soit dit en passant, mon cher, remarqua-t-il.

George lança sur lui un regard terrible, murmura quelques mots confus et descendit l'escalier qui menait au bateau, avant que Mr Maldon pût répéter sa demande.

Le paquebot s'éloigna rapidement, laissant derrière lui le soleil couchant et les contours de l'île perdus dans l'horizon, comme ils approchaient du rivage opposé.

— Penser, dit George, qu'il y a deux soirées seulement, à la même heure, j'arrivais à toute vapeur à Liverpool, plein de l'espoir de la serrer sur mon cœur, et que ce soir je reviens de son tombeau.

Le titre qui constituait Robert Audley tuteur du petit George Talboys fut rédigé dans l'étude d'un avoué le matin suivant.

— C'est une grande responsabilité ! s'écria Robert ; moi, gardien de quelqu'un ou de quelque chose ! moi qui n'ai jamais pu de ma vie prendre soin de moi-même !

— J'ai confiance en votre noble cœur, Bob ; je sais que vous prendrez soin de mon pauvre enfant orphelin et que vous surveillerez s'il est bien traité par son grand-père. Je prendrai seulement sur la fortune de George de quoi me ramener à Sydney, et alors je me remettrai à mon ancien travail.

Mais il semblait que George fût destiné à être lui-même le tuteur de son fils, car lorsqu'il arriva à Liverpool, il se trouva qu'un vaisseau venait justement de prendre la mer et qu'il n'y aurait pas d'autre départ avant un mois ; aussi retourna-t-il à Londres, et une fois encore il eut recours à l'hospitalité de Robert Audley.

L'avocat le reçut à bras ouverts ; il lui donna la chambre aux oiseaux et aux fleurs et fit dresser pour lui-même un lit dans le cabinet de toilette. La douleur est si égoïste que George ne s'aperçut pas des sacrifices que son ami consentait pour son bien-être. Il savait seulement que pour lui le soleil était obscurci et sa vie terminée. Il restait assis tout le long du jour, fumant des cigares, les yeux fixés sur les fleurs et les canaris, s'irritant du temps qu'il fallait passer avant qu'il pût être bien loin en mer.

Mais, justement comme approchait l'heure du départ d'un bâtiment, Robert Audley vint un jour tout plein d'un grand projet. Un de ses amis, un autre de ces avocats dont la dernière pensée est celle des procès, se proposait d'aller passer l'hiver à Saint-Pétersbourg et demandait à Robert de l'accompagner. Robert ne voulait partir qu'à la seule condition que George vînt avec eux.

Pendant longtemps le jeune homme résista, mais Robert, avec tout son calme, était parfaitement décidé à ne pas partir sans lui, aussi George se rendit-il et consentit-il à être de la partie.

— Que m'importe ? soupira-t-il ; un pays est pour moi aussi indifférent qu'un autre ; qu'ai-je besoin de m'inquiéter ?

Ce n'était pas une façon très gaie d'envisager les choses, mais Robert Audley était très satisfait d'avoir enlevé son consentement.

Les trois jeunes gens se disposaient à partir dans les circonstances les plus favorables, munis de lettres de recommandation pour les habitants les plus influents de la capitale de la Russie. Avant de quitter l'Angleterre,

Robert écrivit à sa cousine Alicia pour lui annoncer son départ avec son vieil ami George Talboys, qu'il avait dernièrement retrouvé et qui venait de perdre sa femme.

La réponse d'Alicia arriva par le retour de la poste et était ainsi conçue :

Mon cher Robert,

Qu'il est cruel à vous de partir pour cet horrible Saint-Pétersbourg avant la saison de la chasse ! J'ai entendu dire qu'on perdait souvent son nez dans ce désagréable climat, et comme le vôtre a une certaine longueur, je voudrais vous avertir afin que vous reveniez avant que la rude température l'ait congelé. Quelle sorte d'individu est ce jeune Mr Talboys ? S'il est très aimable, vous pourriez l'amener au château aussitôt que vous serez de retour de vos voyages. Lady Audley me demande de vous prier de lui apporter une garniture de zibeline. Vous ne devez pas vous arrêter au prix, mais à ce qu'elle soit positivement la plus belle que vous pourrez trouvez. Papa est parfaitement ridicule avec sa nouvelle femme, et elle et moi ne pouvons nous accorder ; non qu'elle soit désagréable pour moi, car, bien loin de là, elle se rend, autant que possible, agréable à tout le monde ; mais elle est en définitive puérile et sotte.

Croyez-moi, mon cher Robert,
Votre affectionnée cousine,
Alicia Audley.

7

Après une année

La première année du veuvage de George Talboys était écoulée ; le large crêpe de son chapeau était devenu jaunâtre et fané, et comme les rayons d'un jour d'un autre mois d'août s'éteignaient, il était assis et fumait dans les chambres paisibles de Fig-Tree Court, absolument comme il l'avait fait l'année précédente, quand l'horreur de son infortune était encore récente et que chaque objet, insignifiant ou important, semblait saturé de son propre chagrin.

Mais l'ex-dragon avait survécu douze mois à son affliction, et quelque pénible que ce soit à dire, il n'avait pas une très mauvaise apparence, malgré sa douleur. Le ciel seul connaissait le profond changement opéré en lui par cette amère déception ! Le ciel seul connaissait quelles angoisses désolantes de remords et de reproches avaient torturé le cœur honnête de George pendant qu'il passait les nuits sans sommeil, pensant à sa femme qu'il avait abandonnée pour aller à la poursuite d'une fortune qu'elle n'avait jamais pu partager.

Une fois, lorsqu'ils étaient à l'étranger, Robert Audley s'était hasardé à le féliciter sur le rétablissement de son esprit. George avait éclaté d'un rire amer.

— Ne savez-vous pas, Bob, que lorsque quelques-uns de nos camarades sont blessés dans l'Inde, ils reviennent chez eux avec des balles dans le corps. Ils n'en parlent pas, ils sont solides et dispos, et ils ont peut-être aussi bonne figure que vous et moi ; mais chaque changement de température, même léger, chaque variation de l'atmosphère, même insignifiante, ramène les anciennes douleurs de leurs blessures, aussi vives qu'ils les sentirent sur le champ de bataille. J'ai ma blessure, Bob, je porte aussi ma balle, et je la porterai jusque dans mon cercueil.

Les voyageurs étaient revenus de Saint-Pétersbourg au printemps, et George avait repris ses quartiers dans les chambres de son vieil ami, les quittant seulement de temps en temps pour courir à Southampton et jeter un coup d'œil sur son petit garçon. Il arrivait toujours chargé de jouets et de friandises pour l'enfant ; mais, malgré tous ces présents, Georgey ne devenait pas familier avec son papa, et le cœur du jeune homme se brisait en craignant que même son enfant ne fût perdu pour lui.

Que puis-je faire ? pensait-il. Si je le sépare de son grand-père, je lui causerai du chagrin ; si je le laisse, il grandira comme un véritable étranger pour moi et se souciera plus de ce vieil hypocrite d'ivrogne que de son propre père. Mais que pourrait faire d'un enfant un ignorant et épais dragon comme moi ? Pourrais-je lui enseigner autre chose que fumer des cigares et flâner tout le long du jour les mains dans les poches ?

Le jour anniversaire de ce 30 août, où George avait vu l'annonce du décès de sa femme dans le *Times*, était revenu pour la première fois, et le jeune homme ôta ses habits noirs et le crêpe fané de son chapeau et posa ses vêtements de deuil dans une malle où il gardait un paquet de lettres de sa femme, et cette mèche de cheveux qui avait été coupée sur sa tête après sa mort. Robert Audley n'avait jamais vu ni les lettres ni la longue tresse soyeuse, et George, en vérité, n'avait jamais prononcé le nom de son épouse morte depuis ce jour où il avait appris à Ventnor tous les détails de sa maladie.

— J'écrirai aujourd'hui à ma cousine Alicia, George, dit le jeune avocat, ce même 30 août. Ne savez-vous pas qu'après-demain est le 1er septembre ? Je lui écrirai pour lui annoncer que nous irons tous les deux au château pendant une semaine, pour chasser.

— Non ! non ! Bob, allez seul ; ils n'ont pas besoin de moi, et je serai mieux…

— Enseveli tout seul dans Fig-Tree Court, sans autres compagnons que mes chiens et mes canaris ! Non, George, vous ne ferez pas une pareille chose.

— Mais je ne me soucie pas de chasser.

— Et supposez-vous que je m'en soucie beaucoup ? s'écria Robert avec une charmante *naïveté**. Quoi ! mon

* Les mots en italiques suivis d'un astérisque sont en français dans le texte. *(N.d.É)*

brave, je ne distingue pas un perdreau d'un pigeon, et ce pourrait bien être le 1er avril au lieu du 1er septembre, pour ce que j'en ai à faire. Je n'ai jamais blessé un oiseau de ma vie, mais seulement endommagé mes propres épaules avec le poids de mon fusil. Je ne veux partir dans l'Essex que pour changer d'air, les bons dîners et la vue de la respectable figure de mon digne oncle. Cette fois, en outre, j'ai un autre motif : voir ce modèle de belle chevelure, ma nouvelle tante. Viendrez-vous avec moi, George ?

— Oui, si réellement vous le désirez…

Le caractère calme qu'avait pris son chagrin l'avait laissé aussi soumis qu'un enfant aux volontés de son ami ; prêt à aller partout où il voudrait et à faire tout ce qu'il voudrait ; ne cherchant pas le plaisir, mais participant aux divertissements des autres avec un abattement, un flegme, une silencieuse et paisible résignation.

Cependant le retour de la poste apporta une lettre d'Alicia Audley, qui annonçait que les deux jeunes gens ne pouvaient être reçus au château.

Il y a dix-sept chambres libres, écrivait la jeune demoiselle, en caractères tracés d'une main indignée ; *et cependant, mon cher Robert, vous ne pouvez venir, car milady s'est mis dans sa stupide tête qu'elle était trop souffrante pour recevoir des visites – elle n'est pas plus souffrante que moi – et qu'elle ne peut accueillir dans sa maison des gentlemen – elle dit des grandes brutes d'hommes. Daignez présenter des excuses à votre jeune ami, Mr Talboys, et lui dire que papa espère le voir avec vous pendant la saison de chasse.*

— Les fantaisies et les airs de milady ne nous interdiront pas l'Essex, dit Robert en tordant la lettre pour allumer sa grosse pipe en écume de mer ; voici ce que nous allons faire, George : il y a à Audley une excellente auberge et une quantité d'endroits pour pêcher dans le voisinage ; nous allons y aller et nous offrir une semaine d'amusement. La pêche est bien plus agréable que la chasse, vous n'avez qu'à rester allongé sur le rivage et à regarder votre ligne ; on ne prend pas souvent quelque chose, mais c'est très amusant.

Il approcha, en parlant, la lettre tordue de quelques faibles étincelles qui brillaient dans la grille du foyer et, changeant bientôt d'idée, il se mit résolument à dérouler et à lisser avec sa main le papier froissé.

— Pauvre petite Alicia ! dit-il d'un air pensif, il est vraiment cruel de traiter ses lettres aussi cavalièrement ; je vais garder celle-ci.

Sur ce, Mr Audley replaça la lettre dans son enveloppe et la jeta ensuite dans une case du bureau de son cabinet, étiquetée *Important*. Dieu sait les merveilleux documents qui étaient rangés là ; mais je ne pense pas qu'elle eût jamais renfermé quelque pièce d'une grande valeur judiciaire. Si quelqu'un avait dit à cet instant au jeune avocat qu'une lettre si anodine était destinée à devenir un jour un des anneaux du terrible enchaînement de preuves qui devait être plus tard lentement reconstruit, et former le seul cas criminel dans lequel il dût être jamais intéressé, Mr Robert Audley aurait peut-être relevé ses sourcils un peu plus haut que d'habitude.

Les deux jeunes gens quittèrent donc Londres, le lendemain, avec un portemanteau et tout un attirail de pêche, et ils arrivèrent au village retiré d'Audley, avec ses constructions anciennes et presque ruinées, à temps pour commander un bon dîner à l'auberge *Sun Inn*.

Audley Court était environ à trois quart de mile du village, situé, comme je l'ai dit, dans un bas-fond, encaissé dans un cercle de bois de haute futaie. On ne pouvait y arriver que par un chemin de traverse bordé d'arbres et aussi bien entretenu que les avenues d'un parc princier. C'était une assez triste résidence, même dans toute sa beauté rustique, pour une créature aussi brillante que la ci-devant miss Lucy Graham ; mais le généreux baronnet avait transformé l'intérieur du vieux manoir grisâtre en un petit palais pour sa jeune femme, et lady Audley paraissait aussi heureuse qu'un enfant entouré de jouets nouveaux et précieux.

Dans sa bonne fortune, comme dans ses anciens jours de dépendance, elle semblait apporter avec elle la lumière et la joie. En dépit du dédain non déguisé de miss Alicia pour la frivolité et l'humeur enfantine de sa belle-mère, Lucy était beaucoup plus aimée et plus admirée que la fille du baronnet. Cette humeur enfantine avait vraiment un charme auquel peu de gens pouvaient résister. L'innocence et la candeur de l'enfance brillaient sur le beau visage de lady Audley et éclataient dans ses grands yeux bleus si limpides. Ses lèvres roses, son nez exquis, la profusion de ses belles boucles, tout contribuait à conserver à sa beauté le caractère d'une extrême jeunesse et d'une première fraîcheur. Elle avouait 20 ans, mais il était difficile de lui en donner plus de 17. Sa taille frêle, qu'elle se plaisait à enfermer dans des robes de velours épais et de fortes soieries, la faisait ressembler à un enfant attifé pour une mascarade ; elle avait l'air d'une jeune fille qui vient seulement de quitter la chambre des enfants. Tous ses amusements étaient puérils. Elle détestait la lecture et toute étude d'un genre quelconque, et appréciait la société ; plutôt que de rester seule, elle préférait admettre Phœbe Marks dans son intimité puis, étendue nonchalamment sur un des sofas de son luxueux cabinet de toilette, discuter une nouvelle parure pour quelque prochain dîner ou jacasser avec la jeune fille, son écrin de bijoux devant elle, en étalant les présents de sir Michael sur ses genoux, pendant qu'elle comptait et admirait ses trésors.

Elle avait paru à quelques bals publics à Chelmsford et à Colchester et avait été immédiatement proclamée la beauté du comté. Heureuse de sa position élevée et de sa magnifique demeure, voyant chacun de ses caprices satisfait, chacune de ses fantaisies réalisée, adorée follement de son généreux époux, dotée d'une très belle pension pour ses menues dépenses, n'ayant aucun parent pauvre pour la tourmenter et réclamer l'aide de sa bourse ou de sa protection, il eût été difficile de trouver dans le comté d'Essex une créature plus fortunée que Lucy Audley.

Les deux jeunes gens flânèrent à table dans une salle particulière de l'auberge *Sun Inn*. Les fenêtres étaient toutes grandes ouvertes, et l'air frais de la campagne pénétrait jusqu'à eux pendant qu'ils dînaient. Le temps était délicieux ; le feuillage des bois montrait çà et là les nuances affaiblies des premières teintes de l'automne ; les épis jaunes, encore debout dans quelques champs, tombaient sous les faucilles étincelantes, pendant que l'on rencontrait dans les sentiers étroits de grands chariots traînés par des chevaux d'attelage, au large poitrail, transportant dans les fermes la moisson dorée. Pour qui est resté, pendant les mois brûlants d'été, claquemuré dans Londres, il y a dans la première saveur de la vie des champs une espèce d'enthousiasme voluptueux difficile à décrire. George Talboys éprouva cette sensation délicieuse, et avec elle quelque sentiment voisin du plaisir qu'il n'avait jamais connu depuis la mort de sa femme.

L'horloge sonna cinq heures comme ils finissaient de dîner.

— Prenez votre chapeau, George, dit Robert Audley. On ne dîne pas avant sept heures au château ; nous aurons le temps de descendre jusque-là et de voir la vieille demeure et ses habitants.

L'hôtelier, qui était entré dans la chambre avec une bouteille de vin, leva les yeux en entendant les paroles du jeune homme.

— Je vous demande pardon, Mr Audley, mais si vous voulez voir votre oncle, vous perdrez votre temps. Sir Michael, milady et miss Alicia sont tous partis pour les courses de Chorley, et ils ne pourront être de retour qu'à la nuit, vers huit heures très probablement. Ils doivent passer par ici pour rentrer chez eux.

Dans ces circonstances, naturellement, il était inutile d'aller au château, aussi les deux jeunes gens se promenèrent-ils dans le village : ils examinèrent la vieille église et allèrent ensuite reconnaître les ruisseaux dans lesquels ils avaient l'intention de pêcher le lendemain, et trompèrent ainsi le temps jusqu'à sept heures passées. Un quart d'heure après ils retournèrent à l'auberge, s'accoudèrent sur la croisée ouverte et, allumant leurs cigares, contemplèrent le paysage tranquille devant eux.

On entend parler tous les jours de meurtres commis dans les campagnes, d'assassinats remplis de trahison et de barbarie, d'agonies obscures et prolongées causées par le poison administré par la main de quelque proche parent, de morts soudaines et violentes, de cruels coups donnés avec un bâton coupé à quelque chêne dont l'ombrage ne promettait que le calme et la paix. Dans le comté dont je parle, on m'a montré une prairie où un jeune fermier, par une tranquille soirée d'un dimanche d'été, avait assassiné une fille qui l'avait aimé et s'était livrée à lui ; et même maintenant, avec la tache de cette horrible action, l'aspect de ce lieu respire encore la paix. Il n'est pas de crime commis dans les plus mauvais lieux des Seven Dials[1] qui n'ait été perpétré aussi dans ce doux calme des champs sur lequel nous portons un regard de tendresse, de sympathie mélancolique, mais toujours accompagné de l'idée de paix.

Il était nuit lorsque gigs et chaises, dog-carts et lourds phaétons de fermiers commencèrent à rouler avec fracas dans les rues du village et sous les croisées de *Sun Inn* ; la nuit était plus noire encore lorsqu'une voiture découverte attelée de quatre chevaux se rangea sous l'enseigne tremblante.

C'était l'équipage de sir Michael Audley, qui s'était

1. Carrefour et quartier de Londres autrefois de mauvaise réputation ; en son centre s'élevait une colonne à sept cadrans. *(N.d.É)*

arrêté subitement devant la petite auberge. Le harnais du cheval de volée était dérangé, et le premier postillon était descendu pour réparer l'accident.

— Mais, c'est mon oncle ! s'écria Robert comme la voiture s'arrêtait ; je vais descendre et lui parler.

George alluma un autre cigare et, abrité derrière les rideaux des croisées, regarda cette petite réunion de famille. Alicia était assise, le dos tourné aux chevaux, et il put remarquer, même dans l'ombre, que c'était une belle brunette ; mais lady Audley étant placée dans la voiture, du côté le plus éloigné de l'auberge, il ne put rien voir de cette merveille aux beaux cheveux dont il avait tant entendu parler.

— Quoi ! Robert ! s'écria sir Michael comme son neveu sortait de l'auberge ; quelle surprise !

— Je ne suis pas venu pour aller chez vous, au château, mon cher oncle, dit le jeune homme tandis que le baronnet lui secouait la main cordialement. L'Essex est mon comté natal, vous le savez, et à cette époque de l'année, je suis généralement atteint du mal du pays ; aussi George et moi sommes-nous descendus à l'auberge pour deux ou trois jours de pêche.

— George... George qui ?

— George Talboys.

— Ah ! est-ce qu'il est venu ? s'écria Alicia. J'en suis enchantée, car je meurs d'envie de voir ce jeune et beau veuf.

— Vraiment, Alicia ? dit son cousin ; eh bien, alors, je cours vous le chercher et vous le présenter à l'instant.

L'empire que lady Audley, avec ses façons étourdies de jeune fille, avait gagné sur son idolâtre époux était maintenant si complet qu'il était extrêmement rare que les yeux du baronnet fussent longtemps détournés de la jolie figure de sa femme. Aussi, lorsque Robert fut sur le point de rentrer dans l'auberge, il suffit à Lucy de relever ses sourcils avec une charmante expression d'ennui et de terreur pour apprendre à son mari qu'elle n'avait pas besoin d'être assommée par une présentation à Mr George Talboys.

— Non, pas ce soir, Bob, dit Michael Audley, ma femme est un peu fatiguée après une longue journée de plaisir. Amenez votre ami demain à dîner, et alors Alicia et lui pourront faire connaissance. Faites le tour pour saluer lady Audley, et nous rentrerons ensuite à la maison.

Milady était si horriblement fatiguée qu'elle ne put donner qu'un doux sourire et tendre une petite main gantée à son neveu par alliance.

— Vous viendrez dîner demain avec nous, et vous nous amènerez votre intéressant ami, dit-elle d'une voix basse et brisée.

Elle avait été le principal attrait des courses et était épuisée par les efforts qu'elle avait déployés pour fasciner la moitié du comté.

— Il est bien étonnant qu'elle ne vous ait pas accueilli avec son éternel éclat de rire, chuchota Alicia en se penchant hors de la portière de la voiture pour souhaiter le bonsoir à Robert, mais soyez sûr qu'elle le réserve pour vous subjuguer demain. Je suppose que vous serez fasciné aussi bien que tout le monde, ajouta la jeune demoiselle d'un ton un peu aigre.

— C'est une délicieuse créature, certainement, murmura Robert avec une admiration calme.

— Oh ! naturellement. Eh bien ! voilà la première femme sur laquelle je vous ai jamais entendu dire un mot agréable ; Robert, je suis fâchée de voir que vous n'avez d'admiration que pour les poupées de cire.

La pauvre Alicia avait eu de nombreuses escarmouches avec son cousin à propos de ce tempérament particulier qui, en lui permettant d'avancer dans la vie avec un contentement parfait et une jouissance tacite, défendait à ses sentiments une étincelle d'enthousiasme sur un sujet quelconque.

Quant à tomber amoureux de quelqu'un, pensait

quelquefois la jeune fille, cette idée est trop absurde. Si toutes les divinités de la terre étaient rangées devant lui, attendant qu'il leur jette le mouchoir, il se contenterait de relever ses sourcils jusqu'au milieu du front et de leur dire de se le disputer.

Mais, pour la première fois de sa vie, Robert était presque enthousiaste.

— C'est la plus jolie petite créature que vous ayez jamais vue de votre vie, George ! s'écria-t-il, lorsque la voiture fut partie et qu'il eut rejoint son ami. Quels yeux bleus, quelles boucles, quel ravissant sourire et quelle coiffure de fée – un essaim frémissant de myosotis et de perles de rosée, qui sortait d'un nuage de gaze ! Je sens, comme le héros d'une nouvelle française, que je vais tomber amoureux de ma tante.

George se contenta de soupirer et de lancer une bouffée de son cigare par la croisée ouverte. Il pensait peut-être à ce temps éloigné – un peu plus de cinq ans, seulement, mais qui lui paraissait un siècle –, où il avait rencontré pour la première fois la femme pour laquelle il portait encore un crêpe autour de son chapeau trois jours auparavant. Tous ses anciens souvenirs enfouis resurgirent et se représentèrent à lui avec les lieux qui les avaient vus naître. Il se promenait encore avec les officiers ses camarades, sur la vieille jetée du port de mer où l'on prenait les eaux, écoutant l'insupportable musique du régiment avec son cornet qui n'avait qu'une note et qu'un demi-bémol. Il entendait encore ces vieux airs d'opéra et la voyait venir vers lui d'un pas léger, appuyée sur le bras de son vieux père et prétendant – avec une dissimulation si charmante, si délicieuse, et un sérieux si comique – qu'elle était tout entière à la musique et complètement ignorante de l'admiration d'une demi-douzaine d'officiers de cavalerie qui la regardaient bouche béante. Elle revint à son esprit, l'idée qu'il avait eue alors, qu'elle était quelque chose de trop beau pour la terre ou pour la vie de ce monde, et que s'approcher d'elle était comme entrer dans une atmosphère supérieure et respirer un air plus pur. Depuis ce temps elle avait été sa femme et la mère de son enfant. Elle reposait dans le petit cimetière de Ventnor, et il y avait seulement une année qu'il avait commandé pour elle une pierre tumulaire. Quelques larmes lentes et silencieuses coulèrent sur son gilet, comme il pensait à ces choses dans sa chambre paisible et sombre.

Lady Audley était si fatiguée, lorsqu'elle arriva à sa demeure, qu'elle s'excusa de ne pouvoir assister au dîner et se retira tout de suite dans son cabinet de toilette, accompagnée par sa femme de chambre, Phœbe Marks.

Elle était un peu capricieuse dans ses manières envers cette jeune femme de chambre ; quelquefois très intime, quelquefois presque réservée, mais elle était une maîtresse généreuse, et la jeune fille avait toutes sortes de raisons pour être satisfaite de sa situation.

Ce soir-là, malgré sa fatigue, milady était de belle humeur et fit une description animée des courses et de la compagnie qui y assistait.

— Je n'en suis pas moins exténuée à mourir, Phœbe. J'ai bien peur de ressembler à quelque chose de très laid, après une journée passée sous un soleil brûlant.

Deux bougies étaient allumées de chaque côté de la glace devant laquelle lady Audley se tenait en se déshabillant. Elle regarda en face sa femme de chambre, avec ses yeux bleus clairs et brillants, et ses lèvres roses et enfantines étaient relevées par un malin sourire.

— Vous êtes un peu pâle, milady, répondit la jeune fille, mais vous paraissez aussi jolie que jamais.

— C'est vrai, Phœbe, dit-elle en se laissant tomber dans un fauteuil et en rejetant en arrière ses boucles, vers sa femme de chambre qui se tenait debout, la brosse à la main, prête à arranger pour la nuit cette luxuriante chevelure. Savez-vous, Phœbe, que j'ai entendu dire à quelques personnes que vous et moi nous nous ressemblions ?

— Je l'ai entendu dire aussi, milady, répliqua tranquillement la jeune fille, mais il faut être vraiment stupide pour prétendre pareille chose, car milady est une beauté, et moi je suis une pauvre et ordinaire créature.

— Non, pas du tout, Phœbe, dit généreusement la mignonne dame, vous me ressemblez, et vos traits sont très délicats ; ce sont seulement les couleurs qui vous manquent. Ma chevelure est d'un blond pâle avec des reflets d'or, et la vôtre est châtain ; mes sourcils et mes cils sont ombrés de noir, et les vôtres sont presque… je voudrais ne pas le dire… mais ils sont presque blancs, ma chère Phœbe ; votre teint est blême, et le mien est de carmin et de rose. Mais, avec un flacon de teinture pour les cheveux, comme ceux que nous voyons annoncés dans les journaux, et un pot de rouge, vous aurez aussi bonne mine que moi, Phœbe.

Elle continua ainsi de caqueter pendant longtemps, parlant de cent sujets frivoles et ridiculisant les gens qu'elle avait rencontrés aux courses, pour amuser sa femme de chambre. Sa belle-fille vint dans le cabinet de toilette pour lui souhaiter une bonne nuit, et trouva servante et maîtresse riant aux éclats à propos des aventures du jour. Alicia, qui n'était jamais familière avec ses domestiques, s'éloigna, pleine de dégoût pour la frivolité de milady.

— Continue de brosser mes cheveux, Phœbe, disait lady Audley, chaque fois que la jeune fille était sur le point de terminer sa besogne ; je suis si enchantée de causer avec toi.

À la fin, comme elle venait de renvoyer sa femme de chambre, elle la rappela subitement :

— Phœbe Marks, j'ai besoin que tu me rendes un service.

— Oui, milady.

— Je voudrais que tu ailles à Londres par le premier train de demain matin, faire une petite commission pour moi. Tu pourras prendre un jour de congé ensuite, car je sais que tu as des amis dans la capitale, et je te donnerai un billet de cinq livres, si tu exécutes ce que je veux et gardes le secret.

— Oui, milady.

— Regarde si la porte est bien fermée et viens t'asseoir sur ce tabouret à mes pieds.

La jeune fille obéit. Lady Audley caressa la chevelure incolore de sa femme de chambre avec sa main d'un blanc mat chargée de bagues, pendant qu'elle réfléchissait quelques instants.

— Écoute-moi, Phœbe. Ce que je te demande de faire est très simple…

C'était si simple que ce fut arrangé en cinq minutes ; alors lady Audley se retira dans sa chambre à coucher et se blottit pudiquement sous son édredon. Frileuse et mignonne créature, elle aimait à s'ensevelir dans le satin et les fourrures.

— Embrasse-moi, Phœbe, dit-elle comme la jeune fille arrangeait les rideaux. J'entends le pas de sir Michael dans l'antichambre, tu le rencontreras en sortant d'ici et tu pourras lui dire que tu pars par le premier train de demain pour aller chercher ma robe chez Madame Frederick, pour le dîner de Morton Abbey.

Il était tard dans la matinée lorsque lady Audley descendit le lendemain pour déjeuner, dix heures passées. Pendant qu'elle buvait à petits coups son café, un domestique lui apporta un paquet cacheté et un registre pour y apposer sa signature.

— Une dépêche télégraphique ! s'écria-t-elle, quel peut en être le sujet ?

Elle leva les yeux sur son mari, la bouche ouverte, le regard terrifié, à moitié effrayée de briser le cachet. L'enveloppe portait l'adresse de miss Lucy Graham, chez Mr Dawson, et avait été renvoyée du village au château.

— Lisez cela, ma chérie, et ne vous alarmez pas, ce ne peut être rien de bien important.

Cela venait de chez Mrs Vincent, la maîtresse de pension à laquelle Lucy Graham avait renvoyé pour les renseignements, en entrant dans la famille de Mr Dawson. Cette dame était gravement malade et suppliait son ancienne élève de venir la voir.

— Pauvre femme ! Elle m'a toujours dit qu'elle me laisserait son argent, soupira Lucy avec un douloureux sourire. Elle n'a pas entendu parler de mon changement de fortune. Cher sir Michael, je dois aller la voir.

— Certainement, vous le devez, ma très chère amie. Si elle a été bonne pour ma pauvre petite dans son infortune, elle a droit de ne pas être oubliée pendant sa prospérité. Mettez votre chapeau, Lucy ; nous aurons le temps de prendre l'express.

— Vous venez avec moi ?

— Naturellement, ma chérie. Pouvez-vous supposer que je vous laisserais aller seule ?

— J'étais sûre que vous voudriez venir avec moi, dit-elle d'un air pensif.

— Votre amie vous envoie-t-elle une adresse ?

— Non, mais elle a toujours habité Crescent Villas, West Brompton, et sans aucun doute elle habite encore là.

Lady Audley eut seulement le temps de prendre précipitamment son chapeau et son châle, et elle entendit la voiture rouler devant la porte et sir Michael l'appeler du bas de l'escalier. L'enfilade de ses chambres qui débouchaient l'une dans l'autre finissait par une antichambre octogonale tapissée de peintures à l'huile. Même dans sa précipitation, elle s'arrêta résolument à la porte de cette pièce, la ferma à double tour et glissa la clef dans sa poche. Cette porte, une fois fermée, interdisait tout accès aux appartements de milady.

8

Avant l'orage

Le dîner à Audley Court était donc ajourné, et miss Alicia eut plus longtemps encore à attendre la présentation du beau jeune veuf, Mr George Talboys.

J'ai peur, à dire vrai, qu'il n'y eût peut-être une certaine affectation dans l'empressement que cette jeune fille témoignait à faire la connaissance de George ; mais si la pauvre Alicia spécula un moment sur la possibilité d'exciter, par cette démonstration d'intérêt, quelque étincelle de jalousie cachée dans le fond du cœur de son cousin, elle n'était pas aussi bien renseignée qu'elle aurait pu l'être sur le caractère de Robert Audley. Indolent, beau et indifférent, le jeune avocat considérait la vie dans son ensemble comme une duperie trop absurde pour qu'aucun événement méritât un instant d'être considéré comme sérieux par un homme sensé.

Sa jolie cousine, à la figure de lutin, aurait pu avoir de l'amour pour lui par-dessus la tête et les oreilles et le lui faire entendre, en ces termes charmants et détournés qui n'appartiennent qu'aux femmes, cent fois par jour, pendant les trois cent soixante-cinq jours de l'année, je doute fort qu'il se fût jamais aperçu de l'état de son cœur, à moins qu'elle attendît quelque exceptionnel 29 février et marchât droit à lui en lui disant : « Robert, voulez-vous m'épouser ? ».

Encore, eût-il été amoureux d'elle, je crois que cette tendre passion aurait été chez lui un sentiment si vague et si faible qu'il aurait pu descendre au tombeau avec une obscure idée de quelque sensation désagréable qui pouvait être aussi bien amour qu'indigestion, et sans avoir une connaissance quelconque de sa situation.

Aussi était-il parfaitement inutile, ma pauvre Alicia, de chevaucher dans les chemins fleuris autour d'Audley pendant ces trois jours que les deux jeunes gens devaient passer dans l'Essex ; c'était peine perdue que de porter ce joli chapeau d'amazone orné d'une plume et d'être toujours, par le plus singulier des hasards, sur le chemin de Robert et de son ami. Avec vos boucles noires – ne ressemblant en rien aux boucles soyeuses de lady Audley, mais d'épaisses boucles serrées qui tombaient sur la peau brune de votre cou élégant –, vos lèvres rouges et boudeuses, votre nez disposé à être *retroussé**, votre teint brun avec des effluves de vif cramoisi, toujours prêts à monter comme un signal de nuit dans un ciel ténébreux lorsque vous voyiez tout à coup votre apathique cousin – toute cette coquette, *espiègle** beauté de brunette prodiguée devant les yeux peu clairvoyants de Robert Audley –, vous eussiez aussi bien fait de vous reposer dans le frais salon du château au lieu de fatiguer à la mort votre jolie jument sous le brûlant soleil de septembre.

Maintenant, pêcher à la ligne, excepté pour un disciple fervent d'Isaac Walton, n'est pas la plus gaie des occupations ; c'est pourquoi on sera fort peu étonné que le lendemain du départ de lady Audley, les deux jeunes gens – dont l'un était incapable, par sa blessure au cœur qu'il portait avec tant de calme, de prendre véritablement du plaisir à rien, et l'autre considérait presque tous les amusements comme une forme négative du chagrin – commencèrent à s'ennuyer de l'ombre des saules penchés sur les sinuosités des ruisseaux des environs d'Audley.

— Fig-Tree Court n'est pas gai pendant les longues vacances, dit Robert d'un air réfléchi, mais je pense, après tout, qu'on y est mieux qu'ici ; tout compte fait, on y est près des marchands de tabac, ajouta-t-il en tirant avec résignation des bouffées de fumée d'un exécrable cigare fourni par le propriétaire de *Sun Inn*.

George Talboys, qui avait seulement consenti à l'expédition dans l'Essex par une soumission passive au désir de son ami, n'était en aucune façon porté à s'opposer à leur retour immédiat à Londres.

— Je serais enchanté de m'en retourner, Bob, car j'ai besoin de faire une visite à Southampton : je n'ai pas vu le petit depuis plus d'un mois.

Il appelait toujours son fils « le petit » et parlait toujours de lui plutôt avec tristesse que d'un ton plein d'espérance. La pensée de son enfant semblait ne lui apporter aucune consolation. Il expliquait cela par l'idée que l'enfant ne voudrait jamais apprendre à l'aimer, et, pis même que cette idée, un vague pressentiment qu'il ne vivrait pas assez pour voir son petit Georgey atteindre l'adolescence.

— Je ne suis pas un homme romanesque, Bob, et je n'ai jamais lu dans ma vie une ligne de poésie qui fût pour moi autre chose qu'un assemblage de mots et de rimes ; mais, depuis la mort de ma femme, je suis comme un homme qui serait sur un rivage bas et étendu, où des rochers affreux jetteraient de leurs profondeurs des regards menaçants sur lui, et où la marée montante envahirait lentement, mais invinciblement, ses pieds. Elle semble avancer plus près chaque jour, cette sombre et impitoyable marée ; non en se précipitant sur moi avec grand fracas, mais s'insinuant, rampant, glissant furtivement, prête à me passer par-dessus la tête quand je m'attendrai le moins à ce dénouement.

Robert Audley fixa son ami dans un silencieux étonnement, et, après un instant de réflexion profonde, dit avec solennité à George Talboys :

— Je comprendrais ceci si vous aviez mangé quelque mets lourd. Le porc froid, par exemple, surtout s'il n'est pas assez cuit, peut produire cette espèce d'effet. Vous avez besoin de changer d'air, mon cher ami, vous avez besoin des brises rafraîchissantes de Fig-Tree Court et de l'atmosphère douce de Fleet Street. Ou bien, attendez, dit-il subitement, je connais votre affaire ! vous avez fumé les cigares de notre ami l'hôtelier ; cela explique tout.

Ils rencontrèrent Alicia Audley sur sa jument, une

demi-heure après qu'ils avaient pris la résolution de quitter l'Essex de bonne heure, le lendemain matin. La jeune demoiselle fut vraiment surprise et grandement désappointée en apprenant la détermination de son cousin ; et, pour cette raison précisément, se piqua de prendre la chose avec une suprême indifférence.

— Vous êtes bien vite fatigué d'Audley, Robert, jeta-t-elle négligemment, mais c'est bien naturel : vous n'avez pas d'amis ici, excepté vos parents du château ; tandis qu'à Londres, sans doute, vous avez la plus délicieuse société, et…

— J'ai du bon tabac, murmura Robert en interrompant sa cousine. Audley est la vieille résidence que je préfère ; mais lorsqu'un homme n'a pour fumer que des feuilles de chou desséchées, vous savez, Alicia…

— Alors vous partez décidément demain matin ?

— Positivement… par l'express de dix heures cinquante.

— Alors, lady Audley sera privée de la présentation de Mr Talboys, et Mr Talboys perdra la chance de voir la plus jolie femme de l'Essex.

— Réellement…, balbutia George.

— La plus jolie femme de l'Essex aurait eu peu de chance d'exciter l'admiration de mon ami George, dit Robert ; son cœur est à Southampton, où il a un méchant enfant à tête bouclée, pas plus haut que son genou, qui l'appelle « le gros monsieur » et lui demande des dragées.

— Je vais écrire à ma belle-mère par la poste de ce soir, dit Alicia. Elle me prie dans sa lettre de lui dire combien de temps vous devez rester et si elle pourra avoir la chance de revenir à temps pour vous recevoir.

Miss Audley tira, en parlant, une lettre de la poche de son amazone – un mignon et féerique billet, écrit sur du papier glacé d'une teinte particulière.

Elle disait dans son *post-scriptum* : *N'oubliez pas de répondre à ma question sur Mr Audley et son ami, évaporée et étourdie Alicia !*

— Quelle jolie écriture elle a, dit Robert pendant que sa cousine repliait le billet.

— Oui, elle est charmante, n'est-ce pas ? Voyez donc, Robert.

Elle mit la lettre dans sa main, et il la contempla nonchalamment pendant quelques minutes, tandis qu'Alicia caressait l'encolure de sa jument qui était pressée de partir.

— Tout de suite, Atalante, tout de suite. Rendez-moi mon billet, Bob.

— C'est la plus gentille, la plus coquette petite main que j'aie jamais vue. Savez-vous, Alicia, que je n'ai jamais eu confiance en ces individus qui vous demandent la valeur de treize timbres-poste et offrent de vous dire ce que vous n'avez jamais pu découvrir vous-même ; mais, sur ma parole, je crois que si je n'avais jamais vu ma tante, je la connaîtrais telle qu'elle est par cette petite feuille de papier. Oui, il y a là-dedans les blondes et légères boucles à reflet d'or, les sourcils tracés au pinceau, le nez droit et effilé, l'irrésistible sourire de jeune fille : tout cela peut être deviné dans ces quelques traits qui montent et descendent. Regardez ici, George.

Mais, l'esprit absorbé et mélancolique, George Talboys s'était promené à l'écart, le long d'un fossé, et était arrêté, abattant les joncs avec sa canne, à une demi-douzaine de pas de Robert et d'Alicia.

— Vous n'y pensez pas, dit la jeune demoiselle avec impatience, car elle n'avait goûté en aucune façon la dissertation sur le petit billet de milady. Donnez-moi cette lettre et laissez-moi partir ; il est huit heures passées, et je dois apporter une réponse par le courrier de ce soir. Allons, Atalante ! Bonsoir, Robert... Bonsoir, Mr Talboys... bon retour à Londres.

La jument baie partit vivement au petit galop dans l'étroit chemin, et miss Audley était hors de vue avant que les deux grosses et brillantes larmes suspendues un moment dans ses yeux ne fussent refoulées par fierté dans son sein, après avoir surgi de son cœur endolori.

— N'avoir qu'un cousin sur la terre, s'écria-t-elle avec passion, mon plus proche parent après papa, et penser qu'il fait autant de cas de moi que d'un chien !

Tout à fait par hasard, cependant, Robert et son ami ne purent partir par le train express de dix heures cinquante, le matin suivant, car le jeune avocat se réveilla avec un si violent mal de tête qu'il pria George de lui commander une tasse du plus fort thé qui eût jamais été préparé à *Sun Inn* et d'être, en outre, assez bon pour différer leur voyage jusqu'au lendemain. Naturellement, George y consentit, et Robert Audley passa l'après-midi dans une chambre aux volets fermés, avec un journal de Chelmsford, vieux de cinq jours, pour distraire sa retraite.

— Ce n'est pas autre chose que les cigares, répéta George plusieurs fois ; que je sorte d'ici sans voir mon hôtelier, car si cet homme et moi nous nous rencontrions, il y aurait du sang versé.

Heureusement pour la tranquillité d'Audley, il arriva que c'était jour de marché à Chelmsford et que le digne aubergiste était parti dans sa carriole se procurer des provisions pour sa maison ; entre autres choses, peut-être, une nouvelle provision de ces mêmes cigares qui avaient un si funeste effet sur Robert.

Les jeunes gens passèrent, sans profit, une triste, ennuyeuse et mortelle journée, et à la nuit, Mr Audley proposa de descendre au château et de demander à Alicia de les promener dans la demeure.

— Cela nous fera passer le temps, George, et ce serait grand dommage de quitter Audley sans vous avoir montré le vieux manoir qui, je vous en donne ma parole, vaut la peine d'être vu.

Le soleil baissait, lorsqu'ils coupèrent court à travers les prairies et entrèrent par une barrière dans l'avenue conduisant à l'arceau. Le soleil couchant était livide, chargé de vapeurs et menaçant ; un calme lugubre était dans l'air et effrayait les oiseaux disposés à chanter, qui laissaient le champ libre à quelques insidieuses grenouilles coassant dans les fossés. Malgré l'immobilité de l'atmosphère, les feuilles bruissaient avec ce sinistre mouvement frémissant qui ne provient d'aucune cause extérieure, mais qui est plutôt un frisson instinctif des frêles branches et l'annonce de l'orage qui menace. Cette sotte aiguille d'horloge, qui ne connaissait pas de marche progressive et sautait toujours brusquement d'une heure à l'autre, marquait sept heures comme les jeunes gens passaient sous l'arceau ; mais il en était près de huit.

Ils trouvèrent Alicia dans l'allée de tilleuls, errant nonchalamment de long en large sous les noirs ombrages des arbres, desquels, de temps en temps, une feuille se détachait et venait lentement tomber sur le sol.

Chose étrange à dire, George Talboys, qui très rarement observait quelque chose, prêta une attention particulière à cet endroit.

— Ce devrait être une avenue de cimetière : comme les morts dormiraient paisiblement sous ces ombres épaisses. Je voudrais que le cimetière de Ventnor ressemblât à ceci.

Ils continuèrent de marcher vers le puits en ruine, et Alicia leur raconta quelque vieille légende se rattachant au lieu, quelque lugubre histoire semblable à celles qui sont toujours liées à une vieille demeure, comme si le passé était une page toute noire de chagrins et de crimes.

— Nous voudrions voir la maison avant qu'il fasse nuit, Alicia, dit Robert.

— Alors, nous devons nous presser, venez.

Elle ouvrit la marche en passant par une porte vitrée à la française, modernisée quelques années auparavant, et les conduisit dans la bibliothèque et, de là, dans le vestibule.

Dans cette salle, ils passèrent devant la femme de chambre à la figure pâle, qui jeta un regard furtif de ses cils blancs sur les deux jeunes gens.

Ils commençaient à monter l'escalier lorsque Alicia se retourna, et, s'adressant à la jeune fille :

— Après que nous aurons visité le salon, je désirerais montrer à ces messieurs l'appartement de lady Audley. Est-il en bon ordre, Phœbe ?

— Oui, mademoiselle, mais la porte de l'antichambre est fermée à clef, et j'imagine que milady a emporté la clef à Londres.

— Emporté la clef !... Impossible... s'écria Alicia.

— En vérité, mademoiselle, je crois qu'elle l'a emportée. Je ne puis la trouver, et d'habitude elle est toujours sur la porte.

— Après tout, il n'y a rien, dans cette sotte fantaisie, qui ne soit conforme aux façons de milady. Elle a eu peur que nous allions dans son appartement fouiller dans ses jolies toilettes et toucher à ses bijoux. C'est vraiment contrariant, car les meilleurs tableaux de la maison sont dans cette antichambre. Il y a là son propre portrait ; il est inachevé, mais d'une ressemblance parfaite.

— Son portrait ! s'écria Robert Audley. Je donnerais cher pour le voir, car j'ai seulement une idée imparfaite de sa figure. Il n'y a pas d'autre chemin pour entrer dans la chambre, Alicia ?

— Un autre chemin ?

— Oui, y a-t-il quelque porte, en passant par les autres pièces, par laquelle nous puissions pénétrer dans la place ?

Sa cousine secoua la tête et les conduisit dans un couloir où se trouvaient quelques portraits de famille. Elle leur montra une chambre tendue de tapisseries et les grands personnages sur le canevas fané, qui paraissaient menaçants dans la demi-obscurité.

— Ce gaillard, avec sa hache d'armes, a l'air de vouloir fendre en deux la tête de George, remarqua Mr Audley, montrant un farouche guerrier dont l'arme soulevée paraissait au-dessus de la noire chevelure de George Talboys. Sortons de cette chambre, Alicia ; je pense qu'elle est humide et même hantée. En vérité, je crois que tous les revenants sont le résultat de l'humidité. Vous dormez dans un lit humide, vous vous réveillez en sursaut dans la nuit noire avec un frisson glacé, et vous voyez une vieille dame dans le costume de cour du temps de George Ier, assise au pied du lit. La vieille dame est une indigestion, et le frisson glacé est un drap humide.

Des bougies étaient allumées dans le salon. Aucune lampe n'avait fait encore son apparition à Audley Court. Les appartements de sir Michael étaient éclairés par de bonnes grosses bougies toutes jaunies, placées dans de massifs chandeliers d'argent et dans des candélabres fixés aux murs.

Il y avait peu de chose à voir dans le salon, et George Talboys fut bientôt fatigué de regarder de beaux meubles modernes et quelques peintures, œuvres d'académiciens.

— N'y a-t-il pas un passage secret, un vieux buffet de chêne, ou quelque chose de ce genre, quelque part dans cette demeure, Alicia ? demanda Robert.

— Assurément ! s'écria miss Audley avec une impétuosité qui fit reculer son cousin. Pourquoi n'y ai-je pas pensé plus tôt ! Quelle sotte je fais !

— Comment, sotte ?

— Parce que si vous n'avez pas peur de ramper sur vos mains et sur vos genoux, vous pourrez voir les appartements de milady, car le passage en question communique avec le cabinet de toilette. Elle ne doit pas en avoir connaissance elle-même, je crois. Quel étonnement, si quelque bandit à masque noir, avec une lanterne sourde, surgissait du parquet quelque soir, pendant qu'elle est assise devant sa glace, arrangeant sa chevelure pour une soirée !

— Essayerons-nous le passage secret, George ? demanda Mr Audley.

— Oui, si vous le désirez.

Alicia les mena dans la pièce qui avait été autrefois

sa chambre d'enfant. Elle était maintenant abandonnée et ne servait que dans les très rares occasions où la maison était pleine de monde.

Robert Audley souleva un coin du tapis, conformément à l'indication de sa cousine, et découvrit une trappe grossièrement découpée dans le plancher de chêne.

— Maintenant, écoutez-moi, dit Alicia. Vous devez vous laisser tomber sur les mains dans ce passage, qui est profond environ de huit pieds ; vous baisserez la tête et vous marcherez droit devant vous jusqu'à ce que vous arriviez à un coude aigu, qui vous conduira à gauche ; tout à fait à l'extrémité de ce coude, vous trouverez une courte échelle au-dessous d'une trappe comme celle-ci, que vous aurez à ouvrir ; elle aboutit au plancher du cabinet de toilette de milady et n'est recouverte que par un carré de tapis de Perse que vous pouvez soulever aisément. Me comprenez-vous ?

— Parfaitement.

— Alors, prenez la lumière, Mr Talboys vous suivra. Je vous donne vingt minutes pour votre examen des peintures, ce qui fait à peu près une minute par tableau, après j'attendrai ici pour vous voir revenir.

Robert lui obéit aveuglément, et George, suivant avec soumission son ami, se trouva lui-même, au bout de cinq minutes, au milieu de l'élégant désordre du cabinet de toilette de lady Audley.

Elle avait quitté la maison dans la précipitation de son voyage inattendu à Londres, et tous les apprêts de sa brillante toilette reposaient sur le marbre de sa table. L'atmosphère était presque suffocante à cause des fortes odeurs de parfums en flacons dont les bouchons dorés n'avaient pas été replacés. Un bouquet de fleurs de serre se flétrissait sur un élégant bureau. Deux ou trois magnifiques robes étaient amoncelées sur le parquet, et les portes ouvertes d'une garde-robe laissaient voir les trésors qu'elle contenait. Bijoux, brosses à cheveux à dos d'ivoire, délicieuses porcelaines de Chine étaient disséminés çà et là dans l'appartement. George Talboys aperçut sa face barbue et sa longue figure décharnée réfléchie dans la psyché et s'étonna de voir combien il semblait déplacé au milieu de ce luxe féminin.

Ils passèrent du cabinet de toilette au boudoir, et du boudoir dans l'antichambre qui renfermait, comme l'avait annoncé Alicia, environ vingt remarquables peintures, en dehors du portrait de milady.

Le portrait de milady était posé sur un chevalet, recouvert d'une espèce de serge verte, au milieu de la chambre octogonale. L'artiste avait eu la fantaisie de la représenter debout au milieu de cette même chambre et de peindre, au fond du portrait, une fidèle reproduction des peintures des murs. J'ai bien peur que le jeune homme n'appartînt à l'école des préraphaélites, car il avait consacré un temps déraisonnable aux accessoires de ce tableau, aux boucles frisées de milady et aux lourds plis de sa robe de velours cramoisi.

Les deux jeunes gens regardèrent d'abord les peintures des murs, gardant le portrait inachevé pour la *bonne bouche**.

Il faisait sombre alors; la seule bougie apportée par Robert ne donnait qu'un brillant rayon de lumière pendant que, faisant le tour, il la tenait devant les peintures, l'une après l'autre. La large croisée laissait apercevoir le ciel pâle, teinté des dernières froides vapeurs d'un sombre crépuscule. Le lierre frémissait contre les vitres avec le même frisson lugubre qui agitait chaque feuille dans le jardin, présage de la tempête menaçante.

— Voilà les éternels chevaux blancs de notre ami, dit Robert en s'arrêtant devant un Wouvermans. Nicolas Poussin, Salvator. Ah! hum! maintenant, au portrait.

Il s'arrêta, une main sur la serge verte, et, s'adressant solennellement à son ami:

— George Talboys, nous avons à nous deux une seule bougie, une lumière vraiment insuffisante pour regarder une peinture. Laissez-moi donc vous prier de vouloir bien permettre que nous la regardions l'un après l'autre ; s'il y a quelque chose de désagréable, c'est bien d'avoir une personne critiquant derrière vous et regardant par-dessus vos épaules, quand vous essayez de saisir l'effet d'un tableau.

George se recula immédiatement. Il ne prenait pas plus d'intérêt au portrait de milady qu'à tous les autres ennuis de ce monde fatigant. Il se recula et, posant son front contre le châssis des fenêtres, il regarda la nuit au-dehors.

Lorsqu'il se retourna, il vit que Robert avait disposé le chevalet très convenablement et qu'il s'était assis lui-même devant, sur une chaise, dans le dessein de contempler la peinture à loisir.

Il se leva lorsque George se retourna.

— Et maintenant, à vous, Talboys ; c'est une peinture extraordinaire.

Il prit la place de George à la croisée, et George s'assit sur la chaise, devant le chevalet.

Certainement, le peintre devait avoir été un préraphaélite. Nul autre qu'un préraphaélite n'aurait peint, cheveu par cheveu, ces masses légères de boucles, avec chaque reflet d'or et chaque ombre de brun pâle. Nul autre qu'un préraphaélite n'aurait assez exagéré chaque qualité de cette délicate figure, pour donner un éclat lugubre à sa blonde nature et une étrange et sinistre lumière à la profondeur de ses yeux bleus. Nul autre qu'un préraphaélite n'aurait donné à cette jolie bouche mutine une expression dure et presque méchante.

Il était ressemblant, ce portrait, et en même temps guère ressemblant. C'était comme si on eût fait brûler des feux de couleurs étranges devant la figure de milady et qu'ils lui eussent donné, par leurs reflets, de nouveaux traits et de nouvelles expressions qu'on n'avait jamais vues auparavant. Perfection du dessin, éclat des couleurs se trouvaient là ; mais je suppose que le peintre avait tant copié de jolies monstruosités du moyen âge que son cerveau en était dérangé, car milady, dans son portrait à elle, avait quelque chose d'un admirable démon.

Sa robe cramoisie, exagérée comme tout le reste de cette bizarre peinture, tombait autour d'elle en plis qui ressemblaient à des flammes, sa belle tête sortait de cette sombre masse de couleur comme d'une fournaise en furie. En vérité, le cramoisi de la robe, l'éclat de la figure, les reflets de l'or ardent de sa blonde chevelure, le dur écarlate de ses lèvres boudeuses, les couleurs vives de chaque accessoire du fond minutieusement peint, tout se combinait pour rendre le premier effet du tableau nullement agréable.

Tout étrange que fût la peinture, elle n'avait pas produit une grande impression sur George Talboys, car il resta assis devant elle environ un quart d'heure sans articuler un mot, le visage pâle, les yeux fixés sur la toile peinte, le flambeau serré par sa vigoureuse main droite et la gauche ouverte pendante à son côté. Il resta si longtemps dans cette attitude que Robert se retourna à la fin.

— Eh bien, George, je croyais que vous vous étiez endormi !

— Presque.

— Vous avez pris froid en restant dans cette humide chambre aux tapisseries. Retenez mes paroles, George Talboys, vous avez pris froid ; vous êtes aussi enroué qu'un corbeau. Mais allons-nous-en.

Robert Audley prit la bougie des mains de son ami et disparut en se glissant à travers le passage secret, suivi par George qui était très calme, mais à peine plus calme que d'habitude.

Ils trouvèrent Alicia qui les attendait dans la chambre des enfants.

— Eh bien ? interrogea-t-elle.

— Nous avons opéré supérieurement. Mais je n'aime pas le portrait ; il a quelque chose de singulier.

— En effet, dit Alicia ; j'ai une étrange idée à ce sujet. Je pense que parfois un peintre est en quelque sorte inspiré et capable de voir à travers l'expression normale de la figure une autre expression qui en fait également partie, quoique les yeux ordinaires ne l'aperçoivent pas. Nous n'avons jamais vu milady regarder comme dans ce portrait, mais je crois qu'elle pourrait regarder ainsi.

— Alicia, dit Robert Audley d'un air suppliant, ne soyez pas allemande !

— Mais, Robert…

— Ne soyez pas allemande, Alicia, si vous m'aimez. La peinture est la peinture, et milady est milady. Voilà ma façon de voir les choses et je ne suis pas métaphysicien, ne me bouleversez pas.

Il répéta cela plusieurs fois avec un air de terreur parfaitement sincère, et après avoir emprunté un parapluie au cas où ils seraient surpris par l'orage menaçant, il quitta le château, emmenant avec lui le passif George Talboys. L'unique aiguille de la sotte horloge avait sauté sur neuf heures lorsqu'ils atteignirent l'arceau, mais avant de pouvoir passer sous son ombre ils durent se ranger de côté pour laisser une voiture passer devant eux ; c'était un équipage rapide venant du village, mais la belle tête de lady Audley paraissait à travers la portière. Noir comme il faisait, elle put voir les deux formes des jeunes gens se dessiner comme des ombres dans l'obscurité.

— Qui est là ? demanda-t-elle, mettant sa tête en dehors. Est-ce le jardinier ?

— Non, ma chère tante, dit Robert en riant ; c'est votre très dévoué neveu.

Lui et George s'arrêtèrent à côté de l'arceau pendant que la voiture se rangeait devant la porte du château et que les domestiques surpris sortaient pour recevoir leur maître et leur maîtresse.

— Je crois que l'orage n'éclatera pas cette nuit, dit le baronnet en regardant le ciel, mais nous l'aurons certainement demain matin.

9

Après l'orage

Sir Michael se trompa dans sa prophétie sur le temps. L'orage éclata avec une terrible fureur sur le village d'Audley une demi-heure seulement après minuit.

Robert Audley accepta le tonnerre et les éclairs avec le même flegme qu'il accepta tous les autres maux de la vie. Il était étendu sur un sofa dans la salle de conversation, lisant ostensiblement un journal de Chelmsford, vieux de cinq jours, et se régalant de temps en temps de quelques gorgées d'un grand verre de punch froid. L'orage produisait un effet tout différent sur George Talboys. Son ami était effrayé lorsqu'il regardait la figure pâle du jeune homme assis en face de la croisée ouverte, écoutant le tonnerre et fixant le ciel noir déchiré par les éclairs d'un bleu d'acier qui le sillonnaient.

— George, dit Robert après l'avoir examiné pendant quelque temps ; êtes-vous effrayé par les éclairs ?

— Non, répondit-il sèchement.

— Mais, mon cher ami, des hommes très courageux en ont eu peur. George, si vous pouviez vous voir, pâle et hagard, avec vos grands yeux creux fixés au ciel comme s'ils étaient retenus par un spectre. Je vois bien que vous êtes effrayé.

— Non, vraiment.

— George, non seulement vous avez peur des éclairs, mais vous êtes irrité contre vous-même de ce que vous avez peur, et contre moi parce que je vous parle de votre frayeur.

— Robert, un mot de plus, et je vous tombe dessus.

Sur ces mots, Mr Talboys s'élança hors de la pièce, fermant la porte derrière lui avec une violence qui ébranla la maison. Ces nuages d'encre qui recouvraient la terre oppressée comme un plafond de fer brûlant répandaient leur noirceur en un soudain déluge au moment où George quittait la chambre ; mais si le jeune homme avait peur des éclairs, il n'avait certainement pas peur de la pluie, car il descendit l'escalier, marcha droit à la porte de l'auberge et sortit sur la grand-route inondée. Il alla de long en large et de large en long au milieu de la pluie battante pendant vingt minutes et, rentrant alors dans l'auberge, il monta à sa chambre à coucher.

Robert Audley le rencontra dans le couloir avec ses cheveux collés sur sa figure pâle et ses habits dégouttant l'humidité.

— Allez-vous vous coucher, George ?

— Oui.

— Vous n'avez pas de lumière.

— Je n'en ai pas besoin.

— Mais regardez donc vos vêtements, mon pauvre ami ? Ne voyez-vous pas l'eau qui ruisselle des manches de votre habit ? Qu'est-ce qui a bien pu vous pousser dehors par un temps pareil ?

— Je suis fatigué et j'éprouve le besoin d'aller me coucher ; ne me tourmentez pas.

— Voulez-vous prendre un peu d'eau chaude avec de l'eau-de-vie, George ?

Robert Audley, en parlant ainsi, barrait le passage à son ami et cherchait à l'empêcher d'aller se coucher dans l'état où il se trouvait, mais George le repoussa violemment et passa devant lui en allongeant le pas, puis lui dit avec cette même voix rauque que Robert avait remarquée au château :

— Laissez-moi seul, Robert, et ne vous occupez pas de moi.

Robert suivit George vers sa chambre à coucher, mais le jeune homme lui ferma la porte au nez ; aussi n'eut-il rien de mieux à faire que de laisser Mr Talboys livré à lui-même, et calmer son humeur aussi bien qu'il le pourrait.

Il s'est irrité parce que j'ai remarqué sa frayeur des éclairs, pensa Robert en se retirant pour se reposer, parfaitement indifférent au bruit du tonnerre qui semblait le secouer dans son lit et à la lueur des éclairs se jouant capricieusement sur les rasoirs dans le nécessaire de toilette ouvert.

L'orage s'éloigna en grondant du paisible village d'Audley, et quand Robert se réveilla le lendemain matin, il put voir un brillant soleil et le coin d'un ciel sans nuages apparaître entre les rideaux blancs de la croisée de sa chambre à coucher.

C'était une de ces pures et délicieuses matinées qui succèdent quelquefois à un orage. Les oiseaux avaient des chants bruyants et joyeux, les blés jaunes se redressaient dans les vastes plaines et ondulaient fièrement après leur terrible lutte avec l'orage qui s'était efforcé de courber les lourds épis, accompagné par un vent impitoyable et une pluie battante pendant la moitié de la nuit. Les feuilles de vigne groupées autour de la croisée se balançaient avec un joyeux frémissement, faisant tomber en ondée de diamants les gouttes de pluie qui tremblaient sur chaque vrille et brindille.

Robert Audley trouva son ami qui l'attendait à table pour déjeuner.

George était très pâle, mais parfaitement tranquille. S'il avait quelque chose, en vérité, c'était plus de gaieté qu'à l'ordinaire.

Il secoua la main de Robert avec quelque chose de cette ancienne cordialité qui l'avait fait distinguer avant que l'affliction de sa vie l'eût brisé.

— Pardonnez-moi, Bob, dit-il franchement, pour mon humeur hargneuse d'hier soir ; vous aviez raison : l'orage, les éclairs et le tonnerre m'avaient bouleversé. Cela a toujours produit le même effet sur moi depuis ma jeunesse.

— Pauvre vieil enfant. Partirons-nous de suite par l'express, ou resterons-nous ici pour dîner ce soir avec mon oncle ?

— À dire vrai, Bob, ni l'un ni l'autre ! C'est une

matinée magnifique, pourquoi ne pas nous promener aux environs, faire un autre tour avec nos lignes et partir pour Londres par le train de six heures vingt-cinq ce soir ?

Robert Audley aurait consenti à une bien plus désagréable proposition que celle-ci, plutôt que de risquer de contrarier son ami ; aussi la chose fut-elle immédiatement acceptée, et après qu'ils eurent fini leur déjeuner et commandé le dîner pour quatre heures, George Talboys prit sa ligne sur ses larges épaules et sortit avec son compagnon.

Mais si le tempérament égal de Mr Robert Audley n'avait pas été troublé par les terribles éclats du tonnerre qui avaient ébranlé *Sun Inn* jusque dans ses fondements, il n'en avait pas été ainsi avec la délicate sensibilité de la jeune femme de son oncle. Lady Audley avouait elle-même qu'elle avait horriblement peur des éclairs. Elle avait roulé son lit dans un coin de la chambre et, les épais rideaux hermétiquement fermés autour d'elle, elle s'était couchée, la figure ensevelie dans les oreillers, frissonnant convulsivement à chaque bruit de la tempête mugissant au-dehors. Sir Michael, dont le cœur ferme n'avait jamais connu la crainte, était presque tremblant pour cette fragile créature qu'il avait l'heureux privilège de protéger et de défendre. Milady ne voulut consentir à se déshabiller que vers trois heures du matin, lorsque le dernier roulement du tonnerre s'affaiblit et mourut au loin dans les hautes collines. Jusqu'à cette heure elle était restée avec la magnifique robe de soie avec laquelle elle avait voyagé, dont les plis se confondaient avec ceux des couvertures en désordre, levant de temps en temps les yeux, la figure épouvantée, pour demander si l'orage finissait.

Vers quatre heures, son mari, qui avait passé la nuit à veiller à côté de son lit, l'avait vue tomber dans un profond sommeil, dont elle n'était sortie que près de cinq heures plus tard.

Elle arriva pour déjeuner dans la salle à manger à neuf heures et demie passées, en chantant une mélodie écossaise, les joues colorées d'un rose aussi tendre que la pâle nuance de la mousseline de sa robe du matin. Pareille aux oiseaux et aux fleurs, elle semblait recouvrer sa beauté et son enjouement avec le soleil matinal. Elle courut d'un pas léger sur la pelouse, cueillant çà et là un bouton de rose d'arrière-saison, une branche ou deux de géranium, et traversa le gazon couvert de rosée en gazouillant de longues cadences qui dénotaient un cœur parfaitement heureux, paraissant aussi fraîche et aussi brillante que les fleurs qu'elle tenait dans sa main. Le baronnet la saisit dans ses robustes bras comme elle entrait par la porte vitrée.

— Ma jolie petite femme, mon amour, quel bonheur de vous voir revenue si gaie ! Savez-vous, Lucy, qu'une fois, la nuit dernière, lorsque vous jetiez un regard à travers le sombre vert de vos rideaux de lit, avec votre pauvre figure pâle et des cercles rouges autour de vos yeux enfoncés, j'ai eu presque de la difficulté à reconnaître ma jolie petite femme dans cette créature défaite, terrifiée, paraissant mourante et maudissant l'orage. Remercions Dieu pour ce soleil du matin, qui a ramené le rose sur vos joues et la vivacité dans votre sourire. Je demande au ciel, Lucy, de ne plus vous revoir dans l'état où je vous ai vue la nuit dernière.

Elle se leva sur la pointe du pied pour l'embrasser, et elle était alors seulement assez grande pour atteindre sa barbe grise. Elle lui dit, en riant, qu'elle avait toujours été une sotte et une peureuse.

— J'ai peur des chiens, j'ai peur des bœufs ; j'ai peur de l'orage, j'ai peur de la nature agitée, j'ai peur de toute chose et de tout le monde, excepté de mon cher, de mon noble et bel époux…

Elle avait trouvé le tapis dérangé dans son cabinet de toilette et avait pris des informations sur le mystère du passage secret. Elle gronda miss Alicia en plaisantant et en riant, pour sa hardiesse d'introduire deux gros hommes dans les appartements de milady.

— Et ils ont eu l'audace de regarder mon portrait, Alicia, dit-elle avec une indignation comique. J'ai trouvé la toile de serge jetée par terre et un énorme gant d'homme sur le tapis. Voyez.

Elle tint en l'air, en parlant, un gant épais pour monter à cheval. C'était celui de George, qu'il avait laissé tomber pendant qu'il regardait le tableau.

— J'irai à *Sun Inn* et j'engagerai les jeunes gens à venir dîner, annonça sir Michael comme il quittait le château pour aller faire sa promenade matinale autour de sa ferme.

Lady Audley volait de pièce en pièce par ce beau soleil de septembre. Tantôt s'asseyant devant son piano pour fredonner une ballade ou la première page d'un air de bravoure italien, ou pour faire courir ses doigts rapides dans une valse brillante, tantôt se penchant sur une petite serre de fleurs exotiques, où elle jouait à l'amateur d'horticulture avec une paire de ciseaux de fée, montés en argent ciselé, tantôt allant dans son cabinet de toilette pour parler à Phœbe Marks et faire arranger ses boucles pour la troisième ou quatrième fois ; car ces tire-bouchons se dérangeaient sans cesse et donnaient beaucoup de tracas à la femme de chambre de lady Audley.

Milady semblait, en ce beau jour, dans un état d'inquiétude qui n'était pas celui d'un esprit satisfait, et elle était incapable de rester longtemps à la même place.

Tandis que lady Audley cherchait à se distraire par les procédés frivoles qui lui étaient propres, les deux jeunes gens marchèrent lentement le long d'un ruisseau, jusqu'à ce qu'ils eussent atteint un coin ombragé où l'eau était profonde et calme, et dans laquelle se traînaient les longues branches des saules.

George Talboys prit la ligne pendant que Robert s'étendait de tout son long sur une couverture de voyage et équilibrait son chapeau au-dessus de son nez, comme un écran pour se protéger du soleil, puis s'endormait promptement.

Oh ! heureux les poissons du ruisseau sur les bords duquel Mr Talboys était assis ! Ils auraient pu se divertir à cœur joie, mordre timidement à l'hameçon de ce gentleman, sans compromettre leur sûreté d'aucune manière. George, en effet, fixait l'eau d'un air distrait en tenant sa ligne d'une main insouciante et inattentive, et avait dans son regard quelque chose d'étrange et d'absorbé. Lorsque la cloche de l'horloge sonna deux heures, il jeta sa ligne à terre et, s'éloignant à grands pas le long du ruisseau, laissa Robert Audley faire un somme qui, conformément aux habitudes de ce gentleman, n'était pas près de finir avant deux ou trois heures. Arrivé à un quart de mile au-delà, George traversa un pont rustique et entra dans les prairies qui conduisaient à Audley Court.

Les oiseaux avaient tant chanté toute la matinée qu'ils étaient peut-être fatigués à ce moment ; les bœufs paresseux étaient endormis dans les prairies ; sir Michael n'était pas encore rentré de sa promenade du matin ; miss Alicia avait décampé une heure auparavant sur la jument baie ; les domestiques étaient tous à dîner dans une partie reculée de la maison, et milady avait pénétré, un livre à la main, dans la sombre avenue des tilleuls. Aussi le vieux manoir grisâtre n'avait-il jamais présenté un aspect plus paisible qu'en ce bel après-midi, lorsque George Talboys traversa la pelouse pour carillonner bruyamment à la lourde porte de chêne garnie de fer.

Le domestique qui répondit à son appel lui dit que sir Michael était sorti et que milady se promenait dans l'avenue des tilleuls. Le jeune homme parut un peu désappointé à cette nouvelle et murmura quelque chose, soit qu'il désirait voir milady, soit qu'il allait chercher milady – le domestique ne put saisir très bien ses paroles –, puis il s'éloigna rapidement de la porte sans laisser ni trace ni message pour la famille.

Il s'était écoulé une bonne heure et demie après cet incident lorsque lady Audley rentra à la maison ; elle ne venait pas de l'allée de tilleuls, mais d'une direction tout opposée, portant son livre ouvert dans la main et chantant en marchant. Alicia venait de descendre de sa jument et se tenait debout à l'entrée de la porte au cintre bas, avec son terre-neuve à côté d'elle.

Le chien, qui n'avait jamais eu de prédilection pour milady, montra ses dents avec un sourd grognement.

— Chassez cet horrible animal, Alicia, dit lady Audley avec impatience ; cette bête sait que j'ai peur d'elle, et elle fait exprès de m'effrayer. Et cependant on appelle ces créatures généreuses et bonnes !... À bas, César ! je vous déteste et vous me détestez ; et si vous me rencontriez la nuit dans quelque passage étroit, vous me sauteriez à la gorge pour m'étrangler, n'est-ce pas ?

Milady, sûrement abritée derrière sa belle-fille, secoua ses boucles blondes devant l'animal inquiet et le défia malicieusement.

— Ne savez-vous pas, lady Audley, que Mr Talboys, le jeune veuf, est venu ici demander sir Michael et vous ?

Lucy Audley souleva la ligne de ses sourcils.

— Je croyais qu'il devait venir dîner ; et, ma foi, ce sera bien assez de le voir alors.

Elle avait une botte de fleurs sauvages d'automne dans le pan de sa robe de mousseline. Elle était venue à travers champs derrière le château, cueillant les boutons des haies sur son chemin. Elle monta légèrement en courant le large escalier qui conduisait à son appartement particulier. Le gant de George s'étalait sur la table de son boudoir. Lady Audley sonna violemment ; ce fut Phœbe Marks qui vint répondre.

— Faites disparaître cette ordure, lança-t-elle durement.

La jeune fille ramassa dans son tablier le gant, quelques fleurs flétries et des papiers froissés qui demeuraient sur la table.

— Qu'avez-vous fait ce matin ? demanda milady ; vous n'avez pas perdu votre temps, j'espère ?

— Non, milady ; je me suis occupée à retoucher votre robe bleue. Il fait presque sombre de ce côté de la maison, aussi ai-je monté mon ouvrage dans ma chambre et travaillé à la croisée.

La jeune fille, en disant cela, se disposait à quitter la chambre ; mais elle se retourna et regarda lady Audley comme si elle eût attendu de nouveaux ordres.

Lucy leva la tête au même moment, et les yeux des deux femmes se rencontrèrent.

— Phœbe Marks, dit milady en se jetant dans un vaste fauteuil et jouant avec des fleurs sauvages sur ses genoux, vous êtes une bonne et laborieuse fille, et tant que je vivrai et que je serai heureuse, vous ne manquerez jamais d'une amie ou d'un billet de vingt livres.

10

Introuvable

Lorsque Robert Audley se réveilla, il fut surpris de voir la ligne posée sur le sable, le liège flottant, inoffensif, sous les rayons solaires de l'après-midi. Le jeune avocat resta longtemps à étirer ses bras et ses jambes, afin de se convaincre, par cet exercice, qu'il était encore en possession de l'usage de ses membres ; puis, avec un effort puissant, il parvint à se lever du gazon et, ayant roulé sa couverture de voyage d'une manière convenable, afin de la porter sur son épaule, il allongea le pas pour chercher George Talboys.

Une fois ou deux il l'appela d'une voix endormie, à peine assez élevée pour effrayer les oiseaux dans les branches au-dessus de sa tête, ou la truite dans le ruisseau à ses pieds ; mais ne recevant pas de réponse, il se fatigua de cet exercice et continua de se traîner en bâillant.

Bientôt il tira sa montre et fut étonné de voir qu'il était quatre heures un quart.

— Eh bien ! le vilain égoïste doit être rentré à l'auberge pour dîner ! murmura-t-il en réfléchissant ; cela ne lui ressemble pas beaucoup, car il se souvient rarement de l'heure des repas, à moins que je ne lui rafraîchisse la mémoire.

Même une faim tenace et la certitude que son dîner se ressentirait probablement de ce retard ne purent activer la nonchalance constitutionnelle de Mr Robert Audley, et lorsqu'il arriva devant la porte de l'auberge *Sun Inn*, les horloges sonnaient cinq heures. Il croyait si bien trouver George Talboys l'attendant dans le petit salon que l'absence de ce gentleman sembla donner à l'appartement un aspect lugubre, et Robert soupira tout haut.

— Ceci est trop fort : un dîner froid et personne pour le manger avec moi !

L'hôtelier vint lui-même s'excuser pour ses plats perdus.

— Une si belle paire de canards, Mr Audley, comme jamais vos yeux n'en ont vu, et tout cela brûlé et réduit en cendres…

— Ne me parlez donc pas de vos canards, dit Robert, impatienté ; où est Mr Talboys ?

— Il n'est pas rentré, monsieur, depuis que vous êtes sortis ensemble ce matin.

— Quoi ! s'écria Robert. Mais, au nom du ciel, que peut avoir fait cet homme ?

Il marcha vers la croisée et regarda dehors sur la grande route blanche. Il y avait une charrette chargée de bottes de foin qui avançait péniblement ; les chevaux paresseux et le conducteur, aussi paresseux qu'eux, baissaient la tête avec un air fatigué sous le soleil du soir. Il y avait un troupeau de moutons éparpillé sur la route, avec un chien qui se donnait la fièvre à courir après eux ; et des maçons revenant du travail, un chaudronnier raccommodant quelques ustensiles sur le bord de la route ; il y avait aussi un chariot transportant le maître piqueur d'Audley à son dîner de sept heures ; une douzaine de tableaux et de bruits villageois ordinaires qui se mêlaient dans un tumulte confus et plein de gaieté ; mais pas de George Talboys.

— De toutes les choses extraordinaires qui me soient jamais arrivées dans le cours de ma vie, dit Mr Robert Audley, celle-ci est la plus merveilleuse.

L'hôtelier, dans une silencieuse attente, ouvrit les yeux lorsque Robert fit cette remarque. Que pouvait-il y avoir de si extraordinaire dans le simple fait qu'un gentleman fût en retard pour dîner ?

— Je pars le chercher, dit Robert, prenant vivement son chapeau et sortant de la maison.

Mais où le chercher ? Robert était immobile devant l'auberge, délibérant sur ce qu'il y avait de mieux à faire, lorsque l'hôtelier vint le trouver.

— J'ai oublié de vous dire, Mr Audley, que votre oncle est venu vous demander ici cinq minutes après votre départ et vous prie, vous et l'autre gentleman, de venir dîner au château.

— Alors George Talboys a dû descendre au château. Cela ne ressemble pas à ses manières, mais il est possible qu'il ait agi ainsi.

Il était six heures lorsque Robert frappa à la porte de la demeure de son oncle. Il ne demanda à voir personne de la famille, mais s'informa d'abord de son ami.

— Oui, dit le domestique, Mr Talboys était ici à deux heures, à peu près.

— Et pas depuis ?

— Non, pas depuis…

— Est-il bien sûr que ce soit à deux heures que Mr Talboys est venu ? demanda Robert.

— Oui, parfaitement sûr.

Il se souvenait de l'heure, parce que c'était le moment du dîner des domestiques et qu'il avait quitté la table pour ouvrir la porte à Mr Talboys.

Réellement, que peut être devenu cet homme ? pensa Robert en tournant le dos au château. De deux à six… quatre bonnes heures… et pas trace de lui !

Si quelqu'un s'était hasardé à dire à Mr Robert Audley qu'il lui serait possible d'éprouver un fort attachement pour une créature animée, ce cynique gentleman aurait relevé ses sourcils, en suprême dédain pour cette absurde remarque. Et il était là, ahuri et inquiet, torturant son cerveau par toutes sortes de conjectures sur l'absence de son ami et, contrairement à toutes les facultés de sa nature, marchant vite.

— Je n'ai pas marché aussi vite depuis Eton, murmura-t-il comme il traversait précipitamment une des prairies de sir Michael, en direction du village, et le pire de tout, c'est que je n'ai pas la moindre idée de l'endroit où je vais.

Il traversa une autre prairie et, s'asseyant alors sur une barrière, il resta les coudes sur les genoux, la figure enfouie dans ses mains, et se disposa sérieusement à réfléchir sur l'événement.

— C'est cela ! dit-il après quelques minutes de réflexion, la station du chemin de fer !

Il enjamba la barrière et se lança vers la petite construction en briques rouges.

On n'attendait pas de train avant une demi-heure, et l'employé était à prendre son thé dans une pièce à côté du bureau, sur la porte de laquelle était écrit en grandes lettres blanches : *Privé.*

Mais Mr Audley était trop préoccupé pour prêter attention à cet avis. Il marcha droit à la porte et, la heurtant avec sa canne, attira l'employé hors de son sanctuaire, la bouche encore pleine du pain et du beurre dont il accompagnait son thé.

— Vous rappelez-vous le monsieur qui est descendu à Audley avec moi, Smithers ? demanda Robert.

— Ma foi, à dire vrai, Mr Audley, je ne puis l'affirmer. Vous êtes arrivés vers les quatre heures, si vous vous en souvenez, et il y a toujours beaucoup de monde dans ce train.

— Vous ne vous rappelez pas de lui, alors ?

— Non, pas à ma connaissance, monsieur.

— C'est contrariant. J'aurais besoin de savoir s'il a pris un billet pour Londres peu après deux heures aujourd'hui. C'est un grand individu, à la poitrine large, ayant une épaisse barbe brune. Vous ne pourriez pas vous tromper sur lui.

— Il y avait quatre ou cinq messieurs qui ont pris leur billet pour le départ de trois heures trente-trois, dit l'employé d'une manière presque vague, lançant pardessus son épaule un regard inquiet à sa femme qui ne paraissait nullement enchantée de cette interruption.

— Quatre ou cinq messieurs !… Mais l'un d'eux répondait-il à la description de mon ami ?

— Vraiment, je crois que l'un d'eux avait une barbe, monsieur.

— Une barbe brun foncé ?

— Vraiment, je n'en sais rien, si ce n'est qu'elle tirait sur le brun.

— Était-il habillé en gris ?

— Je crois qu'il était en gris – beaucoup de gens portent du gris. Il a demandé son billet d'un ton dur et bref, et lorsqu'il l'a eu pris, il est sorti et a gagné directement le quai en sifflant.

— C'est George ! Je vous remercie, Smithers, je ne veux pas vous déranger plus longtemps. C'est aussi clair que le jour, murmura-t-il en quittant la gare. Il est tombé dans un de ses sombres accès et s'en est retourné à Londres sans un mot. Je quitterai moi-même Audley demain matin ; et pour ce soir… mais je puis aussi bien descendre au château et rencontrer la femme de mon oncle. Ils ne dînent pas avant sept heures ; si je retourne à travers champs, j'arriverai à temps. Bob… cette sorte de chose ne doit pas se produire ; vous allez tomber amoureux de votre tante…

11

La marque sur le poignet de milady

Robert trouva sir Michael et lady Audley dans le salon. Milady était assise sur un tabouret devant le grand piano, tournant les feuilles de quelque nouveau morceau de musique. Elle pirouetta sur ce siège roulant, en produisant un froufrou avec les falbalas de sa robe de soie, lorsqu'on annonça le nom de Mr Robert Audley ; quittant alors le piano, elle fit à son neveu une révérence comiquement cérémonieuse.

— Je vous remercie beaucoup pour les fourrures que vous m'avez apportées, dit-elle en offrant ses petits doigts, tout brillants et étincelants des diamants qu'ils portaient, je vous remercie pour ces magnifiques zibelines. Qu'il est bien à vous d'y avoir pensé !

Robert avait presque oublié la commission dont il s'était chargé pour lady Audley pendant son excursion en Russie. Son esprit était si plein de George Talboys qu'il se contenta de recevoir les remerciements de milady avec une inclinaison de tête.

— Pourriez-vous croire, sir Michael, dit-il, que mon ridicule camarade est reparti pour Londres en me plantant là ?

— Mr George Talboys est retourné à Londres ! s'écria milady en relevant ses sourcils.

— Quelle effroyable catastrophe ! dit malicieusement Alicia. Depuis ce moment, Pythias, dans la personne de Mr Robert Audley, ne peut exister une demi-heure sans Damon[1], généralement connu sous le nom de George Talboys.

---

1. Référence à l'amitié légendaire – qui va jusqu'au sacrifice – de Damon et Pythias, deux philosophes pythagoriciens, mentionnée par Diodore de Sicile et Cicéron. *(N.d.É)*

— C'est un excellent camarade, protesta Robert avec énergie, et je suis presque inquiet sur son compte.

Inquiet sur son compte ! Milady était presque soucieuse de savoir pourquoi Robert était si inquiet.

— Je vais vous dire pourquoi, lady Audley. George a ressenti un coup très douloureux, il y a un an, à la mort de sa femme. Il n'a jamais surmonté ce chagrin. Il prend la vie très tranquillement, presque aussi tranquillement que je le fais ; mais il parle souvent d'une façon vraiment étrange, et quelquefois je pense qu'un de ces jours cette affliction sera plus forte que lui, et qu'il commettra quelque geste insensé.

Mr Robert Audley parlait vaguement ; mais ses trois auditeurs comprenaient que ce « geste insensé » était de ceux dont on ne revient pas.

Il y eut un court moment de silence, pendant lequel lady Audley arrangea ses blondes boucles avec le secours de la glace sur la console en face d'elle.

— En vérité, ceci est vraiment extraordinaire. Je ne croyais pas que les hommes fussent capables de ces profondes et durables affections ; je croyais qu'une jolie figure avait autant de prix pour eux qu'une autre jolie figure, et que, lorsque le numéro un avec des yeux bleus et une belle chevelure mourait, ils avaient seulement à chercher le numéro deux, avec des yeux bruns et une chevelure noire, pour changer.

— George Talboys n'est pas de ces hommes. La mort de sa femme lui a brisé le cœur.

— Quel malheur ! murmura lady Audley. Il semble presque cruel de la part de Mrs Talboys d'être morte et de tant affliger son pauvre mari.

Alicia avait raison : elle est puérile, pensa Robert en examinant la jolie figure de sa tante.

Milady fut vraiment charmante à dîner ; elle admit de la façon la plus séduisante son incapacité à découper un faisan placé devant elle, et appela Robert à son secours.

— Je pouvais découper un gigot chez sir Dawson, dit-elle en riant, mais un gigot, c'est si facile, et encore j'avais coutume de refuser.

Sir Michael observait l'impression que faisait milady sur son neveu, avec une orgueilleuse satisfaction de sa beauté et de sa puissance de fascination.

— Je suis si enchanté de voir ma pauvre petite femme de sa bonne humeur habituelle. Elle a été vraiment abattue, hier, par le désappointement qu'elle a éprouvé à Londres.

— Un désappointement !

— Oui, Mr Audley, et très cruel, convint milady. Je reçus, l'autre matin, une dépêche télégraphique de ma chère vieille amie et maîtresse de pension, m'annonçant qu'elle allait mourir et que si je voulais la voir encore, je devais me hâter de me rendre auprès d'elle. La dépêche ne contenait aucune adresse, et naturellement, cette circonstance me fit penser que je la trouverais dans la maison où je l'avais laissée il y a trois ans. Sir Michael et moi, nous nous rendîmes immédiatement à Londres et courûmes droit à l'ancienne adresse. La maison était occupée par des personnes étrangères qui ne purent nous donner aucune nouvelle de mon amie. C'est dans un endroit retiré, et il y a très peu de marchands aux environs. Sir Michael prit des informations dans les quelques boutiques voisines ; mais, après s'être donné beaucoup de peine, il ne put rien découvrir qui nous mît sur la voie. Je n'ai pas d'amis à Londres et n'avais par conséquent pour m'assister personne d'autre que mon cher et généreux époux, qui fit tout son possible, mais en vain, pour trouver la nouvelle résidence de mon amie.

— Il était vraiment ridicule de ne pas indiquer d'adresse dans la dépêche, remarqua Robert.

— Lorsqu'on est mourant, il n'est pas si aisé de penser à toutes ces choses, murmura lady Audley en regardant d'un air de reproche Mr Audley avec ses yeux bleus.

En dépit de la fascination de lady Audley et malgré l'admiration de Robert pour elle, l'avocat ne pouvait triompher d'un vague sentiment d'inquiétude, en cette paisible soirée de septembre.

Tandis qu'il était assis dans la profonde embrasure d'une croisée à meneaux, causant avec milady, son esprit errait au loin sous les ombrages de Fig-Tree Court, et il pensait au pauvre George Talboys fumant solitairement son cigare dans sa chambre, avec les chiens et les canaris.

Je voudrais n'avoir jamais eu aucune amitié pour ce garçon, pensait-il. Je me sens comme un homme qui aurait un fils unique dont la vie serait menacée. Je voudrais que le ciel me permît de lui rendre sa femme et de l'expédier, lui, à Ventnor, pour qu'il y finisse ses jours en paix.

Le joli gazouillement musical continuait, toujours aussi gai et aussi incessant que le murmure d'un ruisseau, et toujours les pensées de Robert revenaient, malgré lui, à George Talboys. Il se le représentait courant à Southampton par le train-poste pour voir son fils ; il se le représentait comme il l'avait vu souvent, lisant dans le *Times* les annonces des départs de vaisseaux et cherchant un bâtiment pour le ramener en Australie. Il l'imagina en frissonnant étendu, froid et raide, au fond d'un ruisseau peu profond, avec son visage de mort tourné vers le ciel ténébreux.

Lady Audley remarqua sa distraction et lui demanda à quoi il pensait.

— À George Talboys ! répondit-il brusquement.

Elle eut un petit rire nerveux.

— Sur ma parole, vous me rendez presque mal à l'aise par la façon dont vous parlez de votre ami. On pourrait croire que quelque chose d'extraordinaire lui est arrivé.

— Dieu nous en préserve ! mais je ne puis m'empêcher d'être inquiet.

Plus tard, dans la soirée, sir Michael réclama un peu de musique, et milady alla au piano. Robert Audley s'empressa de la suivre pour tourner les feuilles de son cahier de musique, mais elle jouait de mémoire et lui épargna la peine que lui aurait imposée sa galanterie.

Il transporta une paire de bougies allumées vers le piano et les disposa convenablement pour la jolie musicienne. Elle frappa quelques accords, puis se lança dans une rêveuse sonate de Beethoven. C'était une des nombreuses contradictions de son caractère, que cet amour de sombres et mélancoliques mélodies, si opposées à sa nature frivole et enjouée.

Robert Audley soupirait à côté d'elle, et comme il était oisif, il s'amusa à considérer ces blanches mains chargées de bijoux, courant légèrement sur les touches, avec des manches de dentelles tombant sur ses poignets gracieusement arrondis. Il examina les jolis doigts l'un après l'autre ; celui-ci avec un cœur brillant de rubis, celui-là enroulé d'un serpent d'émeraude, et sur tous une constellation scintillante de diamants. Des doigts, ses yeux allèrent aux poignets. Un bracelet d'or uni glissa du poignet droit sur sa main, comme elle exécutait un passage rapide. Elle s'arrêta brusquement pour l'arranger ; mais avant qu'elle eût pu le faire, Robert Audley remarqua une meurtrissure sur sa peau délicate.

— Vous avez été blessée au bras, lady Audley ?

Elle se hâta de replacer le bracelet.

— Ce n'est rien. Je suis malheureuse d'avoir une peau que meurtrit le plus léger contact.

Elle continua de jouer ; mais sir Michael traversa le salon pour examiner la trace sur le poignet de sa jolie femme.

— Qu'est-ce que cela, Lucy ? Comment est-ce arrivé ?

— Que vous êtes tous ridicules de vous tracasser pour une chose aussi futile ! dit lady Audley en riant. J'ai quelquefois des absences, et je m'amusais, il y a quelques jours, à m'attacher un morceau de ruban autour du bras, si serré qu'il a laissé une meurtrissure lorsque je l'ai retiré.

Hum ! pensa Robert, milady raconte de candides petits mensonges d'enfant ; la blessure est plus récente, la peau commence tout juste à changer de couleur.

Sir Michael prit l'élégant poignet dans sa forte main.

— Tenez les bougies, Robert, et laissez-moi examiner ce pauvre petit bras.

Ce n'était pas une meurtrissure, mais quatre marques rouges et distinctes, semblables à celles qu'auraient pu y laisser quatre doigts d'une puissante main qui aurait saisi le poignet délicat un tant soit peu rudement. Un ruban étroit, lié fortement, pouvait avoir produit les mêmes marques, il est vrai, et milady protesta une fois de plus qu'autant qu'elle pouvait s'en souvenir, ce devait être ainsi que la chose s'était produite.

En travers des faibles marques rouges il y avait une teinte plus foncée, comme si un anneau porté par l'un de ces doigts vigoureux et cruels s'était incrusté dans cette tendre chair.

Robert souhaita le bonsoir et une bonne nuit à ses parents vers dix heures et demie, et annonça qu'il courrait à Londres par le premier train pour retrouver George dans Fig-Tree Court.

— Si je ne le trouve pas là, j'irai à Southampton, et si je ne le trouve pas à Southampton…

— Eh bien, alors ? demanda milady.

— Je croirai que quelque chose d'extraordinaire lui est arrivé.

Robert Audley se sentit découragé en se rendant lentement à son logis à travers des prairies couvertes de ténèbres ; plus découragé encore lorsqu'il rentra dans le salon de *Sun Inn*, où lui et George avaient flâné ensemble, regardant par la croisée et fumant leurs cigares.

— Penser, dit-il en méditant, qu'il est possible de s'attacher autant à un camarade ! Mais, advienne que pourra, demain matin j'irai à Londres, et, plutôt que de risquer de le perdre, j'irais jusqu'aux confins du monde.

Avec la nature lymphatique de Mr Robert Audley,

une résolution était beaucoup plus l'exception que la règle ; de sorte que, pour une fois, une obstination opiniâtre et dure comme le fer le poussait à l'accomplissement de son projet.

Le penchant paresseux de son esprit, qui l'empêchait de penser à une demi-douzaine de choses à la fois et le disposait à réfléchir à une seule, suivant la règle des gens les plus énergiques, le rendait remarquablement lucide sur chaque point auquel il avait prêté une sérieuse attention.

En vérité, quoique les graves hommes de loi se moquassent de lui et que les avocats en herbe soulevassent leurs épaules sous leurs robes de soie bruissante lorsqu'on parlait de Robert Audley, je me demande s'il n'eût pas surpris les magnats qui n'appréciaient pas sa capacité, s'il eût voulu prendre la peine de conduire un procès.

12

Toujours introuvable

Le soleil de septembre étincelait sur la fontaine des jardins du Temple, lorsque Robert Audley revint à Fig-Tree Court de bonne heure le lendemain.

Il trouva les canaris chantant dans la jolie petite chambre où George avait dormi ; mais l'appartement était dans le même état que la femme de ménage l'avait laissé après le départ des deux jeunes gens. Pas une chaise déplacée, pas même le couvercle d'une boîte à cigares soulevé, pour témoigner de la présence de George Talboys. Avec un dernier et vague espoir, Robert chercha sur les chambranles et les tables, espérant trouver quelque lettre laissée par George.

Il peut avoir couché ici la nuit dernière et être parti pour Southampton de bonne heure ce matin, pensait-il ;

Mrs Maloney est venue ici très probablement pour faire quelque ménage après son départ.

Mais comme il était assis, regardant nonchalamment autour de sa chambre, sifflant de temps en temps ses canaris aimés, un bruit traînant de savates sur l'escalier au-dehors annonça l'arrivée de cette Mrs Maloney qui servait les deux jeunes gens.

Non, Mr Talboys n'était pas venu à la maison ; elle était venue de bonne heure, à six heures, le matin, et avait trouvé les chambres vides.

— Serait-il arrivé quelque chose à ce pauvre cher monsieur ? demanda-t-elle, voyant la figure pâle de Robert Audley.

Il se tourna vers elle avec un air féroce, à cette question.

Arrivé, à lui ! Que lui serait-il arrivé ? Ils étaient partis à deux heures seulement la veille.

Mrs Maloney lui aurait bien raconté l'histoire de la pauvre chère femme d'un conducteur de machines, qui avait logé une fois avec elle et était sortie, après avoir dîné de bon cœur, pour trouver la mort dans la rencontre d'un train express avec un train de bagages ; mais Robert reprit son chapeau et sortit de la maison avant que la brave Écossaise eût pu entamer sa lamentable histoire.

La nuit tombait lorsqu'il atteignit Southampton. Il connaissait le chemin pour se rendre aux pauvres petites maisons en terrasse, dans une ruelle sombre qui conduisait au bord de l'eau, et dans laquelle habitait le beau-père de George. Le petit Georgey jouait sous la croisée ouverte du salon lorsque le jeune homme descendit la rue.

Cette circonstance, peut-être, et le triste et silencieux aspect de la maison remplirent l'esprit de Robert Audley d'une vague conviction que l'individu qu'il venait chercher n'y était pas. Le vieillard ouvrit lui-même la porte, et l'enfant sortit pour regarder l'étranger.

C'était un bel enfant, avec les yeux bruns de son père et une chevelure noire bouclée, et toutefois avec une expression dissimulée qui n'était pas celle de son père et qui envahissait tout son visage, de manière que, chacun des traits de l'enfant étant conforme à ceux de George, le jeune garçon ne lui ressemblait pas vraiment.

Le vieillard était enchanté de voir Robert Audley ; il se souvenait d'avoir eu le plaisir de le rencontrer à Ventnor, dans la triste circonstance de... Il essuya ses vieux yeux larmoyants en guise de conclusion à sa phrase. Mr Audley voulait-il entrer ? Robert avança dans le petit salon. L'ameublement était en mauvais état et sale, et l'endroit était imprégné d'une odeur de vieux tabac et de grog. Les jouets brisés de l'enfant, les débris des pipes en terre du vieillard et des journaux déchirés et tachés d'un mélange d'eau et d'eau-de-vie étaient épars sur le tapis malpropre. Le petit Georgey se glissa vers le visiteur en jetant sur lui des regards furtifs de ses grands yeux bruns. Robert prit l'enfant sur ses genoux et lui donna sa chaîne de montre pour jouer pendant qu'il causait avec le vieillard.

— Il est presque inutile de vous demander ce pour quoi je venais ; j'avais l'espoir de trouver votre gendre ici.

— Quoi ! vous saviez qu'il était venu à Southampton ?

— Il y est venu ! s'écria Robert, éclaircissant son front ; il est ici, alors ?

— Non, il n'est plus ici, mais il y était.

— Quand ?

— La nuit dernière, il est arrivé par le train-poste.

— Et il est reparti immédiatement ?

— Il est resté un peu plus d'une heure.

— Bonté du ciel ! dit Robert, quelle inquiétude inutile m'a donnée ce garçon ! Que peut signifier tout ceci ?

— Vous ne saviez rien de ses intentions, alors ?

— De quelles intentions ?

— Je veux parler de sa détermination d'aller en Australie.

— Je savais qu'il avait toujours eu cela en tête, mais pas plus aujourd'hui que d'habitude.

— Il s'embarque ce soir à Liverpool. Il est venu ici ce matin, à une heure, pour voir son enfant, m'a-t-il dit, avant de quitter l'Angleterre et peut-être n'y jamais revenir. Il m'a dit qu'il était ennuyé du monde et que la vie rude de là-bas était la seule qui pût lui convenir. Il est resté une heure, a embrassé l'enfant sans le réveiller, et a quitté Southampton par le train-poste de deux heures un quart.

— Que peut signifier tout ceci ? dit Robert. Quel motif a pu lui faire quitter l'Angleterre de cette manière, sans un mot pour moi, son plus intime ami, sans même changer de vêtements ; car il a laissé tous ses effets dans mon appartement ? C'est une conduite vraiment extraordinaire !

Le vieillard paraissait très sérieux.

— Savez-vous, Mr Audley, dit-il en frappant son front d'une manière significative, que je m'imagine quelquefois que la mort d'Helen a produit un étrange effet sur le pauvre George ?

— Bah ! s'écria Robert avec mépris ; il a ressenti le coup très cruellement, mais son cerveau est aussi sain que le vôtre ou le mien.

— Peut-être vous écrira-t-il de Liverpool…

Le beau-père paraissait anxieux d'apaiser l'indignation que Robert éprouvait de la conduite de son ami.

— Il le doit, dit Robert gravement, car nous avons été bons amis depuis le temps où nous étions ensemble à Eton. Ce n'est pas bien de la part de George de me traiter ainsi.

Mais au moment où il articulait ce reproche, une étrange pointe de remords transperça son cœur.

— Cela ne ressemble pas à la façon d'agir de George Talboys…

Le petit Georgey saisit les derniers mots.

— C'est mon nom, et le nom de mon papa… le nom du gros monsieur.

— Oui, petit Georgey, et votre papa est venu la nuit dernière et vous a embrassé pendant votre sommeil. Vous en souvenez-vous ?

— Non, dit l'enfant en secouant sa petite tête bouclée.

— Vous deviez être bien profondément endormi, petit Georgey, pour ne pas avoir aperçu votre pauvre père.

L'enfant ne répondit pas, mais fixant ses yeux sur le visage de Robert, il dit brusquement :

— Où est la jolie dame ?

— Quelle jolie dame ?

— La jolie dame qui venait autrefois, il y a longtemps.

— Il veut parler de sa pauvre maman, dit le vieillard.

— Non ! s'écria résolument l'enfant, non, pas maman ; maman était toujours à crier ; je n'aimais pas maman.

— Oh ! Georgey !

— Non, je ne l'aimais pas et elle ne m'aimait pas. Elle était toujours à crier. Je veux parler de la jolie dame, la dame qui était si bien habillée et qui m'a donné ma montre en or.

— Il veut parler de la femme de mon vieux capitaine, une excellente créature qui a pris Georgey en grande affection et lui a donné quelques magnifiques présents.

— Où est ma montre en or ? Laissez-moi montrer au monsieur ma montre en or !

— Elle est à nettoyer, Georgey, répondit son grand-père.

— Elle est toujours donnée à nettoyer, dit l'enfant.

— La montre est parfaitement en sûreté, je vous l'affirme, Mr Audley.

Et, prenant une reconnaissance du mont-de-piété, il la présenta à Robert. Elle était faite au nom du capitaine Mortimer : *Une montre montée sur diamants, onze livres.*

— Je suis souvent gêné pour quelques shillings, Mr Audley, avoua le vieillard, mon gendre a été vraiment généreux à mon égard ; mais il y en a d'autres, il y en a d'autres, Mr Audley, et… et… et je n'ai pas été aussi bien traité.

Il essuya quelques pleurs véritables en disant ces mots d'une voix lamentable et criarde.

— Allons, Georgey, il est temps que le brave petit homme aille au lit ; venez-vous-en avec grand-papa. Excusez-moi, Mr Audley.

L'enfant suivit sans se faire prier. À la porte de la chambre, le vieillard se retourna vers son visiteur et dit de la même voix hargneuse :

— C'est une pauvre demeure pour passer la fin de ses jours, Mr Audley. J'ai consenti de nombreux sacrifices, et j'en consens encore ; mais je n'ai pas été bien traité.

Laissé seul dans le sombre petit salon, Robert Audley croisa les bras et resta préoccupé, les yeux fixés sur le parquet.

George était parti, alors ; il pouvait recevoir quelque lettre d'explication, peut-être, à son retour à Londres ; mais il risquait de ne jamais revoir son vieil ami.

— Et penser que je m'étais attaché à ce camarade…, dit-il en soulevant ses sourcils jusqu'au milieu du front. La chambre empeste le vieux tabac comme une tabagie, murmura-il bientôt, il ne peut pas y avoir de mal à ce que je fume un cigare ici.

Il en prit un dans le porte-cigares qui était dans sa poche ; il y avait une étincelle de feu dans la petite grille du foyer, et il chercha autour de lui quelque chose pour allumer son cigare.

Un morceau de papier tortillé et à demi brûlé traînait sur le tapis du foyer ; il le ramassa et le déplia, afin de le mieux disposer pour allumer son cigare, en le pliant dans l'autre sens. Ce faisant, et en regardant d'un œil distrait les caractères tracés au crayon sur le petit morceau de papier, des lettres attirèrent son regard : c'était celles d'un nom qui remplissait sa pensée. Il approcha le bout de papier de la croisée et l'examina à la lumière du jour à son déclin.

C'était un fragment de dépêche télégraphique. La partie supérieure avait été brûlée, mais la plus importante restait :

... alboys est venu à... la nuit dernière, et est parti par le train-poste pour Londres, se rendant à Liverpool, d'où il doit mettre à la voile pour Sydney.

La date, le nom et l'adresse de l'expéditeur du message avaient été brûlés.

La figure de Robert Audley se couvrit d'une pâleur de mort. Il plia soigneusement le morceau de papier et le plaça entre les feuilles de son carnet de poche.

— Mon Dieu ! que signifie tout ceci ? J'irai à Liverpool ce soir, pour y prendre des renseignements.

13

Sombres rêves

Robert Audley quitta Southampton par le train-poste et entra dans son appartement juste comme l'aube se glissait, froide et grise, dans les chambres solitaires et que les canaris commençaient à secouer faiblement leurs plumes avec le jour naissant.

Il y avait plusieurs lettres dans la boîte derrière la porte, mais aucune de George Talboys.

Le jeune avocat était harassé par une longue journée passée à courir d'un endroit à un autre. La paresseuse monotonie habituelle de sa vie avait été rompue comme elle ne l'avait jamais été pendant vingt et une années tranquilles passées sans embarras. Son esprit commençait à devenir confus par rapport au temps. Il lui semblait que des mois s'étaient écoulés depuis qu'il avait perdu de vue

George Talboys. Il était si difficile de croire qu'il y avait moins de quarante-huit heures que le jeune homme l'avait laissé endormi sous les saules, sur le bord du ruisseau aux truites !

Ses yeux étaient horriblement fatigués, faute de sommeil. Il chercha dans les pièces pendant quelque temps, furetant dans toutes sortes d'endroits impossibles pour trouver une lettre de George, puis se jeta sur le lit de son ami, dans la chambre aux canaris et aux géraniums.

— J'attendrai la poste de demain matin, et si elle ne m'apporte pas de lettre de George, je partirai pour Liverpool.

Il était complètement épuisé et tomba dans un lourd sommeil, un sommeil profond sans être réparateur, car il fut tourmenté tout le temps de rêves désagréables – rêves pénibles, non parce qu'ils avaient quelque chose d'horrible en eux-mêmes, mais à cause du sens vague et accablant de leur confusion et de leur absurdité.

Il poursuivait des gens étranges et pénétrait dans d'étranges demeures, s'efforçant de démêler le mystère de la dépêche télégraphique ; dans un autre rêve, il se trouvait dans le cimetière de Ventnor, examinant la pierre tumulaire que George avait commandée pour le tombeau de sa femme. Une fois, dans les longues divagations de ces rêves mystérieux, il approcha de la tombe et trouva cette pierre tumulaire absente ; il en faisait des remontrances au maçon, et l'homme lui avouait qu'il avait eu un motif pour enlever l'inscription, un motif que Robert connaîtrait un jour.

Il se réveilla en sursaut et entendit qu'on frappait à la porte de l'appartement.

C'était une matinée triste et humide, la pluie battait contre les fenêtres, et les canaris gazouillaient tristement, se plaignant peut-être du mauvais temps. Robert n'aurait pu dire pendant combien de temps la personne avait frappé.

— C'est cette stupide Mrs Maloney, je le parierais, murmura-t-il ; elle peut frapper de nouveau, car je m'en soucie fort peu. Pourquoi ne se sert-elle pas de sa clef, au lieu d'arracher un homme de son lit lorsqu'il est demi-mort de fatigue.

La personne, quelle qu'elle fût, frappa de nouveau puis cessa, apparemment lassée ; mais environ une minute après, une clef tourna dans la serrure.

— Elle avait donc sa clef sur elle tout le temps, dit Robert. Je suis enchanté de ne pas m'être levé.

La porte entre le salon et la chambre à coucher était à demi ouverte, et il pouvait y voir remuer la femme de ménage, époussetant les meubles et remettant en ordre des objets qui n'avaient pas été dérangés.

— Est-ce vous, Mrs Maloney ?

— Oui, monsieur.

— Alors pourquoi, bon sang, faisiez-vous ce tapage à la porte alors que vous aviez votre clef sur vous ?

— Du tapage à la porte, monsieur !

— Oui, un infernal tapage.

— Pour sûr, je n'ai jamais frappé, Mr Audley, je suis entrée directement avec la clef…

— Qui a frappé, alors ? Quelqu'un a fait du bruit à cette porte pendant un quart d'heure au moins ; vous devez l'avoir rencontré descendant l'escalier.

— Mais je suis presque en retard ce matin, monsieur, car j'ai été d'abord dans la chambre de Mr Martin, et suis venue directement de l'étage au-dessus.

— Alors vous n'avez pas vu quelqu'un à la porte ou dans l'escalier ?

— Pas âme qui vive, monsieur.

— Fut-il jamais quelque chose d'aussi contrariant ? dit Robert. Penser que j'aurai laissé cette personne s'en retourner sans m'inquiéter de savoir qui elle était ou ce qu'elle voulait. Comment découvrir si ce n'était pas quelqu'un porteur d'un message ou d'une lettre de George Talboys ?

— Si c'est le cas, monsieur, assurément on reviendra, dit Mrs Maloney, cherchant à le consoler.

— Oui, sans doute, si c'est quelque chose d'important, on reviendra…

Le fait est que, du moment où il avait trouvé la dépêche à Southampton, tout espoir d'entendre parler de George avait disparu de son esprit. Il sentait que quelque mystère enveloppait la disparition de son ami – quelque trahison envers lui-même ou envers George. Pourquoi le vieux beau-père du jeune homme n'aurait-il pas essayé de les séparer ? Ou pourquoi, puisque même en ces temps de civilisation toutes sortes d'horreurs qu'on ne soupçonnait pas étaient constamment commises, pourquoi le vieillard n'aurait-il pas attiré George dans un piège à Southampton et n'en aurait-il pas fini avec lui, afin d'entrer en possession de ces vingt mille livres laissées en dépôt à Robert pour l'usage du petit Georgey ? Mais aucune de ces suppositions n'expliquait la dépêche, et c'était cette missive qui avait rempli l'esprit de Robert d'un vague sentiment d'alarme.

Le facteur n'apporta pas de lettre de George Talboys, et la personne qui avait frappé à la porte de la chambre n'était pas revenue entre sept et neuf heures, aussi Robert Audley quitta-t-il Fig-Tree Court. Pour lors, il dit à un cocher de *cab* de le conduire à la station d'Euston, et vingt minutes plus tard il prenait des informations sur les trains.

L'express pour Liverpool était parti une demi-heure avant qu'il atteignît la station, et il devait attendre une heure un quart qu'un train ordinaire le conduisît à destination.

Robert Audley s'irrita cruellement contre ce retard. Une demi-douzaine de bâtiments pouvaient partir pour l'Australie pendant qu'il errait çà et là sur le long quai, heurtant les chariots et les porteurs et pestant contre sa mauvaise fortune.

Il acheta le *Times* et regarda instinctivement, avec un

intérêt maladif, les avis sur les gens disparus, fils, frères et maris qui avaient abandonné leur demeure pour n'y jamais revenir. On annonçait qu'un jeune homme avait été trouvé noyé quelque part sur le rivage de Lambeth. Pourquoi George n'aurait-il pas connu le même sort ? Non ; la dépêche impliquait son beau-père dans sa disparition, et toute conjecture devait partir de là.

Il était huit heures du soir lorsque Robert arriva à Liverpool, trop tard pour faire autre chose que de s'enquérir des bâtiments qui avaient mis à la voile pour les antipodes durant les deux derniers jours.

Un vaisseau d'émigrants était parti à quatre heures l'après-midi, le *Victoria Regia,* chargé pour Melbourne. Le résultat de son enquête se réduisit à ceci. S'il avait besoin de savoir qui s'était embarqué sur le *Victoria Regia*, il devait attendre jusqu'au lendemain.

Robert Audley était au bureau le lendemain matin, à neuf heures, et fut la première personne qui y entra après les employés.

Il rencontra beaucoup de bonne volonté chez l'employé à qui il s'adressa. Le jeune homme consulta ses livres, et, suivant de haut en bas avec sa plume la liste des passagers qui étaient montés sur le *Victoria Regia*, informa Robert qu'il n'y en avait pas un seul parmi eux du nom de George Talboys. Il poussa plus loin ses demandes d'information. Se trouvait-il un passager qui eût fait inscrire ses noms quelques instants avant le départ du bâtiment ?

L'un des autres employés leva la tête de dessus son pupitre à la question de Robert. Il se rappelait un jeune homme qui était entré dans le bureau à trois heures et demie de l'après-midi et avait payé sa traversée. Son nom était le dernier sur la liste : Thomas Brown.

Robert Audley haussa les épaules. Il n'y avait pas de raison pour que George prît un nom d'emprunt. Il demanda à l'employé s'il pouvait se souvenir de la tournure de ce Mr Thomas Brown.

— Non, le bureau était encombré ; le monde entrait et sortait, et je n'ai prêté aucune attention particulière à ce dernier passager.

Robert remercia les employés pour leur obligeance et leur souhaita une bonne journée. Comme il allait quitter le bureau, un des jeunes gens le rappela :

— Ah ! à propos, monsieur, je me rappelle que ce Mr Thomas Brown portait un bras en écharpe.

Mr Robert Audley n'avait rien d'autre à faire que de retourner à Londres. Il rentra chez lui à six heures le même soir, complètement harassé par ses recherches inutiles.

Mrs Maloney lui apporta son dîner et une pinte de vin d'une taverne du Strand. La soirée était froide et humide, et la femme de ménage avait allumé un bon feu dans le foyer du salon.

Après avoir mangé à peu près la moitié d'une côtelette de mouton, Robert resta assis, son vin intact sur la table devant lui, fumant des cigares et les yeux fixés sur le feu.

— George Talboys n'est pas parti pour l'Australie, dit-il après une longue et pénible réflexion. S'il est vivant, il est encore en Angleterre, et s'il est mort, son corps est caché dans quelque coin de l'Angleterre.

Il resta pendant des heures à fumer et à penser ; de confuses et lugubres idées laissaient sur son visage chagrin une ombre noire que ne purent dissiper ni la brillante lumière de la lampe à gaz, ni la flamme rouge du feu.

Très tard dans la soirée, il se leva de sa chaise, recula la table, avança son bureau près du foyer, sortit une feuille de papier d'écolier et trempa une plume dans l'encre.

Cela fait, il s'arrêta, posa son front sur ses mains et se replongea dans ses réflexions.

Je rédigerai un rapport sur tout ce qui est arrivé depuis notre descente dans l'Essex, en commençant par le commencement, songea-t-il.

JOURNAL DES ÉVÉNEMENTS SE RATTACHANT À LA DISPARITION DE GEORGE TALBOYS, Y COMPRIS LES FAITS QUI ONT AUSSI DES RELATIONS APPARENTES AVEC CETTE CIRCONSTANCE.

Malgré l'état chagrin de son esprit, il était presque disposé à s'enorgueillir de la tournure officielle de ce titre. Il resta quelque temps à le considérer avec tendresse, l'extrémité de sa plume dans la bouche.

— Sur ma parole, je commence à croire que j'aurais dû poursuivre ma profession au lieu de gaspiller ma vie comme je l'ai fait.

Il fuma la moitié d'un cigare avant d'avoir mis ses idées en ordre, et alors il commença à rédiger :

1. J'écris à Alicia et je lui propose d'amener avec moi George au château.

2. Alicia écrit l'opposition à cette visite exprimée par lady Audley.

3. Nous allons dans l'Essex en dépit de cette opposition. Je vois milady. Milady refuse d'être présentée à George lors de cette même soirée, sous prétexte de fatigue.

4. Sir Michael invite George et moi à dîner pour le lendemain.

5. Milady reçoit une dépêche télégraphique le lendemain matin, qui l'appelle à Londres.

6. Alicia me montre une lettre de milady, dans laquelle elle la prie de lui faire savoir quand moi et mon ami Mr Talboys avons l'intention de quitter l'Essex. À cette lettre est joint un post-scriptum réitérant la prière ci-dessus.

7. Nous allons au château et demandons à voir l'habitation. Les appartements de milady sont fermés à clef.

8. Nous pénétrons dans ces susdits appartements par un passage secret, dont l'existence est ignorée de milady. Dans l'une des pièces nous trouvons son portrait.

9. George est effrayé par l'orage. Sa conduite est excessivement étrange pendant le reste de la soirée.

10. George est complètement revenu à lui le matin suivant. Je propose de quitter Audley immédiatement, il préfère rester jusqu'au soir.

11. Nous allons à la pêche. George me laisse pour se rendre au château.

12. Le dernier renseignement certain que je puis obtenir sur lui dans l'Essex, c'est au château, où le domestique me déclare qu'il croit que Mr Talboys lui a dit qu'il allait chercher milady dans la campagne.

13. Je reçois à la gare des renseignements qui peuvent être ou n'être pas exacts.

14. J'apprends des nouvelles de George à Southampton, où, d'après son beau-père, il est resté pendant une heure la nuit précédente.

15. La dépêche télégraphique.

Lorsque Robert eut complété ce court rapport, qu'il rédigea après mûre délibération, en s'arrêtant fréquemment pour réfléchir, changer et raturer, il resta longtemps à contempler la page noircie.

Enfin il la parcourut avec attention, s'arrêtant à quelques-uns des nombreux paragraphes et en marquant plusieurs d'une croix au crayon; puis il plia la feuille de papier, passa dans le cabinet du côté opposé de la pièce, l'ouvrit et plaça le papier dans ce même casier dans lequel il avait jeté la lettre d'Alicia – le casier étiqueté: *Important*.

Ayant accompli tout cela, il retourna son fauteuil à côté du feu, recula son bureau et alluma un cigare.

— C'est aussi obscur qu'une nuit sans lune, et le fil du mystère doit commencer à Southampton ou dans l'Essex. Advienne que pourra, ma résolution est prise. J'irai d'abord à Audley, et je chercherai George.

14

Le prétendu de Phœbe

Mr G*EORGE* T*ALBOYS. – Toute personne qui aurait rencontré ce gentleman depuis le 7 du courant, ou qui posséderait quelque renseignement postérieur à cette date le concernant, sera libéralement récompensé en les communiquant à A. Z. 14, Chancery Lane.*

Sir Michael Audley lut l'avis ci-dessus dans la seconde colonne du *Times*, comme il était à déjeuner avec milady et Alicia, plusieurs jours après le retour de Robert à Londres.

— Alors on n'a pas eu encore de nouvelles de l'ami de Robert, dit le baronnet après avoir lu l'annonce à sa femme et à sa fille.

— Quant à cela, répliqua milady, je ne puis m'empêcher de me demander qui peut être assez niais pour supporter des frais d'annonces pour lui. Ce jeune homme était évidemment d'un caractère remuant et vagabond, qu'aucune puissance ne pourrait retenir dans un endroit.

Quoique l'avis parût à trois reprises successives, le monde du château attacha très peu d'importance à la disparition de Mr Talboys, et passé cette unique occasion, son nom ne fut plus jamais mentionné ni par sir Michael, ni par milady ou Alicia.

Alicia Audley et sa jolie belle-mère n'étaient en aucune façon meilleures amies après la paisible soirée où le jeune avocat avait dîné au château.

— C'est une petite coquette frivole, vaine et sans cœur, dit Alicia en s'adressant à son terre-neuve, César, qui était le seul confident de la jeune fille ; c'est une habile et consommée rouée, César, et non contente de faire manœuvrer ses boucles blondes et son ricanement niais pour la moitié des hommes de l'Essex, il faut qu'elle s'efforce de captiver l'attention de mon stupide cousin. J'ai une patience peu commune avec elle.

Pour preuve de cette dernière assertion, miss Alicia Audley traita sa belle-mère avec une impertinence si notoire que sir Michael dut en adresser des remontrances à sa fille unique.

— La pauvre petite femme est si sensible, vous savez, Alicia, dit gravement le baronnet, et elle ressent si vivement votre conduite.

— Je n'en crois pas un mot, papa, répondit Alicia avec fermeté. Vous croyez qu'elle est sensible, parce qu'elle a de petites mains blanches et douces, et de grands yeux bleus avec de longs cils, et toutes sortes de manières affectées et fantasques que vous autres, hommes absurdes, appelez fascinantes. Sensible ! Eh bien, je lui ai vu faire des choses cruelles avec ces doigts blancs et élégants, et rire de la douleur qu'elle causait. Je suis très fâchée, papa, ajouta-t-elle, un peu adoucie par le regard de détresse de son père, qu'elle soit venue s'interposer entre nous et dérober à Alicia l'affection de ce cœur cher et généreux, pour l'amour duquel j'espérais pouvoir m'attacher à elle ; mais je ne puis pas, je ne puis pas, et César ne peut pas davantage. Elle s'est approchée de lui dernièrement avec ses lèvres rouges entrouvertes, laissant voir l'éclat de ses dents blanches, et a caressé sa grosse tête avec sa douce main ; mais si je ne l'avais retenu par son collier, il lui aurait sauté à la gorge et l'aurait étranglée. Elle peut ensorceler tous les hommes de l'Essex, mais elle ne sera jamais amie avec mon chien.

— Votre chien serait abattu, répondit sir Michael avec aigreur, si son mauvais caractère mettait jamais Lucy en danger !

Le terre-neuve roula lentement ses yeux dans la direction de celui qui parlait, comme s'il avait compris tous les mots qui avaient été prononcés. Lady Audley entra dans la pièce au même moment, et l'animal se blottit à côté de sa maîtresse avec un grognement sourd. Il y avait dans l'allure du chien quelque attitude indiquant plutôt la terreur que la colère, tout incroyable qu'il fût de supposer que César pût être effrayé par une créature aussi frêle que Lucy Audley.

Avec sa nature aimable, milady ne pouvait vivre longtemps au château sans découvrir l'aversion d'Alicia pour elle. Elle ne fit allusion à cela qu'un jour, lorsque, soulevant ses gracieuses et blanches épaules, elle soupira :

— Il m'est vraiment pénible que vous ne puissiez m'aimer, Alicia, car je n'ai pas l'habitude de me faire des ennemis ; mais, puisqu'il paraît qu'il en doit être ainsi, je ne puis l'empêcher. Si nous ne pouvons être amies, soyons neutres, au moins. Vous n'avez pas l'intention de me causer du tort ?

— Du tort, à vous ? s'écria Alicia, comment pourrais-je vous en causer ?

— N'essayerez-vous pas de me dépouiller de l'affection de votre père ?

— Je puis ne pas être aussi aimable que vous, milady, et ne pas avoir les mêmes doux sourires et les mêmes jolis mots pour tous les étrangers que je rencontre ; mais je ne suis pas capable d'une bassesse méprisable, et quand bien même je le serais, je vous crois si assurée de l'amour de mon père que seuls vos propres agissements pourront jamais vous en dépouiller.

— Quelle sévère personne vous êtes, Alicia, dit milady avec une petite moue. Je suppose que vous voulez insinuer que je suis pleine de fourberie. Comment, je ne puis m'empêcher de sourire aux gens et de leur parler gentiment ! Je sais que je ne suis pas meilleure que le reste du monde, mais je ne puis remédier à cela ; si je suis d'humeur enjouée, c'est dans ma nature.

Alicia ayant ainsi complètement fermé la porte à toute intimité avec lady Audley, et sir Michael étant principalement occupé d'affaires agricoles et de sport, qui le retenaient hors de chez lui, il était peut-être assez naturel que milady, étant d'un caractère éminemment sociable, trouvât une grande ressource dans la société de sa femme de chambre aux cils blancs.

Phœbe Marks était le type même de la jeune fille élevée du rang de femme de chambre à celui de compagne. Elle avait une éducation suffisante pour lui permettre de comprendre sa maîtresse, quand Lucy voulait bien se livrer à un excès de causerie, une sorte de tarentelle intellectuelle dans laquelle sa langue s'enivrait au bruit de son propre babil, comme le danseur espagnol au bruit de ses castagnettes. Phœbe connaissait assez la langue française pour pouvoir se plonger dans les romans à couverture jaune que milady faisait venir de Burlington Arcade et pour discourir avec sa maîtresse sur les points obscurs de ces romans. La ressemblance que la femme de chambre avait avec lady Audley était peut-être un lien entre les deux femmes. Ce n'était pas, à proprement parler, une ressemblance frappante ; un étranger aurait pu les voir toutes les deux ensemble et ne pas la remarquer. Mais il y avait certains jours tristes et sombres où, regardant Phœbe Marks se glisser lentement à travers les noirs couloirs lambrissés de chêne du château, ou sous les avenues couvertes du jardin, vous eussiez pu la prendre pour milady.

Les vents violents d'octobre balayaient les feuilles des tilleuls dans la longue avenue, les chassaient et les amoncelaient en tas flétris avec un bruit sinistre qui résonnait sur le gravier desséché de la promenade. Le vieux puits devait être à moitié comblé avec les feuilles qui y avaient été poussées et tournoyaient en tourbillons rapides dans son ouverture noire et en ruine. Les mêmes feuilles se décomposaient lentement dans le fonds tranquille du vivier, mêlées avec les herbes entrelacées qui coloraient la surface de l'eau. Tous les jardiniers que sir Michael aurait pu employer eussent été impuissants à préserver les terres qui entouraient le château de l'empreinte destructrice de l'automne.

— Que je déteste ce mois désolé, dit milady en se promenant dans le jardin, toute grelottante sous son manteau de fourrure ; tout tombe en ruine et se flétrit ; et le soleil froid et vacillant illumine d'en haut la terre défigurée, comme la clarté d'une lampe éclaire les rides d'une vieille femme. Deviendrai-je jamais vieille, Phœbe ? Ma chevelure tombera-t-elle jamais comme les feuilles qui tombent de ces arbres, et me laissera-t-elle défaite et dépouillée comme eux ? Que deviendrai-je, lorsque je serai vieille ?

Elle frissonna à cette pensée plus qu'elle ne l'avait fait à la froide bise d'hiver et, s'emmitouflant étroitement dans sa fourrure, marcha si vite que sa femme de chambre avait quelque peine à rester près d'elle.

— Te souviens-tu, Phœbe, lui dit-elle bientôt, modérant son pas, te souviens-tu de cette histoire française que nous avons lue… l'histoire de cette belle femme qui avait commis un crime… j'ai oublié lequel… au zénith de sa puissance et de sa beauté, lorsque tout Paris buvait à sa santé chaque nuit, et que le peuple laissait la voiture du roi pour s'attrouper autour de la sienne et jeter un regard sur son visage ? Te souviens-tu comment elle garda le secret de ce qu'elle avait fait pendant près d'un demi-siècle, passant sa vieillesse dans son château de famille, honorée et chérie par toute la province, comme une sainte canonisée et la bienfaitrice du pauvre ; et comment, lorsque ses cheveux furent devenus blancs et ses yeux presque obscurcis par l'âge, son secret fut révélé par un de ces bizarres accidents par lesquels de tels secrets sont toujours révélés dans les romans, et comment elle fut jugée, reconnue coupable et condamnée à être brûlée vive ? Le roi qui avait porté ses couleurs était mort et oublié ; la cour dont elle avait été l'étoile avait disparu ; les puissants fonctionnaires et les grands magistrats qui auraient pu la secourir moisissaient dans leurs tombeaux ; les jeunes et braves cavaliers qui auraient donné leur vie pour elle étaient tombés sur des champs de bataille éloignés ; elle avait vécu pour voir le siècle auquel elle avait appartenu évanoui comme un rêve ; et elle alla au bûcher, suivie seulement de quelques paysans ignorants qui avaient oublié toutes ses bontés et la huaient comme une méchante sorcière.

— Je n'ai pas de goût pour des histoires si lugubres, milady, dit Phœbe en frissonnant. On n'a pas besoin de lire des livres effrayants dans cette lugubre résidence.

Lady Audley haussa les épaules et rit de la naïveté de sa femme de chambre.

— C'est une résidence lugubre, Phœbe, quoiqu'il ne faille pas dire cela à mon vieil époux chéri. Bien que je sois la femme de l'un des hommes les plus influents du comté, je ne sais si je n'étais presque pas aussi bien dans la maison de Mr Dawson ; et cependant c'est quelque chose que de porter des fourrures de zibeline qui coûtent soixante guinées et d'avoir fait dépenser mille livres pour la décoration de mon appartement.

Traitée comme une compagne par sa maîtresse, recevant de sa libéralité des gages considérables et des gratifications telles que peut-être aucune femme de chambre n'en avait jamais reçu, il était étrange que Phœbe Marks aspirât à quitter sa position ; mais il n'était pas moins vrai qu'elle était désireuse d'échanger tous les avantages d'Audley Court contre la perspective peu rassurante qui l'attendait en épousant son cousin Luke.

Le jeune homme était parvenu à s'associer en quelque manière à la fortune croissante de sa belle. Il n'avait accordé aucun repos à Phœbe, jusqu'à ce qu'elle eût obtenu pour lui, grâce à l'intervention de milady, une position de valet subalterne au château.

Il n'accompagnait jamais à cheval Alicia ou sir Michael ; mais dans une de ces rares occasions où milady monta le joli petit pur-sang réservé à son usage, il vint l'escorter dans sa promenade. Il en vit assez, pendant la première demi-heure qu'ils furent dehors, pour découvrir que, malgré l'apparence gracieuse que pouvait avoir Lucy

Audley dans sa longue amazone bleue, elle était une cavalière timide et totalement incapable de gouverner l'animal qu'elle montait.

Lady Audley démontra à sa femme de chambre sa folie de vouloir épouser le grossier valet.

Les deux femmes étaient ensemble, assises près du feu dans le cabinet de toilette de milady ; le ciel gris cachait le soleil d'un après-midi d'octobre, et les noires traînées de lierre obscurcissaient les châssis des croisées.

— Pour sûr, tu n'es pas amoureuse de cette lourde et vilaine créature ; l'es-tu, Phœbe ? demanda durement milady.

La jeune fille était assise sur un tabouret aux pieds de sa maîtresse. Elle ne répondit pas immédiatement à la question, mais elle resta quelques instants à regarder vaguement dans l'abîme incandescent de l'étroit foyer.

Bientôt elle dit, comme si elle avait pensé tout haut plutôt que répondu à la question de Lucy :

— Je ne pense pas que je puisse l'aimer. Nous avons été ensemble tout enfants et j'ai promis, quand j'avais un peu plus de 15 ans, que je serais sa femme. Je n'ose pas manquer à ma promesse, maintenant. Il y a eu des moments où j'avais composé parfaitement la phrase que j'avais l'intention de lui dire, pour lui déclarer que je ne pouvais pas lui garder ma parole, mais les mots mouraient sur mes lèvres et je restais à le regarder avec une sensation horrible dans le cœur. Je n'ose pas refuser de l'épouser. Je l'ai souvent examiné et je l'examine encore, assis à l'écart, taillant une branche d'épine avec son grand couteau pliant, et je pense que ce sont justement des hommes comme lui qui ont attiré leurs amoureuses dans des endroits écartés et qui les ont égorgées pour avoir manqué à leur parole. Quand il était enfant, il était toujours violent et vindicatif. Je l'ai vu une fois ouvrir ce même couteau dans une querelle avec sa mère. Je vous dis, milady, que je dois l'épouser.

— Tu es une sotte. Tu dis qu'il te tuerait, le crois-tu ? Penses-tu que, s'il y a du meurtrier en lui, tu puisses jamais être en sécurité, étant sa femme ? Si tu le contraries ou le rends jaloux, s'il a besoin d'épouser une autre femme ou de s'emparer de quelque pauvre et pitoyable bribe d'argent à toi, ne pourrait-il pas te tuer alors ? Je te dis que tu ne peux pas l'épouser, Phœbe. En premier lieu, je déteste cet individu ; et en second lieu, je ne puis consentir à me séparer de toi. Nous lui donnerons quelques livres et le renverrons à sa besogne.

Phœbe Marks saisit les mains de milady dans les siennes et les serra convulsivement.

— Milady, ma bonne et excellente maîtresse ! s'écria-t-elle avec impétuosité. N'essayez pas de me contrarier ; ne me demandez pas de le contrarier. Je vous dis que je dois l'épouser. Vous ne savez pas ce qu'il est ; il travaillera à ma ruine et à la ruine des autres si je manque à ma parole. Je dois l'épouser !

— Très bien, Phœbe. Je ne peux m'y opposer. Il doit y avoir quelque secret au fond de tout ceci.

— Il y en a un, milady, dit la jeune fille, le visage détourné de celui de Lucy.

— Je serai très fâchée de te perdre ; mais j'ai promis d'être ton amie en toutes choses. Que veut faire ton cousin pour vivre quand vous serez mariés ?

— Il désirerait tenir une auberge.

— Alors il tiendra une auberge, et qu'il s'y enivre à se donner la mort, le plus tôt sera le mieux. Sir Michael se rend ce soir à un dîner de garçons chez le major Margrave, et ma belle-fille est chez ses amis de la Grange. Tu peux amener ton cousin dans le salon après le dîner, et je lui dirai ce que j'ai l'intention de faire pour lui.

— Vous êtes vraiment bonne, madame, répondit Phœbe en soupirant.

Lady Audley était assise, éclairée par l'éclat brillant du feu et des bougies dans le somptueux salon. Les coussins de damas jaune d'ambre du sofa contrastaient avec sa robe foncée de velours violet, et sa chevelure ondoyante tombait sur son cou en brume d'or. Tout autour d'elle révélait la fortune et la splendeur ; tandis qu'en opposition à tout cet entourage et à sa propre beauté, le lourdaud de valet était debout, grattant sa grosse tête ronde, pendant que milady lui expliquait ce qu'elle voulait faire pour sa servante et confidente. Les promesses de Lucy étaient magnifiques, et elle s'attendait, grossier comme était le personnage, à ce qu'il exprimât sa reconnaissance de la façon brutale qui lui était propre.

À sa grande surprise, il resta immobile, fixant le plancher sans articuler un mot en réponse à ses offres. Phœbe se tenait serrée à côté de lui et semblait désolée de sa grossièreté.

— Dites à milady combien vous êtes reconnaissant, Luke.

— Mais je ne suis pas si reconnaissant que cela, répondit son amoureux avec dureté. Cinquante livres, ce n'est pas beaucoup pour ouvrir une auberge ; vous mettrez cela à cent livres, madame.

— Je n'en ferai rien, dit lady Audley, dont les brillants yeux bleus étincelaient d'indignation et je m'étonne de votre impertinence.

— Oh ! certainement, vous le ferez malgré tout, madame…

Lady Audley se leva, dévisagea l'homme jusqu'à ce que ses yeux insolents s'abaissassent devant les siens et, marchant droit à sa femme de chambre, lui dit d'une voix haute et perçante qui lui était particulière dans les moments de forte agitation :

— Phœbe Marks, vous avez parlé à cet homme.

— Oh ! pardonnez-moi ! pardonnez-moi ! s'écria-t-elle, il m'y a forcé… autrement… jamais !… jamais !… je ne lui aurais dit…

15

Sur le qui-vive

Par une sombre matinée de la fin de novembre, un brouillard jaune tombait sur les prairies basses, les bœufs aveuglés cherchaient leur chemin à travers l'obscurité douteuse et se heurtaient lourdement contre les noirs buissons sans feuilles, ou tombaient dans des fossés qu'on ne pouvait distinguer dans l'atmosphère brumeuse ; l'église de village paraissait brunâtre et confuse à travers le jour incertain ; chaque sentier et chaque porte de chaumière, chaque extrémité de pignon et de vieille cheminée grisâtre, les enfants du village et les chiens errants semblaient avoir un aspect étrange et fatal dans cette demi-obscurité. Phœbe Marks et son cousin Luke traversèrent le cimetière d'Audley et se présentèrent devant un vicaire grelottant de froid, dont le surplis tombait en plis mous, imprégné du brouillard du matin, et dont l'humeur ne s'était pas améliorée pour avoir attendu pendant cinq minutes les futurs mariés.

Luke Marks, dans ses habits mal ajustés du dimanche, ne paraissait en aucune façon plus beau que dans son costume de chaque jour ; mais Phœbe, arrangée avec une robe de taffetas gris perle, qui avait été portée environ une demi-douzaine de fois par sa maîtresse, ressemblait, selon l'avis de quelques spectateurs, à une vraie dame. Une bien triste et sombre dame, aux traits vagues et dépourvus de couleur, ayant des yeux, une chevelure, un teint et une toilette qui se confondaient en ombres si pâles et si incertaines qu'un étranger superstitieux aurait pu prendre la mariée pour le fantôme de quelque autre mariée morte et ensevelie dans les caveaux de l'église.

Luke Marks, le héros de la circonstance, pensait très peu à tout cela. Il s'était assuré la femme de son choix et l'objet de la longue ambition de sa vie – une auberge. Milady avait fourni les soixante-quinze livres nécessaires pour l'acquisition des immeubles, le pot de vin et la fourniture des bières et spiritueux d'une modique auberge dans le centre d'un petit village solitaire perché sur le sommet d'une colline appelée Mount Stanning. Ce n'était pas une très jolie maison en apparence ; elle avait dans son aspect quelque chose de détérioré, située comme elle était sur un terrain élevé, abritée seulement par trois ou quatre peupliers démesurés et nus qui avaient poussé trop rapidement en hauteur, aux dépens de leur vigueur, et qui offraient l'image de la souffrance et de l'abandon. Le vent avait passé ses fantaisies sur *Castle Inn* et fait quelquefois sentir cruellement sa puissance. C'était lui qui avait fait fléchir et renversé les toitures basses et couvertes de chaume des hangars et des étables, jusqu'à ce qu'elles fussent penchées et jetées en avant comme un chapeau rabattu sur le front bas de quelque brigand de village ; c'était lui qui avait secoué avec fracas les contrevents en bois devant les fenêtres, jusqu'à ce qu'ils pendissent brisés et délabrés sur leurs gonds rouillés ; c'était lui qui avait culbuté le pigeonnier et détruit la girouette assez imprudente pour se dresser et constater les mouvements de sa puissance ; c'était lui qui avait fait bon marché du moindre morceau de treillage en bois, des plantes grimpantes, du frêle balcon et de toute modeste décoration, et avait arraché et dispersé le tout dans sa fureur dédaigneuse ; c'était lui, en un mot, qui avait mis en morceaux, abîmé, crevassé et disloqué la masse chancelante des bâtiments, puis s'était évanoui en mugissant dans le désordre et le triomphe de sa vigueur exterminatrice. Le propriétaire découragé s'était fatigué de sa longue lutte avec ce puissant ennemi, aussi le vent était-il resté libre d'agir selon ses caprices, et *Castle Inn* tombait lentement en ruine.

Mais, malgré tout ce qu'elle souffrait en dehors, elle n'en était pas moins prospère à l'intérieur. De vigoureux bouviers s'arrêtaient pour boire au petit comptoir ; des fermiers aisés passaient leurs soirées à parler politique dans la salle basse et lambrissée, tandis que leurs chevaux mâchaient quelque mélange suspect de foin moisi et de fèves passables dans les écuries délabrées. Quelquefois même, les membres de la chasse d'Audley avaient fait une halte à *Castle Inn*, pour se rafraîchir et abreuver leurs chevaux ; une fois, dans une grande occasion qui n'avait jamais été oubliée, un dîner avait été commandé par le chef piqueur pour une trentaine de gentlemen, et le propriétaire était devenu presque fou à la nouvelle de cette importante commande.

Aussi Luke Marks, qui ne s'inquiétait pas le moins du monde de la vue du beau, s'estima très heureux de devenir propriétaire de l'auberge de Mount Stanning.

Une carriole attendait dans le brouillard pour transporter le nouveau couple dans sa nouvelle demeure, et quelques simples villageois, qui avaient connu Phœbe enfant, rôdaient près de la porte du cimetière pour lui souhaiter le bonjour. Ses yeux ternes étaient encore rendus plus ternes par les pleurs qu'elle avait versés et par les cercles rouges qui les cernaient. Le mari était ennuyé de ces preuves d'émotion.

— Qu'as-tu à pleurnicher, fillette ? dit-il durement. Si tu ne voulais pas te marier avec moi, il fallait me le dire. Je ne vais pas te tuer, n'est-ce pas ?

La femme de chambre grelottait pendant qu'il lui parlait et serra autour d'elle sa mantille de soie.

— Tu as froid dans tout ce bel attirail, dit Luke, jetant un regard sur la riche toilette avec une expression qui n'avait rien de bienveillant. Pourquoi les femmes ne peuvent-elles s'habiller selon leur condition ? Ce n'est pas avec mon argent que tu achèteras des robes de soie, je puis te l'affirmer.

Il mit la jeune fille tremblante dans la carriole, l'enveloppa d'un grossier pardessus et poussa son cheval dans le brouillard jaune, accompagné par les faibles acclamations de deux ou trois gamins rassemblés près de la porte.

Une nouvelle femme de chambre fut envoyée de Londres pour remplacer Phœbe Marks auprès de milady – une très élégante demoiselle qui portait une robe de satin noir et des rubans roses sur son bonnet et se plaignait amèrement de la tristesse d'Audley Court.

Mais Noël amena des visites au vieux manoir. Un gentleman campagnard et sa grosse épouse occupèrent la chambre aux tapisseries ; de gaies jeunes filles voltigèrent dans les longs couloirs, et des jeunes gens regardèrent par les fenêtres, observant le vent du sud et le ciel nuageux. Il n'y avait pas une place vide dans les vieilles et spacieuses écuries ; une forge improvisée avait été établie dans la cour pour ferrer les chevaux de chasse. Les chiens en aboyant faisaient retentir le lieu de leurs clameurs continuelles ; des domestiques étrangers étaient entassés dans les combles ; chaque petite fenêtre cachée sous quelque pignon du toit, chaque lucarne de la vieille toiture bizarre brillait dans la nuit d'hiver, de telle sorte que le voyageur surpris par la nuit, arrivant soudainement à Audley Court, trompé par les lumières, le bruit et le vacarme du lieu, aurait pu tomber aisément dans l'erreur du jeune Marlowe et prendre le manoir hospitalier pour une bonne auberge de l'ancien temps, comme celles qui ont disparu de la surface de ce pays depuis que la dernière malle-poste et les bidets fringants ont fait leur dernier voyage mélancolique à la maison de l'équarrisseur.

Entre autres invités, Mr Robert Audley s'était rendu dans l'Essex pour la saison des chasses, avec une demi-douzaine de romans français, une caisse de cigares et trois livres de tabac turc dans son portemanteau.

Les honnêtes gentilshommes qui parlaient tout le temps du déjeuner de poulains et de pouliches, de brillantes courses de sept rudes heures à cheval dans trois comtés, et d'une promenade de trente miles à minuit pour rentrer chez soi avec des chevaux de louage pour seule ressource, qui quittaient brusquement la table bien servie, la bouche pleine de rosbeef froid, pour examiner soit un paturon, soit une entorse de la jambe de devant, soit le poulain qui revenait de chez le vétérinaire, restaient pétrifiés en voyant Mr Robert Audley s'attarder sur une tartine de pain et de marmelade, comme une personne incapable de remarquer quoi que ce soit.

Le jeune avocat avait amené deux chiens avec lui, et un gentilhomme campagnard, qui avait donné cinquante livres pour un chien d'arrêt et accompli un voyage de quelques cent miles pour examiner une paire de chiens courants avant d'entamer un marché, se moquait tout haut de ces deux vilaines bêtes ; l'une d'elles avait suivi Robert Audley à travers Chancery Lane et la moitié de la longueur d'Holborn, tandis que son compagnon avait été arraché par le jeune avocat à un fruitier qui le maltraitait. Et comme Robert, en outre, insistait pour avoir ces deux déplorables animaux sous son fauteuil dans le salon – au grand dam de milady qui, comme nous le savons, détestait toute espèce de chiens –, les invités d'Audley Court considéraient le neveu du baronnet comme un maniaque d'un caractère inoffensif.

Pendant ses précédentes visites au château, Robert Audley avait arboré une triste mine en se joignant aux parties de plaisir de la joyeuse compagnie. Il avait trotté à travers une demi-douzaine de champs labourés sur un poney paisible de sir Michael et, s'arrêtant essoufflé et haletant devant la porte de quelque ferme, il avait exprimé son intention de ne pas suivre davantage la chasse. Il avait même été jusqu'à chausser à grand-peine une paire de patins, dans le dessein de faire un tour sur la surface glacée du vivier, et était ignominieusement tombé à son premier essai, restant placidement étendu sur le dos, jusqu'au moment où les spectateurs crurent convenable de le relever. Il avait occupé le siège de derrière d'un dog-cart pendant une charmante promenade du matin, protestant vigoureusement contre la position d'un homme perché comme sur un pic et demandant que le véhicule s'arrêtât cinq minutes pour arranger les coussins.

Mais cette année il ne montrait aucune inclination pour ces amusements hors du logis. Il passait son temps entièrement en flâneries dans le salon, se rendant agréable, avec sa nonchalance naturelle, à milady et Alicia.

Lady Audley recevait les attentions de son neveu de cette façon pleine de grâce, demi-enfantine, que ses admirateurs trouvaient si charmante ; mais Alicia était indignée du changement survenu chez son cousin.

— Vous avez toujours été un pauvre homme sans vigueur, Bob, dit la jeune fille d'un air de mépris, comme elle s'élançait dans le salon, en costume de cheval, après un déjeuner de chasse auquel Robert n'avait pas assisté, préférant une tasse de thé dans le boudoir de milady. Mais cette année, je ne sais ce qui vous arrive, vous n'êtes bon qu'à tenir un écheveau de soie ou à lire Tennyson à lady Audley.

— Ma chère pétulante et impétueuse Alicia, ne vous mettez pas en fureur, supplia le jeune homme. Une conclusion n'est pas une porte à cinq barres, et vous n'avez pas besoin de lâcher la bride à votre jugement, comme vous le faites à votre jument Atalante quand vous courez à travers champs sur les talons d'un infortuné renard. Lady Audley m'intéresse, et les amis de campagne de mon oncle, pas du tout. Est-ce là une réponse suffisante, Alicia ?

Miss Audley remua la tête avec un petit mouvement rempli de dédain.

— C'est une aussi bonne réponse que celle que je pourrai jamais obtenir de vous, Bob, dit-elle avec impatience, mais je vous en prie, amusez-vous à votre fantaisie ; étendez-vous dans un fauteuil tout le jour, avec ces deux chiens ridicules endormis sur vos genoux ; abîmez les rideaux de croisée de milady avec la fumée de vos cigares, et ennuyez tout le monde dans la maison avec votre contenance stupide et inanimée.

Mr Robert Audley ouvrit ses beaux yeux gris de toute leur grandeur à cette tirade et jeta un regard désespéré sur miss Alicia.

La jeune fille se promenait de long en large, frappant à tort et à travers les pans de sa jupe avec sa cravache ; ses yeux lançaient des regards irrités, et une ardente rougeur flamboyait sous sa peau brune et diaphane. Le jeune avocat reconnut bien à ces symptômes que sa cousine était dans un accès de colère.

— Oui, répéta-t-elle, votre tenue est stupide, et celle d'un être insensible. Savez-vous, Robert, qu'avec toute votre amabilité railleuse, vous êtes rempli d'amour-propre et d'arrogance. Vous regardez nos distractions du haut de votre grandeur, vous relevez vos sourcils et haussez vos épaules, puis vous vous jetez dans votre fauteuil, sans vous soucier de nous et de nos plaisirs. Vous êtes un égoïste, un sybarite au cœur glacé…

— Alicia ! ma bonne, ma gracieuse Alicia !…

Le journal du matin s'échappa de ses mains et il resta les yeux languissamment fixés sur son charmant agresseur.

— Oui, égoïste, Robert ! Vous gardez avec vous une demi-douzaine de chiens affamés, parce que vous aimez les chiens affamés. Vous arrêtez et caressez la tête de chaque vilain mâtin bon à rien. Vous remarquez les petits enfants et leur donnez un demi-pence, parce que cela vous plaît d'agir ainsi. Mais vous relevez vos sourcils d'un quart de yard lorsque le pauvre sir Harry Towers raconte une histoire ridicule et fixez le pauvre individu jusqu'à lui faire perdre contenance avec votre hauteur nonchalante. Pour ce qui est de votre amabilité, vous laisseriez un homme vous frapper et vous lui diriez merci pour le coup, plutôt que de prendre la peine de le lui rendre ; mais vous n'iriez pas à un demi-mile pour rendre service à votre meilleur ami. Sir Harry vous vaut vingt fois, quoiqu'il écrive pour demander si ma jument Atalante est rétablie de son entorse. Il n'a pas des paroles magiques, lui, et ne relève pas ses sourcils jusqu'à la racine de ses cheveux, mais il traverserait le feu et l'eau pour la femme qu'il aime, tandis que vous…

Au moment même où Robert était bien préparé à affronter l'emportement de sa cousine, et où miss Alicia semblait sur le point de lancer sa plus forte attaque contre lui, la jeune fille s'interrompit brusquement et fondit en larmes.

Robert se leva vivement de son fauteuil, culbutant ses chiens sur le tapis.

— Alicia, ma chère Alicia, qu'y a-t-il ?

— Il y a… il y a… il y a que la plume de mon chapeau est entrée dans mes yeux, dit en sanglotant sa cousine.

Et avant que Robert pût vérifier la vérité de cette assertion, Alicia s'était précipitée hors de l'appartement.

Mr Audley se préparait à la suivre, lorsqu'il entendit sa voix dans la cour au-dessous, au milieu des piétinements des chevaux et du tumulte causé par les invités, les chiens et les valets. Sir Harry Towers, le plus aristocratique chasseur du voisinage, venait de prendre son petit pied dans sa main, et elle s'élançait sur sa selle.

— Bonté du ciel ! s'écria Robert, observant la joyeuse troupe de cavaliers jusqu'à ce qu'elle eût disparu au-delà de l'arceau, que veut dire tout ceci ?… Qu'elle est ravissante à cheval ! quelle jolie tournure, et quel beau, candide visage brun et rose ! Mais s'enfuir avec un individu de cette espèce, sans la moindre provocation. Voilà la conséquence de laisser une jeune fille suivre les chasses ! Elle considère toute chose dans la vie comme elle ferait d'un arbre de six pieds ou d'un fossé profond ; elle va à travers le monde comme elle va à travers la campagne… droit, en avant, et saute par-dessus tout. Quelle excellente fille elle eût pu faire si elle avait été élevée dans Fig-Tree Court ! Si je me marie jamais et que j'ai des filles – possibilité reculée dont le ciel me préserve ! –, elles seront élevées dans Paper Buildings, elles prendront leurs seules récréations dans les jardins du Temple, et n'iront jamais plus loin que les portes jusqu'à ce qu'elles soient en âge de se marier – époque à laquelle je les conduirai directement, en passant par Fleet Street, à l'église de St Dunstan et les remettrai entre les mains de leur époux.

C'est en se livrant à de semblables réflexions que Mr Robert Audley trompa le temps jusqu'au moment où milady rentra dans le salon, fraîche et rayonnante dans son élégante toilette du matin, ses boucles d'or lustrées par les eaux parfumées dans lesquelles elle s'était baignée et son album recouvert de velours dans les mains. Elle dressa un petit chevalet à côté de la croisée, s'assit devant et commença à mélanger les couleurs sur sa palette, tandis que Robert l'observait les yeux à demi fermés.

— Êtes-vous sûre que mon cigare ne vous incommode pas, lady Audley ?

— Oh ! non, vraiment, je suis presque habituée à l'odeur du tabac. Mr Dawson, le chirurgien, fumait toute la soirée quand je vivais dans sa maison.

— Dawson est un brave homme, n'est-ce pas ? demanda Robert d'un air insouciant.

Milady fit entendre son charmant éclat de rire toujours prêt à jaillir.

— La meilleure des créatures, il me donnait vingt-cinq livres par an… imaginez-vous… ce qui fait six livres cinq shillings par trimestre. Je me vois encore recevant cette somme, six malheureux souverains ternis, et un petit tas d'argent malpropre et crasseux qui venait directement de la tirelire du chirurgien ; et alors, comme j'étais contente de posséder cet argent, tandis qu'aujourd'hui… je ne puis m'empêcher de rire lorsque j'y pense… Ces couleurs que j'emploie coûtent une guinée chacune chez Windsor et Newton… le carmin et l'outremer, trente shillings. J'ai donné à Mrs Dawson une de mes robes de soie, l'autre jour, et la pauvre personne m'a embrassée, et le chirurgien a emporté le paquet chez lui sous son manteau.

Milady faisait entendre de longs et joyeux éclats de rire en pensant à cela. Ses couleurs étaient mélangées ; elle était en train de copier l'aquarelle d'un paysan italien d'une beauté impossible, dans une atmosphère turneresque impossible. L'esquisse était près d'être finie, et elle avait seulement à apporter quelques petites retouches avec le plus délicat de ses pinceaux de blaireau. Elle se préparait délicatement à l'ouvrage en regardant de biais la peinture.

Tout ce temps-là, les yeux de Robert Audley étaient attentivement attachés à son visage.

— C'est un grand changement, dit-il après un silence si long que milady pouvait avoir oublié ce qui avait été dit précédemment. C'est un grand changement ! bien des femmes donneraient beaucoup pour vivre un changement comme celui-là.

Lady Audley ouvrit ses grands yeux bleus et les fixa subitement sur le jeune avocat. Le soleil d'hiver, réfléchissant en plein sur sa figure, après avoir frappé le côté de la croisée, illuminait l'azur de ses beaux yeux, de sorte que leur couleur semblait incertaine et hésitante entre le bleu et le vert, comme varient en un jour d'été les teintes opalines de la mer. Le petit pinceau tomba de sa main et couvrit la figure du paysan d'une large tache de laque cramoisie.

Robert Audley aplanissait délicatement et avec précaution les feuilles froissées de son cigare.

— Mon ami de Chancery Lane ne m'a pas donné d'aussi bons manilles que d'habitude, murmura-t-il. Si jamais vous fumez, ma chère tante – et je me suis laissé dire que quelques femmes cueillaient la mauvaise herbe cachée sous la rose –, faites attention à bien choisir vos cigares.

Milady respira longuement, ramassa sa brosse et pouffa de rire à l'avis de Robert.

— Quel être excentrique vous faites, Mr Audley ! Savez-vous que quelquefois vous m'embarrassez.

— Pas plus que vous ne m'embarrassez, ma chère tante.

Milady serra ses couleurs et l'esquisse puis, s'asseyant dans la profonde embrasure d'une autre croisée, à une distance considérable de Robert Audley, se mit à travailler à une grande pièce de tapisserie sur laquelle les Pénélope d'autrefois, dès l'âge de 10 ou 12 ans, se passionnaient à exercer leur habileté – le Vieux Temps à Bolton Abbey.

Assise comme elle était dans l'embrasure de cette croisée, milady était séparée de Robert Audley par toute la longueur de l'appartement, et le jeune homme pouvait seulement saisir par intervalles un rayon de son beau visage, entouré de sa brillante auréole de cheveux semblables à une brume dorée.

Robert Audley était depuis une semaine au château, et pourtant ni lui ni milady n'avaient encore prononcé le nom de George Talboys.

Ce matin-là, cependant, après avoir épuisé les sujets ordinaires de conversation, lady Audley demanda des nouvelles de l'ami de son neveu.

— Ce Mr George… George… dit-elle en hésitant.

— Talboys, suggéra Robert.

— Oui, c'est cela… Mr George Talboys !… un assez singulier nom, entre parenthèses, et certainement, sous tous les rapports, un très singulier personnage. L'avez-vous vu dernièrement ?

— Je ne l'ai pas vu depuis le 7 septembre, depuis le jour où il me laissa endormi dans les prairies de l'autre côté du village.

— Ah ! mon Dieu ! s'écria milady. Quel étrange jeune homme ce doit être. Je vous en prie, racontez-moi tout ce que vous savez sur lui.

Robert raconta, en quelques mots, sa visite à Southampton et son voyage à Liverpool, et leurs différents résultats ; milady écoutait avec grande attention.

Afin de mieux faire ressortir les péripéties de cette

histoire, le jeune homme quitta son fauteuil et, traversant le salon, prit place en face de lady Audley, dans l'embrasure de la croisée.

— Et que concluez-vous de tout ceci ? demanda milady après un moment de silence.

— C'est un si grand mystère pour moi que j'ose à peine en tirer une conclusion ; mais au milieu de cette obscurité, je crois en tâtonnant être arrivé à deux suppositions qui me paraissent presque des certitudes.

— Et quelles sont-elles ?...

— Premièrement, George Talboys n'est pas allé plus loin que Southampton ; secondement, il n'est même pas allé à Southampton.

— Mais vous y avez trouvé ses traces ; son beau-père l'a vu.

— J'ai mes raisons pour douter de la droiture de son beau-père.

— Bon Dieu ! s'écria milady d'un air alarmé : que voulez-vous dire par là ?

— Lady Audley, répondit gravement le jeune homme, je n'ai jamais exercé comme avocat. J'ai embrassé une profession dont les membres assument de grandes responsabilités et ont des devoirs sacrés à remplir : j'ai toujours fui ces responsabilités et ces devoirs, comme je l'ai fait pour tous les soucis de cette vie ennuyeuse ; mais nous sommes quelquefois forcés d'entrer dans la position même que nous avons le plus évitée, et je me suis trouvé dernièrement appelé moi-même à réfléchir sur ce sujet. Lady Audley, n'avez-vous jamais étudié la théorie des preuves indirectes ?

— Comment pouvez-vous demander à une pauvre petite femme de pareilles choses ?

— Les preuves indirectes, continua le jeune homme, comme s'il eût à peine entendu l'interruption de lady Audley, ce merveilleux édifice construit de brins de paille rassemblés dans un certain cercle, est encore assez solide pour servir de potence à un homme. Sur quels petits riens est parfois suspendu le secret entier de quelque crime resté longtemps mystérieux ? Un chiffon de papier, un morceau de vêtement déchiré, un bouton arraché d'un habit, un mot échappé imprudemment des lèvres du coupable, le fragment d'une lettre, une porte ouverte ou fermée, une ombre sur le store, le moment exact, mille circonstances assez insignifiantes pour être oubliées par le criminel, mais anneaux d'acier dans cette chaîne miraculeuse forgée par la sagacité du juge d'instruction ; et voilà le gibet dressé, la cloche fatale qui tinte dans la brume sinistre du jour naissant, la bascule qui crie sous les pieds du coupable, et justice est faite.

De faibles ombres de vert et de cramoisi tombèrent sur le visage de milady des écussons peints sur les vitraux des meneaux de la croisée près de laquelle elle était assise ; mais toute trace de couleur naturelle avait disparu de ce visage, ne lui laissant que la pâleur gris cendre des fantômes.

Assise calmement dans son fauteuil, la tête renversée sur les coussins de damas couleur d'ambre, ses petites mains reposant sans force sur ses genoux, lady Audley s'était évanouie.

— Le rayon se resserre de jour en jour, dit Robert Audley, George Talboys n'est pas allé à Southampton.

16

Robert Audley reçoit son congé

La semaine de Noël était passée, et les invités abandonnaient un à un Audley Court. Le gros gentilhomme et son épouse quittèrent la sombre chambre aux tapisseries grises et laissèrent les guerriers aux épais sourcils noirs se détacher sur le mur, regarder d'un air terrible et menacer de nouveaux hôtes ou lancer dans le vide leurs yeux étincelants de vengeance. Les gaies jeunes filles du second étage arrangeaient leurs coffres et leurs caisses d'impériale, et la gaze des toilettes de bal allait rentrer flétrie au logis, après avoir été transportée à Audley dans toute sa fraîcheur. Les vieilles voitures de famille cahotantes, avec leurs chevaux aux fanons non taillés, qui témoignaient de travaux plus durs que des voyages dans le pays, étaient rangées en cercle dans le large espace qui s'étendait devant la sévère porte de chêne, chargées d'un tas de bagages de femme, véritable chaos. De jolies figures roses sortaient des portières de l'équipage, pour donner en souriant le dernier adieu au groupe qui demeurait encore à la porte d'entrée, pendant que le véhicule passait avec fracas et en criant sur ses ressorts sous l'arceau couvert de lierre. Sir Michael était partout à la fois, secouant les mains des jeunes gens, embrassant les jeunes filles aux joues rosées, embrassant même quelquefois les corpulentes matrones qui venaient le remercier de son hospitalité ; partout cordial, hospitalier, généreux, heureux et aimé, le baronnet se précipitait d'appartement en appartement, de l'antichambre aux écuries, des écuries à la cour, de la cour à la porte cochère cintrée, pour assister au départ de ses hôtes.

Les boucles soyeuses de milady jetaient çà et là des reflets passagers, dans ces jours affairés des adieux, comme les feux intermittents d'un soleil. Ses grands yeux bleus avaient un joli regard plein de tristesse, en charmant unisson avec la douce pression de sa petite main et ces mots d'amitié stéréotypés, avec lesquels elle disait à ses invités combien elle était au désespoir de les perdre et comment elle ne savait ce qu'elle allait devenir jusqu'au jour où ils reviendraient animer le château de leur agréable société.

Mais, quelque désespérée que pût être milady, il y avait au moins un hôte dont la société ne devait pas lui manquer. Robert Audley ne manifestait aucune intention de quitter la maison de son oncle. Il n'avait pas de devoirs professionnels à remplir, disait-il ; Fig-Tree Court était une retraite délicieuse dans la saison chaude, mais c'était un terrible coin, en revanche, où le vent soufflait dans les mois d'hiver, avec tout un cortège de rhumatismes et de grippes. Tout le monde était si bon pour lui au château que, réellement, il n'avait aucune envie de s'en aller.

Sir Michael n'avait qu'une seule réponse à toutes ces raisons :

— Restez, mon cher ami ; restez, mon cher Bob, aussi longtemps que vous voudrez. Je n'ai pas de fils, et vous tenez ici pour moi la place d'un fils. Faites-vous apprécier de Lucy, et demeurez ici aussi longtemps que vous vivrez…

À ces paroles Robert répliquait gaiement en serrant fortement la main de son oncle et en murmurant quelque chose comme : « Vous êtes un jovial vieux prince. »

Il est à observer qu'il y avait une certaine tristesse vague dans le ton du jeune homme quand il appelait sir Michael « un jovial vieux prince », comme une ombre de regret affectueux qui faisait passer un nuage dans les yeux de Robert, tandis qu'assis dans un coin du salon il regardait d'un air pensif le baronnet à barbe grise.

Avant que le dernier des jeunes chasseurs partît, sir Harry Towers demanda et obtint une entrevue avec miss Alicia Audley dans la bibliothèque garnie de chêne, entrevue lors de laquelle le brave et jeune chasseur au renard manifesta une grande émotion – émotion telle, en vérité, et d'un caractère si franc et si honnête, qu'Alicia était complètement brisée en lui disant qu'elle lui conserverait à jamais estime et respect pour son cœur noble et loyal, mais qu'il ne devait jamais, jamais, jamais, à moins de lui causer la plus cruelle peine, lui demander autre chose que cette estime et ce respect.

Sir Harry quitta la bibliothèque par la porte à la française ouvrant sur le jardin au vivier. Il s'enfonça sous cette même allée de tilleuls que George Talboys avait comparée à une avenue de cimetière, et sous les arbres sans feuilles livra combat à son brave et jeune cœur.

— Quel fou je suis de ressentir ce que j'éprouve ! s'écria-t-il, imprimant son pied sur le sol glacé. J'ai toujours su qu'il en serait ainsi, j'ai toujours compris qu'elle était cent fois trop belle pour moi. Que Dieu la rende heureuse ! Quelle noblesse et quelle douceur dans son langage ! qu'elle était belle avec cette pudique rougeur sous sa peau brune et ces larmes dans ses grands yeux gris, presque aussi belle que le jour où elle franchit la haie et me laissa placer une bruyère à son chapeau en chevauchant vers le logis. Que Dieu la rende heureuse ! Je puis passer sur bien des choses tant qu'elle ne prête pas attention à ce vilain homme de loi, mais je ne pourrais supporter cela.

Ce vilain homme de loi, dénomination par laquelle sir Harry faisait allusion à Robert Audley, était planté dans le vestibule, examinant une carte géographique des provinces du Centre, lorsque Alicia arriva de la bibliothèque, les yeux rouges, après son entrevue avec le chasseur de renard.

Robert, qui avait la vue basse, tenait ses yeux à un demi-pouce de la surface de la carte, quand la jeune fille s'approcha de lui.

— Certainement, dit-il, Norwich est dans le Norfolk, et cet étourdi, ce jeune Vincent, affirmait que c'était dans le Herefordshire. Ah ! Alicia, c'est vous ?

Il se retourna comme pour barrer le passage à Alicia, qui se dirigeait vers l'escalier.

— Certainement, répliqua brièvement sa cousine, essayant de passer.

— Alicia, vous avez pleuré ?

La jeune fille ne daigna pas répondre.

— Vous avez pleuré, Alicia. Sir Harry Towers, de Towers Park, dans le comté de Herts, vient de vous offrir sa main, n'est-ce pas ?

— Étiez-vous à la porte à écouter, Mr Audley ?

— Je n'y étais pas, miss Audley. En principe, je me défends d'écouter, et en pratique, je crois que c'est un procédé très fatigant ; mais je suis avocat, miss Alicia, et capable de tirer des conclusions par des preuves indirectes. Savez-vous ce que c'est, miss Audley ?

— Non, répliqua Alicia, lançant à son cousin un regard pareil à celui qu'une jeune et magnifique panthère lancerait à l'homme assez osé pour la tourmenter.

— Je ne croyais pas, j'ose l'affirmer, que sir Harry pouvait demander autre chose qu'une nouvelle manière de botter un cheval. Mais j'ai compris par certains signes que le baronnet se préparait à vous offrir sa main ; premièrement, parce qu'il a descendu l'escalier avec ses cheveux coiffés de travers et que sa figure était aussi pâle que la nappe ; secondement, parce qu'il n'a pu rien manger à déjeuner et a laissé son café passer de travers, et troisièmement, parce qu'il vous a demandé une entrevue avant de quitter le château. Eh bien, que va-t-il advenir, Alicia ? Épousons-nous le jeune baronnet, et le pauvre cousin Bob sera-t-il garçon d'honneur à la noce ?

— Sir Harry Towers est un noble cœur, dit Alicia, essayant encore d'échapper à son cousin.

— Mais l'acceptons-nous, oui ou non ? Allons-nous devenir lady Towers, ayant un superbe domaine dans le Hertfordshire, des quartiers d'été pour nos chasseurs et un *drag*, avec des postillons, pour nous conduire rapidement dans la résidence de papa, dans l'Essex ? Va-t-il en être ainsi, Alicia, oui ou non ?

— Que vous importe, Robert ! s'écria Alicia avec emportement. Pourquoi vous inquiéter de ce qui adviendra de moi, ou de qui j'épouserai ? Si j'épousais un ramoneur, vous vous contenteriez de lever vos sourcils et de dire : « Bénie soit mon âme ; elle a toujours été excentrique. » J'ai refusé sir Harry Towers, mais lorsque je pense à son affection généreuse et désintéressée et que je la compare à l'indifférence nonchalante, égoïste, dédaigneuse et sans cœur d'autres hommes, j'ai bonne envie de courir après lui et de lui dire…

— Que vous vous rétractez et que vous consentez à devenir lady Towers ?

— Oui.

— Ne faites pas cela, Alicia, ne faites pas cela, dit Robert Audley, saisissant le petit poignet gracieux de sa cousine et la conduisant en haut de l'escalier ; venez avec moi dans le salon, Alicia, ma pauvre petite cousine, ma charmante, impétueuse, tourmentante petite cousine, asseyez-vous là, près de cette croisée à meneaux, et parlons sérieusement et sans nous quereller, si nous pouvons.

Les cousins avaient le salon à eux seuls. Sir Michael était dehors, milady dans son appartement, et le pauvre sir Harry Towers se promenait de long en large sur le gravier de l'allée, caché par les ombres vacillantes des branches dépouillées.

— Ma chère petite Alicia, dit Robert aussi tendrement que s'il se fût adressé à quelque enfant gâté, supposez-vous que, parce que l'on ne porte pas des flacons de sels ou qu'on ne se coiffe pas de travers, et qu'on ne se conduit pas à la façon de maniaques beaux diseurs qui veulent prouver la violence de leur passion… supposez-vous que l'on ne puisse être aussi sensible au mérite d'une chère petite jeune fille, au cœur bouillant et affectionné, que tous ceux qui l'entourent ? La vie est une chose si ennuyeuse que l'on fait aussi bien de jouir tranquillement des biens qu'elle peut donner. Je ne pousse pas de grandes exclamations parce que je puis acheter de bons cigares au coin de Chancery Lane et que j'ai une chère et bonne jeune fille pour cousine ; mais je n'en suis pas moins reconnaissant à la Providence de ce que cela soit ainsi.

Alicia ouvrait ses yeux gris de toute leur grandeur, dévisageant son cousin avec un regard étonné. Robert avait pris le plus vilain et le plus maigre de ses chiens, et était occupé paisiblement à caresser les oreilles de l'animal.

— Est-ce là tout ce que vous avez à me dire, Robert ? demanda miss Audley avec douceur.

— Eh bien, oui… oui… répliqua son cousin après une longue délibération. Je crois que voici ce que j'avais besoin de vous dire. Ne prenez pas pour mari le chasseur de renard, si vous aimez mieux toute autre personne : car si vous voulez être patiente et prendre la vie paisiblement, essayer de vous empêcher de fermer les portes à tout briser, de sortir ou entrer avec fracas dans les appartements, de parler continuellement écuries et de galoper à travers le pays, je n'ai pas le moindre doute que la personne que vous préférez ne veuille être pour vous un très excellent mari.

— Merci, cousin, dit miss Audley, les yeux étincelant d'indignation et rougissant jusqu'à la racine de ses noirs cheveux ondoyants ; mais, comme vous ne connaissez pas la personne que je préfère, je pense que vous ne devriez pas répondre pour elle.

Robert, d'un air rêveur, tira pendant quelques instants les oreilles de son chien.

— Non, assurément, non, sans doute, si je ne la connaissais pas ; mais je crois la connaître…

— Vous croyez !

Et, ouvrant la porte avec une violence qui fit tressaillir son cousin, Alicia s'élança hors du salon.

— Je dis seulement que je crois la connaître ! criait Robert après elle.

Puis, se jetant dans un fauteuil, il murmura d'un air pensif :

— Une si bonne fille, si elle n'était pas si emportée !

Cependant le pauvre sir Harry Towers quitta Audley Court, l'air triste et vraiment abattu. Il éprouvait très peu de plaisir maintenant à retourner à son magnifique manoir, caché sous l'ombrage des chênes et des hêtres antiques. L'habitation carrée, à briques rouges, rayonnant à l'extrémité d'une longue voûte d'arbres sans feuilles, était pour lui désormais une demeure désolée, pensait-il, puisqu'Alicia n'avait pas voulu en devenir la maîtresse. Une centaine d'embellissements qu'il avait projetés et résolus furent chassés de son esprit. Le cheval de chasse que Jim, le dresseur, était en train d'élever pour une dame, les deux jeunes chiens d'arrêt qui devaient être lancés pour la prochaine saison de chasse, le gros *retriever* qui aurait pu porter le parasol d'Alicia, le pavillon du jardin, abandonné depuis la mort de sa mère, mais qu'il s'était proposé de faire restaurer pour miss Audley, toutes ces choses étaient maintenant dans son esprit autant d'objets inutiles et tourmentants.

Quel avantage y a-t-il à être riche, si on n'a pas avec soi quelqu'un pour dépenser son argent ! pensait le jeune baronnet. On devient égoïste, et l'on boit beaucoup trop de porto. C'est un cruel tourment qu'une jeune fille refuse un cœur loyal et des écuries pareilles à celles que nous possédons dans le parc ! Cela bouleverse un homme.

En vérité, ce refus inattendu avait complètement brouillé les quelques idées qui formaient le mince contingent de l'esprit du jeune baronnet. Il était éperdument amoureux d'Alicia depuis la dernière saison des chasses, époque à laquelle il l'avait rencontrée à un bal du comté. Sa passion, nourrie pendant la durée monotone d'un long été, avait éclaté plus vive dans les joyeux mois d'hiver, et la timidité du jeune homme, seule, avait retardé l'offre de sa main. Mais il n'avait jamais supposé un instant qu'il pût être refusé ; il était si habitué à l'adulation des mères qui avaient des filles à marier – et même à celle des filles ; il avait été si habitué à se sentir le principal personnage dans toute réunion, quand bien même la moitié des beaux esprits du temps aurait été là et quoiqu'il ne prononçât jamais que des « haô, certainement ! » et « par Jupiter ! » Il avait été si gâté par les flatteries des yeux brillants qui regardaient ou semblaient regarder avec plus de feu lorsqu'il approchait que, sans être possédé d'une ombre de vanité personnelle, il en était venu à croire qu'il n'avait qu'à s'offrir à la plus jolie fille de l'Essex pour se voir immédiatement accepté.

Certes, il aurait pu dire complaisamment à un des satellites qui l'admiraient: «Je sais que je suis un bon parti, et je sais pourquoi les jeunes filles me font la révérence. Elles sont vraiment jolies et toutes disposées à accepter un bon garçon; mais je ne me soucie pas d'elles. Elles se ressemblent toutes, elles ne sont bonnes qu'à baisser les yeux et à dire: "Oh! sir Harry, pourquoi appelez-vous ce chien noir frisé un *retriever?*" Ou: "Oh! sir Harry, la pauvre jument a-t-elle réellement une entorse au paturon de sa patte de devant?" Je n'ai pas beaucoup d'esprit moi-même, je le sais, aurait pu ajouter le baronnet en se le reprochant, et je n'ai pas besoin d'une femme à l'esprit fort qui écrive des livres et porte des lunettes; Dieu m'en préserve! Je préfère une jeune fille qui parle de ce qu'elle connaît.»

Aussi lorsque Alicia le refusa, sir Harry Towers sentit que tout l'échafaudage d'avenir qu'il avait si complaisamment élevé était renversé et n'était plus qu'un tas de tristes ruines.

Sir Michael lui prit cordialement la main juste avant que le jeune homme montât sur son cheval dans la cour.

— Je suis fâché, Towers; vous êtes le meilleur garçon qui puisse jamais exister, et vous auriez fait un excellent mari pour ma fille. Mais vous savez qu'il y a un cousin, et je crois que…

— Ne me dites pas cela, sir Michael, interrompit énergiquement le chasseur de renard. Je puis passer pardessus n'importe quoi, mais pas sur cela. Un individu dont la main appuyée sur la gourmette pèse presque une demi-tonne – oui, il a mis en pièces la bouche de Cavalier, sir Michael, le jour où vous lui avez laissé monter ce cheval –, un individu qui rabat son col de chemise et mange du pain avec de la marmelade!… Non, non, sir Michael, il y a des choses étranges dans le monde, mais je ne puis penser cela de miss Audley. Il doit y avoir quelqu'un sur le tapis, mais ce ne peut être le cousin.

Sir Michael secoua la tête comme partait l'amoureux repoussé.

— Je ne comprends rien à cela, murmura-t-il ; Bob est un excellent garçon, et ma fille pourrait choisir plus mal ; mais il recule comme s'il ne se souciait pas d'elle. Il y a là quelque mystère… il y a là quelque mystère !

Le vieux baronnet faisait ces réflexions de ce ton à demi indifférent que nous employons pour parler des affaires d'autrui. Les ombres d'un rapide crépuscule d'hiver, se condensant sous le plafond bas du vestibule recouvert de chêne et sous le cintre élégant de la porte d'entrée en arceau, entouraient sa tête d'une obscurité profonde ; mais la lumière de sa vie décroissante, sa belle et jeune femme chérie, était près de lui, et il ne voyait plus d'ombres lorsqu'elle était à ses côtés.

Elle traversa le vestibule en sautillant pour venir le trouver et, secouant ses boucles d'or, enfouit sa tête lumineuse dans le sein de son époux.

— Ainsi, le dernier de nos invités est parti, cher, et nous voilà tout seuls, n'est-ce pas ?

— Oui, chérie, répondit-il avec passion en caressant ses beaux cheveux.

— Excepté Mr Robert Audley. Combien de temps ce neveu à vous doit-il rester ici ?

— Aussi longtemps qu'il voudra, ma mignonne ; il est toujours le bienvenu.

Puis, se reprenant, le baronnet ajouta avec tendresse :

— À moins, cependant, que sa visite ne vous soit pas agréable, chérie ; à moins que ses habitudes paresseuses, sa fumée, ses chiens ou quelque chose en lui ne vous déplaise.

Lady Audley plissa ses lèvres rosées et fixa le sol d'un air rêveur.

— Ce n'est pas cela, hésita-t-elle, Mr Audley est un jeune homme très agréable et très honorable ; mais vous comprenez, sir Michael, je suis une bien trop jeune tante pour un tel neveu, et…

— Et quoi, Lucy ? demanda brusquement le baronnet.

— La pauvre Alicia est presque jalouse de quelques attentions que Mr Audley a pour moi, et… et… je crois qu'il vaudrait mieux, pour son bonheur, qu'il mît un terme à son séjour ici.

— Il partira ce soir, Lucy ! s'écria sir Michael ; j'ai été un aveugle, un fou, un imprudent de ne pas avoir pensé à cela. Ma délicieuse petite amie, il convenait à peine d'exposer Bob, ce pauvre garçon, à votre puissance fascinatrice. Je le connais pour le garçon le meilleur et le plus loyal qui puisse jamais exister, mais… mais il partira ce soir.

— Vous n'avez pas besoin d'être trop brusque, cher, ne soyez pas rude.

— Rude, non, Lucy. Je l'ai laissé en train de fumer sous l'allée des tilleuls. Je vais aller lui dire de quitter la maison dans une heure.

Ainsi, dans cette avenue aux arbres dépouillés, sous les ombrages épais de laquelle George Talboys s'était arrêté dans cette soirée orageuse qui avait précédé sa disparition, sir Michael Audley dit à son neveu que le château n'était pas un lieu pour lui, et que milady était trop jeune et trop jolie pour accepter les petits soins d'un beau neveu de 28 ans.

Robert se contenta de hausser les épaules et de lever ses épais sourcils noirs, tandis que sir Michael distillait ces remarques avec délicatesse.

— En effet, j'ai eu de l'attention pour milady, avoua-t-il, elle m'intéresse vivement, elle m'intéresse étrangement.

Puis, avec un changement dans la voix et une émotion qui lui était peu habituelle, il se tourna vers le baronnet et, saisissant sa main, s'écria :

— À Dieu ne plaise, mon cher oncle, que j'apporte jamais le chagrin dans un cœur aussi noble que le vôtre ! À Dieu ne plaise que la plus légère ombre de déshonneur tombe jamais sur votre tête, et au moins que cela ne soit pas de mon fait.

Le jeune homme prononça ces quelques mots d'une voix faible et hachée que sir Michael ne lui connaissait pas ; puis, détournant la tête, il s'éloigna d'un air abattu.

Il quitta le château à la nuit, mais il n'alla pas loin. Au lieu de prendre le train du soir pour Londres, il monta droit au petit village de Mount Stanning et, entrant dans l'auberge proprement tenue, il demanda à Phœbe si elle pourrait lui fournir une chambre.

17

Castle Inn

La petite salle dans laquelle Phœbe Marks introduisit le neveu du baronnet était située au rez-de-chaussée, et séparée seulement par une cloison en lattes et en plâtre du petit comptoir occupé par l'aubergiste et sa femme.

Il semblait que l'avisé architecte qui avait présidé à la construction de l'auberge eût pris un soin particulier de ne choisir, comme matériaux, que les plus fragiles et les plus légers, afin que le vent pût avoir les coudées franches et satisfaire tous ses caprices. Une misérable construction en bois avait été élevée au lieu d'une maçonnerie solide ; des plafonds mal assemblés avaient été posés sur de frêles chevrons et sur des poutres qui menaçaient à chaque nuit d'orage de tomber ; les portes, dont la spécialité était de n'être jamais fermées, battaient toujours violemment ; les croisées, construites dans le but particulier de laisser entrer la pluie lorsqu'elles étaient fermées, empêchaient l'air de s'introduire lorsqu'elles étaient ouvertes. La main du démon avait bâti cette solitaire auberge de campagne ;

et il n'y avait pas un pouce de charpente ou une truellée de plâtre employés dans toute cette construction rachitique qui ne présentât un point particulièrement faible à chaque assaut de son ennemi infatigable.

Robert jeta les yeux autour de lui avec un léger sourire de résignation.

C'était décidément un changement avec le luxe confortable d'Audley Court, et c'était une étrange fantaisie de la part du jeune avocat de préférer séjourner dans cette triste hôtellerie de village plutôt que de retourner à ses petites et commodes chambres de Fig-Tree Court.

Mais il avait emporté ses lares et ses pénates avec lui sous la forme de sa pipe allemande, de son pot à tabac, d'une demi-douzaine de romans français et de ses deux chiens mal bâtis, ses favoris, qui se tenaient grelottants devant le petit foyer fumeux, jetant de temps en temps des aboiements courts et aigus, manière de réclamer quelque léger réconfortant.

Tandis que Mr Robert Audley examinait son nouveau domicile, Phœbe Marks appela un petit garçon du village, qui avait l'habitude de courir faire ses commissions, et, le prenant à part dans la cuisine, lui donna un petit billet soigneusement plié et cacheté.

— Tu connais Audley Court ?

— Oui, madame.

— Si tu cours jusque-là ce soir avec cette lettre, et si tu réussis à la remettre entre les mains de lady Audley, je te donnerai un shilling.

— Oui, madame.

— Tu comprends ? Demande à voir milady ; tu ne diras pas que tu as un message, ni un billet, entends-tu, mais une commission de la part de Phœbe Marks ; et quand tu la verras, tu lui remettras ceci en mains propres.

— Oui, madame.

— Tu n'oublieras pas ?

— Non, madame.

— Alors, va-t'en.

L'enfant n'attendit pas un second ordre de départ, et il fut en un instant sur la grand-route, courant vers la descente rapide qui conduit à Audley.

Phœbe Marks se mit à la croisée et suivit au-dehors la forme noire de l'enfant qui se hâtait à travers l'obscurité de la soirée d'hiver.

Si sa venue ici cache quelque mauvais dessein, pensait-elle, milady saura la nouvelle à temps, quoi qu'il arrive.

Phœbe elle-même apporta le plateau à thé soigneusement disposé et le petit plat couvert de jambon et d'œufs qui avaient été préparés pour son hôte inattendu. Ses cheveux, d'un blond pâle, étaient aussi bien tressés, et sa robe gris clair ajustée avec autant de précision qu'autrefois. Les mêmes teintes neutres envahissaient sa personne et son costume ; pas de rubans aux couleurs voyantes, pas de robe de soie froufroutant pour proclamer la prospérité de la femme de l'aubergiste. Phœbe Marks était une personne qui n'avait pas perdu son cachet d'individualité. Silencieuse et contenue, elle semblait tout tenir d'elle-même et n'emprunter aucune couleur au monde extérieur.

Robert l'examinait avec attention tandis qu'elle étendait la nappe et tirait la table plus près du feu.

Voilà, pensait-il, une femme capable de garder un secret.

Les chiens jetaient des regards presque soupçonneux sur le visage calme de Mrs Marks, qui glissait doucement, dans la pièce, de la théière à la boîte à thé, et de la boîte à thé à la bouilloire qui chantait sur la plaque du foyer.

— Voulez-vous jeter mon thé pour moi, Mrs Marks ? dit Robert en s'asseyant dans un fauteuil rembourré de crin et recouvert de peau de vache, qui l'enfermait étroitement de tous côtés, comme si on lui avait fait sur mesure.

— Vous êtes venu directement du château, monsieur ? dit Phœbe en présentant le sucrier à Robert.

— Oui, il y a seulement une heure que j'ai quitté mon oncle.

— Aussi gai, aussi heureux que jamais ?

— Aussi gai, aussi heureux que jamais.

Phœbe se retira respectueusement après avoir servi le thé à Mr Audley ; mais comme elle s'était arrêtée, la main sur le loquet de la porte, il lui adressa de nouveau la parole :

— Connaissiez-vous lady Audley lorsqu'elle était miss Lucy Graham ? la connaissiez-vous ? demanda-t-il.

— Oui, monsieur. J'habitais dans la maison des Dawson quand milady y était institutrice.

— En vérité ! Resta-t-elle longtemps dans la famille du chirurgien ?

— Une année et demie, monsieur.

— Elle était venue de Londres ?

— Oui, monsieur.

— Et elle était orpheline, je crois ?

— Oui, monsieur.

— Toujours aussi enjouée que maintenant ?

— Toujours, monsieur.

Robert vida sa tasse de thé et la tendit à Mrs Marks. Leurs yeux se rencontrèrent : ceux du jeune homme avaient un regard insouciant, ceux de Phœbe un regard perçant et inquisiteur.

Cette femme ferait bien sur le banc des témoins, pensa-t-il. Il faudrait un habile homme de loi pour l'embarrasser dans son interrogatoire.

Il but sa seconde tasse de thé, recula le couvert, donna à manger à ses chiens et alluma sa pipe, tandis que Phœbe emportait le plateau à thé.

Le vent arrivait en sifflant à travers la campagne glacée et les bois sans feuillage, et secouait avec fracas les châssis des fenêtres.

— Il y a un courant d'air qui est loin d'ajouter au confort de cet appartement, murmura Robert, et il y a certainement des sensations plus agréables que celle de rester dans l'eau glacée jusqu'aux genoux.

Il attisa le feu, caressa ses chiens, endossa son par-dessus, roula un vieux sofa démantibulé près du foyer, enveloppa ses jambes dans sa couverture de voyage et, s'étendant de tout son long sur l'étroit sofa rembourré de crin, fuma sa pipe et considéra les spirales bleuâtres de fumée tourbillonnant lentement vers le sombre plafond.

— Oui, murmura-t-il de nouveau, c'est une femme qui peut garder un secret. Un juge d'instruction lui arracherait très peu de chose.

J'ai dit que le comptoir était seulement séparé du salon occupé par Robert par une cloison en lattes et en plâtre. Le jeune avocat pouvait entendre les deux ou trois marchands du village et quelques fermiers riant et causant autour du comptoir, tandis que Luke Marks leur servait quelques-unes de ses liqueurs.

Souvent, même, il pouvait distinguer leurs paroles, surtout celles du propriétaire, car celui-ci parlait d'une voix rude et élevée et avait dans le ton plus de jactance que ses chalands.

L'homme est un fou et un butor, songea Robert en déposant sa pipe. Je vais causer avec lui tout à l'heure.

Il attendit que les quelques visiteurs de l'auberge se fussent retirés un à un ; et quand Luke Marks eut verrouillé la porte d'entrée sur le dernier de ses clients, Robert pénétra paisiblement derrière le comptoir où l'aubergiste était assis avec sa femme.

Phœbe travaillait devant une petite table sur laquelle se trouvait une élégante boîte à ouvrage où chaque bobine de coton et un poinçon d'acier brillant étaient dans leurs cases respectives. Elle était occupée à ravauder les grossiers bas gris qui ornaient habituellement les pieds maladroits de son époux, mais elle accomplissait sa besogne avec autant de goût que si elle eût travaillé à un délicat corsage de soie de milady.

J'ai dit qu'elle ne recevait aucune couleur des objets extérieurs, et l'air d'élégance vague dont sa nature était imprégnée restait attaché à ses manières, aussi bien dans la société de son brutal époux, à l'auberge, que dans le délicieux boudoir de lady Audley, au château.

Elle leva la tête subitement comme Robert entrait dans le salon. Il y avait dans ses yeux gris une certaine ombre de dépit qui se changea en une expression d'anxiété… non, plutôt en une expression de terreur… comme elle regardait successivement Mr Audley et Luke Marks.

— Je suis entré pour causer quelques minutes avant d'aller me mettre au lit, dit Robert en s'installant commodément devant le foyer joyeux. Vous opposeriez-vous à un cigare, Mrs Marks ? je veux dire, naturellement, à ce que j'en fumasse un ? ajouta-t-il en guise d'explication.

— Non, pas du tout, monsieur.

— Il ferait beau voir qu'elle s'opposât à un peu de fumée de tabac, gronda Mr Marks, quand moi et les clients fumons toute la journée !

Robert alluma son cigare avec une allumette en papier fabriquée par Phœbe, qui ornait le chambranle de la cheminée, et tira une demi-douzaine de bouffées pleines de réflexion avant de parler.

— Je voudrais que vous m'appreniez tout ce qui a rapport à Mount Stanning, Mr Marks, dit-il bientôt.

— Ce sera, ma foi, vite fait, répliqua Luke avec un rire dur et amer. De tous les tristes endroits dans lesquels un homme ait jamais mis les pieds, celui-ci est à peu près le plus triste. Non pas que les affaires ne donnent pas de jolis bénéfices ; je ne me plains nullement de cela, mais je préférerais une auberge à Chelmsford, ou à Brentwood, ou à Romford, ou dans quelque endroit où il y aurait un peu de vie dans les rues ; et j'aurais pu avoir cela, ajouta-t-il d'un air mécontent, si les gens n'avaient pas été des ladres si fieffés.

Comme son mari murmurait cette plainte en grognant et à voix basse, Phœbe leva les yeux de dessus son ouvrage et s'adressa à lui :

— Nous oublions la porte de la brasserie, Luke ; veux-tu venir avec moi pour m'aider à placer la barre ?

— La porte peut rester ouverte pour ce soir, dit Mr Marks, je n'ai pas envie de me déranger, maintenant que je me suis assis pour fumer une bonne pipe.

Il prit, en parlant, une longue pipe de terre au coin du garde-feu et se mit résolument à la bourrer.

— Je ne me sens pas tranquille, Luke, observa de nouveau sa femme ; il y a des rôdeurs aux environs, et ils peuvent entrer aisément quand la barre n'est pas placée.

— Vas-y, et pose la barre toi-même, alors ; est-ce que tu ne peux pas ? répliqua Mr Marks.

— Elle est trop lourde pour moi.

— Alors, laisse-la tranquille, si tu es trop grande dame pour aller y voir. Tu es devenue bien subitement inquiète à propos de cette porte. Je suppose que tu n'as pas l'intention de m'empêcher d'ouvrir la bouche pour répondre à ce gentleman qui est là ? Oh ! tu n'as pas besoin de me regarder en fronçant le sourcil pour m'interrompre ! Tu es toujours à placer ton mot dans mes phrases et à les rogner avant que je les aie à moitié terminées ; mais je ne veux pas supporter cela, entends-tu ? Je ne le supporterai pas.

Phœbe Marks haussa les épaules, plia son ouvrage, ferma son nécessaire et, croisant les mains sur sa poitrine, resta avec ses yeux gris fixés sur la face de taureau de son mari.

— Alors, vous ne vous plaisez pas beaucoup à Mount Stanning ? dit Robert poliment, comme s'il était désireux de changer de sujet de conversation.

— Oh ! certainement non, répondit Luke, et je me soucie peu qu'on le sache ; et si, comme je vous l'ai déjà dit, les gens que cela regarde n'avaient pas été des ladres si fieffés, j'aurais pu avoir une auberge dans une ville à marché, au lieu de cette vieille baraque démolie dans laquelle un homme a les cheveux emportés pendant les jours de vent. Qu'est-ce que cinquante livres ou même cent livres ?…

— Luke ! Luke !

— Non, tu ne réussiras pas à me fermer la bouche avec tous tes « Luke ! Luke ! » rétorqua Mr Marks à la remontrance de sa femme. Je le répète de nouveau, qu'est-ce que cent livres ?

— Rien, répondit Robert Audley, parlant avec une merveilleuse netteté et adressant ses paroles à Luke Marks, tout en fixant ses yeux sur le visage inquiet de Phœbe. Qu'est-ce, en vérité, que cent livres pour un homme possédant le pouvoir que vous avez, ou plutôt que votre femme a, sur la personne en question ?

Le visage de Phœbe, en tout temps presque sans couleurs, semblait difficilement capable de devenir plus pâle ; mais, comme ses yeux s'abaissaient sous le regard inquisiteur de Robert Audley, un changement visible s'opéra dans les teintes déjà pâles de son visage.

— Minuit moins le quart, dit Robert en regardant sa montre ; heure avancée pour un village aussi paisible que celui de Mount Stanning. Bonne nuit, mon digne hôte. Bonne nuit, Mrs Marks. Vous n'avez pas besoin de m'envoyer mon eau pour la barbe avant neuf heures, demain matin.

18

Une visite inattendue

Onze heures sonnaient le lendemain matin et trouvèrent Mr Robert Audley encore installé devant son déjeuner gentiment dressé sur une petite table, avec un chien de chaque côté de son fauteuil, le regardant l'œil tendu et la bouche béante, aux aguets d'un morceau de jambon ou de tartine impatiemment attendu. Robert avait un journal du comté sur les genoux et faisait de temps en temps un faible effort pour lire la première page, remplie d'annonces de fermages, de remèdes de charlatans et autres sujets intéressants.

Le temps avait changé, et la neige qui, pendant les derniers jours, en s'amoncelant, avait noirci le ciel glacé, tombait en flocons légers contre les croisées et couvrait, en s'accumulant, le petit jardin.

La longue et solitaire route conduisant à Audley paraissait vierge de toute trace de pas au moment où Robert regardait au-dehors le paysage d'hiver.

— Superbe, dit-il, pour un homme habitué aux enchantements de Temple Bar.

Comme il regardait les flocons de neige tombant à chaque instant plus épais et plus serrés sur la route déserte, il fut surpris d'apercevoir un *brougham*[1] montant lentement la côte.

— Je me demande quel pauvre diable a l'esprit assez tourmenté pour ne pas rester au logis par une matinée pareille, murmura-t-il en retournant à son fauteuil à côté du feu.

Il était à peine assis depuis quelques minutes, lorsque Phœbe Marks entra dans la chambre pour annoncer lady Audley.

— Lady Audley ! Priez-la d'entrer, dit Robert.

Puis, Phœbe ayant quitté la chambre pour y introduire la visiteuse inattendue, il murmura entre ses dents :

— Un faux mouvement, milady, et un mouvement auquel je ne me serais pas attendu de votre part.

Lucy Audley était rayonnante par cette neigeuse et glaciale matinée de janvier. Les nez des autres auraient été fortement assaillis par les doigts cruels de son affreuse majesté la glace, mais non celui de milady ; les lèvres des autres auraient passé du pâle au bleu sous l'influence glacée de la rude température, mais le joli petit bouton de

1. Voiture fermée à quatre roues. *(N.d.É)*

rose de la bouche de milady conservait ses couleurs les plus brillantes et sa fraîcheur la plus riante.

Elle était enveloppée dans les fourrures que Robert Audley lui avait rapportées de Russie, et elle portait un manchon qui parut au jeune homme presque aussi gros qu'elle.

Elle avait l'apparence d'une petite créature enfantine, chétive, puérile ; Robert la considérait avec une certaine pitié dans les yeux, tandis qu'elle s'approchait du foyer près duquel il était debout et qu'elle réchauffait ses petits doigts gantés à la flamme.

— Quelle matinée, Mr Audley ! dit-elle, quelle matinée !

— Oui, vraiment. Quel motif a pu vous faire sortir par un temps pareil ?

— Parce que je désirais vous voir… en particulier.

— En vérité ?

— Oui, dit milady avec un air d'embarras extrême, jouant avec le bouton de son gant et l'arrachant presque dans son agitation, oui, Mr Audley, j'ai senti que vous n'aviez pas été bien traité, que… vous aviez, en un mot, raison de vous plaindre et que des excuses vous étaient dues.

— Je ne désire aucune excuse, lady Audley.

— Mais vous y avez droit, répondit milady avec calme. Pourquoi, mon cher Robert, serions-nous vraiment si cérémonieux l'un à l'égard de l'autre ? Vous étiez bien à Audley ; nous étions enchantés de vous y accueillir ; mais mon cher et extravagant mari n'a-t-il pas été mettre dans sa folle tête qu'il était dangereux pour le repos de l'esprit de sa petite femme d'avoir un neveu de 28 ou 29 ans, occupé à la regarder en fumant des cigares dans son boudoir, et voilà notre charmante petite réunion de famille dispersée.

Lucy Audley parlait avec cette vivacité particulière aux enfants, qui semblait chez elle si naturelle. Robert considérait d'un œil abattu et presque triste son visage brillant et animé.

— Lady Audley, Dieu nous préserve vous ou moi d'attirer le chagrin et le déshonneur sur la tête de mon généreux oncle ; mieux vaut peut-être que je sois hors de la maison... mieux eût valu, peut-être, que je n'y fusse jamais entré.

Milady avait tenu ses yeux fixés sur le feu tandis que son neveu parlait ; mais, à ses derniers mots, elle releva subitement la tête et le dévisagea avec une expression étonnante – un regard fiévreux et interrogateur, dont le jeune avocat comprit toute la signification.

— Oh ! je vous en prie, ne soyez pas alarmée, lady Audley. Vous n'avez pas de sottise sentimentale ou d'absurde folie, empruntée à Balzac ou à Dumas fils, à craindre de ma part. Les premiers avocats d'Inner Temple pourront vous dire que Robert Audley n'est pas atteint d'une de ces épidémies dont les symptômes extérieurs sont les cols de chemise rabattus et les cravates à la Byron. J'affirme que je voudrais n'être jamais entré dans la demeure de mon oncle l'année dernière ; mais je donne à cette affirmation une signification beaucoup plus sérieuse que sentimentale.

Milady haussa les épaules.

— Si vous persistez à parler par énigmes, Mr Audley, vous devez pardonner à une pauvre petite femme si elle refuse de répondre.

Robert ne répliqua pas à ce propos.

— Mais avouez-moi, dit milady avec un complet changement de ton, ce qui peut vous avoir conduit dans ce misérable endroit.

— La curiosité.

— La curiosité ?

— Oui ; je m'intéresse vivement à cet homme au cou de taureau, avec sa chevelure fauve et ses yeux gris méchants... un homme dangereux, milady... un homme au pouvoir duquel je ne voudrais pas être.

Une altération subite troubla le visage de lady Audley ; la jolie teinte rosée s'évanouit de ses joues et les laissa blanches comme de la cire, et des étincelles de colère brillèrent dans ses yeux bleus.

— Que vous ai-je fait, Robert Audley ! s'écria-t-elle, irritée, que vous ai-je fait pour que vous me haïssiez ainsi ?

Il lui répondit avec beaucoup de gravité :

— J'avais un ami, lady Audley, que j'aimais très profondément, et depuis que je l'ai perdu, je crains que mes sentiments envers les autres ne se soient étrangement remplis d'amertume.

— Vous voulez parler de ce Mr Talboys qui est parti pour l'Australie ?

— Oui, je veux parler de ce Mr Talboys…

— Et vous ne croyez pas à son embarquement pour l'Australie ?

— Je n'y crois pas.

— Mais pourquoi pas ?

— Pardonnez-moi, lady Audley, de refuser de répondre à cette question.

— Comme il vous plaira, dit-elle avec insouciance.

— Une semaine après la disparition de mon ami, continua Robert, j'expédiai un avis aux journaux de Sydney et de Melbourne, par lequel je le priais, s'il était dans l'une de ces deux villes lorsque l'avis paraîtrait, de m'écrire et de m'informer de ce qui le concernait, et je priais aussi quiconque l'aurait rencontré, soit dans les colonies, soit hors des colonies, de me donner quelque renseignement sur son compte. George Talboys a quitté l'Essex ou a disparu de l'Essex dans la journée du 7 septembre dernier. Je *dois* recevoir une réponse quelconque à cet annonce à la fin de ce mois. C'est aujourd'hui le 27 : elle *doit* donc être à la veille d'arriver.

— Et si vous ne recevez pas de réponse ?…

— Si je ne reçois pas de réponse, je penserai que mes craintes n'ont pas été sans fondement, et je ferai de mon mieux pour agir.

— Qu'entendez-vous par là ?

— Ah ! lady Audley, vous me rappelez combien je suis malhabile en cette matière. Mon ami peut avoir été assassiné dans cette auberge même, frappé à mort sur cette pierre de foyer sur laquelle je suis maintenant, et je peux rester ici douze mois et partir finalement aussi ignorant de son sort que si je n'eusse jamais passé le seuil de cette porte. Que pouvons-nous savoir des mystères qui peuvent être attachés aux maisons dans lesquelles nous entrons ? Si j'allais demain dans ce lieu ordinaire, dans cette maison du peuple à huit étages, dans laquelle Maria Manning et son mari ont égorgé leur hôte, je n'aurais aucune terrible intuition de cette horreur passée. De vilaines actions ont été accomplies sous les toits les plus hospitaliers, d'atroces crimes ont été commis au milieu des plus beaux sites de la nature, sans y laisser de trace. Je ne crois pas à la mandragore, ni aux taches de sang que le temps ne peut effacer. Je crois plutôt que nous pouvons marcher en toute ignorance dans une atmosphère de crimes, et n'en pas moins respirer librement. Je crois que nous pouvons regarder la figure souriante d'un meurtrier et admirer sa beauté tranquille.

Milady pouffa de rire au sérieux de Robert.

— Vous paraissez avoir une vraie passion pour discuter ces horribles sujets, dit-elle d'un air presque dédaigneux, vous auriez dû être juge d'instruction.

— Je pense quelquefois que j'en aurais fait un excellent.

— Pourquoi ?

— Parce que je suis patient.

— Mais pour revenir à Mr George Talboys, que nous avons perdu dans votre éloquente discussion, que ferez-vous si vous ne recevez pas de réponse à vos annonces ?

— Je me considérerai alors comme déchargé, en concluant que mon ami est mort.

— Oui, et alors ?...

— J'examinerai les effets qu'il a laissés dans mon appartement.

— En vérité, et de quoi se composent-ils ? De redingotes, de gilets, de bottes vernies et de pipes en écume, je présume ?… plaisanta lady Audley.

— Non, de lettres… de lettres de ses amis, de ses anciens camarades d'école, de son père, des officiers ses collègues.

— Oui !

— De lettres aussi… de sa femme.

Milady garda le silence quelques instants, les yeux fixés sur le feu et pensive.

— Avez-vous jamais vu quelqu'une des lettres écrites par feu Mrs Talboys ? ajouta-t-elle bientôt.

— Jamais, pauvre femme ! Ses lettres ne sont probablement pas de nature à jeter beaucoup de lumière sur le sort de mon ami. Je crois pouvoir affirmer qu'elle écrivait avec ce gribouillage particulier aux femmes. Il y en a vraiment peu qui aient pour écrire une main aussi charmante et aussi peu ordinaire que la vôtre, lady Audley.

— Ah ! vous connaissez donc mon écriture ?

— Oui, je la connais parfaitement bien.

Milady réchauffa ses mains une fois encore et, prenant le gros manchon qu'elle avait posé à côté d'elle sur une chaise, se prépara à partir.

— Vous avez refusé d'accepter mes excuses, Mr Audley, mais je suis certaine que vous n'en êtes pas moins assuré de mes sentiments à votre égard.

— Parfaitement assuré, lady Audley.

— Alors, au revoir, et laissez-moi vous recommander de ne pas rester longtemps dans cette méchante demeure humide, si vous ne voulez pas rapporter avec vous des rhumatismes à Fig-Tree Court.

— Je retournerai à Londres demain matin pour chercher mes lettres.

— Alors, une fois encore, au revoir.

Elle lui tendit la main ; il la prit mollement dans la sienne. Il semblait que cette petite main si frêle, il eût pu l'écraser dans sa solide poigne, s'il eût été sans miséricorde.

Il l'accompagna à sa voiture et considéra l'équipage, qui ne partit pas du côté d'Audley, mais dans la direction de Brentwood, à peu près à six miles de Mount Stanning.

Une heure et demie environ après cette visite, comme Robert se tenait à la porte de l'auberge, fumant un cigare et regardant tomber la neige dans les champs qu'elle blanchissait en face de lui, il aperçut le brougham revenir, vide cette fois, vers la porte de l'auberge.

— Avez-vous ramené lady Audley au château ? demanda-t-il au cocher qui s'était arrêté pour réclamer un pot de bière chaude épicée.

— Non, monsieur, je reviens à l'instant de la gare de Brentwood. Milady est partie pour Londres par le train de midi quarante.

— Pour Londres ?

— Oui, monsieur.

— Milady partie pour Londres ! dit Robert en rentrant dans la petite salle. Alors je veux la suivre par le prochain train, et si je ne me trompe fort, je sais où la trouver.

Il fit son bagage, paya sa note, dont le montant fut reçu avec empressement par Phœbe Marks, attacha ses chiens ensemble avec deux colliers en cuir et une chaîne, et monta dans la voiture légère aux essieux criards, remisée à *Castle Inn* pour la convenance des habitants de Mount Stanning. Il prit l'express qui partait de Brentwood à trois heures et, s'asseyant confortablement dans un wagon vide de première classe, empaqueté dans d'épaisses couvertures de voyage, il se mit à fumer paisiblement un cigare, sans s'inquiéter des autorités.

— La Compagnie peut faire autant d'ordonnances qu'il lui plaira, murmura-t-il, mais je prendrai la liberté de jouir de la divine plante aussi longtemps que j'aurai une demi-couronne de reste pour payer l'amende.

19

La méprise du serrurier

Il était quatre heures cinq minutes précises comme Mr Robert Audley se trouvait sur le quai de la gare de Shoreditch, attendant paisiblement le temps convenable pour que ses chiens et son portemanteau pussent être délivrés au porteur zélé qui avait arrêté son cab et s'était chargé de la conduite générale de ses affaires, avec cette courtoisie désintéressée qui fait infiniment honneur à cette classe de serviteurs auxquels il est défendu d'accepter le tribut de la reconnaissance du public. Robert Audley attendit avec une patience consommée pendant un temps considérable ; mais l'express est généralement un train d'une certaine longueur, et dans celui-ci il y avait une grande quantité de voyageurs du Norfolk avec fusils et chiens de chasse, et autre attirail. Il fallut un temps considérable pour satisfaire toutes les réclamations, et même la séraphique indifférence de l'avocat pour les affaires de ce monde fut mise à l'épreuve.

— Peut-être, lorsque ce gentleman qui est en train de produire un tel vacarme pour un chien d'arrêt aux taches fauves aura découvert le chien d'arrêt avec les taches qu'il réclame – heureuse combinaison de circonstances qui semble à peine croyable –, consentiront-ils à me donner mes bagages et à me laisser aller ! maugréait-il. Les rusés coquins ont vu d'un coup d'œil que j'étais né pour être dupe, et que, me foulassent-ils même aux pieds jusqu'à m'ôter la vie sur ce quai, je n'aurais jamais le courage d'intenter une action à la Compagnie.

Une idée soudaine sembla le frapper, et il laissa le porteur lutter pour recouvrer son bien et fit le tour pour rejoindre l'autre côté de la gare.

Il avait entendu sonner une cloche et, la regardant, il

s'était souvenu que le train descendant à Colchester allait se mettre en marche au moment même. Il avait appris à poursuivre ardemment un but depuis la disparition de George Talboys, et il atteignit le côté opposé de la gare à temps pour voir les voyageurs prendre leur place.

Il y avait une dame qui venait tout juste d'arriver à la gare, car elle s'élança à l'instant même où Robert approchait du train et le heurta presque dans sa grande précipitation.

— Je vous demande pardon…, commença-t-elle avec cérémonie.

Puis, levant les yeux au-dessus du gilet de Mr Audley, qui était à peu près au niveau de son joli visage, elle s'écria :

— Robert ! vous à Londres ! déjà !

— Oui, lady Audley ; vous avez parfaitement raison, *Castle Inn* est une triste résidence, et…

— Vous vous en êtes lassé. Je savais qu'il en serait ainsi. Faites-moi le plaisir d'ouvrir pour moi la portière de la voiture : le train va partir dans deux minutes.

Robert Audley examinait la femme de son oncle avec une contenance et une expression embarrassées.

Que signifie cela ? pensait il. Elle a un air tout à fait différent de celui qu'avait la créature malheureuse et désespérée qui laissait tomber son masque pour un moment et jetait sur moi des regards dignes de pitié, dans la petite chambre de Mount Stanning, il y a quatre heures ! Qu'est-il arrivé pour provoquer ce changement ?

Il lui ouvrit la portière, tout à ses réflexions, et l'aida à s'installer à sa place, étalant ses fourrures sur ses genoux et arrangeant l'épais manteau de velours dans lequel sa gracieuse petite figure était presque cachée.

— Je vous remercie infiniment ; que de bontés vous avez pour moi ! dit-elle tandis qu'il se livrait à ces petits soins. Vous devez me croire vraiment folle de voyager un pareil jour, sans même que mon cher mari le sache ; mais je suis venue à Londres pour acquitter une formidable note de modiste que je ne désirais pas montrer à mon mari, le meilleur des hommes, car, indulgent comme il est, il aurait pu me taxer intérieurement d'extravagance, et je ne puis supporter de perdre son estime, même dans sa pensée.

— Dieu nous préserve que cela arrive jamais, lady Audley, dit Robert gravement.

Elle le regarda un instant avec un sourire qui avait quelque chose de provocant dans sa gaieté.

— Que Dieu nous en préserve, en vérité, murmura-t-elle. Je ne pense pas que cela arrive jamais.

La cloche sonna pour la seconde fois, et le train s'ébranla comme elle parlait. La dernière chose que Robert vit d'elle fut ce gai sourire de défi.

Quel que soit le dessein qui l'a amené à Londres, elle l'a accompli avec plein succès, pensa-t-il. Se serait-elle jouée de moi par quelque tour d'adresse féminine ? Ne dois-je jamais approcher plus près de la vérité, et serais-je destiné à être tourmenté toute ma vie par de vagues doutes et de misérables soupçons qui pourraient m'envahir au point de me rendre fou ? Pourquoi est-elle venue à Londres ?

Il était encore à s'adresser cette question comme il montait son escalier de Fig-Tree Court, un chien sous chaque bras et sa couverture de voyage sur l'épaule.

Il trouva son logis dans l'ordre habituel. Les géraniums avaient été soigneusement entretenus, et les canaris avaient été abrités pour la nuit sous un carré de serge verte, témoignage des soins de l'honnête Mrs Maloney. Robert jeta un coup d'œil rapide autour du salon, puis, déposant les chiens sur le tapis du foyer, marcha droit vers la petite pièce qui lui servait de cabinet de toilette.

C'était là qu'il remisait les portemanteaux inutilisés, les boîtes du Japon délabrées et autres objets de rebut, et c'était là que George Talboys avait laissé ses bagages. Robert enleva un portemanteau de dessus une grande malle et, se mettant à genoux devant, une bougie allumée à la main, il examina attentivement la serrure.

Selon toute apparence, elle était exactement comme George l'avait laissée lorsqu'il avait mis de côté ses vêtements de deuil et les avait placés dans ce pauvre reliquaire avec tous les autres souvenirs de sa défunte femme. Robert passa la manche de son habit sur le couvercle recouvert de cuir usé, sur lequel étaient inscrites les initiales G. T. en gros clous à tête de cuivre ; mais Mrs Maloney, la femme de ménage, avait été la plus soigneuse des ménagères, car ni le portemanteau ni la malle n'étaient couverts de poussière.

Mr Audley dépêcha un enfant pour chercher sa domestique écossaise et arpenta son salon de long en large, en attendant impatiemment son arrivée.

Elle entra au bout de dix minutes environ, et après avoir exprimé le plaisir que lui causait le retour du maître, elle attendit humblement ses ordres.

— Je vous ai fait venir seulement pour vous demander si quelqu'un est entré ici, c'est-à-dire si quelqu'un s'est adressé à vous pour avoir la clef de mes appartements aujourd'hui... quelque dame ?

— Une dame ? non, vraiment, votre honneur ; il n'est venu aucune dame demander la clef, à moins que monsieur ne veuille parler du serrurier.

— Le serrurier !

— Oui, le serrurier à qui vous avez commandé de venir aujourd'hui.

— J'ai commandé un serrurier ! s'écria Robert.

J'ai laissé une bouteille d'eau-de-vie française dans le buffet, pensa-t-il, et Mrs Maloney s'est évidemment mise en gaieté.

— Certainement, et à qui monsieur a dit de vérifier les serrures, répliqua Mrs Maloney. C'est celui qui demeure dans une des petites rues près du pont, ajouta-t-elle en se lançant dans une description très claire de tout ce qui concernait l'homme.

Robert leva ses sourcils dans un muet désespoir.

— Si vous voulez bien vous asseoir et reprendre vos esprits, peut-être pourrons-nous tout à l'heure nous comprendre. Vous dites qu'un serrurier est venu ici ?

— Certainement, monsieur.

— Aujourd'hui ?

— Parfaitement exact, monsieur.

Peu à peu Mr Audley lui arracha les informations suivantes : un serrurier était passé chez Mrs Maloney dans l'après-midi, à trois heures, et avait demandé la clef des chambres de Mr Audley, afin de pouvoir inspecter les serrures des portes qu'il disait être toutes complètement dérangées. Il affirma qu'il agissait d'après les ordres de Mr Audley, qui lui avaient été transmis par une lettre venant du pays où le gentleman passait ses fêtes de Noël. Mrs Maloney, croyant à la véracité de cette déclaration, avait introduit l'ouvrier dans l'appartement où il était resté environ une demi-heure.

— Mais vous étiez avec lui pendant qu'il examinait les serrures, je suppose ? demanda Mr Audley.

— Assurément, j'y étais, monsieur, entrant et sortant tout le temps, comme vous pouvez penser ; car je devais nettoyer l'escalier cet après-midi, et j'ai saisi l'occasion du moment pendant lequel cet homme travaillait pour commencer ma besogne.

— Oh ! vous entriez et sortiez tout le temps ! Si vous pouviez me faire une réponse précise, Mrs Maloney, je serais enchanté de savoir combien de temps vous avez passé dehors pendant que le serrurier était dans mes appartements…

Mais Mrs Maloney ne pouvait apporter de réponse précise. Ce pouvait avoir été dix minutes, quoi qu'elle ne pensât pas que ce fût autant ; ce pouvait avoir été un quart d'heure, mais elle était certaine que ce n'était pas plus. Pour elle, cela avait semblé au plus cinq minutes…

Mr Audley poussa un profond soupir de morne résignation.

— Vous n'avez pas réfléchi, Mrs Maloney ; le serrurier avait amplement le temps de faire tout ce qu'il voulait pendant ce temps : certainement vous n'avez pas agi avec beaucoup de prudence.

Mrs Maloney fixa son maître avec une expression mêlée de surprise et d'alarme.

— Pour sûr, il n'y avait pas grand-chose à voler, monsieur, en dehors des oiseaux et des géraniums, et…

— Non, non, je comprends : c'est assez, Mrs Maloney. Dites-moi où demeure cet individu, et je vais aller le trouver.

— Mais vous prendrez bien quelque chose au dîner d'abord, monsieur ?

— Je veux aller voir le serrurier avant de songer au dîner.

Il prit son chapeau en annonçant sa détermination, et il se dirigea vers la porte.

— L'adresse de l'homme…

La vieille Écossaise l'accompagna jusqu'à une petite rue derrière l'église St Bride, et de là Robert continua tranquillement son chemin dans l'espèce de boue noirâtre que les bons habitants de Londres appellent de la neige.

Il trouva le serrurier et, au détriment de la forme de son chapeau, parvint à entrer par une porte basse et étroite dans une petite boutique ouverte. Un jet de gaz brûlait dans la croisée sans vitrage, et il y avait très joyeuse compagnie dans la petite pièce derrière la boutique. Personne ne répondit au salut de Robert, et la raison en était suffisamment claire : la joyeuse compagnie était si absorbée dans sa réjouissante occupation qu'elle était sourde à toutes les interpellations vulgaires du monde extérieur ; et ce fut seulement quand Robert, pénétrant plus avant dans la petite boutique caverneuse, eut assez d'audace pour ouvrir la porte à moitié vitrée qui le séparait de la joyeuse société qu'il réussit à attirer son attention.

À l'ouverture de la porte, un tableau plein de gaieté, ressemblant à une peinture de l'école de Téniers, s'offrit à la vue de Robert Audley.

Le serrurier, sa femme, sa famille et deux ou trois convives du sexe féminin étaient assis autour d'une table ornée de deux bouteilles ; non pas de vulgaires bouteilles de cet extrait sans couleur de baies de genévrier, très recherché par les masses, mais bien de porto et de sherry – de sherry fort qui laissait un fier goût dans la bouche, un sherry couleur brou de noix, et de superbe vieux porto, non de ce vin maladif, décoloré et affaibli par un âge excessif, mais riche, corsé, doux, substantiel et monté en couleur.

Le serrurier parlait au moment où Robert Audley ouvrit la porte.

— Et après cela, elle s'éloigna, aussi gracieuse que possible…

La société fut toute confuse de l'apparition de Mr Audley ; mais il faut observer que le serrurier était plus embarrassé que ses invités. Il posa son verre si précipitamment qu'il répandit son vin, et il essuya sa bouche, d'un air contrarié, avec le revers de sa main sale.

— Vous êtes venu chez moi aujourd'hui, lança Robert avec calme. Ne vous dérangez pas, mesdames, ajouta-t-il à l'adresse des convives. Vous êtes venu chez moi aujourd'hui, Mr White, et…

L'homme l'interrompit.

— J'espère, monsieur, que vous serez assez bon pour passer sur cette méprise, balbutia-t-il ; soyez persuadé, monsieur, que je suis très fâché que cela soit arrivé. On m'avait envoyé chercher pour l'appartement d'un autre gentleman, Mr Aulwin, à Garden Court, et le nom sortit de ma mémoire ; et comme j'avais fait autrefois quelques petits travaux pour vous, j'ai pensé que ce pouvait bien être vous qui aviez besoin de moi aujourd'hui, et je me suis adressé à Mrs Maloney pour me procurer la clef ; mais bientôt, en voyant les serrures de vos chambres, j'ai compris que vous n'aviez nullement besoin de faire réparer vos serrures.

— Mais vous êtes resté une demi-heure.

— Oui, monsieur, parce qu'il y avait une serrure dérangée… à la porte la plus proche de l'escalier… et je l'ai enlevée pour la nettoyer, et ensuite je l'ai remise en place. Je ne vous demande rien pour cet ouvrage, et j'espère que vous serez bon pour passer sur la méprise qui a eu lieu, chose qui ne m'était jamais arrivée depuis trente ans au mois de juillet prochain que je travaille, et…

— Rien de ce genre n'est jamais arrivé auparavant, dit Robert gravement. Non, c'est une besogne particulière qui, vraisemblablement, ne se présente pas tous les jours. Vous êtes en train de vous divertir ce soir, je vois, Mr White. Vous avez donné un bon cou de collier aujourd'hui… ou plutôt, je parierais que vous avez eu un coup de chance, et vous fêtez ça, eh ?

Robert Audley, en parlant, regardait en face l'homme à la figure barbouillée. Le serrurier n'était pas un individu de mauvaise apparence, et il n'y avait rien de bien remarquable sur son visage, hormis la saleté, et cela, comme dit la mère d'Hamlet, *is common* ; nonobstant, les cils de Mr White se baissèrent sous le regard calme et scrutateur du jeune homme, et il balbutia quelques paroles en forme d'apologie sur les messieurs et dames ses voisins, et sur le vin de Porto et sur le sherry, avec autant de trouble que si, lui, honnête artisan d'un pays libre, eût été obligé de s'excuser envers Mr Robert Audley d'être surpris à se divertir dans son propre salon.

Robert l'interrompit d'un signe de tête nonchalant.

— Ne vous excusez pas, je vous en prie, j'aime voir les gens du peuple se divertir. Bonsoir, Mr White… bonsoir, mesdames.

Il tira son chapeau aux messieurs et aux dames, les voisins, qui étaient grandement émerveillés de ses maximes aisées et de sa belle tournure, et quitta la boutique.

— Et ainsi, murmura-t-il tandis qu'il retournait à son appartement, « après cela elle s'éloigna, aussi gracieuse que possible ». Qui était cette personne, et quelle était l'histoire que le serrurier était en train de raconter quand je l'ai interrompu à cette phrase ? Oh ! George Talboys, George Talboys, réussirai-je jamais à avancer dans la connaissance du secret de votre destin ? En approcherai-je aujourd'hui davantage, lentement et sûrement ? Le rayon se raccourcira-t-il de plus en plus jusqu'au point de tracer un cercle lugubre autour de la demeure de ceux que j'aime ? Comment tout cela finira-t-il ?

Il soupira d'un air las en regagnant lentement son appartement solitaire à travers les terrains détrempés du Temple.

Mrs Maloney lui avait préparé ce dîner de garçon qui, quoique excellent et nutritif en lui-même, n'a pas le charme de la nouveauté. Elle avait fait cuire pour lui une côtelette de mouton, qui était tenue chaudement entre deux plats sur la petite table, près du feu.

Robert Audley poussa un soupir en s'asseyant devant le mets familier, et en se remémorant la cuisine de son oncle avec un vif regret.

— Les côtelettes à la Maintenon faisaient paraître le mouton supérieur au mouton ; un mets sublime, qu'on pourrait à peine croire venir d'une bête à laine ! murmura-t-il sentimentalement ; et les côtelettes de Mrs Maloney sont dures. Mais voilà la vie ; qu'importe tout cela ?

Il repoussa son assiette avec impatience après avoir mangé quelques bouchées.

— Je n'ai jamais pris un bon dîner à cette table depuis que j'ai perdu George Talboys ; l'appartement semble aussi lugubre que si le pauvre ami était mort dans la chambre à côté et n'en eût jamais été enlevé pour être enseveli. Qu'elle me paraît éloignée, cette journée de septembre, lorsque je jette les yeux en arrière ! cette journée où je partis avec lui, vivant et en bonne santé ! Et je l'ai perdu soudainement et d'une manière inexplicable, comme si une trappe se fût ouverte dans les fondements de la terre et l'eût englouti pour l'entraîner aux antipodes.

20

Ce qui était écrit sur le livre

Mr Audley se leva de table et se dirigea vers l'armoire dans laquelle il conservait les document importants, puis s'assit devant le bureau pour écrire. Il ajouta plusieurs paragraphes à ceux qui composaient déjà le document, les numérotant avec autant de soin qu'il avait numéroté les précédents.

— Que le ciel nous garde tous, murmura-t-il un instant ; ce papier, sur lequel nul attorney n'a jamais mis la main, serait-il destiné à devenir ma première cause ?

Il écrivit pendant une demi-heure environ, puis replaça le document dans le casier et ferma l'armoire. Il s'arma ensuite d'un flambeau et alla dans la chambre où se trouvaient ses portemanteaux et la malle appartenant à George.

Il prit un trousseau de clefs dans sa poche, les essaya les unes après les autres. La serrure de la vieille malle délabrée était ordinaire, et à la cinquième tentative la clef tourna facilement.

— N'importe qui pourrait, sans la fracturer, ouvrir une serrure pareille, maugréa Robert en levant le couvercle de la malle.

Il la vida lentement, posant soigneusement chaque objet sur une chaise à côté de lui. Il les prenait un à un avec une tendresse respectueuse, comme s'il eût soulevé le cadavre de son ami perdu. Il plaça sur la chaise les vêtements de deuil parfaitement pliés. Il trouva de vieilles pipes en écume, des gants salis et racornis sortis d'une fabrique parisienne ; de vieux programmes de théâtre, dont les plus grosses lettres formaient les noms d'acteurs morts et oubliés ; de vieux flacons à parfums, avec des essences odoriférantes dont la mode était passée ; de gentils paquets de lettres, scrupuleusement étiquetés avec le nom de celui qui les avait écrites, des fragments de vieux journaux et un petit tas de livres dépareillés, tombant en lambeaux, dont les feuillets détachés s'éparpillèrent entre les mains imprévoyantes de Robert comme un paquet de cartes. Mais parmi toute cette masse de choses en désordre et sans valeur dont chaque débris avait eu en son temps son utilité, Robert Audley chercha en vain ce qu'il désirait : le paquet de lettres écrites à son ami par sa femme. Il avait entendu George mentionner plus d'une fois ces lettres. Il l'avait vu un jour sortir ces papiers fanés avec une sorte de vénération et les replacer dans la malle, soigneusement attachés avec un ruban qui avait appartenu à Helen, au milieu des vêtements. Les avait-il retirées plus tard, ou avaient-elles été retirées depuis sa disparition par quelque autre main ?

Robert Audley poussa un profond soupir, replaçant les objets un à un dans la caisse vide. Il s'arrêta, le petit amas de livres tout déchirés entre les mains, et hésita un instant.

— Gardons ceci, murmura-t-il ; il peut y avoir dans l'un de ces débris quelque renseignement qui me vienne en aide.

La bibliothèque de George ne se composait pas d'une très brillante collection d'ouvrages littéraires. Il y avait un Ancien Testament en grec et la grammaire latine d'Eton, une brochure française sur l'exercice du sabre dans la cavalerie et un petit volume de *Tom Jones* avec la moitié de sa couverture de cuir qui ne tenait que par un fil, un *Don Juan* de Byron, imprimé en caractères si fins qu'ils devaient avoir été inventés au profit spécial des oculistes et des opticiens, et un gros volume relié en rouge avec des dorures passées.

Robert Audley ferma la malle à clef et prit les livres sous son bras. Mrs Maloney était occupée à ôter les restes de son dîner quand il rentra dans le salon. Il plaça les livres à l'écart sur une petite table, dans un coin à côté de la cheminée, et attendit patiemment que la femme de ménage eût terminé son ouvrage. Il n'était même pas d'humeur à recourir à sa consolatrice, la pipe en écume. Les romans à couverture jaune, rangés sur les rayons au-dessus de sa tête, lui semblaient surannés et sans intérêt. Il ouvrit un volume de Balzac ; mais les boucles dorées de la femme de son oncle voltigeaient et frémissaient, dans un brouillard lumineux, sur la diablerie métaphysique de *La Peau de chagrin* et les hideuses horreurs sociales de *La Cousine Bette*. Le volume tomba de sa main, et il resta à observer impatiemment Mrs Maloney relevant les cendres du foyer, regarnissant le feu, tirant les rideaux de damas sombre, nourrissant les canaris et mettant son bonnet dans le cabinet qui n'avait jamais entendu de consultation, avant de souhaiter une bonne nuit à son maître. Dès que la porte fut fermée sur la vieille Écossaise, Robert se leva de sa chaise et parcourut sa chambre de long en large.

— Pourquoi poursuivre ces recherches, quand je comprends qu'elles me conduisent inévitablement à cette conclusion que je voudrais éviter entre toutes ? Suis-je attaché à une roue, dois-je suivre chacune de ses révolutions et me laisser emporter partout où elle voudra ? Ou puis-je m'asseoir ici, ce soir, et considérer que j'ai fait mon devoir à l'égard de mon ami disparu, que je l'ai cherché avec persévérance, mais que je l'ai cherché en vain ? Serai-je justifié par cette conduite ? Serai-je justifié en laissant la chaîne que j'ai lentement reconstruite, anneau par anneau, se démembrer à ce point ? Ou dois-je ajouter de nouveaux anneaux à cette fatale chaîne, jusqu'à ce que le dernier clou soit rivé à sa place et que le cercle soit complet ? Je crois que je ne reverrai plus le visage de mon ami et qu'aucune tentative de ma part ne pourra jamais être d'aucune utilité pour lui. En un mot, le plus cruel des mots, je crois qu'il est mort. Suis-je tenu de découvrir comment et en quel lieu ? Causerai-je du tort à la mémoire de George Talboys en retournant sur mes pas, ou en interrompant mes recherches ? Que dois-je faire ? que dois-je faire ?...

Il resta les coudes sur les genoux et la figure enfouie dans les mains. La seule résolution qui eût lentement surgi dans sa nature paresseuse au point de devenir assez puissante le rendit ce qu'il n'avait jamais été auparavant... un chrétien, ayant conscience de sa propre faiblesse, scrupuleux d'observer la stricte ligne du devoir, effrayant d'affranchir sa conscience de l'étrange tâche qui lui avait été imposée et se soumettant à une main plus puissante que la sienne pour lui indiquer le chemin qu'il devait poursuivre. Peut-être, dans ses réflexions, prononça-t-il cette même nuit sa première fervente prière, assis à côté du foyer solitaire, en pensant à George Talboys. Lorsqu'il releva la tête après cette longue et silencieuse rêverie, ses yeux avaient un regard brillant et déterminé, et chaque trait de son visage semblait avoir une expression nouvelle.

— Justice pour le mort, d'abord ; pitié pour les vivants, ensuite.

Il roula son fauteuil vers la table, arrangea la lampe et se disposa à procéder à l'examen des livres.

Il les prit l'un après l'autre et les inspecta attentivement, regardant d'abord la page sur laquelle est ordinairement inscrit le nom du propriétaire, puis recherchant quelque morceau de papier qui eût pu être glissé à l'intérieur des feuillets. À la première page de la grammaire latine d'Eton, le nom de Mr Talboys était écrit d'une main qui sentait l'étudiant débutant ; la brochure française avait un G. T. négligemment tracé au crayon sur la couverture, de la grosse et lâche écriture de George ; le *Tom Jones* avait été évidemment acheté à l'étalage d'un bouquiniste et portait une inscription datée du 14 mars 1788, indiquant que l'ouvrage était un tribut respectueux adressé à Mr Thomas Scrowton par son obéissant serviteur James Anderley ; le *Don Juan* et l'Ancien Testament étaient vierges d'inscription. Robert Audley respira plus librement ; il ne restait plus que le gros volume relié en rouge avec des dorures fanées à examiner, pour que sa tâche fût finie.

C'était un annuaire de l'année 1845. Les gravures sur cuivre, représentant les charmantes ladies qui avaient brillé à cette époque, étaient jaunies et tachées de piqûres ; les costumes étaient étrangers et grotesques, les beautés flétries et communes. Les petites légendes en vers mêmes – dans lesquelles la faible flamme du poète jetait sa triste clarté sur les intentions obscures de l'artiste – avaient une saveur de vieille mode, comme les accords d'une harpe dont les cordes seraient détendues par l'action humide du temps. Robert Audley ne s'arrêta pas à lire quelqu'une de ces productions doucereuses. Il parcourut rapidement les feuillets, cherchant quelque morceau d'écriture ou quelque fragment de lettre qui pût avoir marqué une page. Il ne trouva rien qu'une belle boucle de cheveux dorés, de cette brillante nuance qu'on voit rarement ailleurs que sur la tête d'un enfant, une boucle lumineuse qui s'enroulait naturellement comme une vrille de vigne et était d'une texture très opposée, quoique de nuance semblable, à la soyeuse et plate tresse que la propriétaire de Ventnor avait donné à George Talboys. Robert Audley suspendit son examen et plia cette boucle blonde dans une feuille de papier à lettres, qu'il scella du cachet de sa bague, et la rangea à part, avec le mémorandum concernant George Talboys et la lettre d'Alicia, dans le casier étiqueté *Important*. Il allait replacer le gros annuaire parmi les autres livres, lorsqu'il remarqua que les deux feuillets blancs du début étaient collés ensemble. Il était si résolu à poursuivre ses investigations jusqu'à la dernière limite qu'il prit la peine de séparer ces feuillets avec l'extrémité tranchante de son coupe-papier, et il fut récompensé de sa persévérance en trouvant une inscription sur l'un d'eux. Cette inscription était en trois parties et de trois écritures différentes. Le premier paragraphe était daté de l'année même où l'annuaire avait été publié et constatait que le livre était la propriété d'une certaine miss Elizabeth Ann Bince, qui avait obtenu le précieux volume comme récompense de ses habitudes d'ordre et de son obéissance aux autorités du couvent de Camford-House, Torquay. Le second paragraphe était daté de cinq ans plus tard et écrit de la main de miss Bince elle-même, qui offrait le livre comme un témoignage d'éternelle affection et d'impérissable estime – miss Bince était évidemment d'un caractère romanesque – à sa chère amie Helen Maldon. Le troisième paragraphe était daté de septembre 1853 et de la main d'Helen Maldon, qui donnait l'annuaire à George Talboys ; et ce fut à la vue de ce troisième paragraphe que le visage de Mr Robert Audley passa de sa couleur naturelle à une maladive pâleur de plomb.

— Je pensais qu'il en serait ainsi, soupira douloureusement le jeune homme en fermant le livre, Dieu sait que j'étais préparé au pire, et le pire est venu. Je puis tout comprendre maintenant, ma prochaine visite sera pour Southampton. Je dois placer l'enfant entre de meilleures mains.

21

Mrs Plowson

Dans le paquet de lettres que Robert Audley avait trouvé dans la malle de George, il y en avait une étiquetée avec le nom du père de l'absent – ce père qui n'avait jamais été un ami indulgent pour son unique fils et qui avait profité avec plaisir de l'imprudent mariage de

George pour abandonner le jeune homme à ses propres ressources. Robert Audley n'avait jamais vu Mr Harcourt Talboys ; mais quelques paroles indifférentes de George sur son père avaient donné à son ami quelque notion du caractère de ce gentleman. Il avait écrit à Mr Talboys immédiatement après la disparition de George, élaborant soigneusement son épître, qui dénotait chez son auteur une crainte vague que quelque vilain tour eût été joué dans cette mystérieuse affaire.

Après plusieurs semaines, il avait reçu une lettre formelle, dans laquelle Mr Harcourt Talboys déclarait fermement qu'il se lavait les mains de toute responsabilité dans les affaires de son fils depuis le mariage du jeune homme, et que son absurde disparition était en rapport avec ce ridicule mariage. L'auteur de cette lettre paternelle ajoutait en post-scriptum que si Mr George Talboys avait eu quelque méprisable dessein d'alarmer ses amis par cette disparition prétendue et de mettre en jeu leurs sentiments dans le but d'en tirer un avantage pécuniaire, il se trompait énormément sur le caractère des personnes auxquelles il avait affaire.

Robert Audley avait répondu à cette lettre par quelques lignes indignées, informant Mr Talboys qu'il était peu probable que son fils se cachât pour accomplir quelque dessein bassement tramé contre les poches de ses parents, car il avait laissé vingt mille livres entre les mains de son banquier au moment de sa disparition. Après avoir expédié cette lettre, Robert avait abandonné tout espoir de recevoir assistance de l'homme qui aurait dû être le plus intéressé au destin de George ; mais aujourd'hui qu'il se trouvait avancer lui-même chaque jour d'un pas vers un dénouement qui lui apparaissait si noir, son esprit retournait à ce Mr Harcourt Talboys si indifférent et si dénué de cœur.

J'irai dans le Dorsetshire après mon départ de Southampton, pensait-il, pour voir cet homme. S'il est satisfait de laisser le sort de son fils dans l'ombre et dans le cruel mystère qui l'enveloppe, s'il est satisfait de descendre dans la tombe, incertain de la fin de ce pauvre ami, pourquoi essayerais-je de débrouiller l'écheveau emmêlé et de mettre ensemble les fragments épars qui, réunis, peuvent former un tout hideux ? Je veux aller à lui et émettre franchement, en sa présence, mes soupçons les plus terribles. Ce sera à lui de dire ce que je dois faire.

Robert Audley partit par un express matinal pour Southampton. La neige s'étendait en couches blanches et épaisses sur le charmant pays qu'il traversait, et le jeune avocat s'était enveloppé d'une si grande quantité d'écharpes et de couvertures qu'il paraissait une masse ambulante d'articles de laine plutôt qu'un membre vivant d'une profession libérale. Il regardait tristement par la portière couverte de vapeurs, rendue opaque par sa respiration et celle d'un vieil officier des Indes, son seul compagnon, et considérait le paysage fuyant qui lui apparaissait comme un fantôme dans son linceul de neige. Il était enveloppé dans sa couverture, grelottait d'un air hargneux et se sentait disposé à chercher querelle au destin qui le forçait à voyager par un train si matinal et par une si pitoyable journée d'hiver.

— Qui aurait jamais pensé que je pusse devenir si attaché à ce garçon, murmura-t-il, ou que je pusse me sentir si isolé sans lui ? J'ai une confortable petite fortune, je suis l'héritier présomptif du titre de mon oncle, et je connais une certaine petite jeune fille qui, je crois, ferait de son mieux pour me rendre heureux ; mais je déclare que j'abandonnerais volontiers le tout et resterais sans un sou, si ce mystère pouvait être éclairci d'une manière satisfaisante et si George Talboys pouvait être à côté de moi.

Robert arriva à Southampton entre onze heures et midi, traversa le quai de la gare, la figure fouettée par la neige, et se dirigea vers la jetée du port et l'extrémité la plus basse de la ville. La cloche de l'église St Michael sonnait midi comme il traversait l'élégant vieux square dans lequel cet édifice s'élève, et il chercha, en tâtonnant, son chemin dans les petites rues qui conduisent au bord de l'eau.

Mr Maldon avait établi ses pénates dans un de ces tristes passages que des constructeurs, par spéculation, aiment à bâtir sur quelque misérable partie de terrain accolée aux limites d'une cité florissante. Brigsome's Terrace était peut-être un des bâtiments les plus lugubres qui eût jamais été élevé avec des briques et du mortier, depuis que le premier maçon a manié la truelle et que le premier architecte a dessiné un plan. L'entrepreneur qui avait fait la spéculation des huit étages dix fois plus tristes que des prisons s'était lui-même pendu derrière le comptoir d'une taverne voisine, alors que la charpente n'était pas encore terminée. L'individu qui avait acheté les carcasses de briques et de mortier avait passé par la Cour des banqueroutiers pendant que les tapissiers étaient encore occupés dans Brigsome's Terrace et blanchissaient ses plafonds – et lui-même, simultanément. L'insolvabilité et le malheur étaient attachés à ces misérables habitations. L'huissier et le prêteur sur gages étaient aussi bien connus que le boucher et le boulanger par les enfants bruyants qui jouaient sur le terrain en face. Les locataires solvables étaient troublés à des heures indues par le bruit des tapissières remplies de meubles fantastiques, qui glissaient furtivement par les nuits sans lune. Les locataires insolvables défiaient ouvertement, de leur forteresse à huit étages, le percepteur de la taxe sur l'eau et vivaient des semaines entières sans aucun moyen visible de se procurer ce liquide indispensable.

Robert Audley regarda autour de lui en frissonnant comme il tournait du côté de l'eau dans cette localité miséreuse. Un enterrement d'enfant sortait d'une des maisons au moment où il approchait, et il pensa avec un frémissement d'horreur que si le petit cercueil eût contenu le fils de George, il eût été en quelque sorte responsable de la mort de l'enfant.

Le pauvre petit ne dormira pas une nuit de plus dans ce misérable bouge, pensa-t-il tandis qu'il frappait à la porte de la maison de Mr Maldon. Il est le légataire de mon pauvre ami, et je dois garantir sa sécurité.

Une jeune servante en savates ouvrit la porte et examina Mr Audley d'un air presque soupçonneux en lui demandant, d'une voix très nasillarde, ce qu'il désirait. La porte du petit salon était entrebâillée, et Robert put entendre le cliquetis des couteaux et des fourchettes, ainsi que la voix du petit George qui babillait gaiement. Il dit à la servante qu'il venait de Londres, qu'il avait besoin de voir Mr Talboys et qu'elle voulût bien l'annoncer ; et, passant devant elle sans autre cérémonie, il ouvrit la porte du salon. La jeune fille le fixa, pétrifiée par sa manière d'agir ; et, comme frappée par quelque conviction soudaine, elle jeta son tablier par-dessus sa tête et sortit en courant dans la neige. Elle s'élança à travers le terrain désert, plongea dans une allée étroite et ne respira que lorsqu'elle se trouva sur le seuil d'une certaine taverne appelée *Coach and Horses*, très fréquentée par Mr Maldon. La fidèle domestique du lieutenant avait pris Robert Audley pour quelque nouveau et déterminé percepteur de la taxe des pauvres et considéré le récit débité par ce gentleman comme un adroit mensonge inventé pour la ruine des paroissiens en défaut, et s'était précipitée dehors pour avertir à temps son maître de l'approche de l'ennemi.

Quand Robert entra dans le salon, il fut surpris de trouver le petit George assis en face d'une femme occupée à faire les honneurs d'un méchant repas étalé sur une nappe sale, et flanqué d'une mesure en étain remplie de bière. La femme se leva à l'entrée de Robert et fit une très humble révérence au jeune avocat. Elle paraissait âgée d'environ 50 ans et portait une robe de deuil usée. Son teint était fadement beau, et les deux bandeaux unis de cheveux sous son bonnet étaient de cette nuance terne du lin qui généralement accompagne des joues roses et des cils blancs. Elle avait été peut-être une beauté campagnarde dans son temps, mais ses traits, quoique réguliers, avaient un air chétif et pincé comme s'ils eussent été trop étroits pour sa figure. Ce défaut était particulièrement remarquable dans sa bouche qui était évidemment une ouverture trop petite pour renfermer la rangée de dents qu'elle possédait. Elle sourit en faisant la révérence, et ce sourire qui mit à découvert la plus grande partie de cette rangée de dents carrées, à l'aspect affamé, n'ajouta en aucune façon à la beauté de sa personne.

— Mr Maldon n'est pas au logis, monsieur, dit-elle avec une politesse feinte ; mais si c'est pour la taxe de l'eau, il m'a prié de vous dire que…

Elle fut interrompue par le petit George Talboys, qui descendit comme il put de la chaise haute sur laquelle il avait été perché et courut à Robert Audley.

— Je vous connais, vous êtes venu à Ventnor avec le gros monsieur, et vous êtes venu ici une fois, et vous m'avez donné quelque argent, et je l'ai donné à grand-papa pour le conserver, et grand-papa l'a gardé, et il le garde toujours.

Robert Audley prit l'enfant dans ses bras et le porta sur une petite table devant la croisée.

— Tenez-vous là, Georgey, j'ai besoin de jeter un coup d'œil sur vous.

Il tourna la figure de l'enfant à la lumière et repoussa les boucles brunes de son petit front avec les deux mains.

— Vous ressemblez chaque jour davantage à votre père, Georgey, et vous allez devenir un homme comme lui. Aimeriez-vous aller à l'école ?

— Oh, oui ! s'il vous plaît ; j'aimerais bien, répondit le petit garçon avec vivacité. J'ai été une fois à l'école de miss Pevins – une école de jour, vous savez –, au coin de la rue voisine ; mais j'ai attrapé la rougeole et grand-papa ne n'a plus voulu m'y laisser retourner, de crainte que je n'attrape de nouveau la rougeole ; et grand-papa ne veut pas me permettre de jouer avec les petits garçons dans la rue, parce que ce sont des garçons grossiers; il dit des «polissons», mais il dit que je ne dois pas dire «polissons» parce que cela est vilain. Il dit «Dieu me damne» et «le diable m'emporte», mais il dit qu'il le peut parce qu'il est âgé. Je dirai «Dieu me damne» et «le diable m'emporte» quand je serai grand, et je voudrais aller à l'école, s'il vous plaît, et je peux y aller aujourd'hui si vous le voulez; Mrs Plowson voudra bien me préparer mes habits, n'est-ce pas que vous le voulez bien, Mrs Plowson?

— Certainement, Mr Georgey, si votre grand-papa le désire, répondit la femme, jetant un regard presque troublé sur Mr Robert Audley.

Quel rôle peut jouer ici cette femme? s'interrogea Robert en tournant les yeux vers la veuve aux beaux cheveux, qui elle-même se faufilait lentement vers la table sur laquelle le petit George Talboys était debout, causant avec son tuteur. Me prend-elle toujours pour un percepteur de taxes rempli d'intentions hostiles pour son misérable avoir et son trésor, ou ses manières inquiètes auraient-elles une cause plus profonde? C'est une chose à peine croyable, car quels que soient les secrets que puisse avoir le lieutenant Maldon, il n'est guère probable que cette femme en ait connaissance.

Mrs Plowson s'était faufilée près de la petite table pendant ce temps, et était occupée à faire descendre furtivement l'enfant, lorsque Robert se retourna brusquement.

— Que voulez-vous faire de l'enfant?

— Je voulais seulement le prendre pour laver sa jolie figure, monsieur, et arranger ses cheveux, répondit la femme, du même ton caressant avec lequel elle avait parlé de la taxe sur l'eau. Vous ne pouvez pas le voir à son avantage, monsieur, tandis que son charmant minois est sale. Je n'ai besoin que de cinq minutes pour le rendre aussi propre qu'un sou neuf.

Elle mettait ses bras longs et maigres autour de l'enfant, tout en parlant, et se préparait évidemment à l'emmener, quand Robert l'arrêta.

— Je préfère le voir comme il est, je vous remercie. Mon séjour à Southampton ne doit pas être long, et j'ai besoin d'entendre tout ce que ce petit homme peut me raconter.

Le petit homme se glissa plus près de Robert et examina avec confiance les yeux gris de l'avocat.

— Je vous aime beaucoup, j'avais peur de vous quand vous veniez autrefois, parce que j'étais sauvage. Je ne suis plus sauvage maintenant, je vais avoir 6 ans.

Robert caressa la tête de l'enfant d'une manière encourageante, mais il n'avait pas les yeux fixés sur le petit George ; il observait la veuve aux beaux cheveux qui s'était approchée de la croisée et était occupée à regarder dehors la parcelle de terrain inculte.

— Vous êtes inquiète, madame, j'en ai peur, remarqua Robert.

Son visage se colora vivement, et elle lui répondit d'une manière embarrassée :

— J'épiais l'arrivée de Mr Maldon, monsieur. Il sera si contrarié s'il ne vous voit pas.

— Vous savez qui je suis, alors ?

— Non, monsieur, mais…

L'enfant l'interrompit en tirant un petit bijou de montre de son sein et, le montrant à Robert :

— C'est la montre que la jolie dame m'a donnée, raconta-t-il. Je l'ai maintenant, mais pas depuis longtemps, parce que le bijoutier qui l'a nettoyée est un paresseux, dit grand-papa, et qu'il la garde toujours assez longtemps, et grand-papa dit qu'il veut encore la faire nettoyer à cause des taxes ; mais il dit que s'il devait la perdre, la jolie dame m'en donnerait une autre. Connaissez-vous la jolie dame ?

— Non, George ; mais racontez-moi tout ce que vous savez sur elle.

Mrs Plowson fit une autre tentative pour interrompre l'enfant. Elle était armée d'un mouchoir de poche, cette fois, et déployait une grande inquiétude sur l'état du petit nez de Georgey, mais Robert prévint l'attaque de cette arme redoutable et tira l'enfant des mains de son bourreau.

— L'enfant se comportera très bien, madame, si vous voulez être assez bonne pour le laisser seul pendant cinq minutes. Maintenant, Georgey, asseyez-vous sur mes genoux pour me dire ce que vous savez sur la jolie dame.

L'enfant descendit comme il put de la table sur les genoux de Mr Audley, saisissant sans aucune cérémonie, pour s'aider dans sa descente, le collet de son tuteur.

— Je vais tout vous raconter, parce que je vous aime beaucoup. Grand-papa m'a dit de n'en parler à personne, mais je vous le dirai à vous, vous savez, parce que je vous aime, et parce que vous allez me mettre à l'école. La jolie dame est venue ici un soir… il y a bien longtemps… oh ! bien longtemps, dit l'enfant, secouant sa tête avec un air dont la solennité exprimait quelque époque prodigieusement reculée. Elle est venue quand je n'étais pas aussi grand qu'aujourd'hui… et elle est venue la nuit, après que j'étais allé me coucher, et elle est entrée dans ma chambre, et elle s'est assise sur le lit et elle a pleuré… et elle a laissé la montre sous mon traversin, et elle… Pourquoi me faites-vous de gros yeux, Mrs Plowson ? Je puis dire cela au monsieur, ajouta Georgey, s'adressant subitement à la veuve qui était debout derrière les épaules de Robert.

Mrs Plowson marmotta confusément quelque excuse sur ce qu'elle craignait que Mr George ne fût ennuyeux.

— Veuillez attendre que je m'en plaigne, madame, avant de fermer la bouche de mon petit ami, rétorqua Robert Audley durement. Une personne soupçonneuse pourrait penser, d'après vos manières, que Mr Maldon et vous êtes impliqués dans quelque complot et que vous êtes effrayée de ce que le babil de l'enfant pourrait laisser deviner.

Il se leva de sa chaise à ces mots, regardant Mrs Plowson en face. Le visage de la veuve était aussi blanc que son bonnet quand elle essaya de lui répondre, et ses lèvres pâles étaient si desséchées qu'elle fut obligée de les mouiller avec sa langue avant que les mots pussent arriver.

Le petit garçon vint au secours de son embarras :

— Ne soyez pas chagrine, Mrs Plowson ; Mrs Plowson est très bonne pour moi, Mrs Plowson est la mère de Matilda. Vous n'avez pas connu Matilda ; pauvre Matilda, elle était toujours à se plaindre, elle était malade, elle…

L'enfant fut arrêté par la subite apparition de Mr Maldon qui, debout sur le seuil, considérait Robert Audley d'un air mi-ivre, mi-terrifié, s'accordant difficilement avec la dignité d'un officier de marine en retraite. La jeune servante, essoufflée et haletante, se tenait serrée derrière son maître. Quoique la journée ne fût pas avancée, le vieillard avait la langue épaisse et la parole embarrassée en s'adressant durement à Mrs Plowson :

— Vous êtes une créature bien venue à vous dire femme de bon sens ! Pourquoi n'avez-vous pas pris l'enfant à part et ne lui avez-vous pas lavé la figure ? Avez-vous besoin de me ruiner ? Voulez-vous ma perte ? Emmenez l'enfant ! Mr Audley, je suis vraiment enchanté de vous voir, très heureux de vous recevoir dans mon humble demeure, ajouta le vieillard avec une politesse d'ivrogne, en tombant sur une chaise tout en essayant de garder une contenance digne devant son visiteur inattendu.

Quels que soient les secrets de cet homme, pensa Robert, tandis que Mrs Plowson poussait le petit George hors de la pièce, cette femme en sait une partie qui n'est pas sans importance. Quel que puisse être le mystère, il devient à chaque pas plus noir et plus ténébreux ; mais j'essayerais en vain de rétrograder ou de m'arrêter court, car une main plus forte que la mienne me fait signe du doigt d'avancer sur la route sinistre qui mène à la tombe de mon ami perdu.

22

Georgey quitte son logis

— Je suis venu pour emmener votre petit-fils avec moi, Mr Maldon, dit gravement Robert.

L'imbécillité du vieillard produite par l'ivresse se dissipa lentement, comme les lourdes vapeurs d'un brouillard de Londres, que le faible éclat du soleil perce difficilement. La très incertaine lumière de l'intelligence du lieutenant Maldon exigea un temps considérable pour percer les vapeurs brumeuses du rhum mélangé d'eau ; mais le rayon vacillant brilla faiblement, à la fin, à travers les nuages, et le vieillard put fixer son pauvre esprit sur le point saillant.

— Oui, oui, dit-il faiblement, prendre l'enfant à son pauvre vieux grand-père ; j'avais toujours pensé que cela arriverait.

— Vous aviez toujours pensé que je vous le retirerais ? demanda Robert, cherchant à sonder la contenance de l'ivrogne avec son œil inquisiteur ; pourquoi avez-vous pensé ainsi, Mr Maldon ?

Les fumées de l'ivresse s'épaissirent davantage autour du flambeau de sa raison pendant un moment, et le lieutenant répondit vaguement :

— Pensé ainsi ?... parce que j'ai pensé ainsi.

Rencontrant le coup d'œil impatient et courroucé du jeune avocat, il fit un nouvel effort, et la lumière brilla de nouveau.

— Parce que je pensais que vous ou son père voudriez l'emmener d'ici.

— La dernière fois que je vins dans cette maison, Mr Maldon, vous m'avez dit que George Talboys s'était embarqué pour l'Australie.

— Oui, oui... je sais, je sais, répondit le vieillard d'un air troublé, mêlant ses rares mèches de cheveux gris avec ses deux mains agitées ; je sais, mais il aurait pu être de retour… N'aurait-il pas pu ?… Il était remuant, et… et… peut-être d'un esprit bizarre quelquefois… Il aurait pu revenir…

Il répéta ces mots deux ou trois fois d'un ton faible et semblable à un murmure, chercha en tâtonnant sur le chambranle de la cheminée, tout en désordre, une pipe en terre de sale apparence, qu'il bourra et alluma d'une main tremblante.

Robert Audley considérait ces pauvres doigts desséchés et tremblotants qui laissaient tomber des brins de tabac sur le tapis du foyer et étaient à peine capables d'allumer une allumette à cause de leur agitation. Ensuite, se promenant deux ou trois fois de long en large dans la petite pièce, il laissa le vieillard prendre quelques bouffées du grand consolateur.

Bientôt, se retournant subitement vers le lieutenant en demi-solde, avec une sombre solennité sur son beau visage :

— Mr Maldon, dit-il lentement, observant l'effet de chaque syllabe qu'il prononçait, George Talboys ne s'est pas embarqué pour l'Australie, j'en suis certain ; plus que cela, il n'est pas venu à Southampton, et ce mensonge que vous m'avez fait le 8 septembre dernier vous était dicté par une dépêche télégraphique que vous avez reçue ce jour-là.

La sale pipe de terre s'échappa de la main tremblante et vint se briser contre le garde-feu en fer ; mais le vieillard ne fit aucun effort pour en trouver une nouvelle ; il s'assit, tremblant de tous ses membres, en regardant Robert Audley, Dieu sait de quel air pitoyable.

— Le mensonge vous était dicté, et vous avez répété la leçon. Mais vous n'avez pas plus vu George Talboys ici, le 7 septembre, que je ne le vois dans cette pièce en ce moment. Vous avez cru brûler la dépêche télégraphique, mais vous n'en avez brûlé qu'une partie, le reste est entre mes mains.

Le lieutenant Maldon était complètement dégrisé maintenant.

— Qu'ai-je fait ? murmura-t-il, tout consterné ; ô mon Dieu ! qu'ai-je fait ?

— À deux heures, dans la journée du 7 septembre dernier, continua la voix accusatrice et sans pitié, George Talboys a été vu, vivant et bien portant, dans une maison du comté d'Essex.

Robert s'arrêta pour voir l'effet de ces paroles. Elles n'avaient produit aucun changement chez le vieillard : il était toujours tremblant de la tête aux pieds, avec ce regard fixe et hébété de quelque misérable sans espoir dont tous les sens s'engourdissent graduellement sous l'effet la terreur.

— À deux heures, répéta Robert Audley, mon pauvre ami a été vu vivant et bien portant dans la maison dont je parle. À partir de cette heure jusqu'à aujourd'hui, je n'ai jamais pu apprendre qu'il ait été vu par aucune créature. J'ai fait des démarches telles qu'elles auraient dû avoir pour résultat de me procurer des renseignements sur son compte s'il était vivant. J'ai accompli tout cela scrupuleusement, avec persévérance, et même avec beaucoup d'espoir. Maintenant je comprends qu'il est mort !

Robert Audley s'était attendu à quelque agitation extraordinaire dans les manières du vieillard, mais il n'était pas préparé à la terrible détresse, à la terreur affreuse qui bouleversa la figure effarée de Mr Maldon lorsqu'il articula les derniers mots.

— Non… non… non… non… répéta le lieutenant d'une voix glapissante à demi criarde, non… non ! pour l'amour de Dieu, ne dites pas cela !… ne pensez pas cela !… ne me laissez pas penser cela !… ne me laissez pas rêver à cela !… pas mort… n'importe quoi, mais pas mort… tenu caché, peut-être… séquestré, gardé à l'écart, peut-être, mais pas mort… pas mort… pas mort !

Il prononça ces paroles en criant, comme une personne hors d'elle-même, frappant de ses mains sa tête grise, et se balançant d'arrière en avant sur sa chaise. Ses mains débiles ne tremblaient plus… elles étaient raidies par quelque force convulsive qui leur donnait une puissance nouvelle.

— Je crois, dit Robert, de la même voix solennelle et impitoyable, que mon ami n'a pas quitté l'Essex ; et je crois qu'il est mort le 7 septembre dernier.

Le misérable vieillard, frappant toujours de ses mains sa rare chevelure grise, glissa de sa chaise sur le plancher et s'accroupit aux pieds de Robert.

— Oh ! non, non… pour l'amour de Dieu, non ! cria-t-il d'une voix rauque, non, vous ne savez pas ce que vous dites… vous ne savez pas ce que vous voulez me faire croire… vous ne savez pas la signification de vos paroles !

— Je ne connais leur poids et leur valeur que trop bien, aussi bien que je vous vois, Mr Maldon ; que Dieu nous garde tous.

— Oh ! que dois-je faire, que dois-je faire ? murmura le vieillard d'une voix faible.

Puis, se relevant avec effort, il se dressa de toute sa hauteur et dit d'une manière qui était nouvelle chez lui – et qui n'était pas sans une certaine dignité, cette dignité qui doit toujours être attachée à une ineffable misère :

— Vous n'avez pas le droit de venir ici terrifier un homme ivre et qui ne se possède pas lui-même. Vous n'avez pas le droit de faire cela, Mr Audley. Même le… l'officier de police, monsieur, qui… qui…

Il ne balbutiait pas, mais ses lèvres tremblaient si fort que ses mots semblaient mis en pièces par leur mouvement.

— L'officier de police, je répète, monsieur, qui arrête un… un voleur, ou un…

Il s'arrêta pour s'essuyer les lèvres et pour les calmer, ce qu'il ne put faire.

— Un voleur… ou un meurtrier…

Sa voix mourut subitement sur le dernier mot, et c'était seulement par le mouvement de ses tremblantes lèvres que Robert comprit ce qu'il disait.

— Il lui donne l'avertissement, monsieur, l'admirable avertissement qu'il ne doit rien dire qui puisse le compromettre lui-même… ou… d'autres personnes. La… la… loi, monsieur, a ce langage de miséricorde pour un… un… présumé criminel. Mais vous, monsieur, vous… vous venez dans ma maison et vous venez dans un moment où… où… contrairement à mes habitudes ordinaires… qui, comme on vous le dira, sont des habitudes de sobriété… vous venez et, vous apercevant que je ne suis pas entièrement dans mon état habituel… vous saisissez… la… l'opportunité de… m'effrayer… et cela n'est pas bien, monsieur… cela est…

Quoi qu'il voulût dire, ses paroles moururent en soupirs inarticulés qui semblaient l'ébranler, et, s'affaissant sur une chaise, il laissa tomber sa tête sur la table et pleura à chaudes larmes. Peut-être, dans toutes les tristes scènes de misère domestique qui se sont passées dans ces pauvres et sinistres maisons, dans toutes les basses infortunes, les hontes brûlantes, les chagrins cruels, les amères disgrâces qui reconnaissent pour mère commune la pauvreté, il n'y a pas eu de scène semblable à celle-ci… Un vieillard cachant sa face de la lumière du jour et gémissant tout haut dans sa maison.

La sombre pièce, avec sa malpropreté et son désordre, l'aspect du vieillard, avec sa tête grise sur la nappe souillée, parmi les *débris** confus d'un méchant dîner, disparaissaient devant les yeux de Robert Audley lorsqu'il pensait à un autre homme, aussi âgé que celui-là, qui pourrait un jour éprouver les mêmes douleurs, voire une détresse bien pire, et verser, peut-être, des larmes plus amères ! Le temps pendant lequel les larmes montèrent à ses yeux et attristèrent la pitoyable scène qui se passait devant lui fut assez long pour le ramener dans l'Essex et lui montrer l'image de son oncle frappé par l'infortune et le déshonneur.

Pourquoi poursuivre cette affaire ? pensa-t-il. Pourquoi suis-je impitoyable ? Pourquoi suis-je inexorablement poussé en avant ? Ce n'est pas moi, c'est la main qui me fait signe d'avancer plus loin et plus loin encore sur la route sinistre à la fin de laquelle je n'ose pas songer.

Telles étaient ses pensées, et cent fois plus nombreuses, tandis que le vieillard restait la figure toujours cachée, luttant avec ses angoisses, sans pouvoir les dompter.

— Mr Maldon, dit Robert Audley après un instant de silence, je ne vous demande pas de me pardonner ce que j'ai attiré sur vous, car il y a en moi la forte conviction que cela devait vous arriver tôt ou tard… sinon par mon entremise, au moins par l'entremise d'une autre personne. Il y a…

Il s'arrêta un instant, hésitant. Les sanglots ne cessaient pas, tantôt bas, tantôt élevés, éclatant avec une nouvelle violence ou mourant pendant un instant, mais ils ne cessaient jamais.

— Il y a des choses qui, comme dit le peuple, ne peuvent être cachées. Je pense qu'il y a une vérité dans ce dicton vulgaire qui a son origine dans la vieille sagesse du monde, que le peuple recueille de l'expérience et non des livres. Si… si j'avais pu laisser mon ami reposer dans sa tombe inconnue, il est vraisemblable que quelque étranger, qui n'a jamais entendu le nom de George Talboys, tombe par le plus extraordinaire hasard sur le secret de sa mort. Demain, peut-être, ou dans dix ans d'ici, quand la… quand la main qui l'a frappé sera aussi froide que la sienne. Si je *pouvais* laisser dormir la chose, si… si je pouvais quitter à jamais l'Angleterre et éviter de jamais rencontrer quelque indice du secret, je le ferais… je le ferais avec plaisir, avec des actions de grâce. Mais je ne puis ! Une main plus forte que la mienne me fait signe d'aller en avant. Je ne veux tirer aucun indigne avantage de vous moins que de tout autre ;

mais je dois marcher, je dois marcher. S'il y a quelque avertissement que vous désiriez donner à quelqu'un, donnez-le… si le secret vers lequel j'avance de jour en jour, d'heure en heure, enveloppe quelqu'un pour qui vous ayez de l'intérêt, que cette personne fuie avant que j'arrive à la fin, qu'elle quitte ce pays, qu'elle quitte tous ceux qui la connaissent… tous ceux dont la paix peut être mise en danger par son action criminelle ; qu'elle parte… elle ne sera pas poursuivie. Mais si on fait peu de cas de votre avertissement, si on essaye de conserver la position qu'on occupe actuellement, comme un défi à ce que vous pourrez dire, qu'on prenne garde à moi ; car, lorsque l'heure sera venue, je jure de n'épargner personne.

Le vieillard releva la tête pour la première fois et essuya sa figure ridée avec un foulard de soie déchiré.

— Je ne vous comprends pas. Je vous jure solennellement que je ne puis vous comprendre, et que je ne crois pas que George Talboys soit mort.

— Je donnerais dix années de ma propre vie si je pouvais le voir vivant, répondit tristement Robert. Je suis fâché pour vous, Mr Maldon… je suis fâché pour nous tous.

— Je ne crois pas que mon gendre soit mort, dit le lieutenant, je ne crois pas que le pauvre garçon soit mort.

Il s'efforçait faiblement de prouver à Robert Audley que son extravagante explosion de douleur avait été causée par le chagrin qu'il éprouvait de la perte de George Talboys ; mais cet argument était misérable.

Mrs Plowson rentra dans le salon, conduisant le petit Georgey dont le visage brillait de ce poli éclatant que le savon jaune et le frottement peuvent produire sur la figure humaine.

— Cher cœur de ma vie ! s'écria Mrs Plowson, que pouvait donc avoir le pauvre vieux gentleman ? Nous l'entendions dans le corridor sangloter terriblement.

Le petit Georgey grimpa sur son grand-père et caressa sa face ridée, mouillée de pleurs, de sa petite main d'enfant.

— Ne pleurez pas, grand-papa, ne pleurez pas. Vous aurez ma montre à faire nettoyer, et le brave bijoutier vous donnera de l'argent pour payer l'homme à la taxe, tandis qu'il nettoiera la montre… Je n'écoute rien, grand-papa. Allons chez le bijoutier… le bijoutier dans High Street, vous savez, qui a des globes dorés peints sur sa porte, pour montrer qu'il vient de Lombar… Lombardshire, dit l'enfant en faisant une pause pour trouver le nom. Allons, grand-papa.

Le petit enfant prit le bijou dans son coin et se dirigea vers la porte, fier d'être en possession d'un talisman qui avait si souvent rendu de grands services.

— Il y a des loups à Southampton, dit-il, adressant un signe de tête presque triomphant à Robert Audley. Mon grand-papa dit, quand il prend ma montre, qu'il fait cela pour tenir le loup éloigné de la porte. Y a-t-il des loups où vous êtes ?

Le jeune avocat ne répondit pas à la question de l'enfant, mais l'arrêta comme il entraînait son grand-père vers la porte.

— Votre grand-papa n'a pas besoin de la montre aujourd'hui, Georgey, dit-il gaiement.

— Pourquoi a-t-il du chagrin, alors ? demanda Georgey naïvement… Quand il a besoin de la montre, il est toujours chagrin et il frappe son pauvre front ainsi…

L'enfant s'interrompit pour imiter l'action avec ses petits poings.

— Et il dit que la… la jolie dame, je crois, le traite bien durement et qu'il ne peut tenir le loup éloigné de la porte. Et alors je dis : « Grand-papa, prenez la montre. » Et alors il me prend dans ses bras et dit : « Oh ! mon ange béni ! comment puis-je voler mon ange béni ? » Et puis il pleure, mais non pas comme aujourd'hui… pas tout haut, vous savez ; rien que des pleurs qui coulent sur ses pauvres joues ; non pas comme aujourd'hui, que vous pouviez l'entendre dans le couloir.

Le babil de l'enfant, tout pénible qu'il était pour Robert Audley, semblait une consolation pour le vieillard. Il ne parut pas écouter le caquetage de l'enfant, mais se promena deux ou trois fois de long en large dans la petite pièce, lissa ses cheveux en désordre et se laissa arranger sa cravate par Mrs Plowson, qui paraissait très soucieuse de découvrir la cause de son agitation.

— Pauvre cher vieux monsieur, dit-elle en jetant les yeux sur Robert. Qu'est-il arrivé, pour qu'il se mette dans cet état ?

— Son gendre est mort, répondit Mr Audley en fixant ses yeux sur le visage plein de sympathie de Mrs Plowson. Il est mort un peu plus d'un an après Helen Talboys, qui est ensevelie dans le cimetière de Ventnor.

Le visage sur lequel il tenait son regard attaché changea très légèrement ; mais les yeux qui s'étaient fixés sur lui se détournèrent, tandis qu'il parlait, et Mrs Plowson, une fois de plus, fut obligée d'humecter ses lèvres pâles avec sa langue avant de lui répondre :

— Ce pauvre Mr Talboys est mort, voilà vraiment une mauvaise nouvelle, monsieur.

Le petit Georgey lança un regard plein d'intelligence du côté de son tuteur, pendant que ces paroles étaient prononcées.

— Qui est mort, George Talboys est mon nom, qui est mort ?

— Un autre individu dont le nom est Talboys, Georgey.

— Pauvre individu ! Ira-t-il dans le trou ?

L'enfant avait cette idée ordinaire de la mort que les judicieux parents donnent généralement aux enfants, et qui les conduit toujours à penser à l'ouverture de la fosse, mais rarement porte leurs esprits vers un point plus élevé.

— Je voudrais le voir mettre dans le trou, remarqua Georgey, après un moment de silence.

Il avait accompagné plusieurs convois d'enfants du voisinage et était considéré comme un pleureur important à cause de sa figure intéressante. Il en était venu, par conséquent, à considérer la cérémonie d'un enterrement comme une réjouissance solennelle dans laquelle gâteaux, vins et voitures étaient les principaux événements.

— Vous n'avez pas d'objections à ce que j'emmène Georgey avec moi, Mr Maldon ? demanda Robert Audley.

L'agitation du vieillard s'était beaucoup calmée. Il avait trouvé une autre pipe cachée derrière le cadre brillant de la glace et était en train d'essayer de l'allumer avec un morceau de journal tordu.

— Vous ne vous y opposez pas, Mr Maldon ?

— Non, monsieur… non, monsieur… vous êtes son tuteur et vous avez le droit de l'emmener où il vous plaira. Il a été pour moi une très grande consolation dans ma vieillesse abandonnée, mais j'ai été préparé à le perdre. J'ai… je… peux n'avoir pas toujours rempli mon devoir envers lui, monsieur, sous… sous le rapport de l'instruction et… et de la chaussure. Le nombre de brodequins que peuvent user les enfants de son âge est difficile à imaginer pour l'esprit d'un jeune homme comme vous ; il est resté éloigné de l'école peut-être trop souvent, et il a porté accidentellement des brodequins déchirés, quand nos fonds étaient bas ; mais il n'a pas été maltraité. Non, monsieur, vous pourriez le questionner durant une semaine, je ne crois pas que vous puissiez apprendre que son pauvre vieux grand-père lui ait jamais dit une parole blessante.

Sur ces entrefaites, Georgey, apercevant la détresse de son vieux protecteur, poussa un gémissement terrible et déclara qu'il ne voulait jamais le quitter.

— Mr Maldon, dit Robert Audley d'un ton qui était mi-triste, mi-compatissant, quand j'ai considéré ma position, la nuit dernière, je ne croyais pas que je pusse jamais venir à penser que je trouverais cela plus pénible que je le pensais alors. Je ne puis dire qu'une chose : que Dieu ait pitié de nous tous. Je crois de mon devoir d'emmener l'enfant, mais je le conduirai directement de votre maison à la meilleure pension de Southampton, et je vous donne ma parole d'honneur que je n'essayerai pas de l'arracher à son innocente simplicité… Je jure, dit-il en s'interrompant brusquement, je jure que… je ne chercherai pas à avancer d'un pas vers le secret en le questionnant. Je… je ne suis pas un officier de justice, et je ne pense pas que l'officier de justice le plus consommé voulût obtenir ses informations d'un enfant.

Le vieillard ne répondit pas ; il restait assis, la figure cachée d'une main et sa pipe éteinte entre les doigts de l'autre.

— Prenez l'enfant, Mrs Plowson, dit-il après un instant, prenez-le et mettez-lui ses affaires. Il doit aller avec Mr Audley.

— Ce que j'affirme, c'est que ce n'est pas aimable de la part de ce gentleman d'enlever son mignon chéri à grand-papa ! s'écria Mrs Plowson subitement, avec une indignation pleine de respect.

— Paix, Mrs Plowson, répondit le vieillard d'un ton digne de pitié, Mr Audley est le meilleur juge. Je… je… n'ai pas beaucoup d'années à vivre, et je ne serai plus longtemps un embarras pour quiconque.

Les pleurs filtraient lentement à travers les doigts sales avec lesquels il cachait ses yeux injectés de sang, en prononçant ces paroles.

— Dieu sait que je n'ai jamais fait de tort à votre ami, monsieur, dit-il quand Mrs Plowson et George furent revenus, ni jamais souhaité aucun mal. C'était un bon gendre pour moi, meilleur que beaucoup de fils ; je ne lui ai jamais causé exprès de préjudice, monsieur… J'ai… j'ai dépensé son argent, peut-être, mais j'en suis fâché, très fâché aujourd'hui. Mais je ne crois pas qu'il soit mort ; non, monsieur, non, je ne le crois pas ! s'écria le vieillard en retirant sa main de ses yeux et en regardant Robert Audley avec une nouvelle énergie. Je… je ne crois pas cela, monsieur ! Comment… comment serait-il mort ?

Robert ne répondit pas à cette question brûlante. Il secoua la tête d'un air morne et, s'approchant de la petite croisée, regarda dehors, à travers une rangée de géraniums desséchés, la triste pièce de terrain inculte sur laquelle les enfants jouaient.

Mrs Plowson revint avec le petit Georgey emmitouflé dans une jaquette et une couverture de voyage, et Robert prit la main de l'enfant.

— Dites au revoir à votre grand-papa, Georgey.

Le petit garçon s'élança vers le vieillard et, s'attachant à lui, baisa les larmes sales de ses joues fanées.

— Ne vous chagrinez pas pour moi, grand-papa ; je vais aller à l'école pour apprendre à devenir un homme savant, et je reviendrai à la maison pour vous voir, et Mrs Plowson aussi, n'est-ce pas ? ajouta-t-il en se tournant du côté de Robert.

— Oui, mon cher enfant, de temps en temps.

— Emmenez-le, monsieur, emmenez-le ! cria Mr Maldon ; vous me brisez le cœur !

Le petit garçon sautillait en s'éloignant d'un air joyeux à côté de Robert. Il était enchanté à l'idée d'aller en pension, quoiqu'il eût été assez heureux chez son vieil ivrogne de grand-père, qui avait toujours montré une stupide affection pour le joli petit garçon et fait de son mieux pour gâter Georgey, en le laissant agir à sa guise : en conséquence de cette indulgence, Mr Talboys avait acquis le goût de veiller tard, des soupers chauds indigestes, et de boire de petits coups de rhum et d'eau dans le verre de son grand-papa.

Il communiqua à Robert Audley ses idées sur beaucoup de sujets, tandis qu'ils se dirigeaient vers le *Dolphin Hotel ;* mais l'avocat ne l'encourageait pas à parler.

Ce n'était pas chose difficile que de trouver une bonne pension dans un endroit comme Southampton. Robert Audley fut envoyé à une jolie maison entre The

Bar et The Avenue et, confiant Georgey aux soins d'un garçon d'hôtel avenant qui semblait n'avoir autre chose à faire que de regarder par la croisée et d'ôter la poussière invisible sur le poli brillant des tables, l'avocat monta vers High Street, pour atteindre l'institution pour jeunes gentlemen dirigée par Mr Marchmont.

Il trouva dans Mr Marchmont un homme très sensé, et il rencontra une file de jeunes gentlemen bien alignés, allant du côté de la ville sous l'escorte de deux professeurs, au moment où il entrait dans la maison.

Il dit au chef d'institution que le petit George Talboys avait été laissé à sa charge par un de ses meilleurs amis, qui s'était embarqué quelques mois auparavant pour l'Australie et qu'il croyait mort. Il confia l'enfant aux soins particuliers de Mr Marchmont et le pria, en outre, de n'admettre aucun visiteur à voir le petit garçon, à moins qu'il ne fût autorisé par une lettre de lui. Après avoir arrangé l'affaire en quelques mots, comme une transaction commerciale, il revint à l'hôtel chercher Georgey.

Il trouva le petit homme en grande intimité avec le garçon paresseux qui avait dirigé l'attention de Mr Georgey sur différents objets dignes d'intérêt dans High Street.

Le pauvre Robert avait autant idée des besoins d'un enfant que de ceux d'un éléphant blanc. Il avait acheté des vers à soie, des cochons d'Inde, des loirs, des canaris et des chiens en quantité durant sa jeunesse, mais il n'avait jamais été appelé à pourvoir aux besoins d'une jeune créature de 5 ans.

Il retourna en arrière de vingt-cinq années et essaya de se rappeler sa propre manière de vivre à l'âge de 5 ans.

J'ai un vague souvenir d'avoir ingurgité une grande quantité de pain avec du lait et du mouton bouilli, pensa-t-il, et j'ai un vague souvenir que je n'aimais pas toutes ces choses. Je me demande si cet enfant aime le lait avec du pain et le mouton bouilli.

Il se tint debout pendant quelques minutes, tirant son épaisse moustache et fixant l'enfant d'un air pensif.

— Je crois que vous avez faim, Georgey.

L'enfant acquiesça, et le garçon ôta quelque poussière très invisible de la table, se préparant à étaler une nappe.

— Peut-être aimeriez-vous un lunch ? suggéra Mr Audley en tirant toujours sa moustache.

L'enfant éclata de rire.

— Un lunch ! cria-t-il, pourquoi ? j'ai déjà dîné.

Robert Audley se sentit de nouveau plongé dans l'embarras.

— Vous aurez un peu de pain et de lait, Georgey, dit-il après un instant. Garçon, du pain et du lait, et une pinte de vin du Rhin.

Mr Talboys fit la grimace.

— Je ne mange jamais de pain avec du lait ; je n'aime pas cela ; je préfère ce que grand-papa appelle quelque chose de savoureux. J'aimerais mieux une côtelette de veau. Grand-papa m'a raconté qu'il avait dîné ici une fois, et que les côtelettes de veau étaient délicieuses. Apportez-moi une côtelette de veau, s'il vous plaît, avec des œufs et du pain rond, et un peu de jus de citron, vous savez ? ajouta-t-il à l'intention du garçon. Grand-papa connaît le cuisinier d'ici. Le cuisinier ressemble à un beau gentleman, et il m'a donné une fois un shilling, quand grand-papa m'a amené ici. Le cuisinier porte de plus beaux habits que grand-papa… plus beaux même que les vôtres, dit Mr Georgey, montrant du doigt le grossier paletot de Robert avec un signe de dédain.

Robert Audley resta pétrifié. Comment devait-il agir avec cet épicurien âgé de 5 ans, qui refusait du pain avec du lait et demandait des côtelettes de veau ?

— Je vous dirai quelle est mon intention pour vous, petit Georgey ! s'écria-t-il au bout d'un instant. *Je vous ferai servir un autre dîner.*

Le garçon fit un signe joyeux d'assentiment.

— Sur ma parole, monsieur, dit-il d'un air d'approbation, je crois que le petit gentleman saura le manger.

— Je veux vous donner à dîner, Georgey, répéta Robert : une petite julienne, de l'anguille à l'étuvée, un plat de côtelettes, un oiseau rôti et un pudding. Que dites-vous de cela, Georgey ?

— Je ne pense pas que le jeune gentleman s'oppose à ce menu lorsqu'il le verra, monsieur, renchérit le garçon : anguille, julienne, côtelettes, oiseau, pudding. Je vais avertir le cuisinier, monsieur… À quelle heure, monsieur ?

— Eh bien, eh bien, commandez pour 6 heures, et Mr Georgey ira à sa nouvelle institution pour l'heure du coucher. Vous pouvez parvenir à amuser l'enfant cet après-midi, j'ose le croire. J'ai quelques affaires à terminer et je ne pourrai pas le promener. Je coucherai ici cette nuit. Au revoir, Georgey, prenez garde à vous, et tâchez d'avoir bon appétit pour 6 heures.

Robert Audley laissa l'enfant à la charge du garçon paresseux et descendit du côté de l'eau, choisissant cette rive déserte qui conduit jusque sous les murs tombant en poussière de la ville, en direction du petit village situé près de la partie plus étroite de la rivière.

Il avait fui exprès la société de l'enfant, et il marcha à travers un léger amas de neige jusqu'à ce que la première obscurité l'atteignît.

Il retourna alors à la ville et s'informa de la gare d'où partaient les trains pour le Dorsetshire.

Je partirai de bonne heure demain matin, pensa-t-il, pour voir le père de George avant la tombée de la nuit. Je lui dirai tout… tout, excepté l'intérêt que je prends à… à la personne soupçonnée, et il décidera ensuite ce qu'il convient de faire.

Mr Georgey fit parfaitement honneur au dîner que Robert avait commandé. Il but de la bière en si grande quantité qu'il alarma grandement son tuteur, et se divertit étonnamment en faisant des commentaires sur le faisan rôti et la sauce qui étaient au-dessus de son âge. À huit heures, une voiture fut mise à son service, et il partit très bien disposé, avec un souverain dans sa poche et une lettre de Robert à Mr Marchmont, renfermant un billet de banque pour le trousseau du jeune gentleman.

— Je suis enchanté, je vais avoir des habits neufs, dit-il comme il faisait ses adieux à Robert ; car Mrs Plowson a raccommodé les vieux si souvent qu'elle peut s'en servir maintenant pour Billy.

— Qui est Billy ? demanda Robert en riant du babil de l'enfant.

— Billy est le petit frère de la pauvre Matilda ; c'est un enfant commun, vous savez. Matilda était commune mais elle…

Mais le cocher faisait claquer son fouet ; le vieux cheval partit, et Robert Audley n'entendit plus rien sur Matilda.

23

Un homme immuable

Mr Harcourt Talboys vivait dans une belle habitation carrée, en brique rouge, à un mile d'un petit village appelé Grange Heath, dans le Dorsetshire. La belle habitation carrée s'élevait au centre de beaux terrains carrés, à peine assez étendus pour être appelés un parc, trop grands pour être appelés autre chose : ainsi ni la maison, ni les terrains n'avaient de nom, et le domaine était simplement désigné par ces mots : le domaine du *squire* Talboys.

Mr Harcourt Talboys était peut-être bien la dernière personne dans ce monde à laquelle il fût possible d'associer le simple, le loyal, l'agreste, le vieux titre anglais de *squire*[1]. Il ne chassait ni ne cultivait ; il n'avait jamais

1. Principal propriétaire terrien d'une paroisse. *(N.d.É)*

porté de sa vie de couleurs cramoisies ou de bottes à revers. Un vent du sud et un ciel nuageux étaient choses fort indifférentes pour lui, tant qu'elles ne venaient en aucune sorte interférer dans son propre bien-être, si précieux ; il ne se souciait de l'état des récoltes que parce que l'y intéressait la possibilité de certaines rentes qu'il recevait pour les fermages de son domaine. C'était un homme âgé d'environ 50 ans, grand, osseux, droit et anguleux, avec une figure carrée et pâle, des yeux gris clair et des cheveux noirs clairsemés, ramenés par la brosse de chaque oreille vers le sommet de son crâne chauve, ce qui donnait à sa physionomie quelque faible ressemblance avec celle d'un terrier – un rude, peu accommodant terrier à tête dure, un terrier à ne pouvoir être pris par le plus habile voleur de chiens.

Personne ne se souvenait d'avoir jamais aperçu ce qui est vulgairement appelé le « défaut de cuirasse » de Harcourt Talboys. Il ressemblait à la construction carrée, faisant face au nord, de sa demeure sans ombrages. Il n'y avait dans son caractère aucun pli caché dans lequel on pût se glisser pour se mettre à l'abri de sa dure clarté. Il était tout lumière. Il considérait toute chose avec le même regard ouvert de son intelligence lumineuse et n'aurait supporté aucune ombre qui eût pu altérer les durs contours des événements cruels, dût-elle les embellir. Je ne sais si j'exprime ce que je pense, en disant qu'il n'y avait pas de courbes dans son caractère, que son esprit allait en ligne droite, ne déviant jamais à droite ou à gauche pour arrondir ses angles inflexibles. Avec lui, le vrai était le vrai, et le faux était le faux. Il n'avait jamais eu, dans son impitoyable et consciencieuse existence, l'idée que les circonstances pussent mitiger la gravité d'un tort ou affaiblir la force du droit. Il avait chassé son seul fils, parce que son seul fils lui avait désobéi, et il était prêt à chasser sa seule fille après cinq minutes d'examen pour la même raison.

Si cet homme carré et entêté eût pu être possédé

d'une faiblesse telle que la vanité, il eût certainement été fier de sa dureté ; fier de cette inflexible intelligence qui faisait de lui la plus désagréable créature qui existât ; fier de cette invariable obstination dont aucun amour ou aucune pitié n'avait jamais pu plier les résolutions sans remords ; il eût été fier de la force négative d'une nature qui n'avait jamais connu la faiblesse des affections.

S'il avait regretté le mariage de son fils, ou la rupture, par son fait, entre lui et George, sa vanité avait été plus puissante que son regret et l'avait rendu capable de le cacher. En vérité, je doute peu que la vanité ne fût le centre duquel rayonnaient toutes les lignes désagréables du caractère de Mr Harcourt Talboys. J'ose dire que Junius Brutus était rempli de vanité et fut heureux de l'approbation de Rome, saisie d'une respectueuse crainte lorsqu'il ordonna l'exécution de son fils ; Harcourt Talboys aurait chassé le pauvre George entre les faisceaux renversés des licteurs et aurait farouchement savouré sa propre douleur. Le ciel seul sait combien cet homme dur pouvait avoir ressenti amèrement la séparation entre lui et son fils, ou combien l'angoisse produite par cet inflexible amour-propre en avait été plus terrible.

— Mon fils m'a fait une injure impardonnable en épousant la fille d'un ivrogne pauvre, soutenait Mr Talboys à quiconque avait la témérité de lui parler de George ; et de cette heure je n'ai plus de fils. Je ne lui souhaite aucun mal ; il est simplement mort pour moi. J'ai du chagrin pour lui, comme j'ai du chagrin pour sa mère qui est morte il y a dix-huit ans. Si vous me parlez de lui comme vous parleriez d'un mort, je suis prêt à vous entendre. Si vous me parlez de lui comme vous parleriez d'un vivant, je dois refuser d'écouter.

Je crois que Harcourt Talboys s'applaudissait de la sombre grandeur romaine de ce discours et qu'il eût aimé avoir une toge et se draper sévèrement dans ses plis, en tournant le dos à celui qui intercédait en faveur du pauvre George. Ce dernier n'avait personnellement jamais tenté d'adoucir le verdict de son père ; il le connaissait assez bien pour comprendre que le cas était désespéré.

— Si je lui écris, il classera ma lettre en indiquant la date de son arrivée, disait le jeune homme, et il prendra à témoin toute la maisonnée qu'il n'a laissé paraître ni émotion, ni pitié ; il restera attaché à sa résolution jusqu'au jour de sa mort. J'ose dire qu'il était enchanté que son fils l'eût offensé et lui eût offert l'occasion de faire étalage de ses vertus romaines.

George avait répondu en ces termes à sa femme quand elle et son père l'avaient pressé de demander assistance à Harcourt Talboys.

— Non, ma chérie, avait-il conclu. Il est bien dur peut-être d'être pauvre, mais nous le supporterons. Nous n'irons pas avec des figures dignes d'inspirer la pitié devant un père sévère, lui quémander de la nourriture et un abri, uniquement pour éprouver un refus fait en longues sentences, et servir d'exemple au profit du voisinage. Non, ma jolie petite, il est aisé de mourir de faim, mais il est difficile de s'humilier.

Peut-être la pauvre Mrs George ne donna-t-elle pas très volontiers son agrément à la première de ces deux propositions. Elle n'avait pas grande envie de mourir de faim, et elle se désola piteusement quand les jolies bouteilles de champagne, les Clicquot et les Moët, se changèrent en pintes d'ale à six pence, apportées de la brasserie voisine par une domestique en savates. George avait été obligé de porter son propre fardeau et de prêter une main secourable à celui de sa femme, qui n'avait aucune idée de tenir secrets ses regrets et ses désappointements.

— Je croyais que les dragons étaient toujours riches, avait-elle l'habitude de dire de mauvaise humeur. Les jeunes filles veulent toujours épouser des dragons, les marchands veulent toujours être les fournisseurs des dragons, les maîtres d'hôtel avoir en pension chez eux des dragons, et les entrepreneurs de théâtre être patronnés par des dragons. Qui aurait pu s'attendre à ce qu'un dragon boive de l'ale à six pence, fume un horrible tabac, à tuer les oiseaux au vol, et laisse porter à sa femme un chapeau délabré ?

S'il se manifestait quelque sentiment égoïste déployé dans de semblables discours, George Talboys n'avait jamais songé à le découvrir. Il avait aimé sa femme et avait eu confiance en elle de la première à la dernière heure de son court mariage. L'amour, qui n'est pas aveugle, n'est peut-être qu'une divinité fausse, après tout ; car lorsque Cupidon laisse tomber le bandeau de ses yeux, c'est une indication fatale et certaine qu'il est prêt à étendre ses ailes pour s'envoler. George n'avait jamais oublié l'heure où pour la première fois il avait été fasciné par la jolie fille du lieutenant Maldon, et malgré le changement qui pouvait s'être opéré en elle, l'image qui l'avait charmé alors se présentait toujours à son cœur.

Robert Audley quitta Southampton par un train qui partit avant le jour, et atteignit la station de Wareham de bonne heure dans la matinée. Il loua un véhicule à Wareham pour le conduire à Grange Heath.

La neige s'était durcie sur le sol, et le jour était pur et froid, chaque objet du paysage se dessinait en lignes dures sur le fond d'un ciel bleu glacé. Les sabots des chevaux résonnaient sur la route encombrée de glace, les fers frappant sur un sol presque aussi dur qu'eux. Ce jour d'hiver avait quelque ressemblance avec l'homme que Robert allait voir. Comme lui, il était acéré, glacial, rigoureux ; comme lui, il était sans pitié pour la détresse et impénétrable à la douce influence du soleil. Il n'acceptait d'autres rayons que ceux d'un soleil de janvier suffisants pour éclairer le pays morne et nu sans l'inonder de lumière. Ainsi était Harcourt Talboys, qui prenait le côté le plus austère de chaque vérité et déclarait hautement au monde incrédule qu'il n'y avait jamais eu et qu'il ne pouvait jamais y avoir d'autre côté à considérer.

Le courage de Robert Audley s'affaiblit au moment où le mauvais véhicule de louage s'arrêta devant une grille de sévère apparence ; le cocher descendit pour ouvrir une large porte en fer, qui tourna sur ses gonds à grand bruit et fut saisie par un grand crochet de fer planté dans le sol, qui happa un des barreaux inférieurs, comme s'il eût voulu le mordre.

Cette porte en fer ouvrait sur une maigre plantation de sapins à tige droite qui secouaient leur vigoureux feuillage d'hiver d'un air de défi au souffle mordant de la bise glacée. Un chemin droit et sablé pour les voitures courait entre ces arbres perpendiculaires et une pelouse unie et bien entretenue qui menait à l'habitation carrée en brique rouge, dont chaque fenêtre scintillait et éblouissait sous l'éclat du soleil, comme si elle venait d'être nettoyée par quelque infatigable servante.

Je ne sais si Junius Brutus fut une plaie dans sa propre maison ; mais, parmi les vertus de ce Romain, Mr Talboys avait pris une aversion extrême pour le désordre et était la terreur de tous ses domestiques.

Les fenêtres étincelaient, et les marches du perron de pierre scintillaient au soleil ; les principales allées du jardin étaient si fraîchement couvertes de gravier qu'elles donnaient à ce lieu un aspect sablonneux et de gingembre, rappelant une désagréable chevelure de couleur rouge. La pelouse était ornée principalement de noirs arbrisseaux d'un aspect funéraire, plantés en carrés qui ressemblaient à des formules d'algèbre, et le perron en pierre conduisant à la porte carrée à demi vitrée du vestibule était bordé de caisses en bois vert foncé contenant les mêmes vigoureux arbrisseaux toujours verts.

Si l'homme a quelque ressemblance avec sa maison, pensa Robert, je ne m'étonne pas que le pauvre George et lui se soient séparés.

À l'extrémité d'une maigre avenue, le chemin pour les voitures faisait un angle droit – il eût été tracé en courbe sur le terrain de tout autre individu – et passait devant les fenêtres inférieures de la maison. Le cocher descendit devant le perron, monta les marches et sonna à l'aide d'une poignée de cuivre qui rentra dans son emboîture avec un bruit de ressort irrité, comme s'il eût reçu un affront par le contact plébéien de la main de cet homme.

Un domestique en pantalon noir et en veste de toile rayée, qui sortaient évidemment depuis peu des mains de la blanchisseuse, ouvrit la porte. Mr Talboys était à la maison. Le gentleman voulait-il lui remettre sa carte ?

Robert attendit dans l'entrée que sa carte fût portée au maître de maison.

Ce vestibule était spacieux, élevé, pavé de pierre. Les panneaux de la boiserie en chêne brillaient du même poli rigoureux qui reluisait sur chaque objet, à l'intérieur et à l'extérieur.

Quelques personnes ont assez de faiblesse d'esprit pour aimer les peintures et les statues. Mr Harcourt Talboys était bien trop pratique pour donner dans des fantaisies aussi absurdes. Un baromètre et un porte-parapluies étaient les seuls ornements de son vestibule. Robert considérait ces meubles pendant que l'on soumettait son nom au père de George.

Le domestique à la veste de toile revint bientôt. C'était un homme maigre, au visage pâle, de 40 ans à peu près, et qui avait l'air d'avoir foulé aux pieds toute émotion à laquelle l'humanité peut être sujette.

— Si vous voulez venir par ici, monsieur, Mr Talboys vous recevra, quoiqu'il soit à déjeuner. Il m'a prié de constater qu'il pensait que tout le monde dans le Dorsetshire était au courant de l'heure de son déjeuner.

Ces mots étaient prononcés dans l'intention de lancer un superbe reproche à Mr Robert Audley. Ils firent pourtant un très mince effet sur le jeune avocat. Il leva purement ses sourcils en signe d'indifférence.

— Je n'habite pas le Dorsetshire. Mr Talboys aurait pu savoir cela, s'il m'avait fait l'honneur d'exercer sa puissance de raisonnement. Conduisez-moi, mon ami.

L'homme sans émotions jeta sur Robert Audley un froid regard d'horreur non déguisée, ouvrit une des lourdes portes en chêne et l'introduisit dans une vaste salle à manger meublée avec la sévère simplicité d'un appartement dans lequel on a l'intention de manger et non de vivre au quotidien. Au bout d'une table qui aurait pu contenir dix-huit personnes, Robert Audley aperçut Mr Harcourt Talboys.

Celui-ci était vêtu d'une robe de chambre d'étoffe grise, serrée au milieu du corps par une ceinture. C'était un vêtement à l'aspect sévère et peut-être ce qui pouvait se rapprocher le plus de la toge parmi la série des costumes modernes. Il portait un gilet de peau de buffle, une cravate de batiste empesée et un irréprochable col de chemise. Le gris froid de sa robe de chambre était presque le même que le gris froid de ses yeux, et le pâle buffle de son gilet était aussi pâle que son teint.

Robert Audley ne s'était pas attendu à trouver Harcourt Talboys complètement semblable à George dans ses manières et dans sa conformation, mais il s'était attendu à trouver quelque air de famille entre le père et le fils : il n'y en avait aucun. Robert ne s'étonna plus de la lettre cruelle qu'il avait reçue de Mr Talboys quand il en vit l'auteur. Un tel homme pouvait difficilement avoir écrit autrement.

Il y avait dans la vaste pièce une seconde personne vers laquelle Robert lança un coup d'œil, après avoir salué Harcourt Talboys, incertain de la manière dont il devait commencer. Cette seconde personne était une femme, qui, assise à la dernière des quatre croisées qui se suivaient, était occupée à quelque ouvrage d'aiguille et avait à côté d'elle une large corbeille en osier remplie de calicot et de flanelle.

Toute la longueur de l'appartement séparait cette dame de Robert ; mais il put voir qu'elle était jeune et qu'elle ressemblait à George Talboys.

Sa sœur, pensa-t-il dans le court moment durant lequel il porta son œil sur elle, sa sœur, sans aucun doute. Il était fou d'elle, je le sais ; pour sûr, elle n'est pas complètement indifférente à son sort !

La dame se leva à demi de son siège, laissant tomber de ses genoux, dans son mouvement, son ouvrage et laissant échapper une bobine de coton qui roula au loin sur le chêne poli du parquet, au-delà du bord du tapis de Turquie.

— Asseyez-vous, Clara, dit la voix dure de Mr Talboys.

Ce gentleman ne semblait pas s'adresser à sa fille et ne tourna pas la tête de son côté quand elle se leva. On eût dit qu'il eût su ce qui se passait par quelque affinité magnétique qui lui était particulière ; et il paraissait, comme ses domestiques étaient disposés à le remarquer irrévérencieusement, qu'il eût des yeux derrière la tête.

— Asseyez-vous, Clara, répéta-t-il, et gardez votre coton dans votre boîte à ouvrage.

La dame rougit à ce reproche et se baissa pour chercher le coton. Mr Robert Audley, qui était tout interdit par l'air sévère du maître de la maison, s'agenouilla sur le tapis, trouva la bobine et la rendit à sa propriétaire. Harcourt Talboys considéra cette manière d'agir avec une expression de suprême étonnement.

— Peut-être, monsieur… Mr Robert Audley, dit-il en jetant les yeux sur la carte qu'il tenait entre l'index et le pouce, peut-être, quand vous aurez fini de chercher des bobines de coton, voudrez-vous être assez bon pour me dire ce qui me vaut l'honneur de cette visite ?

Il fit avec sa main bien dessinée un geste qu'on eût pu admirer chez un John Kemble[1], et le domestique, comprenant le geste, avança une lourde chaise en maroquin rouge.

La manière fut si lente et si solennelle que Robert avait d'abord pensé que quelque chose d'extraordinaire

1. Prêtre catholique exécuté en 1679, et canonisé en 1970, dont la main est conservée en relique dans une église du Herefordshire. *(N.d.É)*

allait s'accomplir ; mais la vérité se fit jour à la fin, et il se laissa aller sur le siège massif.

— Vous pouvez attendre, Wilson, dit Mr Talboys, comme le domestique se disposait à se retirer ; Mr Audley prendra peut-être du café.

Robert n'avait rien mangé le matin ; mais il jeta un coup d'œil sur la longue étendue de la triste nappe, sur le service à thé et à café en argent, sur la splendeur austère et la très maigre apparence de quelque substantielle chère, et il refusa l'invitation de Mr Talboys.

— Mr Audley ne veut pas prendre de café, Wilson, dit le maître de maison ; vous pouvez vous retirer.

L'homme s'inclina et sortit, ouvrant et fermant la porte avec autant de précaution que s'il se fût permis une grande liberté en agissant ainsi, ou que le respect dû à Mr Talboys exigeât qu'il disparût directement à travers le panneau de chêne comme un fantôme des contes allemands.

Mr Harcourt Talboys garda ses yeux gris fixés sévèrement sur son visiteur, les coudes appuyés sur le maroquin rouge des bras de son fauteuil, et les extrémités de ses doigts réunies. C'était l'attitude dans laquelle, eût-il été Junius Brutus, il se fût assis au procès de son fils. Si Robert Audley eût été facile à embarrasser, Mr Talboys eût réussi à le troubler en se posant ainsi ; mais comme le jeune homme serait volontiers resté avec une tranquillité parfaite sur un baril de poudre à canon à allumer son cigare, il ne fut pas le moins du monde ému en cette occasion. La dignité du père lui paraissait une chose bien futile quand il pensait à la disparition du fils.

— Je vous ai écrit il y a quelque temps, Mr Talboys, dit-il avec calme, quand il vit que celui-ci attendait qu'il entamât la conversation.

Harcourt Talboys s'inclina ; il savait que c'était de son fils perdu que Robert allait parler.

Fasse le ciel que son stoïcisme glacé soit l'affectation mesquine d'un homme vaniteux plutôt qu'un manque complet de cœur ! pensa Robert.

— J'ai reçu votre communication, Mr Audley ; elle est classée parmi d'autres lettres d'affaires ; il y a été répondu régulièrement.

— Cette lettre concernait votre fils.

Il y eut un petit frôlement à la croisée où était assise la dame au moment où Robert prononça ces mots. Il regarda de son côté instantanément, mais elle ne semblait pas avoir remué ; elle ne tremblait pas, elle était parfaitement calme.

Elle est aussi dépourvue de cœur que son père, je crois, quoiqu'elle ressemble à George, pensa Mr Audley.

— Votre lettre concernait la personne qui fut autrefois mon fils, peut-être, monsieur, dit Harcourt Talboys. Je dois vous prier de vous souvenir que je n'ai plus de fils.

— Vous n'avez aucune raison de me le rappeler, Mr Talboys, répondit gravement Robert ; je ne m'en souviens que trop bien. J'ai une fatale raison de croire que vous n'avez plus de fils. J'ai un cruel motif de penser qu'il est mort.

Il se peut que le teint de Mr Talboys fût passé à une nuance plus pâle que le buffle, tandis que Robert prononçait ces paroles ; mais il s'était contenté d'élever le poil hérissé de ses sourcils gris et de secouer doucement la tête.

— Non, fit-il, non ; je vous assure, non.

— Je crois que George Talboys est mort au mois de septembre dernier.

— Non, non, je vous assure, répéta Mr Talboys ; vous êtes dans l'erreur.

— Vous croyez que je suis dans l'erreur en pensant que votre fils est mort ? demanda Robert.

— Très certainement, répliqua Mr Talboys avec un sourire, expression du calme de la sagesse ; très certainement, mon cher monsieur ; la disparition est un subterfuge habile, sans aucun doute, mais il n'est pas suffisamment habile pour me tromper. Vous devez me permettre de comprendre cela un peu mieux que vous, Mr Audley, et vous devez aussi me permettre de vous assurer de trois choses : en premier lieu, votre ami n'est pas mort ; en second lieu, il se tient caché à l'écart dans le dessein de m'alarmer, de mettre en jeu mes sentiments comme... comme homme qui fut autrefois son père, et d'obtenir mon pardon ; en troisième lieu, il n'obtiendra pas ce pardon, aussi longtemps qu'il lui plaise de se tenir caché, et il agirait donc prudemment en retournant sans délai à sa résidence ordinaire et à ses plaisirs.

— Alors vous pensez qu'il se cache, dans le dessein de...

— Dans le dessein de m'influencer ! s'écria Mr Talboys qui, puisant son jugement dans sa propre vanité, considérait chaque événement de la vie de son seul point de vue et refusait obstinément tous les autres. Il connaît l'inflexibilité de mon caractère ; à un certain degré, il connaît mon caractère, et il sait que toutes les tentatives ordinaires pour adoucir ma décision ou ébranler en moi la résolution feraient défaut. Il a, par conséquent, eu recours à moyens extraordinaires ; il se tient caché afin de m'alarmer ; et quand après un temps convenable il s'apercevra qu'il ne m'a pas alarmé, il reviendra à ses anciennes habitudes. Quand il agira ainsi, dit Mr Talboys en s'élevant au sublime, je lui pardonnerai. Oui, monsieur, je lui pardonnerai, et je lui dirai : « Vous avez essayé de me tromper, vous avez essayé de m'effrayer, et je vous ai convaincu que je ne suis pas capable d'être effrayé ; vous n'avez pas voulu croire à ma générosité, je veux vous montrer que je puis être généreux. »

Harcourt Talboys débita ces superbes phrases avec une manière étudiée, montrant qu'elles avaient été soigneusement réfléchies.

Robert Audley poussa un soupir en les entendant.

— Fasse le ciel que vous puissiez avoir l'occasion

de dire ces paroles à votre fils, monsieur, répondit-il tristement. Je suis très heureux d'apprendre que vous êtes disposé à lui pardonner, mais je crains que vous ne puissiez jamais le revoir. J'ai beaucoup de choses à vous dire sur ce… ce lamentable sujet, Mr Talboys ; mais je préférerais vous les dire à vous seul, ajouta-t-il en jetant un regard sur la dame assise à côté de la croisée.

— Ma fille connaît mes idées à ce sujet, Mr Audley ; il n'y a aucune raison qui l'empêche d'entendre ce que vous avez à dire. Miss Clara Talboys, Mr Robert Audley, ajouta-t-il en tendant majestueusement la main.

La jeune fille inclina la tête en reconnaissance du salut de Robert.

Qu'elle entende donc, pensa-t-il. Si elle a assez peu de sensibilité pour ne montrer aucune émotion à ce triste sujet, qu'elle entende le pire que j'ai à raconter.

Il y eut quelques minutes de silence, durant lesquelles Robert tira quelques papiers de sa poche ; parmi eux était le document qui avait été rédigé immédiatement après la disparition de George.

— Je réclamerai toute votre attention, Mr Talboys, car ce que j'ai à vous dévoiler est d'une nature pénible. Votre fils était mon ami le plus cher, cher pour plusieurs raisons. Peut-être parce que je l'ai vu et connu au moment du grand chagrin de sa vie, et qu'il restait relativement seul au monde… chassé par vous, qui eussiez été son meilleur ami, privé de la seule femme qu'il eût jamais aimée.

— La fille d'un ivrogne, et pauvre, remarqua en passant Mr Talboys.

— Fût-il mort dans son lit des suites de son chagrin, comme je pense quelquefois qu'il l'eût désiré, continua Robert Audley, j'eusse pleuré sur lui très sincèrement, lors même que j'eusse fermé ses yeux de ma propre main et l'eusse vu couché en repos dans sa paisible demeure. J'eusse éprouvé du chagrin pour mon vieux camarade de collège et pour le compagnon qui m'avait été si cher.

Mais cette peine eût été peu de chose en comparaison de celle que je ressens aujourd'hui, car je ne suis que trop fermement convaincu que mon pauvre ami a été assassiné.

— Assassiné !

Le père et la fille répétèrent simultanément cet horrible mot. Le visage du père se couvrit d'une pâleur livide. La tête de la fille tomba sur ses mains convulsivement serrées et ne se releva plus pendant tout le temps de l'entretien.

— Mr Audley, vous êtes fou ! s'écria Harcourt Talboys, vous êtes fou, ou bien vous avez été envoyé par votre ami pour vous jouer de mes sentiments ! Je proteste contre ce procédé comme étant un complot, et je… je révoque mes intentions de pardon pour la personne qui fut autrefois mon fils.

Il redevint lui-même en disant ces paroles. Le coup avait été rude, mais ses effets n'avaient été que momentanés.

— Il est très loin de ma pensée de vous alarmer sans nécessité, monsieur. Fasse le ciel que vous puissiez avoir raison et que j'aie tort. Je prie pour cela, mais je ne puis le croire… je ne puis l'espérer. Je suis venu à vous pour avoir un avis. Je veux vous exposer simplement et sans passion les circonstances qui ont éveillé mes soupçons. Si vous me dites que ces soupçons sont absurdes et sans fondement, je suis prêt à me soumettre à votre jugement plus sage que le mien. Je quitte l'Angleterre et j'abandonne la poursuite d'une preuve qui manque pour… pour confirmer mes craintes. Si vous me dites de poursuivre, je poursuivrai.

Rien ne pouvait être plus flatteur pour la vanité de Mr Harcourt Talboys que cet appel. Il déclara être prêt à écouter entièrement ce que Robert pouvait avoir à dire, et à l'assister de tout son pouvoir.

Il prononça avec emphase ces derniers mots d'assurance, rabaissant la valeur de ses avis avec une affectation qui était aussi transparente que son amour-propre lui-même.

Robert Audley rapprocha sa chaise du fauteuil de Mr Talboys et commença un récit minutieusement détaillé de tout ce qui était arrivé à George depuis son arrivée en Angleterre jusqu'à l'heure de sa disparition, aussi bien que tout ce qui s'était passé depuis sa disparition. Harcourt Talboys l'écouta avec une attention manifeste, interrompant de temps en temps le narrateur pour lui adresser quelque question d'un genre magistral. Clara Talboys ne releva jamais sa tête de ses mains jointes.

Les aiguilles de la pendule marquaient onze heures un quart quand Robert commença son histoire. Midi sonna comme il finissait.

Il avait soigneusement supprimé les noms de son oncle et de la femme de son oncle en relatant les circonstances dans lesquelles ils étaient impliqués.

— Maintenant, monsieur, dit-il quand l'histoire eut été racontée, j'attends votre décision. Vous avez entendu mes arguments conduisant à cette terrible conclusion. Quelle impression ces arguments ont-ils produit sur vous ?

— Elles ne me détournent nullement de ma première opinion, répondit Mr Harcourt Talboys avec l'orgueil déraisonnable d'un homme obstiné. Je crois encore que mon fils est vivant et que sa disparition est un complot contre moi. Je refuse de devenir la victime de ce complot.

— Et vous me dites de m'arrêter ? demanda Robert d'un ton solennel.

— Je ne vous dis que ceci : si vous poursuivez, poursuivez pour votre satisfaction et non pour la mienne. Je ne vois rien dans ce que vous m'avez raconté de propre à m'alarmer pour la sécurité de… votre ami.

— Qu'il en soit ainsi, alors ! s'écria Robert subitement. De ce moment, je me lave les mains de cette affaire ; de ce moment, le but de ma vie sera de l'oublier.

Il se leva sur ces mots et prit son chapeau sur la table sur laquelle il l'avait posé ; il jeta un regard sur Clara Talboys. Son attitude n'avait pas changé depuis qu'elle avait laissé tomber sa tête entre ses mains.

— Bonne journée, Mr Talboys, dit-il gravement, Dieu veuille que vous ayez raison ; Dieu veuille que j'aie tort. Mais j'ai peur qu'il n'arrive un jour où vous aurez sujet de regretter votre indifférence pour la destinée dernière de votre seul fils.

Il s'inclina gravement devant Mr Harcourt Talboys et la jeune fille, dont la figure était toujours cachée.

Il s'arrêta un instant à regarder miss Talboys, pensant qu'elle lèverait les yeux, qu'elle adresserait quelque signe ou témoignerait quelque désir de le retenir.

Mr Talboys sonna le domestique sans émotion, qui conduisit Robert à la porte du vestibule avec une solennité de manières qui eût été parfaitement en harmonie s'il l'eût accompagné à son exécution.

Elle est comme son père, pensa Mr Audley en regardant pour la dernière fois la tête baissée. Pauvre George, vous aviez besoin d'un ami en ce monde, car vous avez eu fort peu de cœurs pour vous aimer.

24

Clara

Robert Audley trouva le cocher endormi sur le siège de son méchant véhicule. Celui-ci avait été régalé d'une bière assez forte pour occasionner une asphyxie temporaire au buveur assez hardi pour l'absorber, et il fut très content de repartir pour recevoir le prix de sa course. Le vieux cheval blanc, qui devait avoir été poulain l'année où la voiture avait été construite, paraissait comme celle-ci avoir survécu à la mode ; il était aussi profondément assoupi que son maître et se réveilla en donnant une ruade au moment où Robert arriva au bas des marches du perron, accompagné par son exécuteur qui attendit respectueusement que Mr Audley fût entré dans le véhicule et eût disparu au détour de l'allée.

Le cheval, excité par le claquement du fouet de son conducteur et par une violente secousse des rênes délabrées, avança à moitié endormi, et Robert, son chapeau complètement rabattu sur ses yeux, pensa à son ami absent.

Il avait joué dans ces jardins austères et sous ces tristes sapins, il y avait des années peut-être… si c'était chose possible qu'une jeunesse folâtre pût jouer sous le feu des sévères yeux gris de Mr Harcourt Talboys. Il avait joué sous ces arbres au feuillage sombre, peut-être avec la sœur qui avait entendu parler de son triste sort aujourd'hui sans verser une larme. Robert Audley jeta les yeux sur la froideur maniérée de ce terrain méthodiquement rangé, s'étonnant que George eût pu grandir dans une semblable résidence et être le franc, le généreux, l'insouciant ami qu'il avait connu. Comment s'était-il fait qu'ayant son père perpétuellement devant les yeux il n'eût pas grandi en imitant son désagréable modèle et ne fût pas devenu le tourment de ses camarades ? Comment cela s'était-il fait ? Parce que nous avons à remercier un être plus élevé que nos parents pour l'âme qui nous rend grands ou petits ; et parce que, tandis que les nez et les mentons de famille peuvent se transmettre de père en fils, de grand-père en petit-fils, l'esprit, indépendant de toute règle terrestre, ne reconnaît d'autre pouvoir que la loi harmonieuse du Créateur.

Grâce à Dieu, pensait Robert Audley, grâce à Dieu ! c'est fini. Mon pauvre ami doit reposer dans sa tombe inconnue, et je n'aurai pas la douleur d'attirer l'infortune sur ceux que j'aime. Cela arrivera peut-être, tôt ou tard, mais cela n'arrivera point à cause de moi. La crise est passée, et je suis libre.

Il trouva dans cette pensée une ineffable consolation. Sa généreuse nature répugnait au rôle auquel il s'était trouvé entraîné, le rôle d'espion, recueillant des faits accusateurs qui conduisaient à des conséquences horribles.

Il poussa un long soupir… un soupir de soulagement pour cette délivrance.

La voiture sortait de la plantation comme il pensait à ces choses, et il se redressa dans le véhicule pour jeter un regard en arrière sur les tristes sapins, les allées couvertes de gravier, la pelouse unie et la grande maison en brique rouge, à l'aspect désolé.

Il fut surpris à la vue d'une femme qui courait, qui volait presque, le long du chemin par lequel il était venu, et agitait un mouchoir dans sa main.

Il considéra cette singulière apparition pendant quelques instants, dans un étonnement silencieux, avant d'être capable d'exprimer en syllabes sa stupéfaction :

— Est-ce à moi qu'en veut cette femme qui semble voler ? s'écria-t-il à la fin. Vous feriez mieux d'arrêter, ajouta-t-il à l'intention du cocher. Nous sommes dans une époque d'excentricité, dans une ère anormale de l'histoire du monde. Elle peut avoir besoin de moi. Très probablement j'ai oublié mon mouchoir de poche, et Mr Talboys a envoyé cette personne me le rapporter. Peut-être ferais-je mieux de descendre et d'aller à sa rencontre. C'est une politesse de renvoyer mon mouchoir.

Mr Robert Audley descendit résolument de la voiture et marcha lentement vers la forme féminine qui courait si vite et qui l'atteignit bientôt.

Il avait presque la vue courte, et ce ne fut que lorsqu'elle arriva près de lui qu'il vit qui elle était.

— Bonté du ciel ! s'écria-t-il, c'est miss Talboys.

C'était bien miss Talboys, rouge et hors d'haleine, avec un châle de laine sur la tête.

Robert Audley voyait maintenant clairement son visage pour la première fois, et il remarqua qu'il était très beau. Elle avait des yeux bruns, comme ceux de George, un teint pâle – elle était colorée quand elle s'approcha de lui, mais les couleurs s'évanouirent dès qu'elle eut recouvré sa respiration –, des traits réguliers et un visage mobile qui réfléchissait tout changement de sentiments. Il vit tout cela en quelques instants et ne fit que s'étonner davantage du stoïcisme de sa conduite durant son entrevue avec Mr Talboys. Il n'y avait pas de larmes dans ses yeux, mais ils brillaient d'un éclat fiévreux… d'un éclat terrible et sec… et il put voir que ses lèvres tremblaient lorsqu'elle s'adressa à lui.

— Miss Talboys, dit-il, que puis-je ?… pourquoi ?…

Elle l'interrompit soudain, saisissant son poignet de sa main libre – elle tenait son châle de l'autre.

— Oh ! laissez-moi vous parler, laissez-moi vous parler, ou je deviendrai folle ! J'ai tout entendu. Je crois ce que vous croyez ; et je deviendrai folle, à moins que je ne puisse faire quelque chose… quelque chose pour venger sa mort.

Pendant quelques instants, Robert Audley fut trop abasourdi pour répondre. De toutes les choses qui pussent arriver sur terre, il se serait le moins attendu à voir celle-ci se produire.

— Prenez mon bras, miss Talboys ; calmez-vous, je vous en prie. Retournons un bout de chemin vers la maison et parlez tranquillement. Je n'aurais pas parlé comme je l'ai fait devant vous si j'avais su…

— Si vous aviez su que j'aimais mon frère, dit-elle avec calme. Comment auriez-vous pu savoir que je l'aimais ? comment quelqu'un aurait-il pu penser que je l'aimais, quand je n'ai jamais eu le pouvoir d'obtenir pour lui un bon accueil sous ce toit, ou un mot bienveillant de son père ? Comment aurais-je osé trahir mon affection pour lui dans cette maison quand je savais que même l'affection d'une sœur tournerait à son désavantage ? Vous ne connaissez pas mon père, Mr Audley ; moi je le connais. Je savais qu'intercéder pour George eût été perdre sa cause ; je savais que laisser les choses entre les mains de mon père et se confier au temps était ma seule chance de revoir mon cher frère. Et j'attendais… j'attendais patiemment, espérant toujours, car je savais que mon père aimait son seul fils. Je remarque votre sourire moqueur, Mr Audley, et je conçois bien qu'il soit difficile pour un étranger de croire que, sous ce stoïcisme affecté, mon père cache quelque degré d'affection pour ses enfants… pas un très vif attachement peut-être, car il a été dirigé toute sa vie par la stricte loi du devoir.

» Arrêtez, dit-elle subitement en posant la main sur son bras et regardant derrière elle à travers l'avenue de pins ; je suis sortie en courant par l'arrière de la maison. Papa ne doit pas m'apercevoir vous parler, Mr Audley, et il ne faut pas qu'il voie la voiture arrêtée près de la porte. Voulez-vous aller sur la grand-route et dire au cocher de faire avancer sa voiture jusqu'au bout du chemin ? Je sortirai par une petite porte qui est plus loin en montant, et je vous rejoindrai sur la route.

— Mais vous allez attraper froid, miss Talboys, observa Robert, la regardant d'un air inquiet, car il voyait qu'elle était toute tremblante. Vous grelottez maintenant.

— Ce n'est pas de froid ; je pensais à mon frère George. Si vous avez quelque pitié pour l'unique sœur de votre ami perdu, faites ce que je vous demande, Mr Audley. Il faut que je vous parle… il faut que je vous parle… avec calme, si je le puis.

Elle posa la main sur son front comme si elle essayait de rassembler ses idées, puis elle montra du doigt la grille. Robert salua et la laissa. Il dit au cocher d'avancer lentement vers la gare et continua son chemin en côtoyant la barrière goudronnée qui entourait la propriété de Mr Talboys. À une centaine de mètres environ au-dessus de l'entrée principale, il arriva à une petite porte en bois et attendit là miss Talboys.

Elle le rejoignit bientôt, son châle encore sur la tête, et ses yeux brillants et toujours secs.

— Voulez-vous marcher avec moi sous les arbres ? proposa-t-elle, nous pourrions être observés sur la grand-route.

Il s'inclina, passa la porte et la ferma derrière lui.

Quand elle prit le bras qu'il lui offrait, il s'aperçut qu'elle était encore tremblante, qu'elle tremblait très violemment.

— Je vous prie, je vous supplie de vous calmer, miss Talboys, je puis m'être trompé dans l'opinion que j'ai formée ; je puis…

— Non, non, non, vous ne vous êtes pas trompé, mon frère a été assassiné ! Dites-moi le nom de cette femme… de la femme que vous soupçonnez d'être intéressée à sa disparition… à son assassinat…

— Je ne puis faire cela jusqu'à ce que…

— Jusqu'à quand ?

— Jusqu'à ce que je sois certain qu'elle est coupable.

— Vous disiez à mon père que vous vouliez abandonner toute idée de découvrir la vérité, que vous vouliez vous tenir tranquille en laissant le sort de mon frère rester à l'état d'horrible mystère ; mais vous ne voulez pas agir ainsi, Mr Audley, vous ne voulez pas manquer à la mémoire de votre ami. Vous voulez voir punir ceux qui l'ont tué. Voulez-vous faire cela, ou ne le voulez-vous pas ?

Une ombre de tristesse s'étendit comme un voile noir sur le beau visage de Robert Audley. Il se rappelait ce qu'il avait pensé la veille à Southampton… « Une main plus forte que la mienne me fait signe du doigt d'avancer sur la route sinistre… »

Un quart d'heure auparavant, il avait cru que tout était fini et qu'il était délivré de son terrible devoir. Maintenant cette jeune fille, cette jeune fille insensible en apparence le pressait de continuer la poursuite de sa destinée.

— Si vous saviez dans quel malheur je puis être enveloppé en découvrant la vérité, miss Talboys, vous voudriez à peine me demander de faire un pas de plus dans cette affaire.

— Mais je ne vous interroge pas, répondit-elle avec une passion contenue. Je ne vous interroge pas. Je vous demande de venger la mort prématurée de mon frère. Voulez-vous le faire, oui ou non ?

— Si je réponds non ?

— Alors je le ferai moi-même ! s'écria-t-elle en le fixant de ses yeux bruns éclatants. Je suivrai moi-même la piste de ce mystère ; je trouverai cette femme… oui, quoique vous refusiez de me dire dans quelle partie de l'Angleterre mon frère a disparu. Je voyagerai d'une extrémité du monde à l'autre pour découvrir le secret de son sort, si vous refusez de le découvrir pour moi. Je suis majeure ; je suis ma propre maîtresse ; je suis riche, car j'ai de l'argent que m'a laissé une de mes tantes. Je suis en position de bien payer ceux qui m'aideront dans mes recherches, et je le ferai pour qu'ils aient intérêt à me bien servir. Choisissez entre ces deux alternatives, Mr Audley. Sera-ce vous qui trouverez le meurtrier de mon frère, ou sera-ce moi ?

Il la regarda en face et vit que sa résolution n'était pas le fruit d'une exaltation passagère de femme, mais celle d'une volonté capable de se frayer un chemin malgré la main de fer de la difficulté. Ses admirables traits, d'une nature sculpturale dans leurs contours, semblaient transformés en marbre par la fermeté d'expression de sa physionomie. Le visage qu'il regardait était le visage d'une femme que la mort seule pouvait faire dévier de ses projets.

— J'ai grandi dans une atmosphère d'abnégation, dit-elle avec calme. J'ai refoulé et étouffé les sentiments naturels de mon cœur, au point de les rendre peu naturels dans leur intensité ; je ne me suis donné ni amis ni amants. Ma mère mourut quand j'étais très jeune. Mon père a toujours été pour moi ce que vous l'avez vu aujourd'hui. Je n'ai personne d'autre que mon frère. Tout l'amour que mon cœur peut contenir a été concentré sur lui. Vous étonnez-vous, alors, que, lorsque j'apprends que sa jeune existence a été tranchée traîtreusement, je désire voir la vengeance s'appesantir sur le coupable ? Oh ! mon Dieu, s'écria-t-elle en joignant subitement les mains et en levant les yeux vers le ciel d'hiver glacé, conduisez-moi au meurtrier de mon frère, et laissez ma main venger sa mort prématurée !

Robert Audley resta immobile devant elle, la regardant avec une admiration respectueuse. Sa beauté s'était élevée jusqu'au sublime par la tension de sa passion contenue. Elle ne ressemblait à aucune des femmes qu'il avait jamais vues. Sa cousine était jolie, la femme de son oncle était ravissante, mais Clara Talboys était admirable. Le visage de Niobé, embelli par la douleur, peut être à peine d'une beauté plus purement classique que le sien. Sa toilette même, puritaine dans la simplicité de sa couleur grise, rendait sa beauté plus éclatante que n'aurait pu le faire une toilette plus magnifique, eût-elle été femme moins admirable.

— Miss Talboys, dit Robert après un instant, votre frère ne restera pas sans vengeance. Il ne sera pas oublié. Je ne pense pas que l'aide quelconque des hommes du métier que vous pourriez vous procurer vous fît trouver le secret de ce mystère aussi sûrement que je puis le faire, si vous êtes patiente et si vous avez confiance en moi.

— J'aurai confiance en vous, car je vois que vous voulez m'aider.

— Je crois qu'il est dans ma destinée d'agir ainsi, dit-il d'un ton solennel.

Dans tout le cours de sa conversation avec Harcourt Talboys, Robert Audley avait soigneusement évité de tirer aucune conséquence des événements qu'il avait relatés au père de George. Il avait simplement raconté l'histoire de la vie de l'homme absent, à partir de l'heure de son arrivée à Londres jusqu'à celle de sa disparition, mais il s'aperçut que Clara Talboys était arrivée à la même conclusion que lui-même et qu'il y avait entre eux une intelligence tacite des choses.

— Avez-vous quelques lettres de votre frère, miss Talboys ? demanda-t-il.

— Deux. Une, écrite peu de temps après son mariage, l'autre, écrite de Liverpool avant qu'il s'embarquât pour l'Australie.

— Voulez-vous me permettre de les voir ?

— Oui, je vous les enverrai si vous me donnez votre adresse. Vous m'écrirez de temps en temps, n'est-ce pas, pour me dire si vous approchez de la vérité. Je serai obligée d'agir secrètement ici, mais je suis sur le point de quitter la maison dans deux ou trois mois, et je serai parfaitement libre alors d'agir comme il me plaira.

— Vous n'allez pas quitter l'Angleterre ? demanda Robert.

— Oh non ! je dois seulement aller rendre une visite depuis longtemps promise à quelques amis dans l'Essex.

Robert tressaillit si violemment à ces mots de Clara Talboys qu'elle le regarda soudain en face. L'agitation visible sur sa figure trahissait une partie du secret.

— Mon frère George a disparu dans l'Essex, dit-elle.

Il ne put la contredire.

— Je suis fâché que vous en ayez découvert autant, répliqua-t-il. Ma position devient chaque jour plus compliquée, chaque jour plus pénible. Au revoir.

Elle lui donna machinalement sa main quand il tendit la sienne, mais cette main était plus froide que du marbre et resta inanimée dans celle de Robert, puis tomba comme un bloc à côté d'elle lorsqu'il l'abandonna.

— Je vous en prie, ne perdez pas de temps pour retourner au logis, dit-il vivement. J'ai peur que vous ne soyez souffrante après la fatigue de ce matin.

— Souffrante ! s'écria-t-elle avec dédain, vous me parlez de souffrance, quand le seul être au monde qui m'ait jamais aimée a été enlevé dans la fleur de la jeunesse. Peut-il y avoir désormais pour moi autre chose que de la souffrance ? Que m'importe le froid ? dit-elle en rejetant son châle en arrière et en exposant sa magnifique tête à la bise amère. Je marcherais d'ici à Londres nu-pieds dans la neige, sans jamais m'arrêter en chemin, si je pouvais le ramener à la vie. Que ne ferais-je pas pour le ramener à la vie ?... que ne ferais-je pas ?

Ses paroles finirent par un gémissement de douleur violente ; et joignant les mains sur son visage, elle pleura pour la première fois de la journée. L'impétuosité de ses sanglots ébranlait son corps frêle, et elle fut obligée de s'appuyer contre le tronc d'un arbre pour se soutenir.

Robert la regardait d'un air de tendre compassion ; elle était si bien le portrait de l'ami qu'il avait aimé et perdu qu'il lui était impossible de la considérer comme une étrangère, impossible de se souvenir qu'ils s'étaient vus le matin pour la première fois.

— Je vous en prie, je vous en prie, calmez-vous, espérons même contre tout espoir. Nous pouvons nous tromper l'un et l'autre, votre frère peut vivre encore.

— Oh ! s'il en était ainsi, murmura-t-elle avec ardeur, s'il pouvait en être ainsi !

— Essayons d'espérer qu'il peut en être ainsi...

— Non, répondit-elle, le regardant à travers ses larmes, n'espérons rien que le venger. Au revoir, Mr Audley. Attendez... votre adresse.

Il lui donna une carte, qu'elle plaça dans la poche de sa robe.

— Je vous enverrai les lettres de George, promit-elle, elles peuvent vous être de quelque secours. Au revoir.

Elle le laissa à demi bouleversé par l'énergie passionnée de ses manières et la noble beauté de son visage. Il l'observa comme elle disparaissait derrière les troncs des sapins, puis il sortit lentement de la plantation.

Que le ciel assiste ceux qui se dressent entre moi et le secret, pensa-t-il, car ils seront sacrifiés à la mémoire de George Talboys.

25

Les lettres de George

Robert Audley ne revint pas à Southampton, mais il prit un billet pour le premier train montant qui quitta Wareham et atteignit Waterloo Bridge une heure ou deux après la tombée de la nuit. La neige, qui était dure et craquante dans la Dorsetshire, était une fange noire et grasse dans Waterloo Road, fondue par les lampes des *gin-palaces* et le gaz flamboyant dans les boutiques des bouchers.

Robert Audley haussa les épaules en regardant les rues sombres dans lesquelles le faisait passer le cocher, choisissant – avec ce délicieux instinct qui semble inné chez les conducteurs de voitures de louage – les passages noirs et hideux totalement inconnus au piéton ordinaire.

Quelle agréable chose que la vie, pensait l'avocat, quel ineffable bienfait… quelle suprême grâce ! Que chaque homme fasse une supputation de son existence, soustrayant les heures pendant lesquelles il a été *foncièrement* heureux, réellement et entièrement à son aise, sans une *arrière-pensée** pour gâter son bonheur, sans le plus petit nuage pour assombrir l'éclat de son horizon. Qu'il fasse cela, et positivement il rira avec la plus complète amertume quand il inscrira la somme de sa félicité et découvrira la pitoyable exiguïté du total. Il aura passé une semaine ou dix jours agréables, en trente ans, peut-être. Dans trente années de triste température de décembre, de tempêtes de mars, de pluies d'avril et de ciels sombres de novembre, il peut y avoir eu sept ou huit resplendissantes journées d'août pendant lesquelles le soleil a brillé dans une atmosphère sans nuages, où des brises d'été nous ont apporté des parfums continuels. Avec quelle ivresse nous nous souvenons de ces jours isolés de plaisir, espérons leur retour et essayons de tracer le plan des circonstances qui les ont rendus brillants ; ah ! combien nous arrangeons, préméditons, et faisons de diplomatie avec le destin pour obtenir le renouvellement du plaisir présent à notre mémoire ! Comme si le bonheur n'était pas essentiellement accidentel… un oiseau merveilleux et passager, complètement irrégulier dans ses migrations, au milieu de nous un jour d'été, et parti à jamais loin de nous le lendemain !

Considérons le mariage, par exemple, continuait le pensif Robert, qui était à méditer dans le véhicule cahotant pour lequel il devait payer six pence par mile, comme s'il eût chevauché dans la vaste solitude des savanes. Considérons le mariage ! qui peut dire quel sera le seul choix judicieux contre les neuf cent quatre-vingt-dix-neuf méprises ? Qui discernera au premier aspect la visqueuse créature qui doit être la seule anguille dans le colossal sac de serpents ? Cette jeune fille sur le trottoir, qui est là à attendre pour traverser la rue que ma voiture soit passée, est peut-être la seule femme parmi toutes les créatures féminines de ce vaste univers qui pourrait faire de moi un homme heureux. Cependant je passe à côté d'elle… je l'éclabousse avec la boue de mes roues, dans ma faible ignorance, dans ma soumission aveugle à la main redoutable de la fatalité. Si cette jeune fille, Clara Talboys, avait été cinq minutes en retard, j'aurais quitté le Dorsetshire, la croyant froide, dure, dépourvue des qualités de la femme, et je serais descendu dans la tombe avec cette erreur à l'esprit. Je la prenais pour un automate magnifique et sans cœur. Je sais maintenant qu'elle est une noble et admirable femme. Quelle incalculable différence cela peut faire dans ma vie ! Quand je quittai cette maison, je partis bien déterminé à ne plus chercher George. Je la vois et elle me force à avancer dans le chemin qui me répugnait… le chemin de traverse tortueux du soupçon et de l'espionnage. Comment dire à cette sœur que mon ami est mort ? « Je crois que votre frère a été assassiné ! Je crois savoir par qui, mais je ne veux faire aucune démarche pour endormir mes soupçons ou pour confirmer mes craintes ! » Je ne puis dire cela. Cette femme connaît mon secret à demi ; elle sera bientôt en possession du reste et alors… et alors…

Le cab s'arrêta au milieu de la méditation de Robert Audley, et il dut payer le cocher et se soumettre à toutes les tristes opérations de la vie, qui sont les mêmes que nous soyons contents ou chagrins, destinés au mariage ou à la potence, à nous élever jusqu'au sac de laine ou à être embarrassés par nos collègues les hommes de loi sur quelque cas mystérieux qui reste une énigme pour toutes les personnes étrangères au Middle Temple.

Nous sommes sujets à être chagrinés dans notre vie par cette cruelle rigueur, cette inflexible précision dans les plus petites roues et dans le moindre mécanisme de la machine humaine qui ne connaît pas de chômage ou de temps d'arrêt, quoique le ressort principal soit à jamais brisé et que les aiguilles indiquent des caractères sans but, sur un cadran en morceaux.

Qui n'a éprouvé dans la première fureur du chagrin une rage déraisonnable contre le mutisme des chaises et des tables, l'immuable forme carrée des tapis de Turquie, l'obstination inflexible de l'attirail extérieur de la vie ? Nous voudrions déraciner des arbres gigantesques dans une forêt vierge, arracher et séparer leurs énormes branches dans notre étreinte convulsive ; et le plus que nous pouvons faire pour soulager notre passion, c'est de frapper sur un fauteuil ou de briser un objet de quelques shillings de la manufacture de Copeland.

Les maisons de fous ne sont que trop vastes et trop nombreuses ; cependant il est étrange qu'elles ne soient pas encore positivement plus vastes, quand nous nous imaginons combien de misérables impuissants doivent briser leur cerveau contre l'endurcissement désespéré du méthodique monde extérieur, comparé aux tourmentes et aux tempêtes, au bruit et à la confusion qui règnent dans leur intérieur ; quand nous nous rappelons combien d'esprits doivent chanceler sur l'étroite frontière qui sépare la raison et la folie ; fou aujourd'hui et jouissant de la raison demain, sage hier et fou aujourd'hui.

Robert avait ordonné au cocher de le descendre au coin de Chancery Lane, et il monta l'escalier brillamment éclairé conduisant au salon du restaurant *The London*, où il s'assit à une des gentilles tables avec un vague sentiment de vide et de lassitude, plutôt qu'avec l'agréable sensation d'appétit d'un homme bien portant. Il était venu dîner à ce luxueux restaurant parce qu'il était absolument nécessaire de manger quelque chose quelque part, et bien plus facile d'avoir un très bon dîner de Mr Sawyer qu'un très mauvais de Mrs Maloney, dont l'imagination n'allait pas au-delà du hachis et des côtelettes, avec comme variante des soles frites ou des maquereaux bouillis.

Le garçon empressé essaya en vain de mettre le pauvre Robert à même de traiter convenablement la solennelle question du dîner. Celui-ci murmura quelque chose à seule fin que l'individu lui apportât ce qu'il voulait, et le garçon obligeant, qui connaissait Robert pour un habitué des petites tables, s'en alla dire à son maître avec une figure désolée que Mr Audley, de Fig-Tree Court, n'avait évidemment pas l'esprit à lui. Robert mangea son dîner et but sa pinte de vin de Moselle, mais il apprécia peu l'excellence des viandes et le délicat arôme du vin. Le monologue mental recommença, et le jeune philosophe de l'école moderne se mit à débattre sa question favorite du néant de toute chose et de la folie de prendre trop de peine pour marcher sur une route qui ne mène nulle part.

J'accepte la domination de cette pâle jeune fille, avec ses traits de statue et ses yeux bruns et calmes, pensait Robert. Je reconnais le pouvoir d'un esprit supérieur au mien, et je me soumets, et je m'incline devant lui. J'ai agi par moi-même et pensé par moi-même pendant les quelques derniers mois, et je suis fatigué de cette besogne contre nature. J'ai été infidèle au principe de toute ma vie, et j'ai expié ma folie. J'ai trouvé enfin deux cheveux gris sur ma tête la semaine dernière, et une oie impertinente a laissé une légère trace de sa patte sous mon œil droit. Oui, je suis en train de vieillir du côté droit ; et pourquoi… pourquoi en serait-il ainsi ?

Il repoussa son assiette et leva ses sourcils, les yeux fixés sur les miettes de pain éparses sur le damassé brillant, tandis qu'il approfondissait cette question.

Que diable suis-je allé faire dans cette *galère** ? se demandait-il. Mais j'y suis maintenant et ne puis en sortir, aussi vaut-il mieux me soumettre de moi-même à la jeune fille aux yeux bruns et faire ce qu'elle me dira avec patience et fidélité. Quelle prodigieuse solution de l'énigme de la vie il y a dans le gouvernement du jupon ! L'homme peut mentir à la face du soleil, manger le lotus de l'oubli et se livrer à la fantaisie tous les après-midi si sa femme le lui permet ! Mais elle ne lui permet pas habituellement : bénissons l'impulsion de son cœur et l'activité de son esprit ! Elle sait mieux agir que cela. Qui jamais a entendu parler d'une femme prenant la vie comme elle doit être prise ? Au lieu de la supporter comme un ennui inévitable, seulement rachetable par sa brièveté, elle marche à travers elle comme si c'était une cérémonie pompeuse ou une procession. Elle s'habille pour elle, elle sourit pour elle, elle grimace et gesticule pour elle. Elle pousse ses voisins et lutte pour avoir une meilleure place dans la marche fatale ; elle coudoie et se démène, elle foule aux pieds et se pavane, à seule fin de faire le plus de misère qu'elle peut. Elle se lève de bonne heure et se couche tard, elle est bruyante et remuante, tapageuse et impitoyable. Elle traîne son époux sur le sac de laine ou le pousse dans le Parlement ; elle le pousse la tête la première vers la chère machine paresseuse du gouvernement, et le frappe et le soufflette pour le lancer dans les roues, les manivelles, les vis et les poulies, jusqu'à ce que quelqu'un, pour le repos de tous, le fasse devenir ce qu'elle voulait qu'il fût. Voilà pourquoi des hommes incapables occupent quelquefois des places élevées et viennent interposer leur pauvre intelligence embrouillée entre les affaires et les gens capables de les faire, produisant une confusion universelle dans la chétive innocence de leur incapacité haut placée. Les hommes carrés sont poussés dans des trous ronds par leurs femmes. Le potentat d'Orient, qui a dit que les femmes se trouvent au fond de tous les malheurs, aurait dû aller un peu plus loin et voir pourquoi il en est ainsi : c'est parce que les femmes ne sont jamais *paresseuses*. Elles ne savent pas ce que c'est que d'être en repos. Elles sont Sémiramis, Cléopâtre, Jeanne d'Arc, Elizabeth ou Catherine II, et se vautrent dans les batailles, les meurtres, les cris et le désespoir. Si elles ne peuvent agiter l'univers et jouer à la balle avec les hémisphères, elles changent en montagnes de guerre et en tourments les taupinières de leur intérieur domestique, et soulèveront des tempêtes sociales dans les tasses à thé de leur ménage. Empêchez-les de pérorer sur l'indépendance des nations et les injustices de l'humanité, et elles chercheront querelle sur la forme d'un manteau ou le caractère d'une méchante servante. Les appeler le sexe faible, c'est articuler une hideuse plaisanterie ; elles sont le sexe le plus fort, le plus bruyant, le plus persévérant, le plus tyrannique. Elles demandent la liberté de penser, la variété des occupations ; les ont-elles ? Qu'on les leur laisse. Laissez-les être jurisconsultes, docteurs, prédicateurs, professeurs, soldats, législateurs, ce qu'elles voudront, mais qu'elles soient tranquilles – si elles peuvent.

Mr Audley passa ses mains dans les masses luxuriantes et droites de sa chevelure noire qu'il releva dans son désespoir.

Je déteste les femmes, pensa-t-il dans un accès de misanthropie : ce sont des créatures entreprenantes, éhontées, abominables, inventées pour l'ennui et la désolation de leurs supérieurs. Voyez l'affaire du pauvre George ! Elle est entièrement l'ouvrage d'une femme, du commencement à la fin. Il épouse une femme, et son père l'abandonne sans le sou et sans profession. Il apprend la mort de cette femme, et son cœur se brise – son cœur bon, honnête, humain, valant un million des perfides blocs d'égoïsme et de calculs intéressés qui s'agitent dans la poitrine des femmes. Il va dans la maison d'une femme, et on ne le revoit plus vivant. Et maintenant je me trouve moi-même acculé dans un coin par une autre femme à l'existence de laquelle je n'avais jamais songé jusqu'à ce jour. Et… et puis, rumina Mr Audley presque d'une manière déplacée, il y a encore Alicia ; c'est un autre ennui. Elle voudrait que je me mariasse avec elle, je le comprends, et elle m'en fera voir, j'ose le dire, avant que d'en finir avec moi, mais j'aimerais beaucoup mieux ne pas en venir là, quoiqu'elle soit une chère, pétulante et généreuse personne : heureux soit son pauvre petit cœur !

Robert paya sa note et récompensa généreusement le garçon. Le jeune avocat était très porté à distribuer son confortable petit revenu aux gens qui le servaient, car il étendait son indifférence à toutes choses dans l'univers, même en matière de livres, de shillings et de pence. Peut-être en cela était-il presque une exception, car vous pouvez souvent remarquer que le philosophe qui parle de la vie comme d'une illusion creuse est extrêmement difficile dans le placement de son argent et reconnaît la nature palpable des obligations de l'Inde, des certificats espagnols et des inscriptions égyptiennes, pour contraster avec la pénible incertitude d'un moi ou d'un non-moi en métaphysique.

Les commodes petites chambres de Fig-Tree Court, avec leur arrangement et leur calme, semblèrent lugubres à Robert Audley en cette soirée particulière. Il n'avait nulle inclination pour les nouvelles françaises, quoiqu'il y eût un paquet de romans non coupés, commandés un mois auparavant et qui attendaient son bon plaisir sur une des tables. Il prit sa pipe favorite d'écume et se laissa tomber en soupirant dans son fauteuil favori.

— C'est confortable, mais cela me semble diablement solitaire ce soir. Si le pauvre George était assis en face de moi, ou… ou si même la sœur de George… elle lui ressemble extraordinairement… l'existence pourrait être un peu plus supportable. Mais quand un garçon a vécu avec lui-même pendant huit ou dix ans, il commence à être en mauvaise compagnie.

Il partit bientôt d'un éclat de rire bruyant, comme il finissait sa pipe.

— Quelle singulière idée de penser à la sœur de George. Quel absurde idiot je fais !

Le jour suivant, la poste lui apporta une lettre écrite d'une main ferme, mais féminine, qui lui était étrangère. Il trouva le petit paquet posé sur la table à déjeuner, à côté du petit pain français chaud enveloppé dans une serviette par les mains soigneuses et tant soit peu sales de Mrs Maloney. Il considéra l'enveloppe pendant quelques minutes avant de l'ouvrir – non qu'il doutât de l'identité de son expéditeur, car la lettre portait le timbre de la poste de Grange Heath, et il savait qu'il n'y avait qu'une seule personne qui pût lui écrire de l'obscur village, mais avec cette paresseuse rêverie qui faisait partie de son caractère.

— De Clara Talboys, murmura-t-il à voix basse, comme il examinait les lettres de son nom nettement formées sur l'adresse ; oui, de Clara Talboys, très positivement : je reconnais la ressemblance de sa main féminine avec l'écriture de son pauvre frère, plus nette que la sienne et plus décidée, mais la même, la même…

Il retourna la lettre et examina le cachet qui portait les armoiries de famille de son ami.

Je me demande ce qu'elle peut me dire ? pensa-t-il, c'est une longue lettre, j'en suis sûr ; elle appartient à cette espèce de femmes qui écrivent de longues lettres… une lettre dans laquelle elle me presse de marcher, d'aller en avant, de sortir hors de moi-même, je n'en doute nullement. Mais on ne peut empêcher cela… c'est ainsi.

Il déchira l'enveloppe avec un soupir de résignation. Elle ne contenait rien que deux lettres de George et quelques mots écrits sur le dessus : *Je vous envoie les lettres, faites-moi le plaisir de les conserver et de me les renvoyer. C. T.*

La lettre écrite de Liverpool ne disait rien de la vie de celui qui l'écrivait, excepté sa détermination soudaine de partir pour le nouveau monde afin de reconquérir la fortune qu'il avait dissipée dans l'ancien. La lettre, écrite presque immédiatement après le mariage de George, contenait une description complète de sa femme – une description telle que pouvait seulement la faire un homme après trois semaines d'un mariage d'amour, une description où chaque trait était minutieusement enregistré, chaque forme gracieuse ou chaque beauté de physionomie passionnément soulignée, chaque manière agréable amoureusement dépeinte.

Robert Audley lut les lettres trois fois avant de les déposer.

Si George avait pu savoir à quel dessein pouvait servir cette description quand il l'écrivait, pensa le jeune avocat, pour sûr sa main serait tombée paralysée par l'horreur et aurait été impuissante à former une seule syllabe de ces tendres expressions.

26

Investigation rétrospective

Janvier, ce mois lugubre à Londres, tirait à sa triste fin. Les dernières fêtes, si courtes, du temps de Noël étaient passées, et Robert Audley restait encore dans la capitale, passant toujours ses soirées solitaires dans son paisible salon de réception de Fig-Tree Court, errant toujours nonchalamment dans les jardins du Temple lors des matinées ensoleillées, écoutant, l'esprit absent, le babil des enfants et considérant paresseusement leurs jeux. Il avait de nombreux amis parmi les habitants des vieilles et élégantes maisons qui l'entouraient ; il avait d'autres amis au loin, dans de charmantes résidences de campagne, dont les petites chambres à coucher étaient toujours au service de Bob et dont les foyers pleins de gaieté avaient de commodes fauteuils spécialement réservés pour lui. Mais il semblait avoir perdu toute espèce de goût pour la société, toute sympathie avec les plaisirs et les occupations de son monde habituel depuis la disparition de George Talboys. Les hommes de loi âgés se permettaient des observations facétieuses sur la figure pâle du jeune homme et sur ses manières fantasques. Ils suggéraient la probabilité de quelque attachement malheureux, de quelque mauvais traitement féminin. Ils lui recommandaient de faire bonne chère et l'invitaient à des soupers, auxquels « des femmes aimables, avec tous leurs vices, que Dieu les protège ! » tombaient ivres à côté de gentlemen qui répandaient des pleurs en proposant les toasts et devenaient hébétés et malheureux après avoir vidé leur verre lorsqu'approchait la fin du repas. Robert n'avait aucun penchant pour les excès de vin et pour la confection du punch. Il était l'esclave enchaîné d'une seule pensée sinistre, d'un horrible pressentiment. Un sombre nuage était suspendu sur la maison de son oncle, et c'était sa main qui devait donner le signal au tonnerre et à la tempête qui devaient détruire cette noble existence.

Si elle pouvait seulement accepter l'avertissement et s'enfuir, se disait-il quelquefois à lui-même ! Dieu sait que je lui ai offert une magnifique chance ! Pourquoi n'en profite-t-elle pas et ne prend-elle pas la fuite ?

Il avait eu des nouvelles tantôt de sir Michael, tantôt d'Alicia. Les lettres de la jeune fille renfermaient rarement plus que quelques lignes courtes, pour l'informer que son père se portait bien et que lady Audley était de très belle humeur, occupée à se divertir selon ses manières frivoles habituelles et avec son habituel dédain.

Une lettre de Mr Marchmont, le chef d'institution de Southampthon, informa Robert que le petit Georgey allait très bien, mais qu'il était en retard pour son éducation et n'avait pas encore passé le Rubicon intellectuel des mots de deux syllabes. Le capitaine Maldon s'était présenté pour voir son petit-fils, mais ce privilège lui avait été refusé, selon les instructions de Mr Audley. Le vieillard avait envoyé, en outre, un gâteau et des sucreries pour le petit garçon, et on avait aussi refusé le tout, sous le prétexte que ces comestibles étaient indigestes et avaient des tendances bilieuses.

Vers la fin de février, Robert reçut une lettre de sa cousine Alicia qui le poussait d'un pas vers sa destinée, en l'obligeant à retourner à la maison d'où il avait été en quelque sorte exilé à l'instigation de la femme de son oncle.

Papa est malade, écrivait Alicia, *pas gravement malade, Dieu merci, mais retenu dans sa chambre par une fièvre lente qui a succédé à un rhume violent. Venez le voir, Robert, si vous avez quelque considération pour vos plus proches parents. Il a parlé de vous plusieurs fois, et je sais qu'il sera enchanté de vous avoir près de lui. Venez de suite, mais ne dites rien de cette lettre.*

De votre affectionnée cousine,

Alicia.

Une fiévreuse et mortelle terreur glaça le cœur de George comme il lisait cette lettre – une vague et terrible crainte qu'il n'osait matérialiser sous aucune forme définie.

Ai-je bien fait ? pensait-il, dans les premières angoisses de son nouveau tourment, ai-je bien fait de temporiser avec la justice et de garder le secret de mes soupçons, dans l'espoir que j'avais de préserver ceux que j'aime du chagrin et de l'infortune ? Que ferai-je si je le trouve malade, très malade, mourant sur son sein à elle ? Que ferai-je ?

Une voie se présentait nettement devant lui, et le premier pas dans cette voie était un voyage rapide à Audley. Il fit son portemanteau, grimpa dans un cab et atteignit la station du chemin de fer avant la fin de l'heure qui suivit la réception de la lettre d'Alicia, arrivée par la poste de l'après-midi.

Le village obscur laissait vaciller faiblement ses lumières à travers l'obscurité grandissante, quand Robert arriva à Audley. Il laissa son portemanteau au chef de gare et traversa sans se hâter le sentier qui conduit à la retraite calme du château. Les arbres formant la voûte déployaient leurs branches sans feuilles au-dessus de sa tête, nues et fantastiques dans la demi-obscurité. Un vent mugissant tristement balayait les prairies basses et secouait en tous sens les branches de ces arbres sévères sur le fond sombre et gris du ciel. On eût dit d'affreux bras de géants courbés et vieillis, indiquant à Robert la maison de son oncle. On eût dit des fantômes menaçants dans le glacial crépuscule d'hiver, gesticulant vers lui pour lui faire hâter son voyage. La longue avenue, si brillante et si délicieuse lorsque les tilleuls parfumés éparpillaient leurs fleurs légères sur le sol et que les feuilles des églantiers flottaient dans l'atmosphère d'été, était terriblement sinistre et désolée dans le morne intervalle qui sépare les simples réjouissances de Noël de la pâle aurore du printemps qui approche – un temps d'arrêt mortel dans l'année, pendant lequel la nature semble engourdie dans un sommeil léthargique, attendant le merveilleux signal pour parer les arbres et pour faire éclater les fleurs.

Un pressentiment plein de tristesse se glissa dans le cœur de Robert Audley comme il se rapprochait de la maison de son oncle. Chaque contour changeant dans le paysage lui était familier ; il connaissait chaque inflexion des arbres, chaque caprice des branches indépendantes, chaque ondulation dans les noires haies d'aubépines, entremêlées de marronniers d'Inde nains, de saules rabougris, de noisetiers et de cassis.

Sir Michael avait été un second père pour le jeune homme, un généreux et noble ami, un sérieux et attentif conseiller; et peut-être le sentiment le plus fort du cœur de Robert était-il son amour pour le baronnet à barbe grise. Mais son affectueuse reconnaissance faisait si bien partie de lui-même qu'elle se manifestait rarement en ses discours, et jamais un étranger n'aurait soupçonné la force du sentiment énergique qui existait à l'état de courant profond et puissant sous la surface stagnante du caractère de l'avocat.

Qu'adviendrait-il de cette résidence si mon oncle venait à mourir? pensait-il tandis qu'il atteignait l'arche couverte de lierre et les étangs paisibles, aux eaux grises et froides sous le crépuscule. D'autres personnages vivraient-ils dans la vieille maison et viendraient-ils s'asseoir sous les bas plafonds de chêne, dans les simples appartements de famille?

Cette merveilleuse faculté d'association d'idées, si entrelacée avec les fibres intimes de la nature même la plus dure, remplit le cœur du jeune homme d'une douleur prophétique, tandis qu'il pensait que tôt ou tard le jour devait venir où les volets de chêne seraient fermés pendant quelque temps, où la lumière du jour ne pénétrerait pas dans la maison qu'il aimait. Il lui était pénible même de songer à cela, comme il est toujours pénible de songer à la brièveté du bail que le plus grand de la terre puisse jamais passer avec ses grandeurs. Est-il donc si surprenant que des voyageurs tombent endormis sous les haies et prennent tout juste la peine de se traîner en avant dans un voyage qui ne conduit à aucune demeure habitée? Est-il surprenant qu'il y ait eu dans le monde des quiétistes depuis que la religion du Christ a été prêchée pour la première fois sur la terre? Est-il étrange qu'il existe des êtres d'une patience courageuse et d'une résignation tranquille, qui attendent avec calme ce qui doit arriver au-delà sur le rivage du fleuve aux ondes noires ? N'y a-t-il pas plutôt lieu de s'étonner que quelqu'un se soucie jamais d'être grand pour l'amour de la grandeur, pour une autre raison que la simple conscience, la simple fidélité de domestique qui craint d'exercer son habileté, sachant que l'indifférence est bien près de la malhonnêteté ? Si Robert Audley eût vécu à l'époque de Thomas à Kempis[1], il se fût très probablement construit un petit ermitage au milieu de quelque forêt solitaire et eût coulé ses jours dans la paisible imitation de l'auteur renommé de *l'Imitation du Christ*. Tel qu'il était, Fig-Tree Court était un charmant ermitage dans son genre, et aux bréviaires et livres d'heures, je suis honteuse de dire que le jeune avocat substituait Paul de Kock et Dumas fils.

Une seule lumière isolée était visible dans la longue rangée irrégulière des fenêtres faisant face à l'arche ; quand Robert passa sous l'ombre lugubre du lierre, frémissant sans cesse au vent glacé qui gémissait, il reconnut la croisée éclairée comme étant le large œil-de-bœuf de la chambre de son oncle. La dernière fois qu'il avait vu la vieille habitation, elle retentissait de la gaieté des invités, chaque fenêtre brillait comme une étoile basse dans l'obscurité ; aujourd'hui sombre et silencieuse, elle se dressait dans la nuit d'hiver comme un triste manoir baronnial enfoncé dans la solitude des bois.

Le domestique qui ouvrit la porte au visiteur inattendu manifesta sa joie en reconnaissant le neveu de son maître.

— Sir Michael sera bien content de vous voir, monsieur, dit-il en introduisant Robert Audley dans la bibliothèque où flambait un bon feu, et qui semblait désolée, le fauteuil du baronnet restant vide sur le large tapis du foyer. Vous apporterai-je quelque chose à dîner ici, mon-

1. Auteur d'ouvrages religieux (1380-1471). *(N.d.É)*

sieur, avant que vous montiez à l'appartement ? Milady et miss Audley dînent de bonne heure depuis la maladie de mon maître, mais je puis vous servir tout ce qui pourra vous faire plaisir, ajouta-t-il avec empressement.

— Je ne prendrai rien avant d'avoir vu mon oncle, répondit Robert précipitamment, c'est-à-dire si je puis le voir de suite. Il n'est pas assez malade pour ne pas me recevoir, je suppose ? ajouta-t-il d'un air inquiet.

— Oh ! non, monsieur… pas trop malade, un peu accablé seulement, monsieur. Par ici, s'il vous plaît.

Il fit monter à Robert le court escalier en chêne conduisant à la chambre octogonale dans laquelle George Talboys était resté si longtemps, cinq mois auparavant, à regarder d'un œil préoccupé le portrait de milady. Le tableau était terminé maintenant, et suspendu à la place d'honneur en face de la croisée, au milieu des Claude, des Poussin et des Wouvermans, dont les teintes moins brillantes étaient écrasées par le vif coloris de l'artiste moderne. La lumineuse figure semblait ressortir au milieu de ce fouillis de cheveux dorés, délectation des préraphaélites, avec un sourire moqueur, au moment où Robert s'arrêta un instant pour jeter un coup d'œil sur le portrait bien présent à son souvenir. Deux ou trois minutes après, il avait traversé le boudoir de milady et son cabinet de toilette et s'arrêtait sur le seuil de la chambre de sir Michael. Le baronnet reposait d'un sommeil calme, son bras étendu sur le lit et sa vigoureuse main serrée par les doigts délicats de sa jeune femme. Alicia était assise sur une chaise basse auprès de la large ouverture du foyer, dans lequel des bûches énormes brûlaient avec furie par cette température glacée. L'intérieur de cette luxueuse chambre à coucher eût pu fournir un sujet saisissant pour le pinceau d'un artiste. L'ameublement massif, de couleur sombre et sévère, dont l'austérité était rompue et relevée çà et là par des ornements dorés et des masses de couleur éclatante, l'élégance de chaque détail, dans lequel la richesse était assujettie à la pureté du goût, et enfin –

point le plus important –, les gracieuses figures des deux femmes et la noble tête du vieillard eussent formé une étude digne d'un peintre.

Lucy Audley, la chevelure en désordre, jetée comme une pâle vapeur d'or jaune autour de son visage rêveur, les lignes flottantes de sa robe de chambre en mousseline légère, tombant en plis droits jusqu'à ses pieds et serrées à la taille par une étroite ceinture d'anneaux en agate, eût pu servir de modèle pour une sainte du moyen âge d'une de ces petites chapelles cachées à l'écart dans les renfoncements d'une vieille cathédrale grise, épargnée par la Réforme ou par Cromwell ; et quel saint martyr du moyen âge eût pu offrir un aspect plus vénérable que l'homme dont la barbe grise reposait sur la sombre couverture de soie de ce lit somptueux ?

Robert s'arrêta sur le seuil, craignant d'éveiller son oncle. Les deux femmes avaient entendu son pas, quoiqu'il eût été plein de précaution, et levèrent la tête pour le regarder. La figure de milady veillant le vieillard malade portait l'expression d'une ardeur inquiète qui la rendait plus belle ; mais la même figure, en reconnaissant Robert Audley, perdit de sa beauté éclatante et parut effrayée et livide à la clarté de la lampe.

— Mr Audley ! s'écria-t-elle d'une voix faible et tremblante.

— Silence, dit Alicia parlant bas, avec un geste d'avertissement, vous éveillerez papa. Que c'est bien à vous d'être venu, Robert, ajouta-t-elle sur le même ton, à voix basse, en faisant signe à son cousin de prendre une chaise vide auprès du lit.

Le jeune homme s'assit sur le siège indiqué au pied du lit, en face de milady qui se tenait près du chevet. Il examina longtemps et attentivement le visage du dormeur, plus longtemps et plus attentivement le visage de lady Audley, qui reprenait lentement ses couleurs naturelles.

— Il n'a pas été très malade, n'est-ce pas ? demanda Robert en mettant sa voix au diapason de celle d'Alicia.

Milady répondit à cette question :

— Oh ! non, non pas gravement malade, dit-elle sans ôter les yeux du visage de son mari, mais cependant nous avons été inquiètes, très, très inquiètes.

Robert ne cessa pas un instant d'examiner ce visage pâle.

Elle me parlera, pensait-il, je la forcerai à rencontrer mes yeux, et je lirai dans les siens comme j'y ai lu déjà. Elle connaîtra combien sont inutiles ses artifices avec moi.

Il s'arrêta pendant quelques minutes avant de reprendre la parole. La respiration régulière du dormeur, le tic-tac de la montre de chasse en or suspendue à la tête du lit et le craquement des bûches qui brûlaient étaient les seuls bruits qui rompissent le silence.

— Je n'ai aucun doute que vous n'ayez été inquiète, lady Audley, dit Robert après un moment de silence, fixant les yeux de milady comme ils erraient furtivement sur lui. Il n'y a personne pour qui la vie de mon oncle puisse être d'une plus grande valeur que pour vous. Votre bonheur, votre prospérité, votre *sécurité* dépendent entièrement de son existence.

Le ton sur lequel il articula ces mots était trop bas pour parvenir de l'autre côté de la chambre, où Alicia était assise.

Les yeux de milady rencontrèrent ceux de Robert et eurent un certain rayonnement de triomphe dans leur éclat.

— Je sais cela, dit-elle, ceux qui me frappent doivent passer sur lui pour me frapper.

Elle indiqua le dormeur en disant ces mots, les yeux toujours fixés sur Robert Audley. Elle le défiait avec ses yeux bleus. Elle le défiait avec son sourire calme – un sourire de beauté fatale, plein de pensées dissimulées et de voies mystérieuses, le sourire que l'artiste avait exagéré dans le portrait de la femme de sir Michael.

Robert se détourna du charmant visage et cacha ses

yeux avec sa main, plaçant ainsi une barrière entre milady et lui – un écran qui déjoua sa pénétration et provoqua sa curiosité. L'examinait-il encore, ou était-il à réfléchir ? et à quoi était-il à réfléchir ?

Robert Audley resta assis à côté du lit pendant plus d'une heure avant que son oncle se réveillât. Le baronnet fut enchanté de la visite de son neveu.

— C'est très aimable à vous d'être venu, Bob. J'ai beaucoup pensé à vous depuis que j'ai été malade. Vous et Lucy devez être bons amis, savez-vous, Bob ; et vous devez apprendre à la considérer comme votre tante, monsieur ; quoiqu'elle soit jeune et belle, et… et… et vous comprenez, n'est-ce pas ?

Robert saisit la main de son oncle, mais il baissa gravement les yeux en répondant :

— Je ne vous comprends pas, monsieur, dit-il avec calme ; et je vous donne ma parole d'honneur que je suis cuirassé contre les fascinations de milady. Elle sait cela aussi bien que moi.

Lucy Audley fit une petite moue avec ses jolies lèvres.

— Bah ! vous êtes ridicule, Robert ! s'écria-t-elle, vous prenez tout *au sérieux**. Si j'ai pensé que vous étiez tant soit peu trop jeune pour un neveu, c'était seulement dans la crainte des absurdes commérages des étrangers, non de quelque…

Elle hésita un instant et échappa à l'obligation de conclure sa phrase par l'intervention à point nommé de Mr Dawson, qui entra dans la chambre pour sa visite du soir.

Il tâta le pouls du malade, adressa deux ou trois questions, remarqua une amélioration constante dans l'état du baronnet, échangea quelques lieux communs avec Alicia et lady Audley, et se disposa à quitter la chambre. Robert se leva et l'accompagna à la porte.

— Je veux vous éclairer dans l'escalier, dit-il en prenant une bougie sur une des tables et l'allumant à la lampe.

— Non, non, Mr Audley, ne vous dérangez pas, je vous en prie, supplia le chirurgien, je connais très bien mon chemin, en vérité.

Robert insista ; et les deux hommes quittèrent ensemble la chambre. Comme ils entraient dans l'antichambre octogonale, l'avocat s'arrêta et ferma la porte derrière lui.

— Voulez-vous fermer l'autre porte, Mr Dawson ? dit-il en indiquant celle qui ouvrait sur l'escalier. Je désire avoir quelques minutes d'entretien particulier avec vous.

— Avec grand plaisir, répliqua le chirurgien, condescendant à la demande de Robert, mais si vous êtes alarmé par l'état de votre oncle, Mr Audley, je puis mettre votre esprit en repos. S'il eût été gravement malade, j'eusse envoyé immédiatement une dépêche télégraphique au médecin de la famille.

— Je suis certain que vous auriez fait votre devoir, monsieur, répondit Robert gravement. Mais je ne viens pas vous parler de mon oncle. Je désire vous adresser deux ou trois questions sur une autre personne.

— Vraiment !

— La personne qui a vécu autrefois dans votre famille en qualité de miss Lucy Graham ; la personne qui est maintenant lady Audley.

Mr Dawson leva la tête avec une expression de surprise sur son calme visage.

— Pardonnez-moi, Mr Audley, vous pouvez difficilement espérer que je réponde à quelques questions sur la femme de votre oncle, sans la permission expresse de sir Michael. Je ne puis comprendre quel motif vous pousse à m'adresser de telles questions… aucun motif convenable, au moins.

Il lança un regard sévère sur le jeune homme, comme pour lui dire : « Vous êtes tombé amoureux de la jolie femme de votre oncle, et vous voulez me faire intervenir dans quelque perfide amourette, mais je n'y consentirai pas, monsieur, je n'y consentirai pas. »

— J'ai toujours respecté lady Audley aussi bien que miss Graham, monsieur, dit-il, et je l'estime doublement depuis qu'elle est lady Audley… non à cause de sa position élevée, mais parce qu'elle est la femme de l'homme le plus noble de la chrétienté.

— Vous ne pouvez respecter mon oncle ou l'honneur de mon oncle plus sincèrement que je ne le fais. Je n'ai nul motif indigne pour vous poser ces questions, et vous devez y répondre !

— Vous devez !… répéta comme un écho Mr Dawson, d'un air outré.

— Oui, vous êtes l'ami de mon oncle, c'est dans votre maison qu'il a rencontré la femme qui est maintenant son épouse. Elle se disait orpheline, je crois, et fit jouer en sa faveur sa pitié aussi bien que son admiration. Elle lui disait qu'elle était seule au monde, ne le lui disait-elle pas ?… sans amis et sans parents. C'est tout ce que j'ai pu jamais apprendre de ses antécédents.

— Quelle raison avez-vous de désirer en connaître davantage ? demanda le chirurgien.

— Une bien terrible raison, répondit Robert Audley. Depuis quelques mois je lutte avec des doutes et des soupçons qui ont rendu ma vie amère. Ces sentiments sont devenus plus forts chaque jour et ne consentiront pas à s'apaiser au moyen des lieux communs, des sophismes et des arguments frivoles avec lesquels les hommes essayent de se tromper. Je ne pense pas que la femme qui porte le nom de mon oncle soit digne d'être son épouse. Je puis me tromper sur son compte, Dieu veuille qu'il en soit ainsi. Mais si je suis dans l'erreur, jamais fatale chaîne de circonstances évidentes ne fut aussi étroitement liée à une personne innocente. Je désire faire cesser mes doutes ou… ou confirmer mes craintes. Il n'y a qu'une manière d'agir pour arriver à ce but. Je dois suivre les traces de la vie de cette femme, depuis les six dernières années. C'est aujourd'hui le 24 février 1859. J'ai besoin de connaître chaque détail de sa vie entre la soirée présente et celle du mois de février 1853.

— Votre motif est-il honorable ?

— Oui, je désire la laver d'un horrible soupçon.

— Qui existe seulement dans votre esprit ?

— Et dans l'esprit d'une autre personne.

— Puis-je vous demander qui est cette personne ?

— Non, Mr Dawson, répondit Robert d'un ton décisif, je ne puis révéler rien de plus que ce que je viens de vous dire. Je suis un homme très résolu, très vaillant dans beaucoup de choses. En cette affaire je suis forcé d'être déterminé. Je vous répète une fois de plus que je dois connaître l'histoire de la vie de Lucy Graham. Si vous refusez de m'aider, dans la médiocre étendue de votre pouvoir, j'en trouverai d'autres qui viendront à mon secours. Quelque pénible que cela puisse être pour moi, je demanderai à mon oncle les informations que vous me refuseriez, plutôt que de m'arrêter là dans mes investigations.

Mr Dawson resta silencieux quelques minutes.

— Je ne puis exprimer combien vous m'avez étonné et alarmé, Mr Audley. Je puis vous dire si peu de chose sur les antécédents de lady Audley qu'il y aurait de ma part pure obstination à vous refuser la faible somme d'informations que je possède. J'ai toujours considéré l'épouse de votre oncle comme la plus aimable des femmes. Je ne puis me décider à penser autrement d'elle. Ce serait déraciner une des plus fermes convictions de ma vie, si j'étais forcé de changer d'avis. Vous désirez suivre sa vie en arrière, de l'heure présente jusqu'à l'année 1853 !

— Je le désire.

— Elle se maria avec votre oncle il y a eu un an, au mois de juin. Elle avait vécu dans ma maison un peu plus de treize mois. Elle devint un membre de ma famille le 14 mai de l'année 1856.

— Et elle vint chez vous ?…

— En sortant d'une institution de Brompton, une institution dirigée par une dame du nom de Vincent. Ce fut la vive recommandation de Mrs Vincent qui m'engagea à recevoir miss Graham dans ma famille, sans aucune autre connaissance particulière de ses antécédents…

— Vîtes-vous cette Mrs Vincent ?

— Non. J'avais inséré une annonce dans les journaux pour avoir une gouvernante, et miss Graham répondit à mon annonce. Dans sa lettre elle donnait pour répondant Mrs Vincent, propriétaire d'une institution dans laquelle elle était alors en qualité de seconde sous-maîtresse. Mon temps est toujours si compté que je fus enchanté d'échapper à la nécessité de perdre un jour en allant d'Audley à Londres pour prendre des renseignements sur la capacité de cette jeune fille. Je cherchai dans l'Almanach des Postes le nom de Mrs Vincent, je le trouvai, je conclus qu'elle était une personne recommandable et je lui écrivis. Sa réponse fut parfaitement satisfaisante… Miss Lucy Graham était assidue au travail et consciencieuse, aussi bien que remplie des qualités dont j'avais besoin pour la situation que j'offrais. J'acceptai cette recommandation, et je n'ai pas sujet de regretter ce qui aurait pu être une imprudence ; et maintenant, Mr Audley, je vous ai dit tout ce que je pouvais.

— Voudrez-vous être assez bon pour me donner l'adresse de cette Mrs Vincent ? demanda Robert, sortant son carnet de poche.

— Certainement. Elle demeurait alors au numéro 9 de Crescent Villas, Brompton.

— Ah, c'est cela, murmura Mr Audley, un souvenir du dernier mois de septembre éclairant subitement sa mémoire tandis que le chirurgien parlait ; Crescent Villas… oui, j'ai entendu l'adresse de lady Audley elle-même. Cette Mrs Vincent a envoyé une dépêche télégraphique à la femme de mon oncle au commencement du mois de septembre dernier. Elle était malade… mourante, je crois… et demandait à voir milady ; mais elle avait quitté son ancienne demeure et on ne put la trouver.

— Vraiment ? Je n'ai jamais entendu lady Audley mentionner cette circonstance.

— Peut-être, non. Cela arriva pendant mon séjour ici. Je vous remercie, Mr Dawson, pour le renseignement que vous m'avez donné de si bonne grâce et avec tant d'honnêteté. Il me permet de cerner deux ans et demi de l'histoire de la vie de milady ; mais j'ai encore une lacune de trois ans à remplir avant de l'exonérer de mon terrible soupçon. Je vous souhaite le bonsoir.

Robert donna une poignée de main au chirurgien et retourna à la chambre de son oncle ; il avait été absent environ un quart d'heure. Sir Michael s'était endormi encore une fois, et les tendres mains de milady avaient tiré les lourds rideaux et voilé la lumière de la lampe à côté du lit. Alicia et la femme de son père prenaient le thé dans le boudoir de lady Audley, pièce voisine de l'antichambre dans laquelle Robert et Dawson s'étaient assis.

Lucy Audley leva les yeux de son occupation et des fragiles tasses de Chine et observa Robert d'un air presque inquiet, comme il allait doucement à la chambre de son oncle et retournait ensuite au boudoir. Elle paraissait vraiment jolie et innocente, assise derrière le groupe gracieux du délicat opale de Chine et de l'étincelante argenterie. Une jolie femme, assurément, ne semble jamais plus jolie que lorsqu'elle prépare le thé. La plus féminine et la plus domestique de toutes les occupations communique une harmonie magique à chacun de ses mouvements, un charme à chacun de ses regards. La vapeur flottante du liquide en ébullition dans lequel elle infuse les feuilles délicieuses dont les secrets sont connus d'elle seule l'enveloppe d'un nuage de vapeurs embaumées, à travers lequel elle semble la fée de la réunion, fabriquant des philtres puissants avec de la poudre à canon et des herbes. À la table à thé, elle règne, omnipotente et inabordable. Que connaissent les hommes au mystérieux breuvage ? Lisez comment le pauvre Hazlitt fit son thé, et frissonnez à son affreuse barbarie, avec quelle maladresse les créatures disgraciées essayent d'assister la magicienne qui préside au thé, de quel air désespéré elles saisissent la bouilloire, comme elles compromettent sans cesse les tasses fragiles, les soucoupes et les mains effilées de la prêtresse. Éloigner une femme de la table à thé, c'est lui dérober son empire légitime. Condamner deux ou trois hommes à circuler parmi vos invités pour distribuer une boisson fabriquée dans la chambre de la gouvernante de la maison, c'est réduire la plus intime et la plus amicale des cérémonies à une bienséante distribution de rations. La charmante influence des tasses à thé et des soucoupes maniées par la main d'une femme est préférable à cette tendance peu convenable d'arracher la pointe de la plume, bon gré mal gré, des mains du sexe sérieux. Figurez-vous toutes les femmes d'Angleterre élevées au niveau insigne de l'intelligence masculine, supérieures à la crinoline, au-dessus de la poudre de perle et de Mrs Rachel Leverson[1] ; au-dessus des peines à prendre pour être jolies, au-dessus des fatigues pour se rendre aimables, des tables à thé et des commérages terriblement scandaleux et quelquefois satiriques qui font même les délices d'hommes robustes : quelle triste, utilitaire, honteuse existence devrait mener le sexe fort.

Milady n'était en aucune façon un esprit fort. Les étoiles de diamant entassées sur ses doigts blancs scintillaient çà et là parmi le service à thé, et elle courba sa jolie tête sur la merveilleuse boîte à thé indienne de bois de santal et d'argent avec autant d'attention que si la vie n'avait pas de but plus élevé qu'une infusion.

— Prendrez-vous une tasse de thé avec nous, Mr Audley ? demanda-t-elle, s'arrêtant, la théière en

1. Rachel Leverson vendait des cosmétiques hors de prix, à une époque où ils étaient généralement réservées aux actrices et prostituées. *(N.d.É)*

main, pour lever les yeux sur Robert qui était debout près de la porte.

— S'il vous plaît.

— Mais vous n'avez pas dîné, peut-être ? Sonnerai-je pour vous faire apporter quelque chose de plus substantiel que des biscuits et des tartines transparentes ?

— Non, je vous remercie, lady Audley. J'ai pris une légère collation avant de quitter Londres ; je ne veux vous déranger pour rien d'autre qu'une tasse de thé.

Il s'assit à la petite table et regarda de l'autre côté sa cousine Alicia, un livre sur les genoux, ayant l'air très absorbée par sa lecture. Le teint éclatant de la brunette avait perdu son vif cramoisi, et l'animation des manières de la jeune fille avait disparu… en raison de la maladie de son père, sans aucun doute, pensa Robert.

— Alicia, ma chère amie, dit l'avocat après avoir contemplé à loisir sa cousine, vous ne paraissez pas bien portante.

— Peut-être pas, répondit-elle d'un air dédaigneux. Qu'importe cela ? Je suis en train de devenir un philosophe de votre école, Robert Audley. Qu'importe ? Qui se préoccupe de savoir si je suis bien portante ou malade ?

Quel feu ! pensa Robert. Il comprenait toujours que sa cousine était fâchée quand, en s'adressant à lui, elle l'appelait Robert Audley.

— Vous n'avez pas besoin de vous emporter lorsqu'on vous fait une question polie, Alicia, dit-il d'un ton de reproche. Quant à dire que personne ne se préoccupe de votre santé, c'est une absurdité. Je m'en soucie.

Miss Audley leva les yeux avec un brillant sourire.

— Sir Harry Towers s'en soucie aussi.

Miss Audley revint à son livre, le sourcil froncé.

— Que lisez-vous là, Alicia ? demanda Robert après un moment de silence pendant lequel il était resté pensif à remuer son thé.

— *Chances and changes*.

— Une nouvelle ?

— Oui.

— De qui ?

— De l'auteur de *Follies and faults*, répondit Alicia, poursuivant toujours la lecture de son roman posé sur ses genoux.

— Est-ce intéressant ?

Miss Audley fronça les lèvres et haussa les épaules.

— Non, pas précisément.

— Alors je crois que vous auriez mieux à faire que de lire cela pendant que votre cousin germain est assis en face de vous, observa Mr Audley avec une certaine gravité, surtout lorsqu'il ne vient vous faire qu'une courte visite en passant et qu'il partira le lendemain matin.

— Demain matin ! s'écria milady, levant soudain les yeux sur lui.

Quoique le regard de joie qui se montra sur le visage de lady Audley fût aussi fugitif que la lumière d'un éclair dans un ciel d'été, il n'échappa pas à Robert.

— Oui, je suis obligé de retourner à Londres demain matin pour affaire ; mais je serai de retour le lendemain, si vous le permettez, lady Audley, et je resterai ici jusqu'à ce que mon oncle soit rétabli.

— Mais vous n'êtes pas sérieusement alarmé sur lui, n'est-ce pas ? demanda milady d'un air inquiet. Vous ne pensez pas qu'il soit très malade ?

— Non, répondit Robert. Grâce au ciel, il n'y a pas le plus léger motif de crainte.

Milady resta silencieuse pendant quelques instants, regardant les tasses vides avec un visage gracieusement pensif – un visage sérieux avec l'innocente gravité d'un enfant rêveur.

— Vous êtes resté enfermé pendant si longtemps avec Mr Dawson, il n'y a qu'un moment, dit-elle après ce court silence. J'étais presque inquiète de la longueur de votre conversation. Avez-vous parlé de sir Michael tout le temps ?

— Non, pas tout le temps.

Milady baissa de nouveau les yeux sur les tasses à thé.

— Eh ! que pouviez-vous avoir à dire à Mr Dawson ou que pouvait-il avoir à vous dire ? demanda-t-elle après un autre instant de silence. Vous êtes presque étrangers l'un à l'autre ?

— Supposez que Mr Dawson voulait me consulter sur quelque matière de droit.

— Était-ce cela ? s'écria vivement lady Audley.

— Il serait tant soit peu contraire à ma profession de vous le dire s'il en était ainsi, milady, répondit Robert avec sévérité.

Milady se mordit les lèvres et retomba dans le silence. Alicia ferma son livre et observa l'air préoccupé de son cousin. Il lui adressa de temps en temps la parole pendant quelques minutes ; mais il accomplissait évidemment un effort pour se tirer de sa rêverie.

— Sur ma parole, Robert Audley, vous êtes une très agréable société ! s'écria enfin Alicia.

Son fonds de patience tant soit peu limité se trouvait presque à bout par deux ou trois essais avortés de conversation.

— Peut-être que la prochaine fois que vous viendrez au château, vous serez assez bon pour apporter votre esprit avec vous. D'après votre apparence inanimée, je pourrais penser que vous avez laissé votre intelligence quelque part dans le Temple. Vous n'avez jamais été un être des plus aimables ; mais depuis peu, vous êtes devenu presque insupportable. Je suppose que vous êtes amoureux, Mr Audley, et que vous êtes occupé à penser à l'objet privilégié de vos affections.

Il pensait à la noble figure de Clara Talboys, sublime dans son ineffable douleur ; à son langage passionné qui résonnait encore dans ses oreilles aussi clairement que le jour où il l'avait entendue pour la première fois. Il la voyait encore le regarder avec ses brillants yeux noirs. Il entendait encore cette question solennelle : « Sera-ce vous qui trouverez le meurtrier de mon frère, ou sera-ce moi ? » Et il était dans l'Essex, dans le petit village d'où il croyait fermement que George Talboys n'était jamais parti. Il était sur les lieux où finissait le journal de la vie de son ami, aussi soudainement que finit une histoire quand le lecteur ferme le livre. Et pouvait-il maintenant sortir de l'investigation dans laquelle il se trouvait enveloppé ? Pouvait-il s'arrêter, avoir égard à aucune considération ? Non, mille fois non. Non, avec l'image de ce visage abattu par la douleur imprimée dans son esprit. Non, avec les accents de cet appel chaleureux qui résonnait à ses oreilles.

27

Jusque-là et pas plus loin

Le lendemain, Robert partit d'Audley par le premier train du matin, et arriva à Shoreditch un peu après neuf heures. Il ne rentra pas chez lui. Il prit une voiture et se fit conduire tout droit à Crescent Villas, West Brompton. Il se doutait bien qu'il ne réussirait pas mieux que son oncle à trouver la dame qu'il allait chercher à cette adresse, mais il croyait pouvoir obtenir quelques renseignements sur la nouvelle demeure de la maîtresse de pension, bien que les efforts de sir Michael eussent été déjoués quelques mois auparavant.

Mrs Vincent était à son lit de mort, d'après la dépêche télégraphique, se disait Robert ; et si je ne trouve pas la dame, je saurai du moins si la dépêche n'était pas fausse.

Il découvrit Crescent Villas avec quelque difficulté. Les maisons étaient grandes, mais à moitié enterrées dans les briques et le mortier. Partout dans les rues, dans les squares, on voyait des tas de pierres et de plâtre. La boue s'attachait aux roues de la voiture et couvrait entièrement les fanons du cheval. La désolation des désolations – aspect désagréable que présentent toujours des constructions inachevées – régnait dans les rues nouvelles de Crescent Villas, et Robert perdit trois bons quarts d'heure à monter et à descendre des rues inhabitées, pour trouver les Villas.

Il finit cependant par arriver à destination et, après avoir ordonné au cocher de l'attendre à un endroit désigné, il commença ses recherches.

Si j'étais un célèbre jurisconsulte, pensait-il, je ne pourrais me permettre pareille chose ; mon temps vaudrait environ une guinée la minute, et j'en serais empêché par la grande affaire de Hoggs contre Boggs qui se juge aujourd'hui à Westminster Hall. Mais dans ma position, rien ne me défend d'avoir de la patience.

Il s'informa de Mrs Vincent au numéro que Mr Dawson lui avait désigné. La servante qui vint ouvrir n'avait jamais entendu le nom de cette dame ; elle alla rendre compte à sa maîtresse et rapporta à Robert que Mrs Vincent avait effectivement habité la maison, mais qu'elle l'avait quittée deux mois avant l'arrivée des nouveaux locataires. Elle ajouta même que sa maîtresse occupait le logement depuis environ dix-huit mois.

— Et vous ne pouvez me dire où elle est allée se loger en partant d'ici ? demanda Robert découragé.

— Non, monsieur ; ma maîtresse croit que cette dame fit faillite et qu'elle décampa sans mot dire, ne voulant pas qu'on sût son adresse.

Mr Audley se trouvait de nouveau dérouté. Si Mrs Vincent était partie avec des dettes, évidemment elle avait caché avec soin son changement de domicile. Il y avait donc peu d'espoir de trouver son adresse en la demandant aux commerçants, et pourtant il se pouvait que quelque créancier rusé se fût occupé de chercher en quel endroit elle s'était réfugiée.

Il jeta un coup d'œil sur les boutiques les plus rapprochées et aperçut à quelques pas un boulanger, un papetier et une fruitière. Les trois boutiques avaient des prétentions à un extérieur convenable, quoiqu'elles ne fussent pas encombrées de marchandises.

Robert s'arrêta devant le boulanger, qui prenait le titre de pâtissier et exhibait dans sa devanture des spécimens de pain d'épice sous globe et des gâteaux glacés recouverts d'une gaze verte.

Il est probable que cette dame achetait du pain, réfléchissait Robert devant la boutique. Elle devait se servir au meilleur endroit. Essayons le boulanger.

Le boulanger était derrière son comptoir, en train de discuter les articles d'une note avec une jeune femme dont la toilette avait dû jadis être élégante. Il ne se donna pas la peine de s'occuper de Robert Audley avant d'avoir fini. Quand il eut compté son argent et donné son acquit, il leva la tête et demanda à l'avocat ce qu'il désirait.

— Pourriez-vous me donner l'adresse d'une Mrs Vincent qui habitait le numéro 9, à Crescent Villas, il y a un peu plus de dix-huit mois ? demanda Mr Audley d'un ton poli.

— Non, je ne puis pas, répondit le boulanger, devenant très rouge et parlant beaucoup plus qu'il n'était nécessaire. Je le voudrais cependant bien, car cette dame me doit plus de onze livres pour du pain, et je ne suis pas assez riche pour perdre pareille somme de gaieté de cœur. Je serais très obligé à quiconque me dirait où elle demeure.

Robert haussa les épaules et souhaita le bonjour au boulanger. Il comprit que la découverte du domicile de cette dame lui donnerait plus de peine qu'il n'avait cru. Il pouvait recourir à l'Almanach des Postes et y chercher le nom de Mrs Vincent, mais très certainement une dame qui fuyait ses créanciers n'allait pas fournir un moyen aussi facile de la trouver.

Mr Audley s'abandonnait à de tristes réflexions en revenant à l'endroit où l'attendait la voiture. À mi-chemin, il fut arrêté par une femme qu'il entendit marcher derrière lui et lui cria de l'attendre. Il se retourna et se trouva face à face avec la femme qui réglait son compte chez le boulanger.

— Que me voulez-vous ? lui dit-il. Puis-je faire quelque chose pour vous, madame ? Mrs Vincent vous doit-elle aussi de l'argent ?

— Oui, monsieur, répondit-elle d'une manière tout à fait en harmonie avec sa toilette. Mrs Vincent est ma débitrice, mais ce n'est pas là ce qui m'occupe, monsieur, je… je désire savoir, si cela ne vous déplaît pas, quelles affaires vous avez à traiter avec elle… parce que… parce que…

— Vous pouvez me donner son adresse, si vous voulez, n'est-ce pas, c'est là ce que vous avez l'intention de me dire ?

La femme hésita un instant et regarda Robert avec méfiance.

— Vous n'avez rien de commun avec… avec les contrôleurs, n'est-ce pas, monsieur ? lui dit-elle après avoir examiné la tenue de Robert pendant quelques instants.

— Les quoi… madame ? s'écria le jeune avocat, dévisageant son interlocutrice avec étonnement.

— Je vous demande pardon, monsieur, reprit la jeune femme, s'apercevant qu'elle venait de commettre une erreur grossière. Vous auriez pu en faire partie, vous savez, quelques-uns des messieurs qui vont encaisser de maison en maison sont si bien mis que j'ai pu me tromper. Je sais que Mrs Vincent doit beaucoup d'argent…

Robert Audley posa sa main sur le bras de la jeune femme.

— Ma chère dame, je ne veux rien savoir des affaires de Mrs Vincent. Loin d'avoir quelque chose de commun avec ce que vous nommez les « contrôleurs », je vous avoue que je ne comprends même pas ce que cela signifie. C'est peut-être une conspiration politique que vous désignez sous ce nom, ou bien encore un nouveau genre d'impôt. Mrs Vincent ne me doit rien, quels que soient ses démêlés avec ce terrible boulanger de là-bas. Je ne l'ai jamais vue de ma vie, et si je la cherche aujourd'hui, c'est pour lui adresser quelques simples questions au sujet d'une jeune fille qui a jadis vécu chez elle. Si vous savez où elle demeure et que vous vouliez me le dire, vous me rendriez un grand service.

Il sortit un portefeuille, prit une carte de visite et la tendit à la jeune femme, qui examina attentivement le morceau de carton avant de reprendre la parole :

— Monsieur, vous m'avez tout à fait l'air d'un gentleman, et j'espère que vous m'excuserez si je me suis montrée méfiante. La pauvre Mrs Vincent a eu bien des ennuis, et je suis la seule personne des environs qui sache son adresse. Je suis couturière en robes, monsieur, et j'ai travaillé pour elle pendant plus de six ans. Elle ne m'a pas payée très régulièrement, mais elle me donne quelque argent de temps en temps, et je fais de mon mieux pour vivre. Je puis donc vous dire où elle demeure. N'est-ce pas, vous ne m'avez pas trompée ?

— Sur mon honneur, non.

— Eh bien, monsieur, reprit la couturière, baissant la voix comme si elle craignait que le pavé ou les portails des maisons ne l'entendissent, c'est à Acacia Cottage, Peckham Grove. J'y ai porté hier une robe pour Mrs Vincent.

— Merci, dit Robert en écrivant l'adresse sur un carnet. Je vous suis très obligé, et vous pouvez compter sur ma parole : Mrs Vincent ne sera pas tourmentée à cause de moi.

Il souleva son chapeau, salua la petite couturière et retourna vers la voiture.

J'ai battu le boulanger quand même, se dit-il. En route maintenant pour la deuxième étape de mon voyage d'exploration dans la vie de milady.

De Brompton à Peckham Road, la distance est considérable, et Robert Audley eut le temps de réfléchir entre Crescent Villas et Acacia Cottage. Il songea à son oncle malade et affaibli dans sa chambre à coucher d'Audley. Il songea aux beaux yeux bleus qui veillaient sur le sommeil de sir Michael, aux douces mains blanches qui le servaient quand il s'éveillait, à la voix musicale et enchanteresse qui charmait sa solitude et égayait sa vieillesse. Quel ravissant tableau c'eût été pour lui, s'il avait pu le contempler comme tout le monde, sans y voir autre chose que ce qu'y voyaient les étrangers ! Mais le nuage noir qu'il apercevait s'étendait sur tout et faisait de cette scène d'intérieur une moquerie diabolique, un tableau infernal.

Peckham Grove – très agréable en été – offre un aspect assez triste par une sombre journée de février, alors que les arbres sont privés de leurs feuilles et les jardins de tout ornement. Acacia Cottage ne méritait que très peu son nom. Ses murs blanchis à la chaux se dressaient sur la route, et quelques peupliers seulement les abritaient. Ce qui annonçait Acacia Cottage n'était qu'une petite plaque en cuivre incrustée dans l'un des montants de la porte, mais cette indication suffit aux bons yeux du cocher. Il arrêta sa voiture devant la petite porte, et Mr Audley sonna.

Acacia Cottage, dans l'échelle sociale, avait moins d'importance que Crescent Villas, et la petite servante qui vint parlementer avec Mr Audley à travers les barreaux en bois était évidemment habituée à ne se trouver séparée que par cette faible barrière des créanciers intraitables de sa maîtresse.

Elle commença par avouer qu'elle ignorait si Mrs Vincent était chez elle, mais que si le visiteur voulait dire son nom et le genre d'affaire qui l'amenait, elle irait voir si sa maîtresse n'était pas sortie.

Mr Audley présenta sa carte et écrivit au crayon au-dessous de son nom : *Un parent de miss Graham.*

Il recommanda à la servante de remettre cette carte à sa maîtresse et attendit tranquillement le résultat.

Au bout de cinq minutes, la servante revint avec la clef de la porte. Elle dit à Robert que Mrs Vincent le recevrait avec plaisir.

Le salon carré dans lequel Robert fut introduit offrait dans tous ses ornements et dans chaque meuble les marques incontestables de l'espèce de pauvreté qui est la plus désagréable, parce qu'elle ne s'accommode pas d'un changement de domicile. L'ouvrière qui meuble son petit appartement avec une demi-douzaine de chaises cannelées, une table Pembroke, une horloge allemande, une glace, un berger et une bergère en terre cuite, et quelques tasses à thé en porcelaine se sert de ce qu'elle possède et en retire généralement tous les avantages possibles ; mais la dame qui perd les beaux meubles de la maison qu'elle est forcée d'abandonner et vient étaler dans un logement plus petit les épaves sauvées du naufrage par quelque ami généreux amène avec elle cette espèce de misère élégante qui résume ce que la pauvreté a de plus désolant.

La chambre qu'examinait Robert Audley était meublée avec les tristes débris que l'imprudente maîtresse de pension de Crescent Villas avait enlevés au moment de sa ruine. Un piano, une chiffonnière six fois trop grande pour l'appartement et une table de jeu placée au milieu étaient les objets les plus importants. Un tapis de Bruxelles couvrait le milieu de la chambre et étalait des roses et des lis qui se dessinaient sur un fond vert fané. Les fenêtres étaient garnies de rideaux, et des corbeilles en fil de fer tressé y étaient suspendues ; elles contenaient des plantes du genre cactus qui poussaient dans tous les sens, comme quelque végétation en démence, dont les membres armés de piquants comme des araignées n'avaient de cesse de vouloir passer par-dessus leur tête.

La table de jeu était couverte de livres magnifiquement reliés et placés à angles droits ; mais Robert ne mit pas à profit ces distractions littéraires. Il s'assit sur une chaise à la mode de l'ancien temps et attendit tranquillement l'arrivée de la maîtresse de maison. Dans la salle à côté, il entendait le murmure d'une demi-douzaine de voix et des variations peu harmonieuses sur un piano dont toutes les cordes semblaient prêtes à casser.

Il y avait environ un quart d'heure qu'il était assis, lorsque la porte s'ouvrit et livra passage à une dame en grande toilette, dont la beauté n'avait plus que le faible éclat d'un soleil couchant.

— Mr Audley, je suppose, dit-elle en faisant signe à Robert de se rasseoir et s'asseyant elle-même sur un fauteuil en face de lui. Vous me pardonnerez de vous avoir fait attendre si longtemps… mes devoirs…

— C'est moi qui dois m'excuser de venir vous déranger, répondit Robert poliment ; mais comme le motif qui m'amène chez vous est très sérieux, il me servira d'excuse. Vous souvient-il de la dame dont j'ai écrit le nom sur une carte ?

— Très bien.

— Puis-je vous demander ce que vous avez appris de son histoire depuis qu'elle a quitté votre maison ?

— Oh ! je ne sais pas grand-chose, à vrai dire presque rien. Je crois que miss Graham entra comme institutrice chez un chirurgien du comté d'Essex. C'est même moi qui la recommandai à ce monsieur. Depuis lors je n'ai plus eu de ses nouvelles.

— Mais vous avez été cependant en rapport avec elle.

— Pas du tout.

Mr Audley garda le silence pendant quelques instants, et sa figure s'assombrit.

— N'auriez-vous pas, au début du mois de septembre dernier, envoyé une dépêche télégraphique à miss Graham pour lui annoncer que vous étiez gravement malade et que vous désiriez la voir ?

Mrs Vincent sourit à la question de son visiteur.

— Je n'ai pas eu l'occasion d'envoyer pareil message ; jamais de ma vie je n'ai été gravement malade.

Robert Audley s'arrêta avant de poursuivre ses questions et écrivit à la hâte quelques mots au crayon sur son carnet.

— Si je vous adressais quelques questions directes sur miss Lucy Graham, m'accorderiez-vous, madame, la faveur d'y répondre sans me demander pour quel motif je les pose ?

— Certainement. Je ne connais rien qui soit au désavantage de miss Graham, et je n'ai pas lieu de faire un mystère du peu que je sais.

— Alors dites-moi, s'il vous plaît, à quelle date cette jeune fille entra chez vous ?

Mrs Vincent sourit et secoua la tête. Elle avait un joli sourire – le sourire franc d'une femme habituée à être admirée et qui est trop sûre de plaire pour que les revers de fortune lui enlèvent tout courage.

— Il est tout à fait inutile de me demander pareille chose, Mr Audley ; je suis l'être le plus insouciant du monde ; je n'ai jamais pu me rappeler les dates, quoique je fasse mon possible pour convaincre mes élèves de l'importance qu'elles doivent attacher à la date précise du règne de Guillaume le Conquérant et à beaucoup d'autres du même genre. Je n'ai pas la moindre idée de l'époque à laquelle miss Graham entra chez moi. Je sais seulement que c'était il y a longtemps et en été, car j'avais ma robe rose couleur de fleur de pêcher. Nous allons consulter Tonks… Tonks doit avoir la date en mémoire.

Robert Audley se demanda ce que pouvait être ce ou cette Tonks ; un journal ou un agenda, quelque rival obscur de Letsome[1].

---

1. En 1753, Sampson Letsome compila dans un catalogue exhaustif tous les sermons imprimés depuis la Restauration en Angleterre, en 1660. *(N.d.É)*

Mrs Vincent sonna, et la servante qui avait introduit Robert parut.

— Dites à miss Tonks de venir, j'ai à lui parler en particulier.

En moins de cinq minutes, miss Tonks se montra. Elle avait une figure tellement froide qu'on aurait dit qu'elle apportait un courant d'air dans les plis de sa robe en mérinos sombre. Elle n'avait pas d'âge ; elle semblait n'avoir jamais été plus jeune et ne devoir jamais vieillir. Elle paraissait destinée à fonctionner éternellement comme une machine à instruire les jeunes filles.

— Ma chère Tonks, lui dit Mrs Vincent, monsieur est un parent de miss Graham. Vous souvient-il à quelle époque elle est arrivée à Crescent Villas ?

— Au mois d'août 1854. Je crois que c'était le 18, sans affirmer toutefois que ce ne fût pas le 17 ; je crois pourtant que c'était un mardi.

— Merci, Tonks, vous êtes bien précieuse ! s'écria Mrs Vincent avec un de ses plus ravissants sourires.

C'était peut-être parce que les services de miss Tonks étaient si précieux qu'elle n'avait pas reçu d'appointements depuis trois ou quatre ans. Mrs Vincent avait sans doute hésité à donner un maigre salaire à une institutrice si utile.

— Y a-t-il encore quelque chose que Tonks ou moi puissions vous dire, Mr Audley, reprit la maîtresse de pension.

— Savez-vous d'où venait miss Graham quand elle entra chez vous ?

— Pas précisément. Je me souviens vaguement d'avoir entendu miss Graham parler du bord de mer. Tonks, miss Graham ne vous aurait-elle pas dit d'où elle venait ?

— Oh, non ! répondit Tonks en secouant la tête avec une grimace significative. Miss Graham ne m'a rien avoué ; elle était bien trop rusée pour cela. Elle savait garder ses secrets malgré son air d'innocence et ses cheveux bouclés, ajouta miss Tonks avec mépris.

— Vous croyez donc qu'elle avait des secrets ? demanda vivement Robert.

— Oui, elle en avait, et de toutes sortes. Ce n'est pas moi qui l'aurais reçue comme institutrice sans un seul mot de recommandation de qui que ce fût.

— Vous n'avez donc eu aucun renseignement sur miss Graham ? s'enquit Robert auprès de Mrs Vincent.

— Aucun, répondit celle-ci avec quelque embarras. Je passai là-dessus parce que miss Graham ne tenait pas à l'argent. Elle me dit qu'elle s'était querellée avec son père et qu'elle voulait vivre loin de toutes les personnes qu'elle avait connues. Elle avait beaucoup souffert et désirait éviter de nouveaux chagrins. Comment, en pareil cas, lui demander une recommandation, surtout en la voyant si convenable pour l'emploi. Vous savez, Tonks, que Lucy Graham était tout à fait comme il faut, et c'est bien mal de votre part de trouver mauvais que je l'aie reçue chez moi sans renseignements.

— Quand on veut avoir des favorites, on s'expose à être trompée par elles, répondit miss Tonks d'un ton glacée et sans se préoccuper des paroles de Mrs Vincent.

— Elle n'a jamais été ma favorite. Tonks. Vous êtes une jalouse. Ai-je jamais dit qu'elle m'était aussi utile que vous ?

— Non. Elle n'était pas une *utilité*, elle était un *ornement* à montrer aux visiteurs ; elle faisait bonne figure au piano du salon.

— Alors vous ne pouvez me renseigner sur les antécédents de miss Graham ? demanda Robert, interrogeant de l'œil les deux femmes.

Il voyait clairement que miss Tonks gardait une rancune jalouse, que le temps n'avait pas calmée, envers miss Graham.

Si cette femme sait quelque chose de préjudiciable à lady Audley, elle me le dira, songeait-il ; oui, elle me le dira d'elle-même.

Mais miss Tonks ne paraissait pas savoir grand-chose. Elle avouait que miss Graham s'était posée plusieurs fois en victime, en disant qu'elle avait souffert par la faute d'autrui et qu'elle avait été réduite à la misère. Mais ces renseignements se bornaient là.

— Je n'ai plus qu'une question à vous faire, conclut-il. Miss Graham n'a-t-elle rien oublié chez vous lorsqu'elle a quitté votre établissement, un chiffon, une parure, n'importe quoi ?

— Rien que je sache, dit Mrs Vincent.

— Pardon, madame ! s'écria miss Tonks, elle a laissé un carton qui est en haut, chez moi ; il renferme un de mes vieux chapeaux. Voulez-vous le voir, monsieur ?

— Si cela ne vous dérange pas d'aller le chercher, je le verrai avec plaisir.

— J'y cours ; il n'est pas bien gros.

Avant que Mr Audley l'eût remerciée, miss Tonks était sortie de l'appartement.

Comme les femmes sont sans pitié les unes pour les autres, se disait Robert en l'absence de l'institutrice. Miss Tonks devine très bien que mes questions cachent un danger quelconque. Elle flaire le malheur qui menace son ancienne compagne, et elle m'aide de son mieux. Qu'est-ce donc qu'un monde où les femmes conduisent tout à notre place ? Helen Maldon, lady Audley, Clara Talboys, et maintenant miss Tonks – rien que des femmes depuis le commencement jusqu'à la fin.

Miss Tonks rentra pendant que Robert méditait sur l'infamie de ses pareilles. Elle apportait un carton à chapeau tout démantibulé, qu'elle soumit à l'examen de Robert.

Mr Audley s'agenouilla pour examiner les imprimés de chemin de fer et les adresses collées sur le carton. Évidemment il avait couru les chemins de fer et longtemps voyagé, ce carton. Plusieurs adresses avaient été déchirées, mais il en restait des fragments, et sur un bout de papier jaune, Robert lut ces lettres : TURI.

Ce carton a été en Italie, pensa-t-il. Voilà les quatre premières lettres du mot Turin sur un imprimé étranger.

La seule adresse qui n'avait pas été effacée ou déchirée était la dernière ; elle portait le nom de miss Graham se rendant à Londres. En regardant attentivement cette adresse, Robert s'aperçut qu'elle était collée par-dessus une autre.

— Voulez-vous avoir l'obligeance de me faire apporter un peu d'eau et une éponge ? dit-il à Mrs Vincent. Je veux enlever l'adresse du dessus. Croyez bien que j'ai le droit d'agir de la sorte.

Miss Tonks s'empressa d'aller chercher un verre d'eau et une éponge.

— Dois-je ôter l'adresse ? proposa-t-elle.

— Non, merci, répondit Robert froidement, je le ferai moi-même.

Il mouilla soigneusement le papier pour décoller les bords et, après deux ou trois tentatives infructueuses, il réussit à l'enlever sans déchirer l'adresse du dessous.

Miss Tonks ne put parvenir à lire cette adresse par-dessus l'épaule de Robert, malgré toute l'habileté qu'elle déploya dans ce but.

Mr Audley recommença l'opération pour l'adresse inférieure, la détacha du carton et la glissa soigneusement entre deux feuilles blanches de son carnet.

— Il est inutile que je vous dérange plus longtemps, mesdames, dit-il quand il eut fini. Je vous suis très obligé des renseignements que vous m'avez fournis, et j'ai l'honneur de vous saluer.

Mrs Vincent sourit, salua et murmura quelques paroles polies sur le plaisir que lui avait procuré la visite de Mr Audley. Miss Tonks, plus rusée, remarqua avec étonnement le changement visible qui s'était opéré sur la figure du jeune homme depuis qu'il avait détaché la dernière adresse.

Robert s'éloigna lentement d'Acacia Cottage.

Si ce que j'ai trouvé aujourd'hui n'est pas une preuve pour un jury, pensait-il, cela suffira certainement pour prouver à mon oncle qu'il a épousé une femme rusée et méprisable.

28

En commençant par l'autre bout

Robert Audley marchait lentement sous les arbres sans feuilles, et il songeait à la découverte qu'il venait de faire.

Ce que j'ai dans ma poche, calculait-il, est l'anneau qui rattache la femme dont George Talboys a appris le décès dans le *Times* à celle qui est maintenant toute-puissante dans la maison de mon oncle. L'histoire de Lucy Graham débute brusquement au seuil de l'établissement de Mrs Vincent. Elle est entrée chez la maîtresse de pension au mois d'août 1854. Mrs Vincent et miss Tonks n'ont pu me dire d'où elle venait ni me fournir un seul renseignement sur sa vie antérieure. Que faut-il donc que je fasse si je veux tenir la promesse que j'ai faite à Clara Talboys ?

Il fit quelques pas en agitant cette question dans son esprit. Les ombres du soir qui descendaient lentement sur sa figure ajoutaient encore à l'expression douloureuse de sa physionomie. Son cœur se serrait sous le poids du chagrin et de la crainte.

Mon devoir est tout tracé, songeait-il, quoique pénible… Il n'en est pas moins clair, il me conduit fatalement à porter la ruine et la désolation chez ceux que j'aime. Il faut que je commence par l'autre bout… oui, il faut que je découvre l'histoire d'Helen Talboys depuis le départ de George jusqu'au jour des funérailles dans le cimetière de Ventnor.

Mr Audley monta dans une voiture qui passait et se fit reconduire chez lui. Il arriva à Fig-Tree Court à temps pour écrire quelques lignes à miss Talboys et mettre sa lettre à la poste de St Martin's-le-Grand avant qu'il fût six heures.

Il avait écrit à Clara Talboys pour lui demander le nom du petit port de mer où George avait rencontré le capitaine Maldon et sa fille ; car, malgré l'intimité qui existait entre George Talboys et Robert, ce dernier savait à peine quelques détails insignifiants sur la vie qu'avait menée son ami avant son mariage. George Talboys avait évité toute allusion à l'histoire de cette triste et brève union. Cette courte histoire renfermait trop de souffrances. George devait se reprocher sans cesse cet abandon qui avait dû paraître si cruel à celle qui attendait ! Robert Audley l'avait deviné, et le silence de son ami ne l'avait pas étonné.

La dépêche de Clara Talboys parvint à Fig-Tree Court le lendemain avant midi.

Le nom du port de mer était Wildernsea, dans le Yorkshire.

Une heure après la réception de ce message, Mr Audley arriva à la station de King's-Cross et prit son billet pour Wildernsea. Le train express partait à deux heures moins le quart.

Il traversa, dans son voyage vers le nord, d'immenses plaines où se montrait çà et là quelque verdure. Cette route ne lui était pas familière, et ce paysage monotone l'attrista. Le but de son excursion, qu'il avait sans cesse présent à l'esprit, assombrissait tous les objets qui s'offraient à sa vue.

Il faisait nuit quand le train arriva au débarcadère de Hull ; mais Robert Audley n'était pas au terme de sa course. On le conduisit à moitié endormi, et en compagnie des porteurs chargés du bagage des voyageurs, à un autre train qui devait l'amener à Wildernsea, en passant sur les bords de la mer du Nord.

Une demi-heure après avoir quitté Hull, Robert sentit sur son visage la fraîcheur de la brise de mer qui entrait par une portière ouverte, et au bout d'une heure le train s'arrêta à une gare isolée bâtie au milieu d'un désert de sable et habité par deux ou trois employés, dont l'un fit sonner à toute volée la cloche qui annonçait le train.

Mr Audley fut le seul voyageur qui descendit à cette halte. Le train continua sa marche vers d'autres coins de terre plus riants avant que l'avocat fût revenu à lui et eût ramassé son portemanteau, découvert avec peine au fond d'un wagon plein de bagages et éclairé par une seule lanterne.

Est-ce que les colons de l'Amérique du Nord se trouvent aussi dépaysés que je le suis ce soir ? se demanda-t-il en essayant de voir clair dans les ténèbres.

Il appela un des porteurs et lui montra son portemanteau.

— Voulez-vous me porter cela à l'hôtel le plus proche, et pourrai-je y trouver un lit ?

Le porteur se mit à rire en soulevant le bagage.

— Vous aurez trente lits, si cela vous plaît. Les hôtels de Wildernsea chôment en cette saison. Par ici, monsieur.

Le commis aux bagages ouvrit une porte, et Robert Audley se trouva sur une pelouse qui s'étendait tout autour d'un immense bâtiment dont deux fenêtres seulement étaient éclairées ; et comme elles étaient très loin l'une de l'autre, elles ressemblaient chacune à la lueur rouge d'un phare au milieu de la nuit.

— C'est ici le *Victoria Hotel*, monsieur, lui annonça le porteur. Vous ne sauriez croire combien de monde nous avons eu cet été.

En voyant la pelouse privée de sa verdure, les kiosques en bois déserts et les sombres fenêtres de l'hôtel, il était en effet difficile de s'imaginer que la gaieté pût jamais régner en pareil endroit ; mais Robert Audley écouta de bonne grâce ce qu'il plut au porteur de lui dire et suivit tristement son guide vers une petite porte du grand hôtel. Par cette porte on entrait dans une salle confortable où les visiteurs peu fortunés trouvaient, en été, les rafraîchissements qu'ils désiraient sans être exposés aux regards narquois des garçons en livrée qui se tenaient à l'entrée principale.

Les visiteurs n'étaient pas nombreux à cette époque de l'année, et ce fut le maître d'hôtel lui-même qui introduisit Robert dans un appartement encombré de tables et de fauteuils qu'il appela pompeusement « le salon ».

Mr Audley s'assit à côté du feu et allongea ses jambes de chaque côté du foyer, tandis que le maître d'hôtel enfonçait son tisonnier dans un amas de charbon et en faisait jaillir une flamme réchauffante.

— Si vous préfériez un salon particulier, monsieur…, commença le maître d'hôtel.

— Non, merci, celui-ci me paraît suffisamment désert. Je vous serais obligé de me commander une côtelette de mouton et une pinte de sherry.

— Tout de suite, monsieur.

— Je vous serais encore plus obligé si vous vouliez m'accorder quelques instants de conversation avant de songer à mon dîner.

— Mais avec plaisir, monsieur ; nous voyons si peu de monde en ce moment que nous sommes bien aises de contenter les personnes qui nous arrivent. Désirez-vous des renseignements sur les environs de Wildernsea et les distractions qu'on y trouve ? ajouta le maître d'hôtel, tirant de sa poche, sans y prendre garde, un petit guide de l'endroit qu'il vendait au comptoir… Je serais très heureux de…

— Ce ne sont pas les environs de Wildernsea qui m'intéressent, interrompit Robert, protestant faiblement contre la volubilité du maître d'hôtel. Je veux vous adresser quelques questions sur des personnes qui ont vécu ici autrefois.

Le maître d'hôtel s'inclina en souriant d'un air qui témoignait de toute sa bonne volonté à débiter la biographie de tous les habitants du petit port de mer, si cela pouvait plaire à Mr Audley.

— Depuis combien de temps habitez-vous ici ? demanda Robert, sortant son agenda de sa poche. Cela vous ennuierait-il si je prenais des notes sur vos réponses ?

— Pas le moins du monde, monsieur, reprit le maître d'hôtel, enchanté de la tournure solennelle que Robert donnait à l'affaire. Notez les détails qui peuvent avoir quelque importance pour vous…

— C'est ce que je vais faire…, murmura Robert en interrompant ce flux de paroles. Merci… Vous êtes ici depuis…

— Six ans, monsieur.

— Depuis 53.

— Depuis novembre 1852. J'étais à Hull avant cette époque. Cette maison n'était finie que depuis le mois d'octobre quand j'y entrai.

— Vous souvient-il d'un lieutenant de navire qui était, je crois, en demi-solde à cette époque… Il se nommait Maldon.

— Le capitaine Maldon, monsieur.

— Oui, on l'appelait d'habitude le capitaine Maldon… Je vois que vous vous souvenez de lui.

— Oui, monsieur. C'était un de nos meilleures clients. Il passait toutes ses soirées dans le salon où nous sommes, quoique les murs fussent humides, car nous ne pûmes faire poser les tentures qu'une année après. Sa fille épousa un jeune officier qui vint ici avec son régiment vers Noël, en 1852. Le mariage eut lieu à Wildernsea ; ils passèrent un mois sur le continent et revinrent ensuite. Mais le mari partit pour l'Australie en laissant sa femme une semaine ou deux après qu'elle fut devenue mère. L'affaire fit grand bruit dans Wildernsea, et Mrs… Mrs… j'ai oublié le nom.

— Mrs Talboys.

— C'est cela même, Mrs Talboys. On plaignit beaucoup Mrs Talboys dans Wildernsea, car elle était très jolie et savait se faire aimer de tout le monde.

— Combien de temps Mr Maldon et sa fille restèrent-ils à Wildernsea après le départ de Mr Talboys ? demanda Robert.

— Je ne sais… voyons… ma foi, je ne pourrais vous le dire au juste. Je sais que Mr Maldon racontait à qui voulait l'entendre comment sa fille avait été mal traitée par ce jeune homme en qui il avait toute confiance ; mais j'ignore à quelle époque il quitta Wildernsea… Mrs Barkamb vous le dirait certainement.

— Mrs Barkamb ?

— Oui, Mrs Barkamb, la propriétaire du numéro 17, North Cottages, où habitaient Mr Maldon et sa fille. C'est une femme très polie, et je suis sûr qu'elle vous racontera tout ce que vous lui demanderez.

— Merci, j'irai voir Mrs Barkamb demain… Attendez… encore une question. Reconnaîtriez-vous Mrs Talboys, si vous la voyiez ?

— Sans doute, monsieur, aussi bien qu'une de mes filles.

Robert Audley inscrivit l'adresse de Mrs Barkamb sur son agenda, mangea sa côtelette, but quelques verres de sherry, fuma un cigare et se retira ensuite dans son appartement, où un bon feu avait été allumé.

Il s'endormit promptement : l'agitation des deux jours précédents était en dehors de ses habitudes. Mais son sommeil ne fut pas long. Il entendit le vent gémir sur la vaste étendue des sables du rivage et le clapotement monotone des vagues. Ces bruits étranges, joints aux pensées mélancoliques suggérées par un voyage désagréable, se transformèrent, en reparaissant sans cesse dans son cerveau alourdi, en visions d'objets fantastiques qui n'ont jamais existé et qui avaient cependant quelques vagues liens avec les événements réels dont se souvenait le dormeur.

Dans ces rêves pénibles, il vit Audley Court arraché aux verts pâturages et aux ombrages du comté d'Essex, transplanté sans tous ses accessoires sur cette plage déserte et menacé par les vagues mugissantes qui semblaient prêtes à l'engloutir. À mesure que les vagues s'approchaient de plus en plus de la demeure, le dormeur aperçut une figure pâle au milieu de l'écume argentée, et il reconnut milady qui, transformée en sirène, attirait son oncle vers l'abîme. Au-delà des eaux, des nuages gigantesques plus noirs que l'encre et plus épais que les ténèbres apparaissaient aux yeux du rêveur ; mais pendant qu'il regardait cet horizon étrange, ces nuages précurseurs de la tempête disparurent peu à peu, et un rayon de lumière vint danser sur les vagues hideuses qui se retirèrent lentement sans entraîner la maison loin du bord.

Robert s'éveilla avec le souvenir de ce rêve et éprouva une sensation de bien-être, car le poids immense qui oppressait sa poitrine venait d'être ôté.

Il se rendormit ensuite et ne s'éveilla que lorsque le pâle soleil d'hiver pénétra dans sa chambre à travers les persiennes. La voix aiguë d'une servante vint retentir à sa porte en annonçant qu'il était huit heures et demie passées. À dix heures moins le quart il avait quitté le *Victoria* et cheminait sur un quai solitaire en face des habitations qui se dressaient sur le bord de la mer.

Ces maisons carrées s'étendaient jusqu'au petit port dans lequel deux ou trois vaisseaux marchands et des bateaux à charbon se trouvaient à l'ancre. Au-delà du port se dessinaient les murs grisâtres d'une caserne séparée de Wildernsea par une crique et reliée par un pont en fer. L'habit rouge de la sentinelle qui se promenait entre deux canons postés aux angles du mur était le seul objet de couleur qui relevât la teinte grise des maisons et de la mer.

D'un côté du port, une longue jetée s'avançait dans la mer. On l'aurait crue bâtie pour quelque Timon moderne, trop misanthrope pour se contenter de la solitude de Wildernsea et désireux de s'éloigner plus encore de ses semblables.

C'était sur cette jetée que George Talboys avait rencontré sa femme pour la première fois, pendant que le soleil charmait la vue et que la musique du régiment déchirait les oreilles. C'était là que le jeune cornette s'était laissé aller pour la première fois à cette douce illusion qui avait exercé sur sa vie une si fatale influence.

Robert contempla d'un air hargneux la ville solitaire et le port miniature.

Et dire, pensa-t-il, qu'un pareil endroit suffit pour conduire un homme vigoureux à sa ruine ! Il vient ici le cœur vide et heureux, et sans plus d'expérience de la femme qu'on ne peut en acquérir à une exposition de fleurs ou à un bal. Il ne la connaît pas plus que les satellites des planètes les plus reculées ; il sait vaguement que c'est un bouton qui tourbillonne en robe bleu ou violette et une poupée gracieuse bonne à faire ressortir le talent d'une couturière. Il arrive ici ou dans quelque autre endroit du même genre, et l'univers se rétrécit tout à coup ; l'immensité du monde se condense en une centaine de mètres, et toute la création se renferme dans une boîte de carton. Les femmes belles et jeunes qu'il a vaguement entrevues dans le délire de son imagination sont là sous ses yeux, et avant qu'il ait le temps de revenir de son égarement, le charme a commencé, le cercle magique est tracé autour de lui, les enchantements se préparent, toutes les puissances de la sorcellerie sont en jeu, et la victime ne peut pas plus s'échapper que le prince aux jambes de marbre dans le conte oriental.

En ruminant de la sorte, Robert atteignit la maison qui lui avait été désignée comme celle de Mrs Barkamb. Il fut introduit aussitôt par une servante âgée et à figure sèche dans un salon où se trouvait Mrs Barkamb, bonne vieille de 60 ans qui se chauffait au coin d'un maigre feu. Un vieux terrier à poil noir et gris dormait sur ses genoux.

Tout dans l'appartement avait un air de vétusté, d'ordre et de confort annonçant le calme extérieur.

J'aimerais vivre ici, se dit Robert, et contempler la mer qui roule ses flots gris sous ce ciel calme et sombre. J'aimerais vivre ici pour prier et me repentir dans cette paisible retraite.

Il s'assit dans un fauteuil en face de celui de Mrs Barkamb, sur l'invitation de cette dame, et posa son chapeau par terre. Le terrier quitta les genoux de sa maîtresse et aboya devant le chapeau pour exprimer l'ennui qu'il lui causait.

— Je suppose, monsieur, que vous désirez louer un… sois sage, Dash… un des cottages, dit Mrs Barkamb, dont l'esprit n'allait pas au-delà d'un cercle très étroit et qui depuis vingt ans ne songeait qu'aux locations.

Robert Audley expliqua le but de sa visite :

— Je viens vous faire une seule question. Je veux savoir la date précise où Mrs Talboys a quitté Wildernsea. Le propriétaire du *Victoria* m'a conseillé de m'adresser à vous.

Mrs Barkamb réfléchit quelques instants.

— Je puis vous donner la date du départ de Mr Maldon, car il a quitté le numéro 17 en me devant beaucoup d'argent, et j'ai tout cela par écrit ; quant à Mrs Talboys…

Mrs Barkamb s'arrêta un moment avant de continuer :

— Vous savez que Mrs Talboys est partie précipitamment ?

— Je l'ignorais.

— Ah ! oui, elle partit précipitamment, la pauvre petite femme ! Elle avait essayé de gagner sa vie, après la fuite de son mari, en donnant des leçons de musique ; elle était bonne pianiste, et elle réussissait assez bien, mais je crois que son père lui prenait son argent et le dépensait au café. Quoi qu'il en soit, ils eurent un jour une explication sérieuse, et le lendemain, Mrs Talboys quitta Wildernsea en laissant son enfant qui était en nourrice dans les environs.

— Et vous ne sauriez me dire la date de son départ ?

— Je crains bien que non… Cependant, attendez. Le capitaine Maldon m'écrivit le jour même du départ de sa fille. Il avait du chagrin, le pauvre homme, et il venait toujours à moi quand il était triste. Si je trouvais sa lettre… elle est peut-être datée… Pensez-vous qu'elle le soit ?

Mr Audley répondit que c'était probable.

Mrs Barkamb se dirigea vers un secrétaire à côté de la fenêtre et l'ouvrit après avoir enlevé la serge verte qui le couvrait. Ce secrétaire était bourré de papiers qui s'échappaient en tous sens des casiers. Des lettres, des reçus, des notes, des inventaires étaient entassés pêle-mêle, et ce fut parmi ces documents que Mrs Barkamb tenta de retrouver la lettre du capitaine Maldon.

Mr Audley attendit patiemment en suivant de l'œil les nuages grisâtres qui couraient dans le ciel et les navires qui sillonnaient la mer.

Après dix minutes de recherche et un grand bouleversement dans tous ses papiers, Mrs Barkamb poussa un cri de triomphe.

— J'ai la lettre, et elle renferme un billet de Mrs Talboys !

La figure pâle de Robert Audley se colora d'une vive rougeur pendant qu'il tendait la main pour recevoir ce document.

La personne qui a volé chez moi les lettres d'amour d'Helen Maldon dans la malle de George aurait pu s'épargner cette peine, songea-t-il.

La lettre du vieux lieutenant n'était pas longue, mais presque tous les mots en étaient soulignés.

Ma généreuse amie, écrivait le capitaine, *je suis* au désespoir. *Ma fille m'a* quitté. *Vous devez* vous imaginer ma douleur. *Nous avons eu quelques mots hier soir à propos d'argent. Cette maudite question d'argent a toujours amené des* désagréments entre nous… *et ce matin, en me levant, je me suis vu* abandonné. *Le billet d'Helen ci-inclus m'attendait sur la table du salon.*

À vous dans ma douleur et mon désespoir,

Henry Maldon.

North Cottages, 16 août 1854.

Le billet de Mrs Talboys était encore plus concis. Il commençait ainsi sans préambule :

Je suis fatiguée de la vie que je mène ici, et je veux, si je peux, en trouver une plus agréable. Je vais courir le monde après avoir brisé tous les liens qui me rattachent à un passé odieux, et j'espère me faire une autre famille et une autre position. Pardonnez-moi mes caprices, mes bouderies. Vous devez me pardonner, car vous savez pourquoi *j'ai agi de la sorte. Vous connaissez le* secret *qui explique ma vie.*

Helen Talboys.

Ces lignes avaient été écrites par une main que Robert ne connaissait que trop bien.

Il réfléchit pendant longtemps à la lettre d'Helen Talboys. Que signifiaient ces deux dernières phrases : « *Vous devez me pardonner, parce que vous savez* pourquoi *j'ai agi de la sorte. Vous connaissez le* secret *qui explique ma vie.* »

Il mit son cerveau à la torture pour trouver un sens à ces deux phrases. Il ne se rappelait rien, il n'imaginait rien qui pût lui en donner l'explication. Le départ d'Helen, d'après la lettre du capitaine Maldon, datait du 16 août 1854. Miss Tonks avait déclaré que Lucy Graham était entrée à Crescent Villas le 17 ou le 18 août de la même année. Entre la fuite d'Helen Talboys de chez son père et l'arrivée de Lucy Graham à l'école de Brompton, il ne s'était pas écoulé plus de quarante-huit heures.

C'était un anneau bien mince dans la chaîne de l'évidence, mais c'était pourtant un anneau, et qui tenait convenablement sa place.

— Mr Maldon reçut-il des nouvelles de sa fille après qu'elle eut quitté Wildernsea ? demanda Robert.

— Je crois que oui, répondit Mrs Barkamb, mais je ne vis plus guère le vieux capitaine à partir de ce mois d'août. Je fus obligée de faire saisir ses effets en novembre, le pauvre diable, car il me devait le loyer de quinze mois, et ce ne fut que de cette manière que je parvins à le déloger de chez moi. Nous nous séparâmes en bons amis malgré cette petite exécution, et le capitaine se rendit à Londres avec l'enfant, qui avait tout au plus un an.

Mrs Barkamb n'avait plus rien à dire, et Robert plus rien à demander. Il obtint la permission de garder les deux lettres et quitta la maison en les emportant dans son portefeuille.

Il revint tout droit à l'hôtel juste à l'heure du déjeuner. Un express pour Londres partait à une heure un quart. Robert envoya son portemanteau à la station, paya sa note et se promena sur le quai en face de la mer en attendant le départ du train.

J'ai découvert l'histoire de Lucy Graham et d'Helen Talboys autant que faire se pouvait, pensait-il ; il me reste maintenant à découvrir celle de la femme qui est enterrée dans le cimetière de Ventnor.

29

Caché dans la tombe

À son retour de Wildernsea, Robert Audley trouva chez lui une lettre de sa cousine Alicia.

Papa va beaucoup mieux, écrivait la jeune fille, *et il désire vous voir au château. Pour un motif que je ne m'explique pas, ma belle-mère s'est mis en tête que votre présence était nécessaire ici et me fatigue de ses questions frivoles sur tous vos mouvements. Venez donc sans retard pour faire cesser ces inquiétudes. Votre cousine affectionnée,*

A. A.

Ainsi donc, mes mouvements préoccupent milady, se dit Robert en réfléchissant, la pipe à la bouche, au coin du feu. Elle est inquiète et questionne sa belle-fille avec ses jolies manières enfantines qui ont une charmante apparence d'innocente frivolité. Pauvre petite femme, pauvre pécheresse à la chevelure dorée, la lutte entre nous me semble terriblement inégale. Pourquoi ne fuit-elle pas lorsqu'il en est temps encore ? Je l'ai pourtant bien avertie. Je lui ai montré les cartes de mon jeu et j'ai joué à découvert avec elle. Pourquoi ne s'en va-t-elle pas ?

Il se répéta cette question à plusieurs reprises en fumant sa pipe et s'entourant de la fumée bleuâtre, jusqu'à ce qu'il eût l'air de quelque magicien moderne au milieu de son laboratoire.

Pourquoi ne fuit-elle pas ?… Sur cette maison moins que sur toute autre, je ne voudrais attirer la foudre. Je veux seulement remplir mes devoirs envers mon ami disparu et envers cet homme brave et généreux qui a donné sa confiance à cette femme indigne. Le ciel m'est témoin que je ne désire pas le châtiment. Je ne suis pas né pour être un redresseur de torts et le persécuteur des méchants. Je ne demande qu'à remplir mon devoir. Je l'avertirai une fois encore, ouvertement et en termes précis, et puis…

Ses pensées s'envolèrent vers ce sombre avenir où pas un rayon de lumière ne brillait au sein des ténèbres qui l'entouraient de toutes parts, et où l'espérance ne pouvait pénétrer. Il serait à tout jamais hanté par la vision des angoisses de son oncle, à tout jamais torturé par l'idée de cette ruine et de cette désolation qui, sans être occasionnées par lui, sembleraient son œuvre. Mais la main de Clara Talboys était là, menaçante, et d'un geste impérieux elle l'attirait vers la tombe inconnue de son frère.

Irai-je à Southampton, se demanda-t-il, essayer d'apprendre l'histoire de la femme morte à Ventnor ? Agirai-je par ruse en corrompant les misérables qui ont participé au crime, jusqu'à ce que je trouve le fil qui me guidera vers celle qui l'a préparé ? Non ! pas avant d'avoir cherché la vérité à l'aide d'autres moyens. Irai-je voir ce misérable vieillard et l'accuser d'avoir trempé dans le complot dont mon ami a sans doute été la victime ? Non ! je ne veux plus le torturer comme je l'ai fait il y a quelques semaines. Je m'adresserai à la directrice du complot et je lui arracherai ce beau voile sous lequel elle cache sa laideur morale. Elle sera forcée de me livrer le secret du sort de mon ami, et je la chasserai pour toujours de cette maison qu'elle a souillée par sa présence.

Il partit le lendemain de bonne heure pour le comté d'Essex et arriva à Audley avant onze heures.

Bien qu'il fût matin, milady était déjà sortie. Elle était allée à Chelmsford faire des emplettes avec sa belle-fille. Elle avait plusieurs visites à rendre dans les environs de la ville et ne reviendrait que vers l'heure du dîner. La santé de sir Michael s'était améliorée et il descendrait dans l'après-midi. Mr Robert pouvait le voir dans sa chambre si cela lui plaisait.

Non, Robert ne se souciait pas de rencontrer ce généreux parent. Qu'aurait-il à lui dire ? Comment adoucir les souffrances qui allaient l'atteindre ? Comment diminuer la force du coup qui allait briser ce cœur noble et confiant ?

Il prévint le domestique de son oncle qu'il allait faire un tour au village et qu'il reviendrait à l'heure du dîner. Il s'éloigna lentement du château et se promena sans but dans les prairies qui séparaient l'habitation de son oncle du village. Les noirs soucis qui troublaient sa vie se lisaient sur sa figure.

Je vais entrer dans le cimetière, se dit-il, et contempler les pierres tumulaires. Rien ne peut me rendre plus triste que je le suis.

Il se trouvait dans ces mêmes prairies qu'il avait traversées en courant à la gare, en cette journée de septembre où George Talboys avait disparu. Il regarda le sentier qu'il avait suivi ce jour-là, il se souvint de la rapidité de sa course et du vague sentiment de terreur qui s'était emparé de lui en ne retrouvant pas son ami.

D'où provenait cette terreur ? pensait-il. Pourquoi ai-je vu du mystère dans la disparition de George ? Était-ce pressentiment ou monomanie ! Si je me trompais, après tout ? si toutes ces preuves que j'amasse une à une ne surgissaient que de ma folie ? si cet édifice d'horreur et de soupçons n'était qu'un assemblage de bizarreries suggérées par l'hypocondrie ? Mr Harcourt Talboys ne trouve aucune signification à tous ces événements qui ont enfanté pour moi un affreux mystère. Je lui ai montré un à un les anneaux de ma chaîne, et il a refusé de reconnaître qu'ils s'agençaient parfaitement. Ô mon Dieu, si c'était moi le seul coupable ! si… Il sourit avec amertume et secoua la tête. J'ai en poche, continua-t-il, un écrit qui sert de preuve irrécusable… il ne me reste qu'à explorer le côté le plus sombre du secret de milady.

Il évita le village et suivit le chemin de la prairie. L'église se trouvait un peu en arrière de la rue principale, et par une porte en bois grossièrement façonnée on débouchait du cimetière sur un grand pré que bordait un ruisseau d'eau vive qui descendait en pente douce dans un vallon où venaient paître les troupeaux du voisinage.

Robert gravit à pas lents le sentier qui menait à la porte du cimetière. Le calme de cet endroit était en harmonie avec sa tristesse. Un vieillard qui cheminait péniblement vers une barrière à l'autre bout du pré fut le seul être humain que le jeune avocat aperçut. La fumée qui s'échappait des cheminées des maisons éparpillées le long de la grande rue était la seule preuve visible de la présence de ses semblables autour de lui, et sans le mouvement des aiguilles de la vieille horloge de l'église, il aurait pu croire que le temps avait cessé de marcher pour le village d'Audley.

Pendant que Robert ouvrait la porte du cimetière et entrait dans le petit enclos, il entendit tout à coup le son d'un orgue qui arrivait jusqu'à lui par une fenêtre entrouverte dans la nef du bâtiment. Il s'arrêta et écouta l'harmonie d'une mélodie rêveuse qui ressemblait à une improvisation de quelque pianiste accompli.

Qui aurait jamais cru qu'Audley possédât un orgue pareil ? pensa Robert. La dernière fois que je suis venu ici, le maître d'école qui accompagnait le chant des enfants ne m'avait pas laissé soupçonner que cet instrument fût si bon.

Il demeura immobile auprès de la porte, ne voulant pas rompre le charme opéré par la monotone mélancolie du jeu de l'organiste. La voix de l'instrument, tantôt pleine comme le mugissement de la tempête, tantôt faible et douce comme le souffle de la brise, avait sur lui une influence qui calmait sa douleur.

Il ferma doucement la porte et traversa le chemin caillouté qui s'étendait devant la porte de l'église. Cette porte avait été laissée entrouverte, par l'organiste peut-être. Robert l'ouvrit entièrement, entra sous le porche carré d'où partait un escalier en pierre qui menait à l'orgue et au beffroi. Mr Audley ôta son chapeau et ouvrit la porte de communication entre l'intérieur de l'église et le porche. Il marcha doucement dans le saint lieu en se dirigeant vers la grille de l'autel, et quand il fut arrivé là, il examina l'église en tous sens. La petite galerie où se trouvait l'orgue était en face de lui, mais les rideaux verts qui masquaient l'instrument étaient tirés, et il ne put voir l'exécutant.

La musique continuait toujours. L'organiste venait de se lancer dans une mélodie de Mendelssohn dont la tristesse allait au cœur de Robert. Il visita les coins et recoins de l'église et contempla les reliques des morts, qu'il avait presque oubliés en écoutant cette musique.

Si mon pauvre ami George Talboys était mort dans mes bras et que je l'eusse enseveli dans cette église à l'écart de tous les bruits du monde et sous une des voûtes que je foule aux pieds, que de tourments et d'hésitations je me fusse épargnés ! pensait Robert en déchiffrant les inscriptions à moitié effacées des tablettes de marbre sans couleur. Sa destinée m'aurait été connue, j'aurais su où il reposait. Ah ! c'est cette misérable incertitude et les horribles soupçons qu'elle fait naître qui empoisonnent ma vie.

Il regarda sa montre.

— Une heure et demie, murmura-t-il. Il faudra que j'attende quatre ou cinq mortelles heures avant que milady soit de retour de ses visites… Ses visites du matin… ses jolies visites de cérémonie et d'amitié ! Grand Dieu, quelle comédienne que cette femme ! Quelle habile trompeuse ! Elle connaît toutes les roueries du mensonge. Mais elle ne jouera pas plus longtemps la comédie sous le toit de mon oncle. J'ai assez parlementé. Elle a dédaigné un avertissement indirect. Ce soir, je parlerai clairement.

La musique cessa, et Robert entendit fermer l'instrument.

— Il faut que je voie le nouvel organiste qui vient enterrer son talent à Audley et jouer les plus belles fugues de Mendelssohn à raison de quinze ou seize livres par an.

Il se planta au milieu du porche, attendant que l'organiste eût descendu l'escalier tortueux. Dans son état d'esprit et avec la perspective de s'ennuyer pendant plusieurs heures, Robert était bien aise de trouver une distraction, quelque futile qu'elle fût. Il se laissa donc aller librement à sa curiosité au sujet du nouvel organiste.

La première personne qui parut sur les marches inégales de l'escalier fut un enfant en pantalon de velours et chemise de lin, qui faisait grand bruit avec ses souliers ferrés et avait la figure encore toute rouge de la fatigue que lui avait valu le soin de gonfler la soufflerie du vieil orgue. Derrière cet enfant venait une jeune femme vêtue très simplement d'une robe de soie noire et d'un grand châle gris. À la vue de Robert Audley, elle tressaillit et devint pâle.

Cette jeune femme était Clara Talboys.

C'était bien la dernière personne au monde que Robert escomptât voir. Elle lui avait dit qu'elle allait rendre visite à quelques amis qui habitaient le comté d'Essex, mais le comté était grand et le village d'Audley un des plus reculés et des moins fréquentés. L'idée que la sœur de son ami perdu se trouvait là, qu'elle pouvait surveiller tous ses mouvements et en arriver à savoir ce qui le préoccupait fut pour lui une difficulté nouvelle à laquelle il ne s'attendait guère. Cette complication lui remit en mémoire ce moment où, convaincu de son impuissance, il s'était écrié : « Une main plus forte que la mienne me fait signe du doigt d'avancer sur la route sinistre qui mène à la tombe de mon ami perdu ! »

Clara Talboys fut la première à parler :

— Vous êtes surpris de me voir ici, Mr Audley ?

— Très surpris, en effet.

— Je vous ai dit que j'allais dans le comté d'Essex. Je suis partie avant-hier, quelques instants après l'arrivée de votre dépêche télégraphique. L'amie avec laquelle je demeure est Mrs Martyn, la femme du nouveau recteur de Mount Stanning. Je suis descendue ce matin pour voir l'église et le village, et comme Mrs Martyn devait visiter l'école avec le curé et sa femme, je me suis arrêtée ici à essayer l'orgue. J'ignorais, avant de venir ici, qu'il y eût un village portant le nom d'Audley. Je suppose que ce nom lui vient de votre famille.

— Je crois que oui, répondit Robert, émerveillé du calme de la jeune fille en face de son embarras. Je me rappelle vaguement avoir entendu conter l'histoire de quelque ancêtre qui se nommait Audley d'Audley, sous le règne d'Edward IV. La tombe qui se trouve dans le chœur appartient à l'un des chevaliers d'Audley ; mais je n'ai jamais pris la peine de m'informer de ses exploits. Est-ce que vous attendez vos amis ici, miss Talboys ?

— Oui, ils reviendront ici me prendre après leur tournée.

— Et vous retournez avec eux à Mount Stanning cet après-midi ?

— Oui.

Robert tenait son chapeau à la main et regardait, sans les voir, les pierres tumulaires rangées contre le mur très peu élevé du cimetière. Clara Talboys regarda sa figure pâle et contractée par la tension continuelle de son esprit.

— Vous avez été malade depuis que je ne vous ai vu, Mr Audley ? dit-elle d'une voix douce et harmonieuse, comme l'orgue sous ses doigts.

— Non ; seulement j'ai été vivement préoccupé par des doutes, des incertitudes fatigantes.

Il songeait en lui parlant : jusqu'où vont ses suppositions, où s'arrêtent ses soupçons ?

Il lui avait raconté l'histoire de la disparition de George et ses soupçons à lui, en n'omettant que les noms des personnes impliquées dans le mystère ; peut-être cette jeune fille voyait-elle clair dans toute cette trame et gardait-elle pour elle ce qu'il n'avait pas jugé à propos de lui dire.

Les yeux pensifs de Clara Talboys étaient fixés sur lui, et il comprenait qu'elle cherchait à pénétrer ses plus secrètes pensées.

Que suis-je dans ses mains ? se dit-il. Que suis-je pour cette femme qui a la physionomie de mon ami perdu et les manières de Pallas Athéné ? Elle voit toutes mes hésitations, elle scrute une à une toutes mes pensées à l'aide du charme magique de ses grands yeux bruns. Le combat ne peut être égal entre nous, et je ne serai jamais vainqueur en luttant contre sa beauté et sa pénétration.

Mr Audley se préparait, en toussant légèrement, à dire adieu à sa belle compagne et à fuir sa présence, qu'il redoutait, en regagnant la prairie solitaire, lorsque Clara Talboys l'arrêta pour lui parler précisément de ce qu'il voulait éviter le plus :

— Vous m'avez promis de m'écrire, Mr Audley, si vous découvriez quelque chose qui pût éclairer le mystère de la disparition de mon frère. Vous ne m'avez pas écrit. Je suppose donc que vous n'avez rien découvert.

Robert Audley resta un moment silencieux. Comment répondre ?

— La chaîne qui unit la destinée de votre frère à la personne que je soupçonne se compose d'anneaux bien légers, répondit-il après une pause. Je crois que j'ai ajouté un autre anneau à cette chaîne depuis que je vous ai vue dans le Dorsetshire.

— Et vous refusez de m'informer de votre découverte ?

— Tant que je n'en saurai pas plus long.

— J'ai supposé, d'après votre dépêche, que vous vous étiez rendu à Wildernsea.

— C'est vrai.

— Ah ! serait-ce là que vous avez trouvé quelque chose ?

— Oui. Vous devez vous rappeler, miss Talboys, que tous mes soupçons reposent sur l'identité de deux personnes qui n'ont aucun rapport apparent. Le complot dont votre frère a, je crois, été la victime n'a pas d'autre raison d'être. Si sa femme, Helen Talboys, mourut quand les journaux ont annoncé sa mort ; si la femme qui repose sous la pierre du cimetière de Ventnor est réellement celle dont le nom est gravé sur cette pierre, je ne suis sur la voie d'aucune découverte. Je vais tenter d'en avoir le cœur net prochainement. Je suis à même d'agir avec beaucoup d'audace, et j'arriverai sans doute à connaître la vérité.

Il parlait à voix basse et d'un ton solennel qui laissait percer son émotion. Miss Talboys lui tendit sa main dégantée et la plaça dans la sienne. Le contact de cette main froide et fine le fit tressaillir des pieds à la tête.

— Vous ne voulez pas que la mort de mon frère reste à tout jamais un mystère, Mr Audley, dit-elle tranquillement. Je sais que vous ferez votre devoir envers votre ami.

La femme du recteur et ses deux compagnons entrèrent à ce moment dans le cimetière. Robert Audley serra la main qui touchait la sienne et la porta à ses lèvres.

— Je suis un être indolent et bon à peu de chose, miss Talboys ; mais si je pouvais ramener votre frère George à la vie et au bonheur, je me préoccuperais fort peu du sacrifice de mes sentiments. Je crains malheureusement d'arriver seulement à savoir ce qu'il est devenu, et pour cela faire, il me faudra sacrifier ce que j'ai de plus cher au monde.

Il mit son chapeau et disparut par la porte vers la prairie, à l'instant où Mrs Martyn apparaissait sous le porche.

— Quel est ce beau jeune homme que j'ai surpris en *tête-à-tête** avec vous, Clara ? lui demanda-t-elle en riant.

— C'est Mr Audley, un ami de mon pauvre frère.

— Ah ! c'est sans doute quelque parent de sir Michael Audley ?

— Sir Michael Audley ?

— Mais oui, ma chère, le personnage le plus important de la paroisse. Nous irons le voir dans quelques jours, et je vous présenterai au baronnet et à sa charmante femme, qui est toute jeune.

— Toute jeune ! répéta Clara Talboys, regardant son amie d'un air sérieux. Est-ce que sir Michael est marié depuis peu ?

— Oui. Il est resté veuf pendant seize ans et a épousé, il y a bientôt deux ans, une institutrice qui n'avait pas un sou vaillant. C'est tout à fait romanesque, et lady Audley est regardée comme la plus belle femme du comté. Mais nous nous attardons, Clara ; venez donc. Le cheval est fatigué d'attendre, et nous avons une longue course à faire avant dîner.

Clara Talboys prit place dans le petit char à bancs qui attendait à la porte du cimetière, sous la garde de l'enfant qui avait soufflé l'orgue. Mrs Martyn s'empara des rênes, et le vigoureux cheval partit au grand trot dans la direction de Mount Stanning.

— Racontez-moi ce que vous savez de cette lady Audley, Fanny, dit miss Talboys après une longue pause. J'ai besoin de savoir tout ce qui la concerne. Connaissez-vous son nom de jeune fille ?

— Oui, elle se nommait miss Graham.

— Et est-elle très jolie ?

— Oh ! très jolie. Pourtant c'est une beauté enfantine. Elle a de grands yeux bleus très clairs et des cheveux d'un blond cendré qui bouclent naturellement et retombent gracieusement sur ses épaules.

Clara Talboys gardait le silence. Elle n'adressa plus d'autres questions au sujet de milady. Elle songeait à un passage d'une lettre qu'elle avait reçue pendant la lune de miel de George, dans laquelle il écrivait : *Ma petite femme, qui n'est qu'une enfant, regarde par-dessus mon épaule pendant que j'écris ceci. Ah ! combien je voudrais que tu la visses, Clara ; ses yeux sont bleus et clairs comme le ciel par un beau jour d'été, et ses cheveux, qui retombent autour de sa figure, entourent sa tête d'une pâle auréole semblable à celle de la madone dans les tableaux italiens.*

30

Dans l'allée des tilleuls

Robert Audley se promenait sur la vaste pelouse située devant Audley Court, au moment où la voiture ramenant milady et Alicia passa sous l'arche et vint s'arrêter à la porte basse de la tour. Mr Audley eut le temps d'accourir pour aider les dames à descendre.

Milady était fort jolie avec son élégant chapeau bleu et les fourrures que son neveu avait achetées pour elle à Saint-Pétersbourg. Elle parut très contente de voir Robert et lui adressa un sourire charmant en lui tendant sa petite main gantée.

— Ainsi vous êtes de retour, déserteur, lui dit-elle en riant. Eh bien, maintenant que nous vous tenons, nous vous garderons prisonnier. N'est-ce pas, Alicia, qu'il n'aura pas de sitôt la clef des champs ?

Miss Audley fit un mouvement de tête plein de dédain, et ce mouvement agita les boucles épaisses de ses cheveux sous son chapeau d'amazone.

— Je n'ai rien à voir avec les actions d'un être aussi fantasque ; puisque Robert Audley s'est mis en tête de se conduire comme les héros des ballades allemandes qui sont possédés du démon, je renonce à le comprendre.

Mr Audley regarda sa cousine avec un air moitié sérieux, moitié amusé.

C'est une charmante jeune fille, pensa-t-il, mais elle m'ennuie. Sans que je sache pourquoi, elle m'ennuie chaque jour davantage.

Il tordit sa moustache en cherchant la solution de ce problème, et pendant un instant son esprit oublia le grand but de sa vie pour s'occuper de ce sujet moins important.

Oui, elle est aimable, elle a bon cœur, elle a d'excellentes qualités, et pourtant…

Il se perdit dans un océan de doutes et de perplexités. Il y avait en lui quelque chose qu'il ne pouvait comprendre, quelque changement qui ne tenait pas à la disparition de George et qui le déroutait.

— Voudriez-vous nous dire où vous avez passé vos deux dernières journées, Mr Audley ? demanda milady pendant qu'elle attendait avec sa belle-fille que Robert s'écartât du seuil pour leur livrer passage.

Le jeune homme tressaillit à cette question et regarda aussitôt son interlocutrice. Quelque chose dans l'aspect de cette beauté brillante, quelque chose dans son expression enfantine semblait le frapper au cœur et le faire pâlir pendant qu'il la contemplait.

— J'ai été dans… le Yorkshire, au petit port de mer qu'habitait à l'époque de son mariage mon pauvre ami George Talboys.

La figure de milady changea de couleur à ces mots. Elle essaya de sourire et tenta de forcer le passage gardé par le neveu de son mari sans avoir l'air d'entendre.

— Il faut que je m'habille pour dîner, je dois me rendre à une invitation ; laissez-moi entrer, Mr Audley.

— Accordez-moi une demi-heure d'entretien, répondit Robert à voix basse, je ne suis venu ici que pour vous parler.

— De quoi ? demanda milady.

Elle était remise de l'émotion violente qu'elle venait d'éprouver, et ce fut d'un ton naturel qu'elle posa cette question. Sa figure exprimait plutôt la curiosité et l'étonnement d'une enfant qui cherche à deviner que la sérieuse surprise d'une femme.

— Que pouvez-vous avoir à me dire, Mr Audley ?

— Je m'expliquerai quand nous serons seuls, répondit Robert, jetant un regard sur sa cousine qui se tenait un peu en arrière et surveillait ce petit dialogue confidentiel.

Il est amoureux de la beauté de cire de ma belle-mère, pensa Alicia, et c'est pour l'amour d'elle qu'il a perdu l'esprit. Il est tout à fait le genre de personnage à tomber amoureux de sa tante.

Miss Audley se dirigea vers la pelouse en tournant le dos à son cousin et à milady.

Le malheureux est devenu aussi blanc qu'une feuille de papier quand il l'a vue, songeait-elle. Ce morceau de glace qu'il appelle son cœur a donc battu une fois dans un quart de siècle. Il paraît qu'il lui faut une poupée aux yeux bleus pour le mettre en mouvement. Il y a longtemps que j'aurais renoncé à lui si j'avais su que son idéal de beauté pouvait se rencontrer dans un magasin de jouets d'enfants.

La pauvre Alicia traversa la pelouse et disparut du côté opposé du quadrilatère, où se trouvait une porte gothique qui communiquait avec les écuries. J'avoue avec douleur que la fille de sir Michael Audley alla chercher des consolations auprès de son chien César et de sa jument brune Atalante, qui recevait chaque jour les visites de sa maîtresse.

— Voulez-vous venir dans l'allée des tilleuls, lady Audley ? dit Robert quand sa cousine eut quitté le jardin. Je désire vous parler sans crainte d'être dérangé, et je ne pense pas qu'il y ait d'endroit plus convenable que celui-là. Voulez-vous me suivre ?

— Comme il vous plaira…

Robert s'aperçut que milady tremblait et qu'elle regardait de tous côtés, comme quelqu'un qui cherche à s'échapper.

— Vous frissonnez, lady Audley ?

— Oui, j'ai froid. J'aimerais tout autant remettre cet entretien à un autre jour. Demain, si vous voulez. Je dois m'habiller pour dîner et voir sir Michael, que j'ai quitté ce matin à dix heures. Remettons cela à demain, voulez-vous ?

Le ton de milady était péniblement plaintif. Le cœur de Robert en fut ému de pitié. D'horribles images s'offrirent à son esprit en regardant cette tête jeune et belle et en songeant à la tâche qu'il devait accomplir.

— Il faut que je vous parle, lady Audley. Si je suis cruel, c'est vous qui en êtes cause. Vous auriez pu éviter ce désagrément, ne plus me revoir, je vous avais avertie. Vous avez préféré me défier, et c'est votre faute si je suis sans pitié. Venez, je vous répète qu'il faut que je vous parle.

La détermination froide qui perçait dans ces paroles fit taire les objections de milady. Elle le suivit sans mot dire à une petite porte en fer qui communiquait avec le long jardin derrière la maison, où se trouvait un petit pont rustique par lequel on arrivait à l'allée des tilleuls, de l'autre côté de la mare.

Le crépuscule d'hiver, qui vient de si bonne heure, commençait à tout envahir, et les branches des arbres, qui s'enchevêtraient, se dessinaient en noir sur le ciel gris et froid. L'allée des tilleuls vue à pareille heure ressemblait à un cloître.

— Pourquoi m'amenez-vous dans cet endroit où j'ai peur ? dit milady d'un ton boudeur. Vous savez bien que je suis nerveuse.

— Vraiment, vous êtes nerveuse, milady ?

— Oh ! affreusement. Je suis une vraie fortune pour le pauvre Mr Dawson. Il passe sa vie à m'expédier du camphre, des sels volatils, de la lavande rouge et toutes sortes de drogues abominables qui ne me guérissent pas.

— Vous souvient-il de ce que Macbeth disait à son médecin, milady ? demanda Robert d'une voix grave. Mr Dawson a beau être plus habile que le médecin écossais, il ne peut rien contre un esprit troublé.

— Qui vous a dit que mon esprit était troublé ?

— Moi. Vous m'avouez que vous êtes nerveuse et que tous les remèdes ne vous font aucun effet. Laissez-moi être votre médecin, lady Audley ; je déracinerai le mal. Le ciel m'est témoin que je ne suis pas impitoyable. Je vous épargnerai autant qu'il sera en mon pouvoir ; mais il faut que justice soit faite aux autres… il faut que justice soit faite. Voulez-vous que je vous dise pourquoi vous êtes nerveuse dans cette maison, milady ?

— Si vous pouvez, répliqua-t-elle avec un petit éclat de rire.

— Parce que pour vous cette maison est hantée.

— Hantée !

— Oui, hantée par l'esprit de George Talboys.

Robert Audley entendit la respiration précipitée de milady ; il lui sembla même qu'il entendait les battements rapides de son cœur pendant qu'elle frissonnait à côté de lui et qu'elle ramenait avec soin autour d'elle son manteau de fourrure.

— Que voulez-vous dire ? s'écria-t-elle tout à coup après quelques instants de réflexion. Pourquoi me tourmentez-vous au sujet de ce George Talboys qui a eu l'idée de vous fuir pendant quelques mois ? Êtes-vous fou, Mr Audley, et me choisissez-vous pour victime de votre monomanie ? Qu'est donc pour moi que ce George Talboys, pour que vous me poursuiviez de son nom ?

— Vous était-il complètement étranger, milady ?

— Sans doute ! Que vouliez-vous qu'il fût d'autre pour moi qu'un étranger ?

— Dois-je vous raconter l'histoire de la disparition de mon ami, milady, demanda Robert ?

— Non. Je ne veux rien savoir de votre ami. S'il est mort, j'en suis fâchée ; s'il vit, je ne veux ni le voir ni entendre parler de lui. Laissez-moi aller voir mon mari, Mr Audley ; je ne crois pas que vous ayez l'intention de me faire mourir de froid ici.

— J'ai l'intention de vous retenir jusqu'à ce que j'aie tout dit, lady Audley, répondit résolument Robert ; je ne prendrai que le temps nécessaire. Quand j'aurai parlé, vous saurez ce que vous avez à faire.

— Très bien, alors ; ne perdez pas de temps, reprit milady avec insouciance. Je vous écoute patiemment.

— Lorsque mon ami George Talboys revint en Angleterre, commença gravement Robert, la pensée qui le préoccupait le plus était celle de sa femme.

— Qu'il avait abandonnée, dit milady avec vivacité.

Je crois, du moins, ajouta-t-elle après réflexion, que vous nous avez dit quelque chose de ce genre en nous parlant de votre ami.

Robert Audley ne prit pas garde à cette interruption.

— La pensée qui le préoccupait le plus était celle de sa femme, répéta-t-il. Sa plus chère espérance était de la rendre heureuse et de dépenser pour elle la fortune qu'il avait conquise en Australie. Je le vis quelques heures après son débarquement en Angleterre, et je fus témoin de toute sa joie à l'idée de son retour. Je fus témoin aussi du coup violent qu'il reçut en plein cœur – et qui le changea aussi complètement qu'un homme peut être changé du jour au lendemain. Ce coup cruel fut la nouvelle du décès de sa femme, annoncé par le *Times*. Je crois maintenant que cette nouvelle était un horrible mensonge.

— Ah ! Et quelle raison pouvait-on avoir pour annoncer la mort de Mrs Talboys, si elle était encore vivante ?

— Mrs Talboys elle-même avait des raisons pour cela.

— Quelles raisons ?

— Ne pouvait-elle avoir profité de l'absence de George pour trouver un mari plus riche ? Et puisqu'elle était remariée, ne devait-elle pas souhaiter que son ancien mari, mon pauvre ami, perdît sa trace ?

Lady Audley haussa les épaules.

— Vos suppositions sont absurdes, Mr Audley, et j'espère que vous les appuyez sur quelques preuves.

— J'ai parcouru un à un tous les journaux publiés à Chelmsford et à Colchester, répondit Robert sans s'arrêter à cette question, et j'ai trouvé dans une des feuilles publiques de Colchester, en date du 2 juillet 1857, un article annonçant que Mr George Talboys, un Anglais, était arrivé à Sydney, apportant des pépites et de la poudre d'or pour vingt mille livres, avait réalisé sa fortune et pris passage pour Liverpool sur le clipper *l'Argus*. Cette annonce, lady Audley, n'est sans doute pas grand-chose :

mais elle prouve pourtant que toute personne résidant dans le comté d'Essex, en juillet 1857, pouvait être informée du prochain retour de George Talboys. Suivez-vous mon raisonnement ?

— Pas très bien ; qu'ont de commun les journaux d'Essex avec la mort de Mrs Talboys ?

— Nous allons y arriver petit à petit, milady. Je crois, ai-je dit, que l'annonce du *Times* était fausse et faisait partie du complot fomenté par Helen Talboys et le lieutenant Maldon contre mon pauvre ami.

— Un complot !

— Oui, un complot tramé par une femme adroite, qui avait spéculé sur la mort probable de son mari et s'était assuré une belle position au risque de commettre un crime ; par une femme audacieuse qui a cru pouvoir remplir son rôle jusqu'au bout sans être découverte ; par une femme méchante qui n'a pas songé à toute la douleur de l'honnête homme qu'elle trompait en jouant sa vie à un jeu de hasard où elle se figurait qu'avec les cartes majeures on gagnait. Elle a oublié pourtant, cette femme si rusée, que la Providence met à nu le cœur des coupables et ne permet pas que leurs secrets restent longtemps cachés. Si la femme dont je parle n'avait jamais commis de crime plus noir que celui de la fausse annonce dans le *Times*, je la regarderais déjà comme la plus méprisable de son sexe, pour cet infâme calcul. Ce terrible mensonge était un coup de poignard donné par-derrière par un lâche assassin.

— Mais comment savez-vous que l'annonce était fausse ? Vous nous avez dit que vous étiez allé à Ventnor avec George Talboys, voir la tombe de sa femme. Qui donc était enterré à Ventnor, si ce n'était pas elle ?

— Ah ! lady Audley, dit Robert, voilà une question à laquelle deux ou trois personnes seulement pourraient répondre, et, avant peu, il faudra bien que l'une d'elles m'avoue ce secret. Je vous déclare, milady, que je suis résolu à éclaircir le mystère de la disparition de George

Talboys. Croyez-vous donc que des dénégations et des artifices de femme m'écarteront de mon chemin ? Non ! j'amasse petit à petit les preuves du crime, et je ne tarderai pas à les réunir en un faisceau terrible. Croyez-vous que je me laisserai bafouer et que je ne découvrirai pas ce qui me manque ? Non, lady Audley, et je réussirai, car *je sais où trouver les renseignements dont j'ai besoin* ! Il y a dans Southampton une femme aux cheveux blonds magnifiques, une femme nommée Plowson, qui est au courant des secrets du beau-père de mon ami. J'ai idée qu'elle m'aidera à découvrir l'histoire de la femme enterrée à Ventnor, et je ferai tout pour y parvenir, à moins que…

— À moins que quoi ? demanda lady Audley avec empressement.

— À moins que la femme que je veux sauver de la honte et du châtiment n'accepte ma miséricorde et ne profite de mes avertissements pendant qu'il en est temps encore.

Milady haussa gracieusement les épaules, et ses beaux yeux bleus lancèrent un regard de défi.

— Il faudrait qu'elle fût bien niaise pour se laisser influencer par de pareilles absurdités. Vous êtes malade, Mr Audley, et vous avez besoin de camphre, de sel volatil et de lavande rouge. Qu'y a-t-il de plus ridicule que l'idée qui s'est logée dans votre tête ? Vous perdez votre ami George Talboys d'une façon un peu mystérieuse – ou, plutôt, il plaît à ce monsieur de quitter l'Angleterre sans vous en prévenir, et vous trouvez cela étonnant ! N'avez-vous pas avoué vous-même que la mort de sa femme l'avait changé ? Il était devenu excentrique et misanthrope, il était complètement indifférent à ce qui se passait autour de lui. Pourquoi, dès lors, la vie civilisée ne l'aurait-elle pas dégoûté au point de le faire repartir pour l'Australie et y chercher une distraction à sa douleur ? Ce serait là un fait un peu romanesque, mais qui n'a rien d'extraordinaire. Au lieu de vous contenter de cette simple interprétation, vous inventez quelque absurde complot qui n'a jamais existé que dans votre cerveau en délire. Helen Talboys est morte. Le *Times* a annoncé sa mort. Son père vous l'a déclarée. La pierre tumulaire du cimetière de Ventnor porte la date de son enterrement. De quel droit, s'écria milady élevant la voix à ce diapason criard qui indique une vive émotion, de quel droit, Mr Audley, venez-vous me tourmenter au sujet de George Talboys ? De quel droit osez-vous affirmer que sa femme est encore vivante ?

— En vertu du droit qui m'est conféré par l'évidence, lady Audley, répondit Robert, en vertu de ces preuves indestructibles qui désignent souvent la personne qu'on était bien loin de soupçonner tout d'abord.

— Quelles preuves ?

— Celles du temps et du lieu. Celles de l'écriture. Lorsqu'Helen Talboys quitta la maison de son père à Wildernsea, elle a laissé derrière elle une lettre dans laquelle elle avouait qu'elle était lasse du genre de vie qu'elle menait et qu'elle voulait chercher ailleurs une famille nouvelle et la fortune. Cette lettre est en ma possession.

— Vraiment !

— Faut-il vous dire à quelle écriture celle d'Helen Talboys ressemble si bien que l'expert le plus habile ne verrait aucune différence entre les deux ?

— Une ressemblance entre deux écritures n'a rien d'extraordinaire de nos jours, répondit milady avec indifférence. Je pourrais vous montrer des autographes d'une demi-douzaine de mes correspondantes et vous défier d'y voir grande différence.

— Mais si l'écriture n'était pas ordinaire, si elle offrait des particularités qui peuvent la faire reconnaître entre mille ?

— Alors la coïncidence serait assez curieuse ; mais ce serait une simple coïncidence. Pouvez-vous nier la mort d'Helen Talboys parce que son écriture ressemble à celle d'une personne vivante ?

— Et si une série de coïncidences pareilles conduisaient au même résultat ? Helen Talboys a quitté la maison de son père, au dire de sa lettre, parce qu'elle était fatiguée de sa vie d'autrefois et qu'elle voulait en commencer une nouvelle. Savez-vous ce que je conclus de cela ?

Milady fit un mouvement d'épaules.

— Je ne m'en doute pas le moins du monde… Vous m'avez retenue dans cette allée désagréable pendant assez longtemps, permettez-moi de rentrer m'habiller.

— Non, lady Audley, reprit Robert avec une sévérité tellement étrange qu'elle le rendait un autre homme, quelque chose comme un grand juge, un instrument de supplice pour le coupable ; non, lady Audley, je vous ai dit que vos mensonges étaient inutiles, je vous répète maintenant que vous ne gagnerez rien à me braver. J'ai agi loyalement avec vous, je vous ai avertie indirectement il y a deux mois du danger que vous couriez.

— Que voulez-vous dire ?

— Vous n'avez pas voulu profiter de cet avertissement, lady Audley, et le moment est venu où je dois vous parler ouvertement. Pensez-vous que les moyens dont vous vous êtes servie pour enchaîner la fortune vous sauveront du châtiment ? Non, milady, votre jeunesse, votre beauté, votre grâce et votre élégance ne rendront que plus horrible le secret de votre vie. Je vous déclare qu'il ne me manque plus qu'une preuve pour vous faire condamner, et cette preuve je l'aurai. Helen Talboys n'est jamais retournée chez son père. Quand elle abandonna son pauvre vieux père, elle annonça clairement son intention de fuir à tout jamais les ennuis du passé. Que font généralement les gens qui veulent recommercer la vie sur un autre pied, en se débarrassant des entraves qui les gênaient ? *Ils changent de nom*, lady Audley. Helen Talboys quitta son fils tout enfant ; elle s'enfuit de Wildernsea avec l'intention bien arrêtée de détruire son identité. Elle disparut comme Helen Talboys le 16 août 1854, et le 17 du même mois elle reparut sous le nom de Lucy Graham, la jeune fille sans amis qui consentit à travailler presque pour rien, à condition qu'on ne la questionnât pas.

— Vous êtes fou, Mr Audley ! s'écria milady, vous êtes fou, et mon mari me protégera contre votre insolence. Cela prouve-t-il quelque chose, que je sois entrée dans une pension le lendemain du jour où Helen Talboys avait abandonné sa famille ?

— Le fait en lui-même ne prouve pas grand-chose ; mais quand on le rattache à d'autres…

— Quels autres ?

— Deux adresses collées l'une sur l'autre sur un carton laissé par vous chez Mrs Vincent. La première portait le nom de miss Graham, et celle de dessous celui de Mrs George Talboys.

Milady se taisait. Robert ne pouvait voir sa figure dans l'obscurité, mais il distinguait très bien ses deux petites mains appuyées avec force sur son cœur et il comprit que le trait avait porté.

Que Dieu lui pardonne, pensa-t-il, à cette pauvre malheureuse créature. Elle sait maintenant qu'elle est perdue. Les juges de mon pays éprouvent-ils les mêmes émotions que moi quand ils mettent leur toque noire et condamnent à mort le coupable qui ne leur a jamais fait aucun mal ? Est-ce une indignation vertueuse qu'ils ressentent ou bien cette angoisse poignante qui me torture en face de cette femme sans appui ?

Il marcha pendant quelques minutes à côté de milady. Ils avaient monté et descendu l'avenue obscure et se trouvaient maintenant tout près d'un bosquet sans feuillage, à un bout de l'allée des tilleuls – le bosquet où se cachait le puits en ruines sous des ronces entrelacées.

Un sentier tortueux, complètement négligé et à moitié obstrué par les herbes parasites, conduisait à ce puits. Robert abandonna l'allée et prit ce sentier. Il faisait plus clair dans le bosquet que dans l'avenue, et Mr Audley voulait voir le visage de milady.

Il ne dit pas un mot jusqu'à ce qu'ils fussent arrivés sur un tertre gazonné à côté du puits. Les briques de la construction en ruine étaient tombées çà et là, et des fragments de maçonnerie étaient enfouis sous les ronces. Les poteaux qui avaient soutenu la chaîne étaient encore debout, mais la barre en fer qui les reliait avait été arrachée et jetée à quelques pas du puits, où elle rouillait dans le sable.

Robert Audley s'appuya contre un des poteaux couverts de mousse et regarda sa compagne, qui lui sembla fort pâle à la lueur du crépuscule d'hiver. La lune venait de se lever, son disque lumineux apparaissait dans le ciel gris, et sa lumière fantastique se confondait avec les derniers rayons du jour. Le visage de milady ressemblait en tous points à celui de la sirène que Robert avait vue surgir au sein des vagues furieuses et entraîner son oncle à sa perte.

— Ces deux adresses sont en ma possession, reprit-il. Je les ai enlevées du carton laissé par vous à Crescent Villas, en présence de Mrs Vincent et de miss Tonks. Avez-vous quelque chose à dire contre cette preuve ? Vous me déclarez que vous êtes Lucy Graham et que vous n'avez rien de commun avec Helen Talboys. En ce cas vous produirez des témoins qui justifieront de vos antécédents. Où habitiez-vous avant de vous montrer à Crescent Villas ? Vous deviez avoir des parents, des amis, des connaissances qui pourront comparaître et témoigner en votre faveur. Eussiez-vous été la femme la plus abandonnée de toute la terre, il vous serait toujours possible de faire constater votre identité par quelqu'un.

— Oui, s'écria milady, si j'étais au banc des assises, je produirais des témoins qui réfuteraient vos absurdes accusations ! Mais comme je n'y suis pas, Mr Audley, je me contente de rire de votre folie. Je vous déclare que vous êtes fou. Si cela vous plaît de proclamer qu'Helen Talboys n'est pas morte et que c'est moi qui suis Helen Talboys, vous êtes libre, ne vous gênez pas. Si vous trouvez bon d'aller partout où j'ai vécu et où a vécu Mrs Talboys, allez ; mais je vous préviens que de pareilles fantaisies ont plus d'une fois conduit des personnes, en apparence aussi raisonnables que vous, à un enfermement perpétuel dans une maison de fous.

Robert Audley tressaillit et recula de quelques pas au milieu des broussailles en entendant milady parler ainsi.

Elle est capable de commettre n'importe quel crime pour se mettre à l'abri des conséquences du premier, se dit-il, elle pourrait bien user de son influence sur mon oncle pour m'envoyer dans un asile d'aliénés.

Je ne dis pas que Robert Audley fut un poltron, mais j'avoue qu'un frisson d'horreur, ressemblant beaucoup à de la peur, lui glaça le sang quand il se remémora tous les forfaits commis par des femmes depuis le jour où Ève fut créée pour servir de compagne à Adam dans le paradis terrestre. Si l'infernal talent de dissimulation de cette femme allait être plus fort que la vérité et le briser lui aussi ? Elle n'avait pas épargné George Talboys quand il s'était trouvé sur son chemin et l'avait menacé ; l'épargnerait-elle, lui qui la menaçait d'un danger bien plus terrible ? Les femmes ont-elles autant de pitié et d'amour que de grâce et de beauté ? N'a-t-il pas existé un certain Masers de Latude qui, ayant eu le malheur d'offenser la belle Mme de Pompadour, expia par un emprisonnement à vie cette folie de jeunesse ? Il s'échappa deux fois de prison et y fut ramené deux fois. En comptant sur la générosité tardive de sa belle ennemie, il s'était livré à sa haine implacable.

Robert Audley regarda la figure pâle de la femme à côté de lui. À la vue de ses beaux yeux bleus dont l'ardeur avait quelque chose de dangereux, il se rappela une foule d'histoires sur la perfidie des femmes et tressaillit en reconnaissant que peut-être la lutte ne serait pas égale entre eux. Je lui ai montré mes cartes, se dit-il, et je n'ai pas vu les siennes. Le masque qu'elle porte sera difficile à enlever. Mon oncle me croira fou avant de la croire coupable.

La pâle figure de Clara Talboys, cette figure grave et sérieuse, d'un caractère si différent de la beauté fragile de milady, se dressa devant lui.

Quel poltron je suis de penser à moi et au danger que je cours ! pensa-t-il. Plus je vois cette femme, plus je redoute son influence sur ceux qui l'entourent. C'est une raison pour l'éloigner d'ici.

Il regarda autour de lui dans le clair-obscur. Le jardin isolé était aussi calme qu'un cimetière entouré de murs et caché bien loin des regards des vivants.

C'est quelque part dans ce jardin qu'elle a rencontré George Talboys le jour de sa disparition. Où peuvent-ils s'être rencontrés ? se demanda-t-il. Je voudrais bien savoir en quel endroit il a fixé ses yeux sur cette figure cruelle et lui a reproché sa fausseté.

Milady, la main appuyée sur le poteau opposé à celui contre lequel s'adossait Robert, soulevait avec son pied les longues herbes autour d'elle et surveillait attentivement son ennemi.

— C'est donc un duel à mort entre nous, milady, dit Robert d'un ton solennel. Vous refusez mon avertissement. Vous ne voulez pas fuir à l'étranger et vous repentir de votre crime, loin du noble vieillard que vous avez trompé et ensorcelé. Vous préférez rester ici et me défier.

— Je le préfère…, répondit lady Audley, levant la tête et regardant bien en face le jeune avocat. Ce n'est pas ma faute si le neveu de mon mari devient fou et me prend pour victime de sa monomanie.

— Qu'il en soit donc ainsi, milady. Mon ami George Talboys a été vu pour la dernière fois quand il est entré dans ce jardin, par la petite porte en fer là-bas. Il demandait à vous voir. Il est entré ici, et nul ne l'en a vu sortir ; je crois même qu'il n'en est pas sorti. Je crois qu'il a trouvé la mort dans ce coin de terre et que son cadavre est caché au fond de la mare ou dans quelque oubliette.

Je ferai faire des recherches. La maison sera renversée, les arbres déracinés, et je découvrirai la tombe de mon ami assassiné.

Lady Audley poussa un cri d'effroi, leva ses bras au-dessus de sa tête d'un air de désespoir, mais ne répondit pas à son terrible accusateur. Ses bras retombèrent lentement, et elle demeura immobile, les yeux fixés sur Robert. Sa figure blanche était visible dans l'obscurité, et ses yeux flamboyaient.

— Vous ne vivrez pas assez longtemps pour cela, dit-elle. *Je vous tuerai auparavant*. Pourquoi m'avez-vous tourmentée de la sorte ? Pourquoi ne m'avez-vous pas laissée seule. Quel mal vous ai-je fait, *à vous*, pour que vous me persécutiez et que tous mes mouvements, mes regards soient surveillés ? Voulez-vous me rendre folle ? Savez-vous ce que c'est que de lutter avec une folle ? Non ! s'écria milady avec un éclat de rire, vous ne le savez pas, sans cela vous ne voudriez pas…

Elle s'arrêta brusquement et se releva de toute sa hauteur. Ce mouvement fut exactement le même que celui que Robert avait vu faire au vieux lieutenant, à demi ivre ; il avait la même dignité, la même souffrance sublime.

— Allez-vous-en… Mr Audley, allez-vous-en… vous êtes fou… vous êtes fou…

— Je m'en vais, milady. Par pitié pour votre douleur, je vous eusse pardonné vos crimes. Vous avez refusé mon pardon. Je voulais avoir compassion des vivants. Dorénavant je ne me souviendrai plus que de mon devoir envers les morts.

Il s'éloigna du puits solitaire et se dirigea vers l'allée des tilleuls. Milady le suivit lentement le long de la sombre avenue et sur le pont rustique. Au moment où il traversait la petite porte en fer, Alicia sortit de la salle à manger par une porte qui ouvrait de plain-pied à l'un des angles de la maison et rencontra son cousin.

— Je vous ai cherché partout, Robert ; papa est descendu à la bibliothèque et vous verra avec plaisir.

Le jeune homme tressaillit au son de la voix fraîche et jeune de sa cousine.

Ciel ! se dit-il, ces deux femmes sont-elles de la même argile ? Cette jeune fille au cœur franc et généreux, qui ne peut maîtriser aucun de ses bons sentiments, est-elle de chair et d'os comme cette misérable dont l'ombre s'allonge derrière moi ?

De sa cousine, son regard se reporta sur lady Audley qui se tenait près de la porte, à attendre qu'il la laissât passer.

— Je ne sais ce qu'a votre cousin, ma chère Alicia, dit milady, il est si distrait et si excentrique que je ne le comprends pas.

— Ah ! s'écria miss Audley ; pourtant, si j'en juge par la longueur de votre *tête-à-tête**, vous avez fait votre possible pour cela.

— Oh, oui ! dit Robert tranquillement, nous nous comprenons à merveille, milady et moi. Mais il se fait tard, mesdames, et je vous souhaite le bonsoir. Je passerai la nuit à Mount Stanning, où j'ai quelque chose à faire, et demain je descendrai voir mon oncle.

— Comment, Robert, vous vous en allez sans voir papa ?

— Mais oui, ma chère cousine, je suis préoccupé d'une affaire désagréable que j'ai à cœur, et je préfère ne pas voir mon oncle. Bonsoir, Alicia, je viendrai demain, ou j'écrirai.

Il serra la main de sa cousine, s'inclina devant lady Audley et enfila l'avenue par laquelle on arrivait au château.

Milady et Alicia le suivirent de l'œil aussi longtemps qu'elles purent l'apercevoir.

— Au nom du ciel, qu'est-ce qu'a mon cousin Robert ? s'écria miss Audley avec impatience quand celui-ci eut disparu. Que signifient tous ces va-et-vient ? Une affaire désagréable qui le préoccupe ? Allons donc ! C'est plutôt quelque malheureux client qui est venu le prier de plaider pour lui et qui l'a rendu maussade en le forçant à reconnaître qu'il n'entend rien à son métier.

— Avez-vous étudié le caractère de votre cousin, Alicia ? demanda milady d'un ton sérieux après un temps d'arrêt.

— Étudié son caractère ? ma foi, non ! Pourquoi ? il n'est pas nécessaire de l'étudier longtemps pour s'apercevoir que c'est un paresseux, un sybarite, un égoïste qui ne se soucie de rien au monde, excepté de son bien-être.

— Ne l'avez-vous jamais jugé excentrique ?

— Excentrique ? répéta Alicia en relevant ses lèvres vermeilles d'un air de dédain et haussant les épaules, peut-être bien… c'est l'excuse dont on se sert d'habitude pour les personnes de ce genre. Je pense donc que Robert est excentrique.

— Ne l'avez-vous pas entendu parler de son père et de sa mère ? Vous les rappelez-vous ?

— Je n'ai jamais vu sa mère. C'était une miss Dalrymple, une éblouissante jeune fille qui se fit enlever par mon oncle et perdit ainsi une très jolie fortune. Elle mourut à Nice avant que Robert eût atteint sa cinquième année.

— Vous ne connaissez aucun détail sur elle ?

— Qu'entendez-vous par « détail » ?

— Avez-vous entendu dire qu'elle était excentrique… ce qu'on appelle *timbrée ?*

— Oh, non ! ma tante avait bien toute sa raison, bien qu'elle eût fait un mariage d'amour. Et puis, comme je n'étais pas née lorsqu'elle mourut, je n'ai jamais été fort curieuse d'en apprendre bien long sur son compte.

— Et votre oncle, vous en souvient-il ?

— Mon oncle Robert ? oh ! très bien.

— Était-il excentrique ? Je veux dire, avait-il, comme votre cousin, des habitudes bizarres.

— Oui, je crois que Robert a hérité de son père toutes ses idées absurdes. Mon oncle était aussi indifférent que mon cousin pour tous ses semblables, mais personne ne le contrariait là-dessus, parce qu'en somme il était bon père, bon mari et bon maître.

— Mais il était excentrique.

— Oui, c'était du moins ce qu'on trouvait.

— Ah ! je me le disais bien. Savez-vous, Alicia, que la folie se transmet plus souvent de père en fils que de père en fille, et de mère en fille que de mère en fils ? Votre cousin Robert Audley est fort bel homme et a, je crois, un bon cœur, mais il faut qu'on le surveille, Alicia, car il est *fou.*

— Fou ! s'écria miss Audley avec indignation, vous rêvez, à coup sûr… ou… ou… ou bien vous voulez m'effrayer, ajouta la jeune fille, alarmée.

— Je veux seulement vous mettre sur vos gardes, Alicia. Mr Audley peut n'être qu'excentrique, comme vous dites, mais il m'a parlé ce soir de manière à m'épouvanter, et je crois qu'il devient fou. J'en causerai sérieusement avec sir Michael dès ce soir.

— Vous en parlerez à papa… Eh ! mais non… N'allez pas lui faire de la peine.

— Je me contenterai de le mettre en garde, Alicia.

— Il ne vous croira pas… cette idée le fera rire.

— Oh ! que non, Alicia, il croira tout ce que je lui dirai, répondit milady avec un sourire plein de douceur.

31

Préparation du terrain

Lady Audley passa du jardin dans la bibliothèque, charmante salle boisée en chêne où sir Michael aimait à lire, à écrire et à régler ses comptes avec son intendant, solide campagnard moitié agriculteur, moitié agent d'affaires, qui régissait une petite ferme à quelques miles d'Audley Court.

Le baronnet était assis dans un grand fauteuil auprès du feu. La flamme brillante du foyer s'élevait et retombait, mettant en relief tantôt les saillies luisantes des rayons pleins de livres, tantôt les reliures rouges et or, et quelquefois même faisant étinceler le casque athénien d'une Pallas en marbre ou le front de la statue de sir Robert Peel.

La lampe sur la table n'avait pas encore été allumée, et sir Michael était assis à la lueur du foyer, attendant l'arrivée de sa jeune femme.

Il m'est impossible de dire quelle était la pureté de son amour généreux ; il m'est impossible de décrire cette affection qui était aussi tendre que celle d'une jeune mère pour son premier-né, aussi noble et chevaleresque que la passion héroïque de Bayard pour sa maîtresse souveraine.

La porte s'ouvrit pendant qu'il songeait à sa femme bien-aimée, et en levant la tête, le baronnet aperçut sa forme gracieuse debout sur le seuil.

— Comment, ma charmante ! vous arrivez seulement ? s'écria-t-il pendant que sa femme fermait la porte derrière elle et s'avançait vers son fauteuil. Je songe à vous et je vous attends depuis une heure. Où avez-vous été et qu'avez-vous fait ?

Milady, debout dans l'ombre de l'appartement, s'arrêta quelques instants avant de répondre :

— J'ai été à Chelmsford faire des emplettes, et…

Elle hésita, roulant les rubans de son chapeau entre ses doigts blancs et délicats d'un air d'embarras tout à fait ravissant.

— Et qu'avez-vous fait, ma chère, depuis votre arrivée de Chelmsford ? J'ai entendu une voiture s'arrêter à la porte il y a une heure ; n'était-ce pas la vôtre ?

— Oui, je suis revenue il y a une heure, répondit-elle, toujours avec le même air embarrassé.

— Et comment avez-vous employé votre temps depuis votre retour ?

Sir Michael Audley adressa cette question avec un ton légèrement empreint de reproche. La présence de sa jeune femme était le soleil de sa vie, et quoiqu'il ne voulût pas l'enchaîner à ses côtés, il souffrait à l'idée qu'elle pouvait passer son temps loin de lui à quelque occupation frivole.

— Qu'avez-vous fait depuis votre retour ici ? répéta-t-il ; qui vous a retenue si longtemps loin de moi ?

— J'ai causé avec... avec... Mr Robert Audley.

Elle roulait et déroulait toujours entre ses doigts les rubans de son chapeau, et sa pose embarrassée n'avait pas changé.

— Robert ! s'écria le baronnet, Robert est-il ici ?

— Il y était tout à l'heure.

— Et il y est toujours, je suppose ?

— Non, il est parti.

— Parti ! s'écria sir Michael ; que voulez-vous dire, ma chère ?

— Je veux dire que votre neveu est venu au château cet après-midi. Alicia et moi nous l'avons trouvé errant dans les jardins. Il y a un quart d'heure, il me parlait encore, puis il est parti sans autre explication que quelques mots d'excuse à propos d'une affaire à Mount Stanning.

— Une affaire à Mount Stanning ! Quelle diable d'affaire peut-il avoir dans cet endroit écarté ? Il est allé y coucher, alors ?

— Il me semble qu'il a annoncé quelque chose de ce genre.

— Ma parole, je crois que ce garçon est à moitié fou.

La figure de milady était tellement dans l'ombre que sir Michael n'aperçut pas le changement subit qui s'opéra sur cette pâle physionomie, quand il fit cette observation si commune. Un sourire de triomphe illumina la figure de

Lucy Audley, et ce sourire disait à ne pas s'y méprendre : « Il y vient… il y vient ; je le tourne du côté qu'il me plaît. Je puis lui présenter du noir et lui dire que c'est du blanc, il me croira. »

Mais sir Michael Audley, en déclarant que l'esprit de son neveu était dérangé, se servait d'une locution qui est connue pour avoir très peu de portée. Le baronnet n'avait pas, il est vrai, en bien grande estime l'habileté de Robert pour les affaires de la vie quotidienne. Il regardait depuis longtemps son neveu comme une nullité douée d'un bon cœur, comme un homme auquel la nature n'avait refusé aucune des qualités généreuses qu'elle peut prodiguer, mais dont le cerveau avait été oublié, lors de la distribution des qualités de l'esprit. Sir Michael faisait là une erreur très commune chez ces observateurs qui ne se donnent pas la peine d'aller plus loin que la surface. Il prenait l'indolence pour l'incapacité. Il croyait que, parce que son neveu était nonchalant, il était forcément stupide, et il concluait que si Robert ne brillait pas, c'était parce qu'il ne le pouvait pas.

Il oubliait les Milton qui meurent inconnus et sans avoir publié leurs poèmes, faute de cette persévérance obstinée, de ce courage aveugle que tout poète doit posséder pour trouver un éditeur ; il oubliait les Cromwell qui voient le beau vaisseau de l'économie politique ballotté sur une mer de confusion et sombrer dans une tempête au milieu de cris impuissants, sans pouvoir arriver au gouvernail ou même envoyer un bateau de secours au navire qui coule. Assurément, c'est une erreur que de juger de ce qu'un homme peut faire par ce qu'il a déjà fait.

Le Valhalla du monde est un lieu de peu d'étendue, et peut-être les plus grands hommes sont-ils ceux qui succombent silencieusement loin du portail sacré du Paradis. Peut-être les esprits les plus purs et les plus brillants sont-ils ceux qui reculent devant les fatigues du champ de courses, devant le tumulte et la confusion de la mêlée. Le jeu de la vie ressemble un peu à celui de l'*écarté**, où les meilleures cartes restent parfois au talon.

Milady ôta son chapeau et s'assit sur un tabouret recouvert de velours, aux pieds de sir Michael. Il n'y avait rien d'affecté ou d'étudié dans cette attitude enfantine. C'était si naturel chez elle d'être enfant que personne n'aurait souhaité la voir autrement. Il eût été aussi absurde d'attendre de cette sirène à la chevelure d'ambre une réserve digne ou la gravité de la femme, que de demander des notes basses aux trilles aigus de l'alouette.

Elle s'assit en détournant du feu sa figure pâle et en nouant ses deux mains autour du bras que son mari appuyait sur le fauteuil. Elles étaient bien fiévreuses, ces deux mains blanches et effilées. Lady Audley entrelaça ses doigts ornés de bagues en parlant à son mari :

— Je voulais vous voir dès mon retour, mon ami, mais Mr Audley a insisté pour que je l'écoutasse.

— Et à propos de quoi, mon amour ? demanda le baronnet. Qu'est-ce que Robert pouvait avoir à vous dire ?

Milady ne répondit pas à cette question. Sa belle tête s'appuya sur le genou de son mari et ses cheveux bouclés cachèrent sa figure.

Sir Michael releva cette tête charmante et força sa femme à le regarder. La lueur du foyer donnant en plein sur cette figure pâle fit briller les larmes qui aveuglaient les grands yeux bleus si doux et si beaux.

— Lucy !... Lucy !... s'écria le baronnet, qu'est-ce que cela signifie ? Mon amour !... mon amour !... que vous est-il arrivé qui vous chagrine de la sorte ?

Lady Audley essaya de parler, mais les paroles expirèrent sur ses lèvres tremblantes. Une sensation pénible parut étouffer dans son gosier ces paroles fausses et plausibles qui étaient sa seule arme contre ses ennemis. Elle ne pouvait parler. L'angoisse qu'elle avait endurée silencieusement dans l'avenue des tilleuls avait été trop forte pour elle, et elle éclata en sanglots. Ce n'était pas une douleur simulée qui faisait tressaillir son corps gracieux et la secouait, comme une bête fauve à laquelle on retire le morceau de viande qu'on lui a jeté ; c'était une souffrance réelle remplie de terreur, de remords et de désespoir. La faible nature de la femme l'avait emporté sur l'habileté de la sirène.

Ce n'était pas ainsi qu'elle avait eu l'intention de soutenir la terrible lutte engagée entre elle et Robert Audley. Elle avait dédaigné de telles armes, et pourtant aucune des ruses inventées par elle n'aurait pu la servir mieux que cette explosion de douleur véritable. Son mari en ressentit le contrecoup jusqu'au fond de l'âme. Il en fut terrifié, et sa forte intelligence d'homme en devint confuse, égarée. Le côté faible de sa bonne nature reçut le choc, car sir Michael Audley fut frappé dans son affection pour sa femme.

Ah ! que Dieu protège la faiblesse de l'homme fort pour la femme qu'il aime. Que le ciel le prenne en pitié quand la malheureuse l'a trompé et vient tout en larmes se jeter à ses pieds pour implorer son pardon, en le torturant par le spectacle de ses angoisses, de ses sanglots et de ses gémissements. Qu'on lui pardonne, si, rendu fou par cette vue, il hésite un instant et s'avoue prêt à tout oublier et à reprendre sous son égide celle que la voix de l'honneur lui désigne comme indigne de pardon. Pitié pour lui, pitié pour lui ! Les remords les plus poignants de la femme, quand elle se voit sur le seuil de cette maison où peut-être elle n'entrera plus jamais, ne sont pas à la hauteur de la douleur du mari qui referme la porte sur cette figure familière et suppliante. L'angoisse de la mère qui ne peut plus revoir ses enfants est moindre que celle du père qui dit à ces mêmes enfants : « Pauvres petits, dorénavant vous n'aurez plus de mère. »

Sir Michael Audley quitta son fauteuil, tremblant d'indignation, et prêt à se battre immédiatement avec quiconque avait chagriné sa femme.

— Lucy, j'insiste pour que vous me disiez qui vous a fait de la peine. Parlez ; le coupable, quel qu'il soit, me rendra compte de sa conduite. Venez, mon amour, dites-moi de suite ce que c'est.

Il se rassit et se pencha sur la figure inclinée à ses pieds. Il cherchait à calmer sa propre agitation pour adoucir la douleur de sa femme.

— Dites-moi ce que c'est, ma chère, murmura-t-il tendrement.

La crise avait cessé. Milady leva la tête. La lumière étincelait dans les pleurs qui mouillaient encore ses yeux, et les lignes de sa bouche rosée, ces lignes cruelles que Robert Audley avait remarquées dans le portrait préraphaélite, étaient même visibles à la lueur du foyer.

— C'est de l'enfantillage… mais réellement il m'a porté sur les nerfs.

— Qui ?… qui vous a porté sur les nerfs ?

— Votre neveu… Mr Robert Audley.

— Robert ! s'écria le baronnet. Expliquez-vous, Lucy.

— Je vous ai dit que Mr Robert avait insisté pour me conduire dans l'allée des tilleuls. Il voulait me parler, disait-il. J'y ai consenti, et il m'a raconté des choses si horribles, que…

— Quelles choses horribles, Lucy ?

Lady Audley frissonna, et ses doigts se cramponnèrent à la main qui reposait sur son épaule.

— Qu'a-t-il dit, Lucy ?

— Oh ! cher ami, comment vous le répéter ? Je sais que cela vous fera de la peine… ou bien vous rirez de moi, et alors…

— Rire de vous ?… non, Lucy.

Lady Audley garda le silence un moment. Elle contemplait le feu qui brûlait devant elle, et sa main ne quittait pas celle de son mari.

— Mon cher mari, dit-elle lentement, hésitant de temps en temps, comme si elle avait peur de parler, avez-vous jamais… je crains de vous chagriner… ou… avez-vous jamais pensé que Mr Audley fût un peu… un peu…

— Un peu quoi, chère enfant ?

— Un peu fou ? balbutia lady Audley.

— Fou !... s'écria sir Michael. À quoi pensez vous, ma chère fille ?

— Vous avez dit, il n'y a qu'un instant, que vous le croyiez à moitié fou.

— Ai-je dit cela ? reprit le baronnet en riant. Je ne m'en souviens pas, et ce n'était qu'une *façon de parler**. Robert est peut-être bien un peu excentrique... un peu sot même... Il manque de qualités d'esprit, mais je ne lui crois pas assez de cervelle pour devenir fou. Ce sont généralement les grandes intelligences qui se dérangent.

— Mais la folie est parfois héréditaire. Mr Audley a peut-être hérité...

— La folie ne lui est pas venue de son père. Les Audley n'ont jamais peuplé les maisons d'aliénés ou fait vivre les médecins qui s'occupent de cette spécialité.

— Et la famille de sa mère ?

— Non plus, que je sache.

— C'est un secret qui, d'habitude, est gardé soigneusement. La folie existait peut-être dans la famille de votre belle-sœur ?

— Je ne le crois pas ; mais, au nom du ciel, Lucy, dites-moi ce qui vous a mis de pareilles idées en tête ?

— J'ai essayé de comprendre la conduite de votre neveu, et je n'ai pas trouvé d'autre manière de l'expliquer. Si vous aviez entendu ce qu'il m'a dit ce soir, sir Michael, vous l'auriez cru fou.

— Mais que vous a-t-il dit, Lucy ?

— Je puis à peine vous le répéter. Jugez par là de mon étonnement et de mon épouvante. Je crois qu'il a vécu seul trop longtemps dans son triste logement du Temple. Peut-être a-t-il trop lu ou trop fumé. Vous savez que les médecins disent que la folie est une simple maladie du cerveau, une maladie à laquelle tout le monde est sujet, qui est produite par certaines causes et peut être guérie ?

Les yeux de lady Audley étaient toujours fixés sur les charbons enflammés qui brûlaient dans l'immense grille. Elle parlait comme si elle discutait un sujet sur lequel elle avait entendu de longues dissertations. Elle parlait comme si son esprit eût été à cent lieues de la pensée du neveu de son mari et qu'il n'eût été préoccupé que de la question de la folie en elle-même.

— Pourquoi ne serait-il pas fou ? reprit milady. Il y a des personnes qui sont folles pendant des années et des années avant qu'on s'en aperçoive. Elles savent qu'elles sont folles, mais elles n'en disent rien, et quelquefois leur secret meurt avec elles. Quelquefois aussi elles ont un accès de folie, et alors elles se trahissent. Il leur arrive, par exemple, de commettre un crime. L'horrible tentation d'un moment favorable s'empare d'elles, le couteau est dans leurs mains et la victime à leur côté, sans se douter de rien. Il peut se faire alors qu'elles domptent le démon qui les poursuit sans cesse et s'éloignent sans avoir versé le sang ; mais il se peut aussi qu'elles succombent à l'horrible désir qui les pousse à la violence, à l'horreur. Alors elles sont perdues…

La voix de lady Audley devenait de plus en plus forte. L'excitation dont elle était à peine remise se manifestait encore en elle ; mais elle se contint et parla d'un ton plus calme quand elle continua :

— Robert Audley est fou, déclara-t-elle catégoriquement. Quel est le diagnostic le plus frappant de la folie ? quel est le premier signe de l'aliénation mentale ? C'est la stagnation de l'esprit ; son courant perpétuel est interrompu, et la faculté de penser disparaît. De même que les eaux d'un marais se putréfient par suite de leur stagnation, de même l'esprit devient trouble et se corrompt faute d'action, et la réflexion perpétuelle sur un même sujet se change en monomanie. Robert Audley est monomane. La disparition de son ami George Talboys l'a chagriné et stupéfié. Il s'est arrêté sur cette idée, au point d'en perdre la faculté de penser à autre chose ; et à force de la contempler, cette idée elle-même a été défigurée par sa vision mentale. Répétez vingt fois le mot le plus simple, et avant la vingtième répétition vous commencerez à vous demander si le mot que vous répétez est réellement celui que vous voulez prononcer. Robert Audley a pensé à son ami jusqu'à ce que sa préoccupation eût achevé son œuvre malsaine et fatale. Il regarde une disparition ordinaire avec une vision malade et la change en quelque horrible drame enfanté par sa monomanie. Si vous ne voulez pas que je devienne aussi folle que lui, empêchez-moi de le revoir. Il m'a déclaré ce soir que George Talboys avait été assassiné ici, et qu'il déracinerait les arbres du jardin et renverserait la maison de fond en comble dans ses recherches du…

Milady s'arrêta. Le mot expira sur ses lèvres. L'étrange énergie avec laquelle elle avait parlé l'avait épuisée. Cette beauté frivole et enfantine s'était transformée en femme forte pour plaider sa défense.

— Renverser cette maison !… s'écria le baronnet. George Talboys, assassiné à Audley Court !… Robert a-t-il dit cela, Lucy ?

— Oui, quelque chose de ce genre… quelque chose qui m'a beaucoup effrayée.

— Alors, c'est qu'il est réellement fou. Je suis tout étonné de ce que vous m'annoncez. Est-ce bien vrai qu'il l'a dit, ou bien l'avez-vous mal compris ?

— Je… je… ne crois pas m'être trompée, balbutia milady, vous avez vu mon effort quand je suis arrivée, et certainement je n'eusse pas été aussi agitée s'il n'avait rien déclaré d'horrible.

Lady Audley s'était servi de l'argument le plus fort en faveur de sa cause.

— Sans doute, ma chère, sans doute… mais qui a pu loger cette malheureuse idée dans la cervelle du pauvre Robert ? Ce Mr Talboys, un étranger pour nous… assassiné à Audley ! J'irai ce soir à Mount Stanning voir Robert. Je le connais depuis son enfance, et je ne me tromperai pas sur son compte. Si sa cervelle est détraquée, il ne pourra me le cacher.

Milady haussa les épaules.

— Ce n'est pas certain : c'est généralement un étranger qui constate le premier ces particularités psychologiques.

Ces grands mots sonnaient étrangement dans la bouche mignonne de milady, mais sa sagesse nouvelle avait quelque chose de ravissant aux yeux de son mari.

— Il vous est impossible d'aller à Mount Stanning, reprit-elle tendrement. Souvenez-vous que le docteur vous a défendu de sortir jusqu'à ce que le temps se fût adouci et que le soleil vînt éclairer ce triste pays de glace.

Sir Michael Audley retomba dans son large fauteuil d'un air résigné.

— C'est vrai, Lucy ; il faut obéir à Mr Dawson. J'espère que Robert viendra me voir demain.

— Oui, je crois qu'il viendra.

— Alors nous attendrons jusqu'à demain ; je ne puis m'imaginer que ce pauvre garçon ait la cervelle détraquée… cela me paraît incroyable, Lucy.

— Comment donc expliquer son erreur extraordinaire au sujet de Mr Talboys ? demanda milady.

Sir Michael secoua la tête.

— Je ne sais pas, Lucy… je ne sais pas. C'est toujours très difficile de croire que les malheurs qui frappent à chaque instant nos voisins puissent nous atteindre nous-mêmes. Je ne saurais me faire à l'idée que l'esprit de mon neveu est dérangé… c'est impossible, Lucy. Je l'amènerai à demeurer auprès de nous, et nous le surveillerons attentivement. Je vous répète, ma chère, que s'il y a quelque chose de malade en lui, je le découvrirai, car depuis qu'il est au monde il a toujours été pour moi comme un fils. Mais pourquoi les étranges paroles de Robert vous ont-elles effrayée à ce point, Lucy ?… elles ne vous touchaient en rien.

Milady poussa un soupir plaintif.

— Vous me prenez donc pour un esprit fort, sir Michael, puisque vous vous imaginez que je puis entendre de pareilles choses avec indifférence. Je vous déclare que de ma vie je ne pourrai revoir Mr Robert Audley.

— Et vous ne le reverrez pas si cela vous plaît, ma chère enfant… non, vous ne le reverrez pas.

— Mais vous venez de dire que vous le retiendriez ici.

— Je m'en garderai bien si sa présence vous est pénible. Grand Dieu ! Lucy, pouvez-vous supposer un seul instant que j'aie d'autre désir que celui de vous rendre heureuse. Je consulterai quelque médecin de Londres au sujet de Robert, et il s'assurera si le fils de mon pauvre frère est réellement privé de sa raison. Vous n'éprouverez aucun ennui, Lucy.

— Vous devez me croire mauvaise, et je sais que sa présence ne devrait pas m'être odieuse ; mais à vrai dire il s'est mis en tête des idées si absurdes sur mon compte que…

— Sur votre compte, Lucy ?

— Oui, cher. Il me fait participer – je ne sais comment – à la disparition de ce Mr Talboys.

— Impossible, Lucy, vous vous êtes méprise.

— Je ne pense pas.

— Alors, c'est qu'il est fou… Il faut qu'il le soit. J'attendrai qu'il soit de retour à Londres et j'enverrai quelqu'un lui parler chez lui. Ô mon Dieu ! quel mystère que cette affaire !

— Je crains de vous avoir peiné, mon ami, murmura lady Audley.

— Oui, chère enfant, mais vous avez agi sagement en me racontant tout cela avec franchise. Je réfléchirai sur le meilleur parti à prendre.

Milady se leva du tabouret sur lequel elle était assise. Le feu s'était presque éteint, et la chambre n'était plus éclairée que par une faible lueur. Lucy Audley se pencha sur le fauteuil de son mari et appuya ses lèvres sur son large front.

— Comme vous avez été bon pour moi, lui murmura-t-elle de sa voix douce. Vous ne laisserez jamais personne vous indisposer contre moi, n'est-ce pas, mon ami ?

— M'indisposer contre vous !... jamais, ma bien-aimée.

— Ah ! c'est qu'il y a dans le monde des gens méchants aussi bien que des fous, et qu'il pourrait se rencontrer des personnes qui auraient intérêt à me causer du tort.

— Elles feront mieux de ne pas essayer, elles se mettraient dans une position dangereuse si elles osaient s'attaquer à vous.

Lady Audley fit entendre un éclat de rire argentin qui vibra dans toute la salle. Elle était triomphante.

— Je sais que vous m'aimez, mon ami, je le sais. Et maintenant il faut que je m'en aille, cher, car il est plus de sept heures et demie. J'avais promis d'aller dîner chez Mrs Montford, mais un valet portera mes excuses. Mr Audley m'a rendu trop triste pour que je figure convenablement en société. Je resterai ici à vous soigner. Vous vous coucherez de bonne heure, n'est-ce pas, et vous aurez bien soin de votre santé ?

— Oui, ma chère enfant.

Milady sortit pour donner ses ordres à propos du message à envoyer. Elle s'arrêta un moment pendant qu'elle fermait la porte de la bibliothèque – elle avait besoin de comprimer les battements précipités de son cœur.

J'ai eu peur de vous, Mr Robert Audley, se dit-elle, mais peut-être un temps viendra où vous aurez vos raisons pour avoir peur de moi.

32

La requête de Phœbe

La tension qui régnait entre lady Audley et sa belle-fille n'avait rien perdu de sa force depuis la célébration de la fête de Noël à Audley Court. Il n'y avait pas guerre ouverte entre les deux femmes, c'était seulement une neutralité armée, interrompue de temps en temps par quelques brèves escarmouches féminines et quelques passes d'armes en paroles. J'avoue avec peine qu'Alicia aurait de beaucoup préféré une bonne bataille à cette désunion silencieuse et sans démonstrations extérieures ; mais il n'était pas facile d'avoir une querelle avec milady. Elle savait répondre avec douceur pour réprimer une colère naissante. Elle savait sourire agréablement en face de la pétulance de sa belle-fille et rire aux éclats de sa mauvaise humeur. Peut-être, si elle eût été moins aimable et d'un caractère du genre de celui d'Alicia, la lutte se serait-elle terminée par quelque terrible querelle, et seraient-elles ensuite devenues amies. Mais Lucy Audley ne voulait pas la guerre. Elle amassait un à un les griefs et les plaçait à gros intérêts en attendant que la brèche qui s'élargissait chaque jour davantage fût devenue un gouffre infranchissable pour les colombes portant la branche d'olivier. Il ne pouvait y avoir réconciliation là où la guerre ouverte n'existait pas. Il fallait une bataille, une mêlée bruyante avec drapeaux au vent et canons tonnants pour qu'on pût en venir au traité de paix et aux poignées de main. L'union entre la France et l'Angleterre doit peut-être toute sa force au souvenir des victoires et des défaites réciproques d'autrefois. Les deux nations se sont détestées cordialement et ont vidé leur querelle ; elles peuvent maintenant s'embrasser et se jurer une amitié éternelle. Espérons que lorsque les Yankees du Nord auront décimé et auront été décimés, Jonathan[1] ouvrira ses bras à ses frères du Sud, pardonnera et sera pardonné.

Alicia Audley et la jolie femme de son père avaient toute la place nécessaire pour se bouder à leur aise dans l'immense et antique maison. Milady avait ses appartements, comme vous savez, appartements somptueux où elle avait réuni tout ce qui pouvait satisfaire ses goûts. Alicia avait les siens aussi, dans une autre partie du bâtiment. Elle avait sa jument favorite, son chien de Terre-Neuve, tout son attirail de dessin, et elle s'efforçait d'être heureuse. Elle ne l'était pourtant guère. La noble jeune fille étouffait un peu dans l'atmosphère de gêne et de contrainte du château. Son père était changé – ce cher père qu'elle avait gouverné autrefois en despote, en enfant gâté, s'était soumis à un autre pouvoir, à une dynastie nouvelle. Petit à petit la puissance de milady avait fait son chemin dans la maison, et Alicia avait vu son père entraîné pas à pas vers le gouffre qui séparait lady Audley de sa belle-fille, jusqu'à ce qu'enfin ce gouffre lui-même fût franchi et que sir Michael n'eût plus pour sa fille restée seule sur l'autre rive qu'un regard plein de froideur.

Alicia comprit que son père était perdu pour elle. Les sourires de milady, ses mots caressants et sa grâce enchanteresse avaient opéré le charme, et sir Michael en était venu à regarder sa fille comme une jeune personne volontaire et capricieuse, qui, de propos délibéré, se conduisait très mal envers la femme qu'il aimait.

La pauvre Alicia voyait tout cela et le supportait aussi bien qu'elle le pouvait. Il lui semblait pénible d'être une belle héritière aux yeux gris, d'avoir des chiens et des chevaux à son service et de ne pas trouver dans le monde une seule personne à qui confier ses chagrins.

---

1. Avant, l'« Oncle Sam », « Brother Jonathan » désignait le Yankee. *(N.d.É)*

Si Robert était bon à quelque chose, pensait-elle, je lui avouerais combien je suis malheureuse ; mais pour la consolation que j'en retirerais, il vaut tout autant conter mes ennuis à mon chien César.

Sir Michael Audley obéit à sa jolie garde-malade et se mit au lit un peu après neuf heures par cette froide soirée de mars. La chambre à coucher du baronnet était peut-être la plus riante retraite qu'un invalide pouvait trouver en cette saison désagréable. Les rideaux en velours d'un vert sombre étaient tirés aux fenêtres et autour du lit massif ; un bon feu de bois pétillait dans la cheminée. La lampe qui éclairait sa lecture était placée sur une mignonne petite table au chevet du lit, et des tas de revues et de journaux avaient été empilés par les belles mains de milady pour que le malade n'eût qu'à les prendre.

Lady Audley demeura environ dix minutes assise à côté du lit, discutant sérieusement l'étrange et terrible question de la folie de Robert Audley. Au bout de ce temps, elle se leva et souhaita une bonne nuit à son époux. Elle abaissa l'abat-jour en soie verte de la lampe et l'arrangea de façon que la lumière ne blessât pas les yeux du malade.

— Je vous quitte, mon ami, lui dit-elle ; si vous pouvez dormir, ce sera tant mieux ; si vous voulez lire, les livres et les journaux sont sur votre table. Je laisserai la porte de communication entrouverte, et j'entendrai si vous m'appelez.

Lady Audley traversa son cabinet de toilette et entra dans son boudoir, où elle était restée avec son mari depuis le dîner.

Toutes les élégances de la femme étaient réunies dans ce magnifique boudoir. Son piano était ouvert et surchargé de partitions qu'aucun maître n'aurait dédaigné d'étudier. Son chevalet se dressait tout près de la fenêtre, et l'aquarelle qu'il supportait était une preuve du talent artistique de Lucy : c'était une vue du château et des jardins. Des broderies de tulle et de mousseline, des soies et des laines fines de toutes les couleurs jonchaient le parquet, et les glaces, habilement placées aux encoignures de l'appartement par un adroit tapissier, multipliaient l'image de la reine de ce séjour.

Lucy Audley, au milieu de tout ce luxe, de toutes ces lumières, de toutes ces dorures, s'assit sur un tabouret auprès du feu et s'abandonna à ses réflexions.

Si Mr Holman Hunt[1] avait pu jeter un coup d'œil dans ce joli boudoir, je crois que ce tableau se fût à l'instant imprimé dans son cerveau, et qu'il n'aurait eu qu'à le reproduire pour la plus grande glorification des préraphaélites. Milady, dans cette attitude à demi penchée, le coude appuyé sur le genou et son menton délicat dans la main, avait autour d'elle les riches draperies qui retombaient en plis onduleux et la lumière du foyer qui l'enveloppait d'un doux reflet couleur de rose sur lequel tranchait sa chevelure dorée. Elle était belle en elle-même, mais tous les ornements de son boudoir la rendaient plus belle encore. Il renfermait des coupes en or et en ivoire ciselées par Benvenuto Cellini ; des petits meubles de Boule et de porcelaine portant le chiffre de Marie-Antoinette d'Autriche, entouré d'oiseaux, de papillons, de bergères et de déesses ; des statuettes en marbre de Paros et en biscuit de Chine ; des corbeilles remplies de fleurs de serre toutes dorées ou en filigrane, et des fragiles tasses à thé ornées des médaillons en miniature de Louis XIV, de Louis XV, de Louise de la Vallière et de Jeanne-Marie du Barry. Tout ce que l'or peut acheter ou l'art inventer avait été réuni pour embellir ce boudoir où milady était assise, écoutant les plaintes du vent et le frémissement des feuilles de lierre contre ses fenêtres, regardant la flamme bleuâtre du charbon du foyer.

---

1. Peintre anglais (1827-1910), de l'école préraphaélite. *(N.d.É)*

Je recommencerais un vieux sermon et je traiterais un sujet rebattu si je profitais de cette occasion pour déclamer contre l'art et la beauté, parce que milady était moins heureuse dans cet appartement élégant qu'une pauvre couturière affamée dans sa mansarde ouverte à tous les vents. La blessure dont elle souffrait était trop profonde pour que des remèdes tels que le luxe et la richesse pussent la soulager ; mais son malheur était loin des malheurs ordinaires, et je ne vois pas pourquoi j'en ferais un argument en faveur de la misère et de la pauvreté contre le bien-être et la richesse. Les œuvres ciselées de Benvenuto Cellini et les porcelaines de Sèvres ne pouvaient plus rien pour son bonheur. Elle n'était plus innocente, et pour que l'art et ce qui est charmant puisse plaire, il faut aimer les plaisirs innocents. Six ou sept ans avant, Lucy eût été bien heureuse de posséder ce petit palais d'Aladin ; mais depuis qu'elle avait pénétré dans le labyrinthe du crime, tous ces trésors n'étaient plus bons qu'à être foulés aux pieds et brisés dans la rage du désespoir.

Il y avait pourtant plusieurs choses qui auraient pu encore lui procurer une joie effrayante, un plaisir horrible. Si Robert Audley, son impitoyable ennemi, son persécuteur infatigable, eût été étendu mort à ses pieds, elle aurait volontiers dansé sur son cadavre.

Quels plaisirs restèrent à Lucrèce Borgia et à Catherine de Médicis, lorsqu'elles eurent franchi la terrible limite qui sépare l'innocence du crime et qu'elles se trouvèrent isolées de l'autre côté ? La vengeance et la trahison. Avec quel dédain elles devaient contempler les vanités mesquines, les futiles déceptions et les légères peccadilles de leurs sœurs encore innocentes, elles qui étaient fières de leurs crimes épouvantables et de ce génie infernal qui les rendait célèbres parmi les coupables.

Milady, en ce moment près du feu de cette chambre solitaire, ses grands yeux bleu clair fixés sur la flamme rouge et vacillante des charbons enflammés, était peut-être bien loin de songer à la lutte qu'elle avait engagée.

Elle songeait peut-être à ces belles années d'innocence et de frivolité où sa conscience n'avait à porter qu'un léger fardeau. Dans cette rêverie rétrospective, elle revoyait le temps où elle s'était regardée dans une glace pour la première fois et avait vu qu'elle était belle ; ce temps fatal où elle avait commencé à se dire que sa beauté était un droit divin, un joyau inestimable plus fort que toutes ses folies de jeune fille et qui contrebalancerait toutes ses erreurs de jeunesse. Se souvenait-elle du jour où ce beau don de la beauté lui avait pour la première fois enseigné à être égoïste et cruelle, indifférente à la joie et au chagrin d'autrui, froide et capricieuse, avide de louanges et tyrannique de la manière la plus odieuse ? Ramenait-elle chaque malheur de sa vie à cette source véritable, et s'apercevait-elle que c'était en s'exagérant la valeur d'une jolie figure qu'elle avait découvert cette fontaine empoisonnée ? Assurément, si elle remontait en pensée aussi loin dans le courant de sa vie, elle devait se repentir amèrement d'avoir cédé ce jour-là à l'empire funeste des trois plus grandes passions, à ces trois démons, la vanité, l'égoïsme et l'ambition, qui avaient joint leurs mains autour d'elle et s'étaient écriés : « Cette femme est notre esclave, voyons ce qu'elle fera sous notre domination ! »

Comme ces premières erreurs de jeunesse semblaient ridicules à milady pendant qu'elle les comptait une à une dans son boudoir solitaire ! C'était bien peu de chose qu'une victoire sur une amie de pension et un peu de coquetterie avec le prétendu d'une compagne, pour s'assurer que le droit divin conféré à des yeux bleus et à une chevelure dorée était incontestable. Mais comme ce sentier s'était agrandi insensiblement et avait fini par devenir la grande route du crime où elle avait marché d'un pas rapide !

Milady enroula ses doigts dans les boucles couleur d'ambre qui flottaient librement autour de sa figure et les serra comme si elle avait voulu les arracher de sa tête. Mais même en ce moment de désespoir muet, la beauté lui fit sentir son empire, et elle lâcha les pauvres anneaux emmêlés qui entouraient sa tête et les laissa former une auréole à la faible lueur du foyer.

Je n'étais pas mauvaise quand j'étais jeune, se dit-elle en regardant le feu fixement, j'étais seulement inconséquente. Je ne faisais jamais le mal – jamais exprès, du moins. Ai-je réellement été mauvaise ? Je me le demande. Non, tout le mal causé par moi était le résultat des premières impulsions et non d'un projet bien arrêté. Je ne suis pas comme ces femmes dont j'ai lu l'histoire, qui veillaient jour et nuit, calmes et sombres, préparant leurs forfaits et arrangeant tous les détails du crime projeté. Souffraient-elles, ces femmes… ces femmes… souffraient-elles comme… ?

Ses pensées s'égarèrent dans un labyrinthe inextricable. Tout à coup elle se redressa avec un geste de fierté et de défi, et l'éclat de ses yeux ne venait pas seulement des reflets de la flamme du foyer.

— Vous êtes fou, Mr Robert Audley ! s'écria-t-elle, vous êtes fou, et vos hallucinations sont celles de la folie. Je la connais, la folie. Je connais ces symptômes et je proclame que vous êtes fou !

Elle porta la main à sa tête, comme si elle songeait à quelque chose qui l'embarrassait et qu'il lui était difficile d'envisager avec calme.

— Oserai-je le défier, murmura-t-elle, l'oserai-je ? S'arrêtera-t-il après être allé si loin ? S'arrêtera-t-il, apeuré ? Pourrai-je l'effrayer, moi, et l'empêcher d'avancer lorsque la pensée de ce que son oncle souffrira ne l'a pas arrêté ? Y a-t-il quelque chose qui puisse lui barrer le chemin… excepté la mort ?

Elle prononça ces dernières paroles à voix basse, la tête penchée en avant, les yeux dilatés, et ses lèvres ne se refermèrent pas après avoir laissé échapper ces mots effrayants : « la mort ». Toute sa personne demeura immobile en face du feu.

— Je ne puis tramer d'horribles complots, reprit-elle un instant après, mon cerveau n'est pas assez fort, ou je ne suis pas encore assez mauvaise ou assez bonne. Si je rencontrais Robert dans ce jardin désert comme j'ai…

Le courant de ses pensées fut interrompu par un coup frappé discrètement à la porte. Elle se leva d'un bond, effrayée de ce bruit qui troublait le silence de son boudoir. Elle se jeta dans un fauteuil près du feu, renversa sa belle tête sur les coussins et prit un livre sur la table à côté d'elle.

Cette action insignifiante en elle-même en disait bien long. Elle trahissait ses craintes sans cesse renaissantes, la nécessité fatale du secret et l'angoisse de son esprit toujours sur le qui-vive. Elle affirmait clairement que milady était devenue une actrice achevée pour satisfaire aux exigences de sa vie.

Le coup discret frappé à la porte du boudoir se renouvela.

— Entrez ! lança lady Audley de sa voix la plus légère.

La porte s'ouvrit sans bruit comme sous la main d'une servante bien dressée. Une jeune femme mise simplement et apportant dans les plis de sa robe une bouffée du vent qui soufflait au-dehors franchit le seuil et s'arrêta en attendant qu'on lui permît d'arriver jusqu'au fond de la retraite de milady.

C'était Phœbe Marks, la femme à figure pâle de l'aubergiste de Mount Stanning.

— Je vous demande pardon, milady, de venir vous déranger sans permission, mais j'ai cru pouvoir m'aventurer jusqu'ici sans y être autorisée.

— Pourquoi pas, Phœbe, pourquoi pas ?… Ôtez votre chapeau, vous avez l'air d'une statue de glace, et asseyez-vous ici.

Lady Audley désigna du doigt le tabouret sur lequel elle était assise elle-même quelques minutes auparavant. La soubrette avait souvent occupé cette place autrefois pour écouter le habillage de sa maîtresse, alors qu'elle était sa confidente et sa seule société la plupart du temps.

— Asseyez-vous ici, Phœbe, répéta lady Audley, asseyez-vous et causons. Je suis réellement contente que vous soyez venue, je m'ennuyais toute seule dans cet affreux boudoir.

Milady frissonna et regarda autour d'elle comme si le Sèvres et le bronze, le Boule et l'ormolu eussent été les ornements délabrés de quelque vieux château en ruine. Le désespoir qui la torturait se communiquait à tous les objets qui l'entouraient et leur donnait une couleur sombre. Elle avait dit la vérité en annonçant que la visite de sa soubrette lui était agréable. Sa nature frivole avait besoin de ce moment de répit pour faire diversion à ses craintes et à ses souffrances. Il y avait sympathie entre elle et cette jeune femme qui lui ressemblait au moral aussi bien qu'au physique, et qui était comme elle égoïste, froide, cruelle, désireuse d'un sort meilleur et mécontente de la vie de soumission à laquelle elle se voyait réduite. Milady détestait Alicia, à cause de son caractère franc, passionné et généreux ; elle détestait sa belle-fille et s'attachait à cette pâle soubrette, aux pâles cheveux, qu'elle supposait ni meilleure ni pire qu'elle.

Phœbe Marks obéit aux ordres de son ancienne maîtresse et ôta son chapeau avant de s'asseoir sur le tabouret, aux pieds de lady Audley. Le vent froid de mars n'avait pas dérangé ses bandeaux soigneusement lissés, et sa toilette était en aussi bon état que si elle l'eût achevée à l'instant dans le cabinet voisin.

— Sir Michael va mieux, milady ?

— Oui, Phœbe, beaucoup mieux. Il dort. Fermez cette porte, ajouta lady Audley, adressant un signe de tête pour désigner la porte de communication laissée entrouverte.

Mrs Marks exécuta cet ordre et revint prendre sa place.

— Je suis bien malheureuse, Phœbe, et bien tourmentée.

— Au sujet du secret ? demanda Mrs Marks à voix basse.

Milady ne prit pas garde à la question et continua sur le même ton plaintif. Elle était bien aise de pouvoir se plaindre. Elle avait souffert si longtemps en secret que c'était pour elle un bonheur indicible de pouvoir exhaler sa douleur en paroles.

— Je suis cruellement persécutée, Phœbe Marks, et par un homme auquel je n'ai jamais de ma vie fait aucun mal. Il ne me laisse pas un instant de repos, cet homme, et je…

Elle s'arrêta et contempla de nouveau le feu comme lorsqu'elle était seule. Elle se perdit dans le dédale de ses pensées sans qu'il lui fût possible d'arriver à tirer de ce chaos confus une conclusion quelconque.

Phœbe Marks regarda son ancienne maîtresse d'un œil inquiet et ne cessa de l'examiner que lorsque leurs regards se rencontrèrent.

— Je crois savoir qui est l'homme en question, milady… celui qui est si cruel pour vous.

— Oh ! c'est probable ; mes secrets appartiennent à tout le monde, et vous savez tout sans doute

— Cet homme n'est-il pas le gentleman qui vint à *Castle Inn* il y a deux mois, à l'époque où je vous avertis de…

— Oui, oui, répondit milady avec impatience.

— Je l'aurais parié. Ce même gentleman est arrivé ce soir dans notre auberge.

Lady Audley bondit sur son fauteuil, comme si son désespoir l'eût poussée à agir, mais elle retomba aussitôt en soupirant. Comment pouvait-elle, faible créature, lutter contre la destinée ? Quelles ressources lui restait-il, sinon les crochets du lièvre traqué par la meute et harcelé jusqu'au gîte où l'attend la mort ?

— Dans votre auberge ! J'aurais dû m'en douter. Il n'y est allé que pour arracher mon secret à votre mari. Imbécile ! ajouta-t-elle, se retournant tout à coup vers Phœbe Marks avec colère : vous voulez donc ma perte, puisque vous avez laissé ces deux hommes ensemble.

Mrs Marks joignit les mains piteusement.

— Je ne suis pas venue de ma propre volonté, milady… moins que jamais j'aurais voulu quitter la maison ce soir : j'ai été envoyée.

— Par qui ?

— Par Luke, milady. Il est très dur pour moi quand je lui résiste.

— Pourquoi vous a-t-il envoyée ?

La femme de l'aubergiste baissa les yeux sous le regard furieux de lady Audley et hésita avant de répondre.

— Je ne voulais pas venir, milady, balbutia-t-elle. J'ai fait observer à Luke que c'était mal de vous harceler tantôt avec ceci, tantôt avec cela ; mais il m'a fait taire en criant et m'a ordonné de venir.

— Bien, bien, je sais cela. Pourquoi êtes-vous venue ?

— Luke est extravagant, milady ; j'ai beau lui prêcher l'économie et le soin de ses affaires, il boit, et quand il a passé deux ou trois heures à table avec des paysans, il est impossible qu'il gère bien ses comptes. Sans moi nous serions ruinés depuis longtemps, et pourtant la ruine est venue quand même. Il vous souvient, milady, de m'avoir donné de l'argent pour acquitter la note du brasseur ?

— Oui, je m'en souviens très bien, répondit lady Audley avec un sourire amer, car j'avais besoin de cet argent pour payer mes fournisseurs.

— Je le sais, milady, et c'était très mal de venir vous le demander après tout ce que vous aviez fait déjà. Et ce qui est pis encore, c'est que Luke implore de nouveau vos secours. Le loyer de la maison n'est pas encore payé. Il est dû depuis Noël, et l'huissier est venu ce soir chez nous, nous prévenir qu'il vendrait tout demain, à moins que…

— À moins que je ne paye pour vous, n'est-ce pas ? Je m'en suis doutée en vous voyant paraître.

— Ce n'est pas ma faute, milady ! sanglota Phœbe Marks, c'est Luke qui l'a voulu.

— Oui, oui, il vous a forcée à venir, et il vous y forcera chaque fois qu'il aura besoin d'argent pour satisfaire ses vices grossiers, et vous serez mes débiteurs tant que je vivrai ou qu'il me restera de l'argent, car j'imagine que lorsque ma bourse sera vide, ou mon crédit épuisé, vous et votre mari me vendrez au plus offrant. Savez-vous, Phœbe Marks, que j'ai vidé mon écrin pour suffire à vos demandes ? Savez-vous que l'argent de mes menus plaisirs, que je ne croyais pas pouvoir dépenser à l'époque de mon mariage ou quand je n'étais qu'une pauvre gouvernante chez Mr Dawson, est dépensé avec six mois d'avance. Que puis-je faire pour vous ? Faut-il que je vende mon cabinet Marie-Antoinette, mes porcelaines Pompadour, mes pendules en laque de Leroy et de Benson, ou bien mes fauteuils en tapisserie des Gobelins ? Comment vous contenterai-je plus tard ?

— Chère milady, ne soyez pas cruelle envers moi, vous savez que ce n'est pas moi qui abuse de votre bonté.

— Je ne sais rien, excepté que je suis la plus malheureuse des femmes. Laissez-moi réfléchir ! s'écria-t-elle en imposant silence aux murmures de Phœbe par un geste impérieux. Retenez votre langue et laissez-moi songer à cette affaire si je puis.

Elle porta les mains à son front et l'étreignit de ses doigts effilés, comme si elle avait voulu accélérer la réflexion par une pression convulsive.

— Robert Audley est avec votre mari, dit-elle lentement, se parlant à elle-même plutôt qu'à sa soubrette ; ces deux hommes sont ensemble et il y a l'huissier dans la maison, et votre brutal de mari est probablement ivre à cette heure et entêté dans son ivresse. Si je refuse de donner de l'argent à cet homme, son entêtement deviendra de la férocité. Il est inutile de discuter cette question : il faut que je paye.

— Mais si vous payez, milady, dit Phœbe d'un ton sérieux, vous ferez bien comprendre à Luke que c'est la dernière fois, s'il tient à rester dans cette maison.

— Pourquoi ? demanda lady Audley, laissant retomber ses mains sur ses genoux et regardant attentivement Mrs Marks.

— Parce que je veux qu'il quitte *Castle Inn*.

— Et pour quel motif ?

— Oh ! pour une foule de raisons. Il n'est pas fait pour tenir une auberge. Je l'ignorais à l'époque de notre mariage, sans cela je m'y fusse opposée et je l'eusse engagé à devenir fermier. Il n'y aurait peut-être pas consenti néanmoins, car il est très têtu, milady. Quant à rester aubergiste, il ne le peut. Dès qu'il fait nuit, il est ivre, et quand il est ivre il sait à peine ce qu'il fait. Nous l'avons échappé belle deux ou trois fois déjà.

— Échappé belle !... qu'est-ce que cela signifie ?

— Oui, nous avons risqué être brûlés vifs à cause de son imprudence.

— Brûlés vifs !... et comment ? demanda milady avec indifférence.

Elle était trop égoïste et trop absorbée par ses propres chagrins pour s'intéresser beaucoup au danger qu'avait pu courir la soubrette.

— Vous savez, milady, que c'est une étrange maison que cette auberge, toute construite en bois vermoulu et pourri. La compagnie d'assurances de Chelmsford ne veut pas l'assurer, car elle prétend que si par une nuit de vent elle prenait feu, elle brûlerait comme de la paille et qu'on ne pourrait rien sauver. Luke sait tout cela, et le propriétaire l'a averti plusieurs fois, car il loge à côté de nous et surveille tous les mouvements de mon mari. Mais quand Luke est ivre, il ne sait plus ce qu'il fait. Il y a une semaine environ, il laissa une chandelle sous un hangar, et la flamme gagna l'une des poutres du toit. Si je ne m'en étais pas aperçue, en faisant ma ronde du soir avant de me coucher, nous étions perdus. C'est la troisième fois en six mois que pareille chose arrive, et vous devez comprendre combien j'ai peur, milady.

Milady n'eut pas l'air étonnée. D'ailleurs elle avait à peine écouté les détails donnés par la soubrette. À quoi bon s'intéresser aux douleurs d'autrui ? Ce ne fut qu'après que la soubrette eut fini de parler que ses mots touchèrent lady Audley.

— Brûlés vifs ! répéta-t-elle enfin ; quelle bonne affaire pour moi si votre excellent mari avait trouvé la mort dans son lit dans une de ces occasions.

Un tableau vivant s'offrit tout à coup à elle. Ce tableau représentait *Castle Inn* devenue un immense monceau de plâtras et de bois et vomissant des flammes qui s'élançaient vers le ciel au milieu de la nuit froide et sombre.

Elle soupira profondément en chassant cette idée de son cerveau en ébullition. Elle ne serait guère plus avancée si cet ennemi se taisait pour toujours. Elle en avait un autre bien plus dangereux, un autre qu'il lui était impossible de corrompre à prix d'argent, eût-elle possédé autant de trésors que la plus riche souveraine.

— Je vous donnerai de l'argent pour renvoyer cet huissier, dit milady après un moment de silence. Le dernier souverain que renferme ma bourse doit forcément être à vous, car je ne peux vous le refuser.

Lady Audley se leva et prit la lampe allumée sur la table à écrire.

— L'argent est dans mon cabinet de toilette ; je vais le chercher.

— Oh ! milady, s'écria tout à coup Phœbe, j'ai oublié quelque chose ; je suis tellement préoccupée de notre affaire que je n'y ai plus songé. J'ai une lettre qu'on m'a chargée de vous remettre au moment où je partais de chez nous.

— Quelle lettre ?

— Une lettre de Mr Audley. Il a entendu mon mari parler de ma visite chez vous, et il m'a priée d'apporter ce courrier.

Lady Audley remit la lampe sur la table et tendit la main pour recevoir le papier. Phœbe Marks ne put s'empêcher de remarquer que cette petite main couverte de bagues tremblait comme une feuille.

— Donnez-la-moi… donnez-la-moi, cria milady, que je voie ce qu'il a encore à me dire !

Dans son impatience elle arracha presque la lettre des mains de Phœbe. Elle déchira l'enveloppe et la jeta loin d'elle ; elle put à peine déplier la feuille de papier tant elle était agitée.

La missive était très courte et ne renfermait que ces mots :

Si Mrs George Talboys n'est réellement pas morte, comme l'ont pourtant annoncé les journaux et comme l'indique la pierre tumulaire du cimetière de Ventnor, et si elle vit sous le nom de la dame soupçonnée et accusée par celui qui écrit ceci, il ne sera pas difficile de trouver quelqu'un qui constatera volontiers son identité. Mrs Barkamb, la propriétaire de North Cottages, à Wildernsea, consentira sans doute à fournir son témoignage et à confirmer mes soupçons.

Robert Audley.

3 mars 1859.

Castle Inn, *Mount Stanning.*

Milady froissa la lettre dans ses mains avec violence et la jeta au feu.

— S'il était là devant moi en ce moment et que je pusse le tuer, murmura-t-elle pour elle-même, je le ferais… oui, je le ferais !

Elle saisit la lampe et se précipita dans le cabinet de

toilette. Elle tira la porte derrière elle. Elle ne pouvait endurer la présence d'un témoin de son horrible désespoir.

33

Une lueur rouge dans le ciel

La porte entre le cabinet de toilette de milady et la chambre à coucher dans laquelle reposait sir Michael avait été laissée ouverte. Le baronnet dormait tranquillement, et sa noble tête se voyait à la lueur affaiblie de la lampe. Sa respiration était lente et régulière, et sur ses lèvres se jouait un sourire – le sourire de bonheur qui lui était familier quand il regardait sa jolie femme, le sourire du père indulgent qui contemple avec admiration son enfant gâté.

Une lueur de compassion féminine adoucit le regard de lady Audley quand ses yeux se portèrent sur cette tête endormie. Pendant un instant, l'horrible préoccupation de sa souffrance fit place à un tendre sentiment de pitié pour un autre. Cette tendresse était peut-être de l'égoïsme ; la pitié qu'elle éprouvait pour son mari se confondait avec celle qu'elle ressentait pour elle-même ; mais elle attestait quand même qu'une fois, une seule fois, ses pensées étaient sorties du cercle étroit de ses propres chagrins pour s'appesantir sur la douleur qui allait en frapper un autre.

Si on parvenait à le persuader, comme il serait malheureux ! se dit-elle.

À cette pensée vint se mêler une autre, celle de sa jolie figure, de ses manières ravissantes, de son sourire malin et de sa voix harmonieuse, qui ressemblait au tintement argentin des cloches dans une vaste prairie ou au murmure d'une rivière par une chaude soirée d'été. Elle songea à tout cela, et le tressaillement de triomphe qu'elle éprouva domina sa terreur.

Lors même que sir Michael vivrait cent ans, qu'il croirait à tout ce qu'on lui dirait d'elle et la mépriserait, pourrait-il ne plus songer à tous ces attributs charmants ? Non, un million de fois non. Jusqu'à la dernière heure de sa vie, sa mémoire lui représenterait son épouse adorée sous ses traits aimables et enchanteurs qui avaient conquis son admiration enthousiaste et son cœur. Ses ennemis les plus cruels ne pourraient lui enlever cet avantage de la beauté qui avait eu sur son esprit frivole une influence si désastreuse.

Elle se promena dans son cabinet de toilette, à la lueur argentée de la lampe, et réfléchit sur la lettre étrange qu'elle avait reçue de Robert Audley. Il lui fallut quelque temps avant de raffermir ses idées, avant de concentrer toutes les forces de son esprit étroit sur la menace renfermée dans la lettre de l'avocat.

Il le fera, se dit-elle les dents serrées ; il le fera, à moins que je ne l'envoie auparavant dans une maison de fous, à moins que…

Elle n'acheva pas sa pensée en paroles, elle ne l'acheva pas même en esprit, mais les pulsations de son cœur épelèrent une à une toutes les syllabes de la phrase en frappant contre sa poitrine : « Il le fera, à moins que quelque malheur extraordinaire ne lui arrive et ne le rende muet pour toujours. »

Le sang afflua vers la figure de milady et la colora d'un reflet rougeâtre comme celui de la flamme ; puis cette physionomie si animée naguère devint tout à coup blanche comme la neige. Ses mains, qu'elle avait serrées convulsivement, se séparèrent et retombèrent inertes de chaque côté. Elle s'arrêta dans sa promenade rapide, comme la femme de Loth dut s'arrêter après ce fatal regard jeté en arrière sur la cité engloutie, en sentant son pouls s'affaiblir, son sang se glacer dans ses veines, et tout son corps se transformer lentement en une statue inanimée.

Lady Audley resta environ cinq minutes dans cette attitude étrange, tenant la tête droite et les yeux fixés droit devant elle, non pas sur ce qui l'entourait dans ce cabinet étroit, mais sur le danger et l'horreur qu'elle entrevoyait au loin.

Elle abandonna ensuite cette pose pénible avec presque autant de promptitude qu'elle en avait mis à la prendre. Elle sortit de cette demi-léthargie, marcha rapidement vers sa table de toilette, s'assit devant elle, écarta les flacons d'essence qui l'encombraient et regarda son image dans la psyché. Elle était très pâle, mais sa figure enfantine ne portait pas d'autres traces de son agitation. Les lignes de sa bouche, divinement moulées, étaient si belles qu'un observateur attentif pouvait seul remarquer qu'elles étaient un peu plus tendues que d'habitude. Elle s'en aperçut elle-même et essaya de chasser cette rigidité à l'aide d'un sourire ; mais ses lèvres rosées refusèrent de lui obéir et ne se desserrèrent pas. Elles n'étaient plus les esclaves de sa volonté et de son bon plaisir. Lucy Audley se leva de sa table de toilette, prit un manteau en velours sombre et un chapeau dans un coin de sa garde-robe, et s'habilla pour sortir. La petite pendule en laque qui ornait sa cheminée sonna onze heures un quart pendant qu'elle était encore occupée. Cinq minutes après, elle rentra dans le boudoir où elle avait laissé Phœbe Marks.

La femme de l'aubergiste était assise devant le feu, presque dans la même position que son ancienne maîtresse au commencement de la soirée. Phœbe avait alimenté le feu et remis son châle et son chapeau. Il lui tardait de rentrer chez elle, auprès de ce brutal mari qui ne savait que trop bien profiter de son absence pour commettre quelque imprudence. Elle leva la tête quand lady Audley entra, et poussa un cri de surprise en voyant sa maîtresse prête à sortir.

— Avez-vous l'intention de sortir à cette heure, milady ?

— Oui, Phœbe ! je vais à Mount Stanning avec vous pour voir cet huissier, le payer et le renvoyer moi-même.

— Mais il est tard, milady.

Lady Audley ne répondit pas. Elle réfléchissait, la main posée sur le cordon de la sonnette.

— Les écuries sont toujours fermées, et les palefreniers couchés à dix heures quand nous habitons le château. Pour avoir une voiture, il faudrait faire beaucoup de bruit ; je crois pourtant que quelque domestique pourrait me la préparer sans qu'il y eût de vacarme.

— Mais pourquoi sortir ce soir, milady ? Demain, cela conviendra tout autant. Dans huit jours même, si vous voulez. Notre propriétaire renverra l'huissier lui-même s'il a votre promesse de régler l'affaire.

Lady Audley ne prêta pas l'oreille à cette interruption. Elle retourna dans son cabinet de toilette, enleva à la hâte son manteau et son chapeau et reparut dans le boudoir avec son costume du dîner.

— Maintenant, Phœbe, écoutez-moi, dit-elle en saisissant la soubrette par le poignet et lui parlant à voix basse, mais d'un ton qui n'admettait pas de réplique. Écoutez-moi, Phœbe, je vais ce soir à l'auberge ; qu'il soit tard ou de bonne heure, peu m'importe, je suis décidée à y aller, et j'irai. Vous m'avez demandé pourquoi, et je vous l'ai dit. J'y vais pour payer cette dette moi-même et m'assurer que l'argent que je donne est employé comme il doit l'être. Il n'y a rien là de bien extraordinaire. Je fais ce que font bon nombre d'autres femmes dans ma position. Je vais rendre service à ma soubrette favorite.

— Mais il est près de minuit, milady.

Lady Audley fronça le sourcil à cette interruption.

— Si ma visite chez vous pour payer cet homme venait à être connue, je saurais me justifier ; mais je préférerais qu'elle fût ignorée. Je crois pouvoir quitter cette maison et y rentrer sans être vue de personne, si vous voulez m'obéir.

— Je suis prête, milady.

— Eh bien ! vous allez me souhaiter une bonne nuit tout à l'heure, quand ma femme de chambre va venir, et vous vous laisserez reconduire par elle hors de la maison. Vous traverserez la cour et vous m'attendrez de l'autre côté du portail. Il se peut que je vous fasse attendre une demi-heure, car je ne pourrai sortir que lorsque tout le monde sera couché, mais vous prendrez patience. Je vous rejoindrai, quoi qu'il arrive.

Le visage de lady Audley n'était plus pâle. Une rougeur surnaturelle brillait au centre de chaque joue, et ses grands yeux bleus étincelaient. Elle parlait avec une clarté et une rapidité surprenantes. Elle avait l'air et les manières de quelqu'un qui subit l'influence de quelque émotion violente. Phœbe Marks la regardait avec épouvante. Elle commençait à craindre que son ancienne maîtresse ne devînt folle.

La sonnette que fit retentir lady Audley amena la femme de chambre de milady, qui portait des rubans couleur de rose, une robe en soie noire et d'autres ajustements tout à fait inconnus des humbles gens dans ce bon vieux temps où les serviteurs portaient des habits en tiretaine.

— Je ne savais pas qu'il fût si tard, Martin, dit milady avec cette douceur qui la faisait apprécier de ses gens. J'ai oublié les heures en causant avec Mrs Marks. Je n'aurai plus besoin de vous ce soir ; ainsi, vous pouvez aller vous coucher.

— Merci, milady, répondit la femme de chambre, qui paraissait avoir grande envie de dormir et ne retenait qu'avec peine un bâillement. Ne ferais-je pas bien de reconduire Mrs Marks avant de me mettre au lit ?

— Sans doute, reconduisez-la. Les autres domestiques sont-ils déjà couchés ?

— Oui, milady.

Lady Audley se prit à rire en regardant la pendule.

— Nous avons perdu beaucoup de temps à bavarder, Phœbe. Bonne nuit, et dites à votre mari que le loyer sera payé.

— Merci, milady, et bonne nuit, murmura Phœbe en tournant les talons, suivie de la femme de chambre.

Lady Audley écouta à la porte jusqu'à ce que le bruit de leurs pas eût cessé dans la chambre octogonale et sur le tapis de l'escalier.

— Martin couche en haut de la maison, dit-elle. C'est très loin d'ici. Dans dix minutes, je pourrai sortir sans crainte.

Elle revint dans son cabinet de toilette et remit pour la seconde fois son chapeau et son manteau. La rougeur n'avait pas disparu de ses joues, et ses yeux brillaient toujours. La surexcitation qui la dominait était telle qu'elle ne ressentait aucune lassitude de corps ni d'esprit. Quelque diffuse que soit ma description de ses sentiments, je décris à peine un dixième de ses pensées et de ses souffrances ; ses angoisses rempliraient des volumes imprimés en caractères très fins. Tout en elle était souffrance, doute, perplexité. Tantôt elle envisageait ses tourments en détail, tantôt elle les réunissait en bloc, en une seule pensée, plus rapide que l'éclair. Elle était debout contre la cheminée de son boudoir et attendait, en regardant marcher les aiguilles de la pendule, que le moment de quitter la maison arrivât. Elle écouta le mugissement du vent qui semblait avoir redoublé à mesure que la nuit avançait et que les ténèbres devenaient plus épaisses.

Les aiguilles parcoururent lentement les dix minutes. À minuit moins le quart, milady prit une lampe et sortit sans bruit de sa chambre. Son pas était aussi léger que celui d'une gazelle, et elle n'avait pas à craindre d'éveiller le moindre écho dans cette maison livrée au sommeil, en marchant sur les dalles des corridors et les tapis de l'escalier. Elle ne s'arrêta que lorsqu'elle fut arrivée au vestibule du rez-de-chaussée. On sortait par plusieurs portes de ce vestibule octogonal comme l'appartement de milady. L'une de ces portes menait à la bibliothèque, et ce fut celle-là que lady Audley ouvrit avec précaution.

C'eût été folie que de tenter une sortie secrète par l'une des portes principales, car le gardien lui-même surveillait la fermeture de toutes les portes, devant et derrière. Le secret des serrures fixées à ces portes pour mettre à l'abri la luxueuse vaisselle de sir Michael n'était connu que des domestiques qui les ouvraient et les fermaient. Mais, malgré toutes ces précautions, la porte vitrée qui donnait de la salle à manger sur la pelouse n'était défendue que par un volet en bois et une barre de fer qu'un enfant pouvait soulever sans peine. C'était par là que lady Audley voulait s'échapper de la maison. Elle avait assez de force pour soulever le volet et la barre de fer, et elle ne courait pas grand risque en laissant ce passage libre derrière elle. Il était peu probable que sir Michael s'éveillât de sitôt. Il avait le sommeil lourd d'habitude, et depuis sa maladie son sommeil était devenu plus lourd encore.

Lady Audley traversa la bibliothèque et ouvrit la porte vitrée de la salle à manger, construite tout récemment. Elle était simple et gaie, et tapissée d'un papier de couleur. Alicia l'habitait plus souvent que qui que ce fût. Les mille riens qui révélaient les occupations favorites de la jeune fille étaient éparpillés dans la salle : c'étaient des pinceaux, des brosses pour le dessin, une broderie commencée, des écheveaux de soie tout embrouillés et une foule d'autres objets attestant la présence d'une insouciante jeune fille. Le portrait de miss Audley – jolie esquisse au crayon, qui la représentait en habit et en chapeau d'amazone – était accroché au-dessus de la cheminée. Milady regarda ces objets avec de la haine et du mépris dans ses beaux yeux bleus.

— Comme elle serait bien aise s'il m'arrivait malheur, dit-elle. Quelle joie pour elle, si j'étais chassée d'ici.

Lady Audley posa la lampe sur une table, près de la cheminée, et elle se dirigea ensuite vers la porte vitrée et l'ouvrit. La nuit était froide et noire, et une bouffée de vent qui s'engouffra par l'ouverture éteignit la lampe.

— Peu m'importe ! murmura milady, je ne l'aurais pas laissée allumée. Je trouverai mon chemin dans la maison quand je reviendrai, toutes les portes sont ouvertes.

Elle s'aventura sur le sentier caillouté qui bordait la pelouse et referma la porte vitrée. Elle craignait que le vent ne la trahît en faisant crier la porte de la bibliothèque.

Elle était maintenant dans le parterre, exposée aux fureurs du vent qui s'enroulait autour de sa robe de soie et la faisait claquer comme la voile d'un bateau par une forte brise. Elle traversa le parterre et jeta un regard en arrière sur les fenêtres de son boudoir, éclairées par la lueur du feu, et sur celles de la chambre à coucher de sir Michael, où brillait un faible rayon de lumière.

J'éprouve l'émotion de quelqu'un qui s'évade au cœur de la nuit pour ne plus jamais reparaître et être oublié, se disait-elle. Peut-être ferais-je mieux de fuir, de profiter de l'avertissement de cet homme et de lui échapper pour toujours. Si je disparaissais comme George Talboys ?... Mais où aller ?... Que devenir ?... Je n'ai pas d'argent, mes bijoux valent tout au plus une centaine de livres, à présent que j'ai vendu les plus beaux. Que faire ?... Dois-je recommencer la vie d'autrefois, cette vie de misère, de souffrance et d'humiliation ; m'exposer de nouveau aux fatigues de la lutte et mourir... comme mourut ma mère, peut-être ?

Milady demeura quelque temps immobile entre le parterre et l'arche, à débattre cette question ? Sa tête était baissée, et ses mains unies. Son attitude révélait l'état de son esprit ; elle exprimait l'irrésolution, la perplexité. Tout à coup un changement se fit en elle, et elle releva la tête d'un air de défi et de détermination.

— Non, Mr Robert Audley, prononça-t-elle tout haut d'une voix claire et faible, je ne recommencerai pas… je ne veux pas recommencer. Si ce duel entre nous est un duel à mort, ma main ne lâchera pas l'arme qu'elle tient.

Elle marcha vers l'arche d'un pas ferme et rapide. En passant sous cette construction massive, il lui sembla qu'elle disparaissait dans quelque gouffre sombre, béant pour la recevoir. L'horloge qui surmontait l'arche sonna minuit, et chaque coup fit vibrer la maçonnerie solide, pendant que lady Audley arrivait de l'autre côté et rejoignait Phœbe Marks qui l'attendait.

— Il y a trois miles d'ici à Mount Stanning, n'est-ce pas, Phœbe ? lui dit-elle.

— Oui, milady.

— Alors, nous pouvons les parcourir en une heure.

Lady Audley ne s'était pas arrêtée en parlant ; elle marchait très vite le long de l'avenue, et Phœbe suivait à ses côtés. Quoique faible et délicate en apparence, milady était très bonne marcheuse. Elle avait pris l'habitude des longues promenades chez Mr Dawson, alors qu'elle n'avait qu'à obéir, et une distance de trois miles ne l'effrayait pas.

— Votre aimable mari vous aura sans doute attendue, Phœbe, dit-elle en traversant un champ qui, d'habitude, servait de traverse entre le château et la grand-route.

— Oh ! évidemment, milady ; je pense qu'il se sera mis à boire avec l'homme.

— Quel homme ?

— L'homme qui accompagnait l'huissier, milady.

— Oh ! c'est probable, dit milady Audley avec indifférence.

Il était étrange que les chagrins domestiques de Phœbe fussent si loin de sa pensée au moment même où elle tentait une démarche si extraordinaire pour aller arranger les affaires de la soubrette à *Castle Inn*.

Les deux femmes traversèrent le champ et gagnèrent la grand-route. Le chemin qui menait à Mount Stanning était escarpé et d'un aspect fort triste à cette heure avancée de la nuit ; mais milady marchait avec le courage du désespoir. Elle ne dit pas un mot à sa compagne jusqu'au moment où elles arrivèrent au sommet de la colline et aperçurent quelques lueurs annonçant le village. L'une de ces lueurs, plus brillante que les autres, indiquait la maison où probablement Luke, à moitié ivre, attendait l'arrivée de sa femme.

— Phœbe, il n'est pas couché, votre mari, dit milady, et comme je ne vois pas d'autre lumière, je suppose que Mr Robert Audley dort depuis longtemps.

— Je le crois, milady.

— Êtes-vous sûre qu'il ait passé la nuit à votre auberge ?

— Certainement, avant de partir, j'ai aidé la servante à préparer sa chambre.

Le vent, déjà très violent dans la plaine, l'était plus encore au sommet de la colline où était située l'auberge. La frêle maison était ébranlée de fond en comble par ses efforts redoublés, car il pénétrait partout par les fentes des portes, celles des fenêtres, les tuiles disjointes et les cheminées délabrées.

Luke Marks ne s'était pas donné la peine d'assujettir la porte de sa maison avant de se mettre à boire avec l'homme qui était chargé provisoirement de garder ses meubles et ses ustensiles de ménage. Le maître de *Castle Inn* était une brute paresseuse et sensuelle qui ne songeait qu'à ses plaisirs et haïssait quiconque l'empêchait de s'y adonner librement.

Phœbe ouvrit la porte elle-même et entra, suivie de milady. Le gaz était allumé au comptoir et enfumait le plafond, blanchi à la chaux. La porte de la salle derrière le comptoir était entrouverte, et lady Audley entendit le rire brutal de Marks en franchissant le seuil de l'auberge.

— Je vais lui dire que vous êtes ici, milady, murmura Phœbe à son ancienne maîtresse. Il doit être ivre, et je vous supplie de ne pas vous en offenser, s'il vous dit quelque grossièreté. Vous savez que je ne voulais pas que vous vinssiez.

— Oui… oui… je le sais ; mais que m'importe sa grossièreté ? Qu'il dise ce qu'il voudra.

Phœbe Marks poussa la porte de la salle, laissant milady derrière elle.

Luke était assis, les jambes étendues sur les chenets. Il tenait d'une main un verre de gin, et de l'autre le tisonnier dont il se servait pour remuer les charbons et livrer passage à la flamme.

Quand sa femme parut, il retira brusquement le tisonnier et dit en branlant la tête comme un homme ivre :

— Vous vous êtes donc enfin décidée à revenir, madame, je vous croyais partie pour toujours.

Sa langue était épaisse ; il parlait avec peine et d'une façon peu intelligible, ses yeux étaient humides, ses mains tremblantes, et sa voix indiquait qu'il avait bu ce soir-là encore plus que de coutume. Brutal à jeun, il l'était dix fois plus encore en état d'ivresse. Il ne gardait plus alors la moindre réserve.

— Je… je suis restée plus longtemps que je ne pensais, répondit Phœbe d'un ton conciliant ; mais j'ai vu milady, et elle a été très bonne pour nous, et… elle réglera cette affaire.

— Très bonne, ah ! ah ! vraiment, murmura Marks d'une voix entrecoupée, je ne lui en sais aucun gré ; je la connais, sa bonté, et si elle n'y était pas forcée, elle changerait d'allures.

Le gardien des meubles, qu'un tiers de la liqueur engloutie par Marks avait plongé dans une demi-rêverie, regarda tout étonné l'aubergiste et sa femme. Il était assis près de la table sur laquelle il avait planté ses coudes pour ne pas glisser dessous, et il déployait de vains efforts pour allumer sa pipe à une chandelle qu'il avait devant lui.

— Milady a promis de régler cette affaire, riposta Phœbe, sans s'occuper des remarques de Luke.

Elle connaissait assez la nature entêtée de son mari pour savoir qu'il était inutile de chercher à l'empêcher de parler ou d'agir quand il s'était mis en tête de le faire.

— Elle est venue ici pour cela ce soir même, Luke, ajouta-t-elle.

Le tisonnier s'échappa des mains de l'aubergiste et fit grand bruit en tombant.

— Lady Audley est venue ici ce soir !

— Oui, Luke.

Milady parut sur le seuil au même instant.

— Oui, Luke Marks, je suis venue payer cet homme et le renvoyer.

Lady Audley prononça ces mots comme si elle les avait appris par cœur et les répétait sans les comprendre.

Marks posa son verre vide sur la table d'un air de mécontentement.

— Vous auriez pu donner l'argent à Phœbe ; elle l'aurait apporté aussi bien que vous. Nous ne voulons pas ici de belles dames pour fourrer leur nez partout.

— Luke... Luke..., fit observer Phœbe, vous oubliez combien milady a été bonne.

— Au diable sa bonté ! c'est son argent qu'il nous faut, et sans espoir de reconnaissance encore. Ce qu'elle fait, elle y est forcée, sinon elle s'en garderait bien.

Luke Marks aurait continué longtemps sur ce ton si milady ne s'était tout à coup retournée vers lui et ne l'avait rendu muet d'un regard. La flamme qui s'échappait de ses yeux était verdâtre, comme celle qui se dégagerait de l'œil en courroux d'une sirène.

— Taisez-vous, je ne suis pas venue ici pour écouter vos insolences. Combien devez-vous ?

— Neuf livres.

Lady Audley tira sa bourse – un bijou en ivoire, argent et turquoise – et en sortit un billet de banque et quatre souverains qu'elle déposa sur la table.

— Je veux un reçu de cet homme avant de partir, dit-elle.

Il fallut du temps pour faire comprendre au gardien ce qu'on désirait de lui, et ce ne fut qu'en lui mettant entre les doigts une plume pleine d'encre qu'il comprit que sa signature était nécessaire au bas du reçu écrit par Phœbe Marks. Dès que l'encre fut sèche, lady Audley prit le papier et quitta la salle. Phœbe la suivit.

— Vous ne vous en retournerez pas seule, milady. Laissez-moi vous accompagner.

— Oui, oui, vous m'accompagnerez.

Les deux femmes se trouvaient près de la porte de l'auberge pendant que milady parlait. Phœbe regardait son ancienne maîtresse. Elle s'était attendue à ce que lady Audley fût pressée de repartir, mais milady était appuyée contre le montant de la porte et regardait dans le vide. Mrs Marks eut peur de nouveau que des chagrins récents n'eussent rendu sa maîtresse folle.

Une petite horloge hollandaise placée derrière le comptoir sonna une heure, pendant que lady Audley demeurait ainsi indécise et complètement irrésolue.

Elle tressaillit à ce bruit et commença à trembler violemment.

— Je crois que je vais m'évanouir, Phœbe ; où pourrais-je trouver de l'eau froide ?

— La pompe est dans le lavoir ; je cours vous chercher un verre d'eau, milady.

— Non, non, dit milady, retenant Phœbe par le bras au moment où elle allait sortir pour chercher ce verre d'eau, j'irai moi-même. Il faut que je me plonge la tête dans une cuvette d'eau pour ne pas m'évanouir. Dans quelle chambre couche Mr Audley ?

Il y avait si peu d'à-propos dans cette question que Phœbe examina attentivement sa maîtresse avant d'y répondre :

— J'ai préparé le numéro 3, milady… la chambre à côté de la nôtre, sur le devant, répliqua-t-elle, étonnée, après un silence.

— Donnez-moi de la lumière, dit milady, je vais

monter chez vous et mettre de l'eau dans une cuvette pour me rafraîchir. Restez ici, ajouta lady Audley d'un ton autoritaire, en voyant que Phœbe Marks allait lui montrer le chemin, et veillez à ce que votre brute de mari ne monte pas là-haut !

Elle saisit la bougie allumée par Phœbe des mains de la jeune femme et monta l'escalier en bois vermoulu qui menait au sombre couloir du premier étage. Cinq chambres à coucher donnaient sur le couloir dans lequel elle déboucha, et chacune d'elles portait un numéro peint en lettres noires sur les panneaux supérieurs des portes. Lady Audley était venue à Mount Stanning examiner la maison lorsqu'elle avait acheté le fonds à Luke Marks, et elle connaissait très bien les aîtres[1] de cette vieille maison. Elle savait où était la chambre de Phœbe, mais elle s'arrêta devant celle préparée pour Mr Robert Audley.

Elle s'arrêta et regarda le numéro peint sur la porte. La clef était dans la serrure, et sa main s'appuya dessus comme par mégarde. Puis elle se mit à trembler comme elle avait tremblé quelques minutes avant au bruit de l'horloge, et resta ainsi tremblante quelques instants, la main toujours sur la clef. Ensuite sa figure revêtit une horrible expression, et elle tourna deux fois la clef dans la serrure, fermant ainsi la porte à double tour.

Celui qui occupait la chambre ne fit aucun mouvement, ne donna aucun signe attestant que le grincement de la clef dans la serrure rouillée était parvenu à ses oreilles.

Lady Audley entra précipitamment dans la chambre à côté. Elle posa la bougie sur la table de toilette, ôta son chapeau et en noua les rubans autour de son bras. Elle s'empara de la cuvette et la remplit d'eau. Elle plongea dans cette eau sa tête et sa chevelure dorée,

---

1. Les lieux. *(N.d.É)*

puis revint se placer pendant quelques instants au milieu de la chambre, d'où elle contempla d'un œil ardent le maigre ameublement qui l'entourait. La chambre à coucher de Phœbe n'avait rien de luxueux. La servante avait été forcée de mettre les plus beaux meubles dans les chambres réservées aux voyageurs que le hasard pouvait amener à *Castle Inn*. Mais Mrs Marks avait remplacé l'ameublement manquant par une abondance de draperies : au lit, aux fenêtres, partout, des rideaux blancs de mousseline à bon marché ; et des draperies de même étoffe, à la sombre fenêtre, masquaient la lumière du jour et donnaient asile à des légions de mouches et aux toiles d'araignée. La glace elle-même, ce malheureux morceau de verre qui faisait grimacer toute figure assez hardie pour s'y mirer, était encadrée dans de la mousseline festonnée et du calicot rouge glacé orné d'une dentelle tricotée.

Milady sourit à l'aspect de tous ces festons et de tous les ornements qui partout frappaient l'œil. Elle avait peut-être raison de sourire en se rappelant la richesse de son splendide appartement ; mais il y avait dans ce sourire une expression sardonique qui annonçait autre chose qu'un mépris naturel pour le luxe de la pauvre Phœbe. Elle s'approcha de la table de toilette, y essuya ses cheveux mouillés devant la glace, puis elle remit son chapeau. La bougie placée sur la table se trouvait nécessairement rapprochée de la gaze qui recouvrait les dorures de la glace, et elle l'était tellement que le frêle tissu semblait attirer la flamme comme s'il avait eu sur elle une puissance magnétique.

Phœbe attendait avec impatience à la porte de l'auberge que milady redescendît. Elle regardait s'écouler les minutes sur la petite horloge hollandaise et trouvait que les aiguilles marchaient bien lentement. Ce ne fut qu'à une heure et dix minutes que lady Audley reparut. Elle avait remis son chapeau, et ses cheveux étaient encore humides, mais elle ne rapportait pas la bougie.

— Vous avez laissé la bougie là haut, milady, s'inquiéta-t-elle.

— Le vent l'a éteinte au moment où j'allais sortir de chez vous, et je l'ai laissée dans votre chambre, répondit tranquillement milady.

— Dans ma chambre !

— Oui.

— Était-elle bien éteinte ?

— Oh ! tout à fait ; mais pourquoi ces questions ennuyeuses ? Il est une heure passée, venez.

Elle prit le bras de Phœbe et l'entraîna, quasiment de force, hors de la maison. La pression convulsive de sa main mignonne sur le bras de sa compagne avait en ce moment autant de force qu'un étau de fer. Le violent vent de mars referma brusquement la porte de l'auberge, et les deux femmes se trouvèrent de nouveau sur la route, au milieu des ténèbres. La longue route noire s'étendait, morne et désolée, devant elles, à peine visible entre les rangées d'arbres dépouillés.

Une promenade de trois miles de long sur une route déserte, entre une et deux heures du matin, par le froid piquant d'une nuit d'hiver, est loin d'être un divertissement pour une femme délicate, pour une femme qui aime ses aises et le confort. Mais milady n'en courait pas moins sur le terrain durci et inégal de la grand-route. Elle traînait après elle sa malheureuse compagne, comme si le génie du mal l'avait dotée d'une force indomptable. Par cette nuit noire qui les enveloppait, par ce vent terrible qui soufflait autour d'elles des quatre points cardinaux, balayant une vaste étendue de terrain cachée par les ténèbres et se déchaînant avec toute sa violence sur elles, les deux femmes descendirent la colline sur laquelle s'élevait Mount Stanning, le long d'un mile et demi de terrain en pente douce, et gravirent la côte au nord de celle qui recelait sur son versant opposé le riant coin de terre où Audley Court était enseveli, loin du tumulte et des clameurs du monde.

Milady s'arrêta au sommet de cette colline pour reprendre haleine et étreindre son cœur à deux mains dans l'espoir d'en étouffer les battements douloureux. Elles n'étaient plus maintenant qu'à trois quarts de mile du château. Il y avait environ une heure qu'elles avaient quitté *Castle Inn*.

Lady Audley, pendant cette halte, tourna la tête vers le but de sa course. Phœbe Marks s'arrêta aussi et, profitant de cette pause dans cette course précipitée, jeta ses regards en arrière sur cette triste auberge où elle était si malheureuse. À la vue de l'auberge elle poussa un cri d'horreur et saisit vivement le manteau de lady Audley.

Les ténèbres ne couvraient plus de leur voile noir toute l'étendue du ciel. Un jet de lumière brillait dans le lointain.

— Milady !... milady !... s'écria Phœbe en saisissant un des pans du manteau de sa maîtresse et lui montrant cette lueur, voyez-vous ?... voyez-vous ?

— Oui, je vois, répondit lady Audley en essayant de dégager son manteau des mains qui le serraient. Qu'est-ce que c'est ?

— Le feu... milady... le feu !

— Il me semble, en effet. C'est à Brentwood, sans doute. Lâchez-moi, Phœbe, ce feu ne nous touche en rien.

— Oh ! milady, ce n'est pas à Brentwood, c'est bien plus près, c'est à Mount Stanning.

Lady Audley ne répondit pas. Elle tremblait de nouveau, de froid peut-être, car le vent avait arraché son manteau de ses épaules, et tout son corps frêle était exposé à la bise aiguë.

— C'est à Mount Stanning, milady ! le feu est à *Castle Inn*... je le sais... je le sais... j'ai songé au feu toute la soirée et j'étais mal à l'aise, car je savais qu'un jour ou l'autre cela arriverait. L'auberge ne m'inquiète guère, mais il y va de la vie de plusieurs personnes... il y va de la vie de plusieurs personnes, sanglota la jeune femme avec égarement. Luke est ivre et ne pourra se sauver tout seul, et Mr Audley est endormi…

Phœbe Marks s'arrêta tout à coup en prononçant le nom de Robert. Elle se jeta à genoux et, levant les mains vers lady Audley :

— Ô mon Dieu ! dites-moi que ce n'est pas vrai, dites-le-moi, c'est trop horrible, trop horrible !…

— Qu'est-ce qui est trop horrible ?

— La pensée qui me vient à l'esprit… la terrible pensée que j'ai en ce moment.

— Que voulez-vous dire, Phœbe ? cria milady fièrement.

— Que Dieu me pardonne si je me trompe ! s'écria la jeune femme agenouillée, en phrases entrecoupées, puissé-je me tromper, milady ! pourquoi êtes-vous venue à l'auberge ce soir ?… pourquoi avez-vous résisté à toutes mes objections, vous qui êtes l'ennemie de Mr Audley et de Luke, que vous saviez réunis ce soir sous le même toit ? Oh ! dites-moi que je vous fais injure… dites-le-moi… car, aussi vrai qu'il y a un Dieu au-dessus de nos têtes, je crois que vous n'êtes venue que pour mettre le feu à l'auberge. N'est-ce pas que je vous offense, milady… n'est-ce pas ?… Répondez-moi, je vous en supplie.

— Je n'ai rien à vous dire, sinon que vous êtes folle, répondit lady Audley d'un ton sec et dur ; relevez-vous, peureuse… idiote ! Votre mari est-il donc si regrettable que vous ayez lieu de gémir à cause de lui ? Que vous est-il, ce Robert Audley, pour que vous vous mettiez dans un tel état parce qu'il court un danger quelconque ? Comment savez-vous que le feu est à Mount Stanning ? Vous voyez un jet de lumière dans le ciel et vous vous écriez aussitôt que votre misérable hutte est en flammes, comme s'il n'y avait pas sur terre d'autre maison qui pût brûler. Le feu peut être à Brentwood, ou plus loin… à Romford… ou plus loin encore ; de l'autre côté de Londres, peut-être. Relevez-vous, folle, et retournez chez vous pour veiller sur vos biens, sur votre mari et sur votre locataire. Relevez-vous et partez, je n'ai plus besoin de vous.

— Oh ! milady... milady... pardonnez-moi... sanglota Phœbe ; rien de tout ce que vous pourrez me dire ne sera assez dur pour l'injure que je vous ai faite, même en pensée ; je ne prends pas garde à vos paroles cruelles... accablez-moi de reproches pour cette accusation... vos duretés ne seront rien pour moi... dites-moi tout ce que vous voudrez, si j'ai tort.

— Retournez voir par vous-même, répondit lady Audley sèchement, je vous répète que je n'ai plus besoin de vous.

Lady Audley s'éloigna, laissant Phœbe Marks toujours agenouillée sur la route dans sa posture de suppliante. La femme de sir Michael reprit le chemin de la maison où dormait son mari, pendant que les lueurs du feu éclairaient l'immensité du ciel derrière elle et que, devant elle, s'étendait l'obscurité de la nuit.

34

Le porteur de nouvelles

Il était tard le lendemain matin quand lady Audley sortit de son cabinet de toilette. Elle portait un charmant négligé du matin en mousseline, tout garni de dentelles et de broderies, mais sa figure était très pâle et ses yeux entourés d'un cercle bleuâtre. Elle donna pour excuse qu'elle avait lu très tard dans la nuit.

Sir Michael et sa jeune femme déjeunèrent dans la bibliothèque, sur une table ronde, commodément installés au coin d'un bon feu ; Alicia était obligée de paraître à côté de sa belle-mère à l'heure des repas, mais elle se promettait de l'éviter le reste de la journée.

Cette matinée de mars était triste et sombre. La pluie fine qui tombait sans relâche donnait au paysage une teinte obscure et empêchait de voir au loin. Il n'était arrivé que quelques lettres par le courrier du matin, et comme les journaux n'apportaient pas leurs nouvelles avant midi, la discussion n'était pas très animée à la table du déjeuner.

Alicia regardait les gouttes de pluie qui venaient battre contre les vitres.

— Impossible de sortir à cheval aujourd'hui, dit-elle, et pas la moindre chance de voir des visites nous égayer, à moins que ce ridicule Bob n'affronte la boue et la pluie pour venir de Mount Stanning.

Avez-vous jamais entendu parler d'une manière légère et indifférente de quelqu'un que vous savez mort par une autre personne qui ignore la nouvelle ? Cette personne imagine pour celui qui n'est plus les mille absurdités dont se compose la vie quotidienne, tandis que vous savez, vous, qu'il y a entre lui et les occupations quotidiennes des vivants la pierre d'une tombe. Ces allusions, quelque insignifiantes qu'elles soient, produisent une sensation désagréable. Ces remarques affectent péniblement votre sensibilité, et ce manque de respect involontaire envers la mort vous est odieux. Quels furent les motifs qui firent frissonner lady Audley en entendant le nom de Robert ? Dieu seul le sait, mais sa figure devint pâle comme la mort quand Alicia parla de son cousin.

— Oui, il viendra peut-être malgré la boue et la pluie, continua la jeune fille, et il entrera ici avec son chapeau déformé et ruisselant comme si ce dernier eût été brossé avec un petit pain de beurre frais. Une vapeur blanche s'échappera de ses vêtements et le fera ressembler à quelque divinité des eaux montrant sa tête au milieu des ondes. La boue de ses bottes salira votre tapis, milady, ses habits mouillés frôleront votre tapisserie des Gobelins, et si vous le lui faites remarquer, il en prendra ombrage et vous demandera pourquoi vous avez des fauteuils si ce n'est pas pour s'asseoir dessus. Il vous dira qu'il vaudrait autant vivre à Fig-Tree Court, et…

Sir Michael Audley regardait sa fille d'un air sérieux pendant qu'elle parlait de son cousin. Il arrivait souvent à Alicia de ridiculiser Robert et de le traiter en termes peu mesurés.

Qui sait, se disait le baronnet, si ma fille n'est pas comme cette Beatrice qui n'avait que de dures paroles pour Benedick, mais qui en même temps l'aimait de tout son cœur.

— Savez-vous, Alicia, ce que m'a dit le major Melville lors de sa visite d'hier ? demanda tout à coup sir Michael.

— Je n'en ai pas la moindre idée, répondit Alicia avec dédain ; il vous a peut-être dit que nous aurions une autre guerre avant peu ou bien un nouveau ministère, parce que les ministres actuels ne font rien qui vaille et qu'à force de réformer ceci ou cela, ils finiront par n'avoir plus d'armée du tout ; rien qu'une armée d'enfants bourrés jusqu'aux yeux d'absurdités débitées par les maîtres d'école et portant des jaquettes et des casquettes de toile. Oui, monsieur, ils se battent dans l'Inde avec des casquettes de toile, en ce moment même, monsieur.

— Vous êtes une impertinente, mademoiselle, reprit le baronnet. Le major Melville ne m'a rien dit de tout cela : il m'a seulement raconté qu'un de vos admirateurs, sir Harry Towers, avait quitté sa résidence du Hertfordshire et renoncé à ses chevaux de chasse pour aller faire un tour d'une année sur le continent.

Miss Audley rougit en entendant le nom de son adorateur, mais cette rougeur disparut promptement.

— Il est parti pour le continent ! dit-elle avec indifférence. Pauvre garçon ! il m'avait annoncé que c'était là son intention si… s'il ne réussissait pas dans ses projets. Sir Harry Towers, le pauvre diable, est une bonne et stupide nature qui vaut vingt fois mieux que ce morceau de glace qui a nom Robert Audley.

— Je voudrais, Alicia, que vous ne trouviez pas tant de plaisir à ridiculiser Robert, répliqua sir Michael gravement. Il a un cœur excellent et je l'aime comme un fils. Il me cause bien des chagrins depuis quelque temps. Il n'est plus le même qu'auparavant; il s'est mis en tête des idées absurdes, et ma femme est alarmée à propos de lui, elle…

Lady Audley interrompit son mari en secouant la tête d'un air grave:

— Il vaut mieux ne pas trop parler de cela pour le moment. Alicia sait ce que je crois…

— Oui, reprit miss Audley, vous croyez qu'il devient fou, mais je sais à quoi m'en tenir: Robert n'est pas taillé pour devenir fou. Ce n'est pas dans une mare qu'éclate jamais la tempête. Il peut se faire qu'il passe le reste de sa vie à bâiller à la lune dans un état d'idiotisme qui ne lui permettra pas de comprendre qui il est et où il va, mais il n'arrivera pas jusqu'à la folie.

Sir Michael ne répliqua pas. Sa conversation de la veille avec sa femme l'avait inquiété et il avait beaucoup réfléchi sur ce pénible sujet.

Sa femme – celle qu'il aimait le plus au monde et qui avait toute sa confiance – lui avait exposé avec toutes les apparences du regret et de l'agitation sa conviction de la folie de son neveu. Il avait essayé inutilement d'arriver à la conclusion qu'il désirait de tout son cœur, il avait essayé de se prouver à lui-même qu'elle s'était trompée et que son opinion n'avait rien de sérieux. Mais que conclure? Puisqu'elle croyait que Robert était fou, si elle se trompait, c'était donc son esprit à elle qui était dérangé. Robert avait toujours été excentrique, c'est vrai. Il avait du bon sens, était passablement habile; il avait de l'honneur et les sentiments d'un gentleman, quoiqu'il fût peut-être un peu insouciant dans l'accomplissement de ses devoirs. Il était vrai aussi qu'il avait bien changé depuis la disparition de George Talboys. Il était devenu rêveur, pensif, mélancolique et distrait; il fuyait la société, passait plusieurs heures de suite sans parler, ou bien il s'échauffait par boutades et discutait avec animation de sujets tout à fait étrangers à son monde. Puis, il y avait encore un autre motif qui semblait donner de la force au raisonnement de milady sur l'état de ce malheureux jeune homme : il avait vécu souvent dans la société de sa jolie et franche cousine Alicia, que l'intérêt et l'affection, selon toute apparence, lui désignaient naturellement comme la femme qu'il lui fallait ; plus encore, la jeune fille lui avait montré dans l'innocence de son cœur que, de son côté du moins, l'affection ne manquait pas. Pourtant il avait préféré vivre seul et laisser le champ libre à d'autres qui étaient venus demander la main d'Alicia – et avaient été refusés.

Mais l'amour est une essence tellement subtile, une merveille métaphysique si difficile à définir, que sa puissance si terrible pour celui qui aime n'est jamais bien comprise par ceux qui ne la subissent pas et qui se demandent comment il se fait que la fièvre commune ait des conséquences si désastreuses. Sir Michael pensait qu'Alicia était charmante et trouvait extraordinaire que Robert ne fût pas amoureux d'elle. Il trouvait étrange, lui qui n'avait rencontré qu'à près de 60 ans la femme qui avait fait battre son cœur, que Robert n'aimât pas Alicia. Il oubliait qu'il y a des hommes qui traverseraient impunément un harem de jolies filles de Mahomet et qui succombent enfin devant quelque affreuse virago qui connaît la manière de préparer le philtre enivrant. Il oubliait qu'il y a des hommes qui vieillissent sans avoir rencontré la femme choisie pour eux par Némésis et meurent vieux garçons, tandis que, de l'autre côté du mur de leur chambre mortuaire, cette même femme achève de broder le voile de sainte Catherine. Il oubliait que l'amour, qui est une folie, un fléau, une illusion, un piège, est aussi un mystère que ne peuvent déchiffrer ceux qui n'en subissent pas les tortures. Jones, qui est amoureux fou de miss Brown et passe la nuit à tourner et à retourner sa tête sur son oreiller ; qui, dans son angoisse, roule ses draps comme s'il était un prisonnier et qu'il voulût en faire des cordes ; ce même Jones qui regarde Russell Square comme un endroit magique parce que sa divinité l'habite, qui pense que les arbres et le ciel au-dessus y sont plus verts et plus bleu que les arbres et le ciel ailleurs, et qui endure une torture, oui, une vraie torture où se mêlent l'espérance, la joie, l'attente et la terreur quand il sort de Guildford Street pour descendre des hauteurs d'Islington dans ce lieu sacré ; ce même Jones est indifférent aux tourments de Smith qui adore miss Robinson et ne peut comprendre ce que le pauvre garçon découvre de si remarquable chez la jeune fille. Il en était ainsi de sir Michael Audley. Il regardait son neveu comme le type même d'une certaine classe de jeunes gens, et sa fille comme un modèle de beauté féminine, et se demandait constamment pourquoi les deux modèles ne s'unissaient pas par un mariage très convenable. Il ignorait qu'il existe dans les natures des différences infinitésimales, qui changent la nourriture saine pour l'un en poison pour l'autre, et que tel plat qui déplaît au voisin de droite est très prisé du voisin de gauche.

Si à un dîner, un convive de mauvaise humeur refuse de manger du saumon ou des concombres parce que ce n'est pas la saison, si les pois verts en février ne sont pas de son goût, nous le regardons aussitôt comme un parent pauvre de l'amphitryon qui fuit par instinct ces plats coûteux. Si un notable déclarait qu'il n'aime pas le porc frais, on le considérerait aussitôt comme un martyr social, un Marcus Curtius[1] de la table, qui s'est immolé lui-même au profit de ses semblables. Les notables ses collègues croiraient à n'importe quoi plutôt qu'à un dégoût hérétique pour ce que la City envisage comme l'ambroisie de la soupière. Mais il y a des gens qui n'aiment pas le saumon, le poisson blanc délicat, les canards printaniers et

1. Marcus Curtius se jeta dans un gouffre, pour le combler, au IVe siècle av. J.-C. *(N.d.É)*

toute espèce de morceaux choisis dont la réputation est bien établie ; et il y a d'autres personnes qui ont un faible pour des plats excentriques, de mauvais goût, et généralement réputés nauséabonds.

Hélas ! ma jolie Alicia, votre cousin ne vous aimait pas ! Il admirait votre bonne figure anglaise toute rose et ressentait pour vous une tendre affection, qui, avec le temps, serait peut-être devenue assez vive pour le pousser à vous épouser, à contracter avec vous cette union banale dont on voit tous les jours des exemples et qui ne demande pas un dévouement bien passionné, sans la secousse violente qu'elle avait reçue dans le Dorsetshire. Oui, l'affection naissante de Robert Audley pour sa cousine, cette plante si lente à pousser, avait été arrêtée tout à coup dans sa croissance et s'était rabougrie dans cette froide journée de février où il avait causé avec Clara Talboys sous les sapins. Depuis, le jeune homme avait éprouvé une sensation désagréable en songeant à la pauvre Alicia. Il la regardait comme un obstacle à la liberté de ses pensées ; il était hanté par la crainte de s'être tacitement engagé à elle ; il lui semblait qu'elle avait sur lui un droit qui lui défendait de penser à une autre femme, et c'était probablement l'image de miss Audley, envisagée sous ce point de vue, qui occasionnait les sorties violentes que le jeune avocat se permettait quelquefois contre les femmes. Cependant l'honneur parlait haut chez lui, tellement haut qu'il eût préféré se sacrifier à ce qu'il regardait comme un acte honnête et épouser Alicia, plutôt que de lui faire la moindre peine, dût cette peine assurer son bonheur à lui.

Si la pauvre enfant m'aime, se disait-il, si quelque parole irréfléchie prononcée par moi a pu lui faire croire que je l'aimais, il est de mon devoir de ne pas détruire cette croyance, et je suis prêt à tenir la promesse que je puis avoir faite à la légère. J'ai eu jadis la pensée, j'ai eu jadis l'intention de demander sa main après l'éclaircissement de cet horrible mystère de la disparition de George Talboys… mais maintenant…

Ses pensées s'arrêtaient là d'ordinaire et l'entraînaient où il ne voulait pas aller, sous les sapins du Dorsetshire où il se retrouvait de nouveau face à face avec la sœur de son ami disparu ; et c'était généralement un voyage très pénible que celui par lequel il revenait à l'endroit où il s'était perdu dans ses réflexions. C'était chose si difficile pour lui de s'éloigner des sapins !

Pauvre petite fille ! continuait-il en revenant à Alicia, comme c'est bien à elle de m'aimer et combien je devrais me montrer reconnaissant de sa tendresse. Combien de jeunes gens accepteraient avec empressement le don de ce cœur généreux, aimant, qui serait la faveur la plus précieuse qu'ils pussent obtenir sur terre. Sir Harry Towers est au désespoir d'avoir été refusé. Il me donnerait la moitié de sa fortune, toute sa fortune et même deux fois sa valeur s'il le pouvait, pour être à la place que je veux déserter avec tant d'ingratitude. Pourquoi ne puis-je l'aimer ? Pourquoi, la sachant jolie, pure, bonne et pleine de franchise, son image ne m'apparaît-elle jamais qu'en compagnie de reproches ? Je ne la vois jamais dans mes rêves, je ne m'éveille jamais en sursaut au milieu de la nuit pour voir ses yeux brillants me contempler, pour sentir sa chaude haleine sur ma joue ou la pression de ses doigts mignons sur ma main. Non, je ne l'aime pas, je ne puis être amoureux d'elle !

Il se révoltait contre son ingratitude. Il en était furieux. Il essayait par toutes sortes de raisonnements de faire éclore en son cœur une belle passion pour sa cousine, mais c'était impossible, et plus il s'efforçait de songer à Alicia, plus il songeait à Clara Talboys.

Sir Michael s'assit au coin du feu après déjeuner, dans cette triste matinée pluvieuse, et passa son temps à écrire ou à lire les journaux. Alicia s'enferma chez elle pour achever le troisième volume d'un roman, et lady Audley ferma la porte de la chambre octogonale et erra toute la journée dans la longue enfilade de ses appartements.

Elle avait fermé la porte à clef pour se mettre en garde contre une visite inattendue qui l'aurait prise à l'improviste, qui ne lui aurait pas donné le temps de composer assez bien sa figure pour défier l'observation. Elle pâlissait de plus en plus à mesure que la matinée s'écoulait. Sur sa table de toilette était un petit coffret à médicaments renfermant des fioles à chloroforme, lavande, chlorodyne et éther. Une fois milady s'arrêta devant ce coffret et en tira, machinalement peut-être, les fioles qui y restaient. Elle finit par en rencontrer une pleine d'un liquide noirâtre et dont l'étiquette portait : *Opium. Poison.*

Elle joua longtemps avec cette fiole, la regarda à travers le jour et la déboucha même pour respirer l'odeur du liquide. Mais elle la déposa tout à coup en frissonnant.

— Si je pouvais !... murmura-t-elle, si j'avais seulement le courage !... Et pourtant à quoi bon ! *maintenant*...

Ses petites mains se crispèrent à ces derniers mots, elle courut à la fenêtre de son cabinet d'où l'on apercevait la grande arche tapissée de lierre sous laquelle devait passer quiconque viendrait de Mount Stanning à Audley Court.

L'aiguille de l'horloge au-dessus de l'arche marquait une heure et demie quand milady la regarda.

— Comme le temps passe lentement, dit-elle ennuyée ; comme il passe lentement... lentement. Vieillirai-je longtemps ainsi, d'une heure par minute ?

Elle demeura quelques instants immobile, les yeux fixés sur l'arche, mais personne ne parut, et elle s'éloigna de la fenêtre pour recommencer sa promenade.

En quelque endroit que se fût déclaré l'incendie qui, la nuit précédente, avait jeté une si vive lueur sur le ciel sombre, la nouvelle n'en était pas encore parvenue à Audley. La journée était triste et pluvieuse, et précisément une de celles par lesquelles l'oisif ou le bavard le plus entêté oserait à peine s'aventurer au-dehors. Et ce n'était pas jour de marché, il y avait donc peu de piétons sur la route entre Brentwood et Chelmsford.

La femme de chambre en rubans roses vint prévenir sa maîtresse qu'il était l'heure du déjeuner, mais lady Audley entrouvrit seulement sa porte et déclara qu'elle n'avait pas l'intention de descendre.

— Je souffre horriblement de la migraine, Martin, et je vais tâcher de dormir. Vous viendrez m'habiller à cinq heures.

Lady Audley avertissait sa domestique qu'elle aurait besoin d'elle à cinq heures, mais c'était avec l'intention bien arrêtée d'être prête à quatre heures pour se passer de ses services. Parmi les espions privilégiés, celui qui a le plus de privilèges, c'est la femme de chambre. C'est elle qui baigne à l'eau de Cologne les yeux de lady Theresa après qu'elle s'est querellée avec le colonel ; c'est elle qui administre des sels volatils à miss Fanny après que le comte Beaudesert, des Cuirassiers bleus, l'a quittée pour ne plus la revoir. Elle a une foule de moyens pour découvrir les secrets de sa maîtresse. Elle devine à la manière dont elle secoue la tête sous la brosse ou le peigne les tourments qui lui déchirent la poitrine, les incertitudes qui l'inquiètent. Cette servante bien dressée sait interpréter à merveille tous les symptômes des maladies morales auxquelles sa maîtresse est sujette ; elle sait le moment où s'achète et se paye le teint d'ivoire, et en quelle substance étrangère sont les dents qui ressemblent à des perles ; elle sait que les bandeaux épais et luisants sont la propriété des morts plutôt que des vivants ; et elle connaît encore d'autres secrets plus précieux que ceux-là. Elle sait que le doux sourire de Mrs Leverson est encore plus faux que ses diamants, et que les paroles qui s'échappent de ses lèvres vermillonnées ne sont pas de bon aloi. Quand la reine du bal rentre chez elle, jette son grand burnous et son bouquet fané, dépose son masque comme Cendrillon perd sa pantoufle de verre qui la fait reconnaître et reprendre ses haillons, la femme de chambre est là pour assister à la transformation. Le valet de Mahomet, s'il en avait un, a dû plus d'une fois voir son maître en déshabillé, et rire sous cape de la bêtise de ses adorateurs.

Lady Audley n'avait pas sa femme de chambre pour confidente, et, ce jour-là plus que les autres, elle voulait être seule.

Elle s'étendit sur le meilleur sofa du cabinet de toilette, cacha sa tête sous les coussins et essaya de dormir. Dormir ! il y avait si longtemps que le sommeil n'avait fermé sa paupière, qu'elle ne comptait plus le voir venir. Peut-être n'y avait-il que quarante-huit heures qu'elle n'avait dormi, mais ces quarante-huit heures avaient été autant de siècles. La fatigue de la nuit précédente et ses émotions l'avaient brisée. Elle s'endormit, mais son sommeil lourd ressemblait à de la torpeur. Elle avait pris quelques gouttes d'opium dans un verre d'eau avant de chercher le repos.

La pendule sonnait trois heures trois quarts quand elle s'éveilla, le front couvert d'une sueur froide. Elle avait rêvé que toutes les personnes habitant le château frappaient à sa porte pour lui annoncer l'incendie de la nuit. Elle n'entendit d'autre bruit que celui des feuilles de lierre frappant contre la fenêtre, le craquement du bois qui brûlait dans le foyer, et le mouvement régulier de la pendule.

Ces rêves affreux vont-ils me poursuivre jusqu'à ce qu'ils m'aient tuée ? se dit-elle.

La pluie avait cessé, et un faible rayon de soleil brillait aux vitres de la fenêtre. Lady Audley s'habilla rapidement, mais avec soin. Je ne veux pas dire que, même au moment où ses angoisses étaient les plus poignantes, elle fût encore fière de sa beauté ; non, sa beauté n'était plus qu'une arme à ses yeux, et elle sentait qu'elle avait doublement besoin d'être bien armée. Elle mit sa robe de soie la plus belle, une robe d'un bleu argenté étincelant, qui lui donnait l'air d'être vêtue avec des rayons de lune ; elle déroula les brillants anneaux de sa chevelure et, jetant sur ses épaules un manteau de cachemire blanc, descendit dans le vestibule.

Elle ouvrit la porte de la bibliothèque et jeta un coup d'œil à l'intérieur. Sir Michael était endormi dans son fauteuil. Au moment où milady refermait doucement la porte, Alicia descendit de chez elle. La porte de la tour était ouverte et le soleil brillait sur la pelouse du parterre. La terre durcie du chemin n'était presque plus humide, la pluie ayant cessé de tomber depuis plus de deux heures.

— Voulez-vous faire un tour avec moi dans le parterre ? proposa lady Audley à sa belle-fille.

La neutralité armée entre les deux femmes autorisait de temps en temps quelque politesse de ce genre.

— Oui, si vous voulez, milady, répondit Alicia d'un air indifférent ; j'ai bâillé toute la matinée en lisant un livre stupide et je ne serais pas fâchée de respirer un peu d'air frais.

Je plains le romancier dont miss Audley avait lu le roman, s'il n'a pas de critiques plus scrupuleux que la jeune fille. Elle avait parcouru le volume sans savoir ce qu'elle lisait et l'avait mis plusieurs fois de côté pour épier à la fenêtre l'arrivée d'un visiteur qu'elle n'avait plus grand espoir de voir arriver.

Lady Audley passa la première et gagna le chemin caillouté par lequel les voitures arrivaient au château. Elle était encore très pâle, mais sa toilette brillante et ses boucles dorées, légères comme la plume, attiraient l'œil et l'empêchaient de se fixer sur sa pâleur. Le chagrin, avec quelque raison, s'associe dans notre esprit à des vêtements en désordre, à des cheveux épars et à un extérieur tout à fait opposé à celui de milady. Pourquoi, par ce pâle soleil de mars, était-elle venue se promener avec sa belle-fille qu'elle détestait, sur ce chemin désagréable ? Parce qu'elle ne pouvait rester en place et attendre à l'intérieur une nouvelle qu'elle savait imminente. Elle avait d'abord souhaité que cette nouvelle ne pût venir, que quelque convulsion de la nature l'en empêchât, que le messager qui l'apportait fût tué par la foudre ou que la terre s'entrouvrît sous ses pieds, que des gouffres infranchissables séparassent l'endroit d'où devaient venir les informations de celui où elles seraient apportées. Elle avait désiré que la terre demeurât immobile et que les éléments paralysés ne s'acquittassent plus de leurs fonctions naturelles, que la marche du temps fût arrêtée et que le jour du jugement dernier arrivât pour la faire comparaître devant Dieu et non devant les hommes. Dans l'état confus où était son cerveau, elle avait eu le temps de ressasser chacune de ses pensées, et pendant qu'elle dormait sur le sofa de son cabinet de toilette, elle avait rêvé à toutes ces choses et à cent autres encore; elle avait rêvé qu'un petit ruisseau qui coulait entre Mount Stanning et Audley Court s'était changé en une rivière, puis en un vaste océan, et que le village de la colline avait disparu sous les eaux. Elle avait rêvé qu'elle voyait le messager entravé dans sa marche par un million d'obstacles, tantôt sérieux, tantôt futiles, mais jamais naturels ni probables, et quand elle était descendue, la mémoire encore remplie de ces rêves, elle avait été étonnée de voir que la maison était si calme.

Un changement complet se fit alors dans son esprit. Elle souhaita voir finir son angoisse et arriver le moment où le tourment qu'elle endurait aurait à tout prix cessé. Il lui semblait que la journée durerait éternellement et que la marche du temps était arrêtée, ainsi qu'elle l'avait voulu un moment dans sa folie.

— Comme la journée a été longue !... s'écria Alicia, abondant dans le sens de milady. Rien que de la pluie, du vent et du brouillard. Et maintenant qu'il est trop tard pour sortir, il fait beau, ajouta la jeune fille d'un air contrarié.

Lady Audley ne répondit pas. Elle regardait le cadran de l'horloge immobile et attendait ce messager qui devait infailliblement arriver.

Ils ont eu peur de venir lui annoncer la nouvelle, pensait-elle, ils ont eu peur de tout dire à sir Michael. Qui donc aura enfin le courage de se charger de cette mission ? Le recteur de Mount Stanning, peut-être, ou bien le médecin. En tout cas, ce sera un notable.

Si elle avait pu aller dans l'avenue déserte ou sur la grand-route, si elle avait pu aller jusqu'à cette colline où elle avait renvoyé Phœbe, avec quelle ardeur elle y aurait couru. Elle aurait préféré n'importe quelle douleur à cette attente cruelle qui torturait son cœur et son esprit. Elle essaya de causer et parvint péniblement à prononcer quelques lieux communs. En toute autre circonstance, sa compagne aurait remarqué son embarras, mais miss Audley était trop ennuyée elle-même pour ne pas désirer le silence autant que sa belle-mère. Cette promenade monotone sur le chemin caillouté plaisait à Alicia dans sa situation d'esprit. Je crois même qu'elle prenait un malin plaisir à caresser l'idée qu'elle s'enrhumait et que Robert était responsable du danger qu'elle courait. Si elle avait pu, en s'exposant au souffle glacé du vent de mars, gagner une bonne pleurésie ou amener quelque rupture de vaisseau, je pense qu'elle eût trouvé quelque sombre satisfaction dans ses souffrances.

Elle s'imagina qu'elle en était arrivée au dernier point de la maladie, qu'on l'avait entourée d'oreillers dans un grand fauteuil placé près de la fenêtre, et qu'elle contemplait une dernière fois les rayons du soleil. Autour d'elle était une table chargée de médicaments, une bible, des fleurs, et Robert désolé, qui venait recevoir sa bénédiction. Dans cette bénédiction, elle le sermonnait longtemps, plus longtemps qu'il n'est permis aux malades, et ce château en Espagne lui souriait beaucoup. Avec de pareilles fantaisies en tête, miss Audley ne s'occupait guère de sa belle-mère, et six heures sonnaient au moment où Robert avait enfin reçu sa bénédiction.

— Grand Dieu ! s'écria-t-elle tout à coup, déjà six heures passés et je ne suis pas encore habillée ! Voulez-vous rentrer, milady ?

La demi-heure sonna dans la coupole du toit pendant qu'Alicia parlait.

— Tout à l'heure, je me suis habillée avant de descendre, comme vous voyez.

Alicia s'éloigna, mais la femme de sir Michael demeura dans le parterre : elle attendait ces nouvelles si lentes à venir.

Il faisait presque nuit. Les ténèbres commençaient à envelopper la terre. Au-dessus des prairies flottait une vapeur grise, et un étranger qui aurait aperçu Audley Court en ce moment, se serait imaginé que le château se dressait au bord de la mer. Sous l'arche, les ombres du soir se condensaient et semblaient attendre une occasion de se glisser insensiblement dans le parterre ; il faisait déjà sombre et l'on distinguait à peine, de l'autre côté, ce coin de ciel bleu où brillait déjà l'étoile du soir. Il n'y avait personne dans le parterre, excepté cette malheureuse coupable qui parcourait le sentier. Enfin un bruit retentit dans l'avenue qui conduisait à l'arche. Était-ce un bruit de pas ? Son ouïe, dont les capacités étaient doublées chez elle par l'agitation, lui révéla que ce bruit venait de quelqu'un qui marchait, non d'un pas traînard comme celui des paysans à souliers ferrés, mais d'un pas ferme et vif comme celui d'un gentleman.

Ce bruit glaça le sang dans les veines de milady. Il lui fut impossible d'attendre ; elle ne put se contenir ; tout son empire sur elle-même disparut en un instant, et elle courut vers l'arche.

Elle s'arrêta dans l'ombre, car l'étranger était à quelques pas d'elle. Elle le vit à travers l'obscurité, ô Dieu ! et son cœur cessa de battre, sa tête s'égara. Elle ne poussa aucun cri de surprise, aucune exclamation de terreur, elle chancela et s'appuya contre l'arche recouverte de lierre. Elle attendit ainsi le nouveau venu sans le quitter des yeux.

À mesure qu'il approchait, ses jambes se dérobèrent sous elle et elle tomba à genoux sur la terre ; elle ne s'évanouit pas, elle garda même toute sa connaissance. Ainsi agenouillée dans l'angle du mur, on aurait dit qu'elle ne demandait plus qu'à se creuser une tombe à l'abri de l'édifice en brique, et à mourir.

— Milady !… s'écria Robert, car le nouveau venu, c'était lui, lui dont la chambre avait été fermée à double tour dans *Castle Inn*, dix-sept heures auparavant. Qu'avez-vous ?… reprit-il d'un ton étrange où perçait la contrainte ; relevez-vous et laissez-moi vous conduire à la maison.

Il l'aida à se relever et elle lui obéit avec soumission. Il prit son bras et la guida à travers le parterre, vers le vestibule éclairé. Elle frissonnait comme jamais Robert n'avait vu femme frissonner, mais elle n'essayait pas de lui résister.

35

Milady avoue la vérité

— Y a-t-il un appartement dans lequel je puisse vous parler en tête-à-tête ? demanda Robert Audley en jetant un regard inquiet dans le vestibule.

Milady inclina la tête pour toute réponse. Elle poussa la porte de la bibliothèque qui avait été laissée entrouverte. Sir Michael était monté chez lui s'habiller pour le dîner après un jour de paresse, bien légitime chez un malade. La salle était vide et seulement éclairée par le feu, comme lors de la soirée précédente.

Lady Audley entra, et Robert la suivit, en ayant soin de refermer la porte. La malheureuse femme, toute tremblante, se dirigea vers la cheminée et s'agenouilla devant le feu, comme si la chaleur du foyer pouvait chasser le froid qu'elle ressentait. Robert s'approcha d'elle et se posta devant le foyer, appuyant son coude sur la cheminée.

— Lady Audley, dit-il d'un ton glacé qui détruisait tout espoir de tendresse ou de compassion, je vous ai parlé franchement hier soir, et vous avez refusé de m'écouter. Ce soir je serai plus franc encore, et il faudra bien que vous m'écoutiez.

Milady, penchée devant le feu, la figure cachée dans les mains, laissa échapper un sanglot qui ressemblait presque à un gémissement, mais elle ne fit aucune réponse.

— Il y a eu un incendie à Mount Stanning la nuit dernière, lady Audley, continua Robert, impitoyable ; *Castle Inn*, la maison où je dormais, a été brûlée complètement. Savez-vous comment j'ai échappé à la mort ?

— Non.

— J'y ai échappé par un miracle de la Providence, et ce miracle est bien simple. Je n'occupais pas la chambre qui avait été préparée pour moi. En y entrant je l'avais trouvée humide, et la cheminée avait fumé horriblement quand la servante avait allumé le feu. Je préférai donc coucher au rez-de-chaussée, dans la petite pièce où j'étais resté toute la soirée, et je dormis sur un canapé.

Il s'arrêta un moment pour regarder lady Audley. Elle baissait la tête de plus en plus, et ce fut le seul changement qu'il remarqua dans son attitude.

— Dois-je vous dire, milady, qui a mis le feu à *Castle Inn ?*

Pas de réponse.

— Dois-je vous le dire ?

Toujours le même silence obstiné.

— Lady Audley, s'écria Robert tout à coup, l'incendiaire, c'est vous ! C'est votre main qui a enflammé la boiserie, et vous pensiez, à l'aide de ce crime, vous débarrasser de moi, votre ennemi et votre dénonciateur. Que vous importait le sacrifice de plusieurs existences ? Si, à l'aide d'un second massacre de la Saint-Barthélemy, vous eussiez pu me faire disparaître, vous n'eussiez pas hésité à immoler toute une armée de victimes. Le jour de la pitié et de la faiblesse est passé. Je n'éprouve plus aucune compassion pour vous, et je ne vous épargnerai qu'autant que je craindrai d'en faire souffrir d'autres en même temps que vous. S'il existait un tribunal secret devant lequel il me fût possible de vous traduire, je n'aurais aucun scrupule à être votre accusateur ; mais je veux épargner le gentleman généreux et au noble cœur dont le nom serait souillé par l'infamie qui s'attacherait au vôtre.

Sa voix s'adoucit à cette allusion et baissa un instant ; mais il fit un effort sur lui-même et continua :

— Personne n'a perdu la vie dans l'incendie de la nuit passée. Je dormais légèrement, milady, car mon esprit était troublé, comme il l'est depuis longtemps, par le malheur qui plane sur cette maison. C'est moi qui ai découvert le feu à temps pour donner l'alarme et sauver la servante ainsi que le malheureux ivrogne, qui était ivre et a été sérieusement brûlé malgré tous mes efforts. Il est maintenant à la ferme de sa mère, dans un état déplorable. C'est par lui et sa femme que j'ai su qui était venu à l'auberge au milieu de la nuit. Phœbe Marks était presque folle quand elle m'a vu, et elle m'a raconté tous les détails de la nuit dernière. Elle connaît peut-être bien d'autres secrets encore, et je pourrais les lui arracher si j'en avais besoin ; mais je n'en ai que faire. Mon chemin est tout tracé. J'ai juré de traîner devant la justice l'assassin de George Talboys, et je serai fidèle à mon serment. Je déclare que c'est par vous que mon ami a été tué. Je me suis demandé bien souvent, et cela était tout naturel, si je n'étais pas sous l'empire de quelque horrible hallucination. Comment croire, en effet, qu'une femme, jeune et charmante, fût capable de commettre un pareil crime ? Mais aujourd'hui il n'y a plus de doute possible. Après ce qui s'est passé à *Castle Inn*, il n'y a plus de forfait imaginé et exécuté par vous qui puisse m'étonner. Pour moi, vous n'êtes plus la femme coupable à laquelle il peut rester un cœur pour souffrir, vous êtes l'incarnation du mal ; vous ne souillerez pas plus longtemps cette maison de votre présence. À moins que vous ne confessiez qui vous êtes et ce que vous avez été en présence de l'homme que vous avez trompé si longtemps, et que vous n'acceptiez la pitié que nous pouvons juger convenable de vous témoigner, je vais réunir les témoins qui constateront votre identité, et, au risque d'attirer la honte sur ceux que j'aime, vous serez punie de vos crimes.

Milady se releva tout à coup et se dressa devant lui d'un air résolu ; elle avait rejeté ses cheveux en arrière et ses yeux étincelaient.

— Faites venir sir Michael, s'écria-t-elle, faites-le venir, et je confesserai tout, oui, tout ! Peu m'importe ! J'ai lutté assez longtemps contre vous et déployé assez de patience : mais vous êtes vainqueur, Mr Robert Audley ! C'est un beau triomphe, n'est-ce pas ? une grande victoire ! Vous avez employé votre esprit froid, lumineux et calculateur à un noble projet ! Vous avez vaincu une *folle !*

— Une folle ! s'écria Mr Audley.

— Oui, une folle ! Quand vous dites que j'ai tué George Talboys, vous ne dites que la vérité, et quand vous dites que je l'ai traîtreusement assassiné, vous mentez ! je l'ai tué parce que *je suis folle*, parce que mon intelligence penche un peu plus du côté de la folie que de la raison ; parce que, lorsque George Talboys m'accabla de reproches et me menaça comme vous l'avez fait, mon esprit, qui n'a jamais été bien sain, perdit toute sa raison, et je devins folle. Faites venir sir Michael, au plus vite ; s'il doit savoir quelque chose, qu'il sache tout, qu'il apprenne en entier le secret de ma vie !

Robert Audley sortit pour aller trouver son oncle. Il chercha ce digne parent avec la mort dans l'âme, car il savait qu'il allait détruire le rêve de sa vie, et que nos rêves n'en sont pas moins pénibles à perdre même s'ils ont été bien éloignés de la réalité pour laquelle nous les avons pris. Mais malgré toute la douleur qu'il éprouvait pour sir Michael, Robert ne pouvait s'empêcher de songer aux dernières paroles de milady : « le secret de ma vie ». Il se souvenait de ces lignes qui l'avaient si fort intrigué dans la lettre écrite par Helen Talboys à son père la veille de son départ de Wildernsea. Il se souvenait de ces deux phrases inintelligibles : *« Vous devez me pardonner, car vous savez* pourquoi *j'ai agi de la sorte. Vous connaissez le* secret *qui explique ma vie. »*

Il trouva sir Michael dans le vestibule ; il ne prépara pas le baronnet à la terrible révélation qu'il allait entendre. Il l'amena dans la bibliothèque, éclairée par le feu seulement, et là, pour la première fois, il lui adressa la parole d'un ton calme :

— Lady Audley a une confession à vous faire, mon oncle, une confession qui vous sera bien douloureuse et qui vous surprendra cruellement ; mais pour votre honneur dans le présent, pour votre paix dans l'avenir, il faut que vous l'entendiez. Elle vous a trompé indignement, je dois le dire, mais il est de toute justice que vous écoutiez les excuses qu'elle peut alléguer. Que Dieu adoucisse la violence du coup, sanglota le jeune homme, moi, je ne le puis.

Sir Michael leva la main, comme pour imposer silence à son neveu ; mais cette main retomba impuissante. Il était debout au milieu de la salle, froid et immobile.

— Lucy ! cria-t-il d'une voix pleine d'angoisse qui résonna désagréablement aux oreilles de ceux qui l'entendaient et ressemblait au cri d'un animal blessé, Lucy, dites-moi que cet homme est fou !… Dites-le moi, ma bien-aimée… ou bien je le tuerai !

Sa voix devint furieuse quand il se tourna vers Robert. On aurait dit qu'il voulait réellement terrasser de son bras puissant l'accusateur de sa femme.

Mais milady tomba à ses pieds, s'interposant entre lui et son neveu, qui se tenait appuyé sur le dos d'un fauteuil et cachait sa figure entre ses mains.

— Il vous a dit la vérité, et il n'est pas fou. Je vous ai envoyé chercher pour me confesser. Je vous plaindrais si je le pouvais, car vous avez été bon, très bon pour moi, meilleur que je ne le méritais, mais je ne le puis… je ne le puis… je ne sens rien que ma douleur. Je vous ai dit, il y a bien longtemps, que j'étais égoïste ; je le suis toujours, et plus que jamais quand je souffre. Les gens heureux peuvent s'apitoyer sur le sort des autres. Moi, je ris des souffrances d'autrui… Que sont-elles à côté des miennes ?

Tout d'abord, quand sa femme était tombée à ses genoux, sir Michael avait essayé de la relever en lui faisant des remontrances ; mais à mesure qu'elle parlait, il se laissa tomber sur une chaise qui se trouvait près de lui. Ses mains se joignirent, et il tendit la tête pour ne pas perdre une syllabe des paroles qu'elle prononçait.

— Il faut que je vous raconte l'histoire de ma vie, pour que vous compreniez comment je suis devenue cette malheureuse femme à laquelle il ne reste plus d'autre espoir que celui de fuir, si on le lui permet, et d'aller se cacher dans quelque coin de terre isolé. Il faut que je vous raconte l'histoire de ma vie, répéta milady, mais ne craignez pas qu'elle soit longue. Cette histoire est trop triste pour que je me plaise à la prolonger.

» Quand j'étais enfant, il me souvient d'avoir souvent posé une question toute naturelle. Je demandais où était ma mère. Je me rappelais vaguement une figure dans le genre de la mienne aujourd'hui, qui me regardait, à l'époque où j'étais toute petite. Cette figure m'avait manqué tout à coup et je ne la revoyais plus. On me répondit qu'elle était partie. Je n'étais pas heureuse, car la femme qui me gardait chez elle était méchante, et l'endroit que nous habitions était un village solitaire sur la côte du Hampshire, à sept miles environ de Portsmouth. Mon père, qui était dans la marine, venait de temps en temps me voir, et j'étais entièrement sous la dépendance de cette femme qui, n'étant pas payée régulièrement, me faisait supporter sa mauvaise humeur quand mon père était en retard pour ses envois d'argent. Vous voyez donc que j'ai su de bonne heure ce que c'était qu'être pauvre. Peut-être était-ce parce que cette vie m'ennuyait, plutôt que par affection pour ma mère, que je demandais si souvent où elle était. Je recevais toujours la même réponse : « Elle est partie. » Si je voulais savoir pour quel endroit, on me répondait que c'était un secret.

» Quand je fus assez âgée pour comprendre ce que signifiait le mot *mort*, je demandai si elle était morte. « Non, me dit-on, elle n'est pas morte, elle est malade, elle est partie » ; et lorsque je demandais si elle avait été longtemps malade, on me répondait qu'elle était malade depuis que j'étais venue au monde. À la longue, le secret me fut révélé. Je fatiguai celle qui me servait de mère de mes questions, un jour où l'argent de ma pension n'arrivait pas, où sa patience était à bout. Elle se mit en colère et m'avoua que ma mère était folle et enfermée dans une maison à quarante miles du village. À peine eut-elle fini qu'elle se repentit d'avoir parlé et m'enjoignit de ne pas la croire. Je sus plus tard que mon père lui avait fait promettre de ne jamais m'avouer ce terrible secret.

» Je fis d'affreuses réflexions sur la folie de ma mère. Cette idée me poursuivit jour et nuit. Je me représentais toujours la malheureuse folle chargée de chaînes qui meurtrissaient ses membres, enfermée dans quelque cellule et couverte de hideux haillons. Je m'exagérais l'horreur de sa position. Je ne savais rien des différents degrés de la folie, et je m'imaginais qu'une folle, c'était une créature méchante qui me tuerait si je m'approchais d'elle. Cette impression pénible me torturait le cerveau à tel point qu'il m'arriva à plusieurs reprises de m'éveiller la nuit en criant, parce que je rêvais que les mains glacées de ma mère m'avaient saisie à la gorge et que ses hurlements me déchiraient les oreilles.

» Lorsque j'atteignis ma dixième année, mon père vint me chercher. Il paya l'arriéré dû à ma gardienne et m'envoya en pension. N'ayant pas d'argent, il m'avait laissée dans le Hampshire plus longtemps qu'il l'aurait voulu. La pauvreté me faisait sentir son étreinte. Je courais le risque de rester ignorante parmi ces enfants campagnards et grossiers, parce que mon père était sans fortune.

Milady s'arrêta pour reprendre haleine. Elle parlait vite. On voyait qu'il lui tardait d'en avoir fini avec cette histoire odieuse. Elle était toujours agenouillée, et sir

Michael ne cherchait pas à la relever. Il était immobile sur sa chaise. Quelle était cette histoire qu'il écoutait?... À coup sûr, ce n'était pas celle de sa femme. Elle lui avait autrefois raconté sa jeunesse, et il avait cru à son récit comme à la parole de l'Évangile. Elle avait été orpheline de bonne heure, et son enfance s'était écoulée, dans le plus grand calme, dans un pensionnat anglais.

— Je racontai à mon père ce que j'avais appris, reprit lady Audley. Il fut vivement affecté quand je lui parlai de ma mère. Il n'était pas ce que le monde appelle généralement un homme sensible et bon, mais j'ai su plus tard qu'il avait tendrement aimé sa femme et qu'il aurait volontiers sacrifié sa vie pour rester son gardien, s'il n'avait pas été forcé de subvenir à nos besoins. La pauvreté reparaissait de nouveau devant moi : à cause d'elle, ma mère était soignée par des mercenaires au lieu d'être entourée des soins d'un mari dévoué. Avant d'entrer en pension à Torquay, mon père me mena voir ma mère. Cette visite chassa du moins les idées qui m'avaient si souvent effrayée. Je n'entendis pas de hurlements, je ne vis pas de camisole de force ni de gardiens cruels. Une femme aux cheveux blonds, aux yeux bleus, s'avança vers nous plus légère qu'un papillon, nous sourit agréablement et nous montra les fleurs qui ornaient sa chevelure, en babillant d'une voix gaie et rieuse. Mais elle ne nous reconnut pas. Elle en aurait fait autant avec tout étranger qui aurait franchi les portes du jardin où elle se promenait librement. Sa folie était une maladie héréditaire que lui avait transmise sa mère morte, folle comme elle. Ma mère avait eu sa raison jusqu'au moment de ma naissance, et depuis lors son intelligence avait baissé de jour en jour. Je m'éloignai de la maison des fous après avoir appris ces détails et j'emportai avec moi la certitude que le seul héritage que j'eusse à attendre de ma mère, c'était la folie. J'emportais encore autre chose : ce secret à garder. Je n'avais que 10 ans, mais je sentis tout le poids de ce fardeau. Ce secret pouvait plus tard me faire du tort, je ne devais pas l'oublier. Je m'en souvins et ce fut là peut-être ce qui me rendit égoïste et sans cœur, car je ne crois pas avoir de cœur.

» En grandissant, j'appris que j'étais jolie, belle, aimable, charmante. D'abord, j'entendis tout cela avec indifférence, mais peu à peu j'écoutai avec avidité et je me pris à songer que mon sort ici-bas pût être plus heureux que celui de mes compagnes. J'appris ce qu'apprend tôt ou tard toute jeune fille en pension ; j'appris que mon bonheur dépendait du mariage que je ferais, et j'en conclus qu'étant plus jolie que mes amies, je devais contracter un plus beau mariage. Quand je quittai la pension, j'avais 17 ans et cette idée en tête, et j'allai vivre à l'autre bout de l'Angleterre avec mon père, qui avait quitté le service et s'était établi à Wildernsea, parce qu'il s'imaginait que c'était un endroit charmant où l'on pouvait vivre à bon marché. L'endroit était charmant, en effet, et j'y étais à peine depuis un mois que je savais déjà qu'une jolie fille n'y trouverait pas de sitôt un mari ayant de la fortune. Je passe rapidement sur cet épisode de ma vie ; j'étais méprisable. Vous et votre neveu, sir Michael, vous avez été riches toute votre vie, et le mépris vous est facile ; mais moi je savais jusqu'à quel point la pauvreté influe sur une existence, et je redoutais d'être pauvre. Le prétendant riche parut enfin ; le prince déguisé se montra.

Elle s'arrêta un moment et frissonna convulsivement. Il était impossible de voir s'il s'opérait quelque changement sur sa physionomie : sa tête était obstinément baissée vers le parquet. Tant que dura sa longue confession, elle ne la releva pas, et pas un sanglot n'étouffa sa voix. Ce qu'elle avait à dire, elle le prononçait d'un ton froid et sec, ayant beaucoup d'analogie avec celui d'un criminel endurci et entêté jusqu'à la fin, qui se confesse à l'aumônier de la prison.

— Le prince déguisé se montra, répéta-t-elle, il se nommait George Talboys.

Pour la première fois, depuis que sa femme avait commencé sa confession, sir Michael tressaillit. Il commençait à comprendre. Une foule de remarques et d'incidents oubliés lui revinrent tout à coup à l'esprit et reparurent aussi vivement que s'ils avaient été ceux de sa propre vie.

— Mr George Talboys était cornette dans un régiment de dragons, il était le seul fils d'un riche gentilhomme campagnard. Il tomba amoureux de moi et m'épousa trois mois après que j'eus atteint ma dix-septième année. Je crois que je l'aimais autant qu'il m'était possible d'aimer quelqu'un, pas plus que je vous ai aimé, sir Michael, pas autant même ; car, en m'épousant, vous m'avez élevée à une position qu'il ne pouvait me donner.

Le rêve avait cessé. Sir Michael Audley se rappela cette soirée d'été d'il y avait deux ans, où il s'était déclaré à la préceptrice de Mr Dawson. Il se souvint de la sensation pénible de regret et de dépit qu'il avait éprouvée ce soir-là, et il comprit qu'il avait en quelque sorte pressenti l'angoisse qui le torturait en ce moment.

Mais je ne crois pas que, même dans sa souffrance, il éprouvât cette surprise indicible, ce revirement complet de sentiment qu'éprouve un mari dont la femme a commis cette faute et devient cette créature perdue qu'il ne doit plus reconnaître. Je ne crois pas que sir Michael eût jamais réellement donné toute sa confiance à sa femme. Il l'avait aimée et admirée, sa beauté et ses charmes l'avaient ensorcelé, mais il avait un sentiment vague qu'il lui manquait quelque chose, et l'appréhension et le dépit qui l'avaient frappé au cœur le soir de sa demande en mariage avaient toujours subsisté en lui plus ou moins distinctement depuis cette époque. Je ne crois pas qu'un honnête homme, quelque simple et confiante que soit sa nature, puisse jamais être trompé réellement. Sous la confiance qui se donne volontairement se cache une méfiance involontaire que la volonté ne peut détruire.

— Nous nous mariâmes, continua milady, et je l'aimai assez pour me trouver heureuse avec lui tant que dura son argent, tant que nous voyageâmes sur le continent en grands seigneurs qui ne descendent qu'aux meilleurs hôtels et vivent de la façon la plus somptueuse. Mais lorsque nous revînmes à Wildernsea vivre avec mon père, il ne restait plus d'argent. George était triste, il songeait à ses ennuis et avait l'air de me négliger. Alors je fus très malheureuse et je pensai que ce beau mariage ne m'avait en somme procuré qu'une année de distraction et d'amusement. J'engageai George à s'adresser à son père, et il refusa. Je lui conseillai de chercher un emploi, il n'y réussit pas. Il nous était né un fils, et la crise qui avait été si fatale à ma mère allait arriver pour moi. J'échappai au danger ; mais, après ma convalescence, je fus plus irritable et moins disposée à supporter les privations et le peu d'attentions de mon mari. Un jour je me plaignis amèrement. Je reprochai à George d'avoir associé à sa misère une pauvre jeune fille sans prévoyance. Il se mit en colère et quitta la maison. En m'éveillant le lendemain, je trouvai sur ma table de nuit une lettre dans laquelle il m'annonçait qu'il allait chercher fortune en Australie, et qu'il ne reviendrait que lorsqu'il serait riche. Je considérai ce départ comme un abandon, et je détestai l'homme qui me laissait seule avec un père incapable de me protéger et un enfant à nourrir. Il me fallut travailler pour gagner ma vie, et chaque heure de ce pénible travail de préceptrice fut une barrière nouvelle élevée entre George Talboys et moi. Son père était riche ; sa sœur vivait dans l'aisance et le luxe, et moi, sa femme, moi, la mère de son enfant, j'étais réduite à la mendicité.

» Le monde eut pitié de moi et je pris le monde en haine pour sa pitié. Je n'aimai pas mon enfant : c'était un fardeau qui pesait sur mes bras. La tache héréditaire que je portais en moi ne s'était encore manifestée d'aucune manière, mais à cette époque je devins sujette à des accès de désespoir et de violence. Ce fut alors que mon esprit perdit son équilibre et que je traversai cette ligne invisible qui sépare la raison de la folie. Je vis plus d'une fois mon père fixer sur moi ses regards alarmés. Il me caressait comme on caresse les enfants et les fous pour les adoucir, et je lui gardai rancune de ses caresses. À la longue ces accès de désespoir enfantèrent une résolution désespérée. Je me décidai à fuir cette maison où j'étais forcée de travailler pour gagner le pain quotidien et à quitter mon père qui me craignait plus qu'il ne m'aimait. Je résolus d'aller à Londres me perdre dans ce grand chaos de l'humanité. J'avais vu une annonce dans le *Times* pendant que j'étais à Wildernsea, et je me présentai chez Mrs Vincent, la personne qui avait passé l'annonce, sous un faux nom. Elle m'accepta sans me questionner sur mes antécédents.

» Vous connaissez le reste. Je vins ici et vous m'offrîtes la position que je convoitais ; car cette position devait me faire entrer dans la sphère à laquelle j'aspirais depuis que j'avais été en pension, et que je m'étais entendu dire pour la première fois que j'étais jolie. Trois années s'étaient écoulées depuis le départ de mon mari, et je n'avais pas reçu de ses nouvelles. Je me disais que, s'il était encore en vie et qu'il fût revenu en Angleterre, il m'aurait retrouvée sous n'importe quel nom et n'importe où. Je connaissais assez bien son caractère énergique pour savoir à quoi m'en tenir à ce sujet. Je me dis que j'avais donc le droit de le croire mort ou de supposer qu'il voulait se faire passer pour tel, et son ombre ne devait pas se dresser entre la prospérité et moi. Telles furent mes réflexions, et je devins votre femme, sir Michael, avec la résolution d'être pour vous une aussi bonne épouse qu'il était dans ma nature de l'être. Les tentations vulgaires qui viennent souvent assaillir et pousser au mal quelques-unes de mes pareilles ne m'effrayaient nullement. J'eusse été fidèle et pure jusqu'à la fin de ma vie, quand bien même une légion de tentateurs auraient juré ma perte. Cette folie que le monde appelle l'amour n'est jamais entrée pour rien dans ma folie à moi, et les deux extrêmes, en se touchant, ont du moins fait d'un vice une vertu. Le manque de cœur a garanti ma fidélité. Je fus charmée de mon premier triomphe et de la grandeur de ma position, et très reconnaissante envers celui qui m'y avait élevée. Le bonheur me fit sentir, pour la première fois de ma vie, un peu de compassion pour les souffrances des autres. J'avais été pauvre moi-même, et maintenant que j'étais riche, je pouvais secourir mes voisins indigents.

» Je pris plaisir à être bonne et généreuse. Je découvris l'adresse de mon père et je lui envoyai de fortes sommes sans mentionner mon nom, car je ne voulais pas qu'il sût ce que j'étais devenue. Je profitai sans scrupule des avantages que me procurait votre libéralité. Je prodiguai le bonheur partout. Je me vis aimée et admirée, et je crois que j'eusse continué à être bonne jusqu'à la fin de mes jours, si le destin me l'avait permis. Je pense que durant cette période mon esprit retrouva son équilibre. Je m'étais observée avec soin depuis mon départ de Wildernsea. Je m'étais dominée autant qu'il m'avait été possible, et très souvent je m'étais demandé, pendant que j'étais assise dans le petit salon paisible du docteur, si Mr Dawson avait le moindre soupçon de mon infirmité héréditaire. Le destin ne voulut pas me permettre d'être bonne. Ma destinée me força à être méchante.

» Un mois après notre mariage, je lus dans un des journaux du comté d'Essex la nouvelle du retour d'Australie d'un certain Mr Talboys, chercheur d'or qui avait fait fortune. Le navire était en route à l'époque où je lus la nouvelle… Que fallait-il faire ? Je vous ai dit que je connaissais l'énergie du caractère de George. Je savais que l'homme qui était allé aux antipodes chercher une fortune pour sa femme ne négligerait rien pour la retrouver. Il était inutile de chercher à me cacher. À moins qu'il ne me crût morte, il me chercherait jusqu'à ce qu'il m'eût découverte. Mon cerveau fut ébranlé à l'idée du danger que je courais. L'équilibre fut de nouveau dérangé, je franchis une seconde fois la limite, je redevins folle. Je me rendis à Southampton où mon père habitait avec l'enfant. Je trouvai une excuse à ce voyage précipité et je m'arrangeai pour n'emmener avec moi que Phœbe Marks. Je laissai la soubrette à l'hôtel pendant que j'allai voir mon père. Je lui confiai le danger auquel j'étais exposée. Il ne trouva rien à redire à ce j'avais fait : la pauvreté avait émoussé en lui les principes de l'honneur ; mais il eut peur et me promit de m'aider de toutes ses forces pour me tirer d'embarras. Il avait reçu pour moi une lettre de George adressée à Wildernsea, et renvoyée au nouveau domicile de mon père. Cette lettre avait été écrite quelques jours avant le départ de l'*Argus*, et elle annonçait la date probable de l'arrivée du navire à Liverpool. C'était pour nous une indication sur laquelle nous devions régler notre conduite. Nous prîmes à l'instant même une décision. Le jour de l'arrivée probable de *l'Argus*, ou quelques jours plus tard, le *Times* publierait la nouvelle de ma mort. Ce plan n'était pas sans difficulté. Il fallait, en annonçant ma mort, indiquer l'endroit et la date. George accourrait certainement, quelle que fût la distance, et découvrirait le mensonge. Avec la connaissance approfondie que j'avais de son caractère, de son courage, de sa détermination et de son aptitude à espérer quand l'espoir eût été impossible, j'étais sûre que tant qu'il n'aurait pas vu la tombe sous laquelle je reposais, et mon extrait mortuaire, il ne croirait pas que j'étais perdue pour lui.

» Mon père était complètement abasourdi. Il se contenta de verser des larmes comme un enfant, de se désespérer et de s'effrayer, et il me fut complètement inutile dans cette crise. N'ayant aucun espoir de sortir de cette difficulté, je m'en rapportai aux événements, et je me berçai de l'idée que, parmi bien d'autres coins obscurs de la terre, Audley ne serait jamais découvert par mon mari. J'étais assise auprès de mon père dans un misérable réduit, prenant du thé et jouant avec l'enfant qui examinait curieusement mes bijoux et ma toilette, sans se douter que je fusse pour lui autre chose qu'une étrangère ; j'avais l'enfant dans mes bras, lorsqu'une femme qui s'occupait de lui entra. Elle venait chercher l'enfant et le préparer afin qu'il paraisse plus convenablement devant la *dame*, comme elle disait. Je voulus savoir comment l'enfant était traité, et je fis causer la femme pendant que mon père s'endormait à côté de la table. Elle avait la figure pâle, les cheveux cendrés, et portait environ 45 ans. Elle paraissait contente de pouvoir causer avec moi aussi longtemps que je voudrais le lui permettre et laissa bientôt l'enfant de côté pour me parler de ses chagrins à elle. Elle était dans un très grand embarras, me confia-t-elle ; sa fille aînée avait été forcée par la maladie de quitter sa place, et le médecin affirmait qu'elle était poitrinaire. C'était pénible pour la pauvre veuve d'avoir une fille malade à soigner, et toute une famille en bas âge à nourrir. J'écoutai patiemment tout ce qu'elle me raconta sur les souffrances de sa fille, son âge, sa piété, les remèdes du médecin, et bien autre chose encore ; mais mon esprit était ailleurs ; je ne l'écoutais pas, je ne l'entendais que d'une manière vague, comme un bourdonnement qui arrivait à mes oreilles, comme le bruit de la rue ou le murmure du ruisseau qui coulait à l'extrémité de cette rue. Que m'importaient les douleurs de cette femme ? N'avais-je pas les miennes, auprès desquelles tout ce que sa nature grossière ressentait n'était rien ? Ces sortes de gens ont toujours des maris malades, des enfants alités, et s'attendent à être secourus par les riches dans tous leurs embarras. Il n'y avait rien là qui sortit du commun.

» Je songeais à tout ceci, et j'étais sur le point de la renvoyer avec un souverain pour sa fille malade, lorsqu'une idée me traversa le cerveau avec tant de promptitude que tout mon sang afflua à ma tête et fit battre mon cœur avec la violence que j'éprouve lorsque je suis folle. Je lui demandai son nom. Elle s'appelait Plowson et tenait une petite boutique où elle vendait de tout, disait-elle, et qu'elle quittait de temps en temps pour venir voir Georgey et surveiller la jeune fille qui était la servante à tout faire de mon père. Sa fille malade se nommait Matilda. Je lui adressai plusieurs questions sur cette fille, et j'appris qu'elle avait 24 ans, qu'elle avait toujours été malade, et qu'en ce moment elle était atteinte d'une maladie de langueur, comme disait le docteur, qui l'emporterait rapidement. L'homme de l'art affirmait même qu'elle ne passerait pas la quinzaine. Le navire qui amenait George Talboys devait jeter l'ancre dans la Mersey trois semaines plus tard.

» Il est inutile de m'appesantir plus longtemps sur ces détails. Je visitai la jeune fille. Elle était jolie et mignonne. Son portrait pouvait à la rigueur ressembler au mien, quoiqu'elle n'eût avec moi aucune ressemblance, excepté sous ces deux rapports. Je lui fus présentée comme une dame qui désirait lui être utile. Je corrompis la mère en lui donnant plus d'argent qu'elle n'en avait jamais vu et elle consentit à tout ce que je voulus. Deux jours après que j'eus rencontré cette Mrs Plowson, mon père se rendit à Ventnor et loua un appartement pour sa fille malade et son enfant. Le lendemain matin, il emmena Matilda mourante et Georgey, qu'on avait décidé avec des gâteaux à l'appeler maman. Elle entra dans la maison en qualité de Mrs Talboys ; un médecin la soigna en la croyant Mrs Talboys, et quand elle mourut elle fut inscrite sur le registre sous le nom de Mrs Talboys. La nouvelle fut insérée dans le *Times*, et deux jours après George Talboys arrivait à Ventnor…

Sir Michael Audley se leva lentement et avec peine. On eût dit que la douleur morale avait raidi tous ses membres.

— Je ne puis en entendre davantage, dit-il d'une voix rauque. S'il vous reste quelque chose à avouer, il m'est impossible de l'écouter… Robert, il est inutile d'aller plus loin… C'est vous qui avez découvert tout cela, continuez votre œuvre en vous occupant du salut et du bien-être de cette femme que je croyais être la mienne… Souvenez-vous que je l'ai aimée réellement et tendrement… Je ne puis lui dire adieu et je ne le lui dirai pas jusqu'à ce que je puisse songer à elle sans amertume…

jusqu'à ce que je puisse avoir pitié d'elle... Mais je prie Dieu de lui pardonner ses erreurs.

Sir Michael sortit de la bibliothèque sans jeter un seul regard sur sa femme agenouillée. Il n'osait pas regarder une dernière fois celle qu'il avait aimée. Il se rendit dans son cabinet, sonna son valet de chambre et lui ordonna de préparer son portemanteau, de faire atteler pour le dernier train et de prendre tous les arrangements nécessaires pour accompagner son maître.

36

Le calme succède à la tempête

Robert Audley suivit son oncle dans le vestibule, après que sir Michael eut prononcé ces quelques paroles qui étaient comme le glas de son espérance et de son amour. Dieu sait combien le jeune homme avait redouté l'arrivée de ce jour fatal. Il était venu cependant; et, quoiqu'il n'y eût eu aucune explosion de désespoir, aucun ouragan de reproches, aucune tempête d'angoisses et de larmes, Robert n'augurait rien de bon de ce calme surnaturel. Il comprenait que sir Michael emportait avec lui la flèche acérée que la main de son neveu avait dirigée contre son cœur. Il savait que ce calme étrange et glacial annonçait seulement la stupeur que produit toujours un coup inattendu et que la surprise rend pour un moment presque incompréhensible. Il savait que lorsque l'étonnement aurait cessé, le patient envisagerait audacieusement la souffrance, se familiariserait avec elle et finirait par éclater en sanglots déchirants qui briseraient comme un coup de tonnerre ce cœur généreux.

Robert avait entendu raconter que des hommes de l'âge de son oncle pouvaient supporter le premier choc d'un grand malheur sans trop d'émotion, mais qu'ensuite ils s'éloignaient de ceux qui voulaient les consoler et succombaient lentement à la douleur. Il se souvenait d'attaques de paralysie et d'apoplexie survenues en pareil cas chez des hommes plus forts que son oncle, et il se demandait s'il n'était pas de son devoir d'être auprès de sir Michael, pour être à même de le secourir promptement.

Et pourtant, était-ce prudent d'imposer sa société au vieillard dans un moment où il venait de s'éveiller d'un rêve et de s'apercevoir qu'il avait été la dupe d'une figure trompeuse et le jouet d'une folle qui, par nature, était trop froidement cupide et trop cruellement sans cœur pour sentir son infamie.

Non, se dit Robert, je laisserai son cœur saigner librement. L'humiliation entre pour beaucoup dans sa douleur, et il vaut mieux qu'il soit seul. J'ai fait ce que je regardais comme un devoir sacré et je ne m'étonne pas que je lui sois odieux. Il vaut mieux qu'il lutte seul ; je ne puis rien faire pour rendre le combat moins terrible, et il est préférable que personne ne l'assiste.

Pendant que le jeune homme était debout, tenant encore d'une main la porte de la bibliothèque et se demandant s'il suivrait son oncle ou s'il rentrerait dans la salle où demeurait la misérable créature qu'il venait de démasquer, Alicia Audley ouvrit la porte de la salle à manger, lui révélant la longue table couverte de linge damassé blanc comme la neige et tout éblouissante de verres étincelants et d'argenterie.

— Papa vient-il dîner ? demanda miss Audley, je me sens en appétit, et le pauvre Tomlins a envoyé prévenir trois fois que le poisson ne vaudrait plus rien. Ce ne sera plus du poisson, ce sera une espèce de consommé que nous mangerons, ajouta la jeune fille en entrant dans le vestibule, le *Times* à la main.

Elle avait lu le journal au coin du feu en attendant qu'on servît.

— Oh ! c'est vous, Mr Robert Audley, remarqua-t-elle indifféremment ; vous dînez avec nous, n'est-ce pas ? Allez donc chercher papa. Il est près de huit heures et d'habitude nous dînons à six.

Mr Audley répondit à sa cousine d'un ton sévère. Ses manières frivoles lui déplaisaient, et il oubliait que miss Audley ignorait tout du terrible drame qui s'était joué sous ses yeux.

— Votre père vient d'éprouver un malheur, Alicia, dit le jeune homme gravement.

La figure rieuse de la jeune fille devint tout à coup inquiète. Alicia Audley aimait tendrement son père.

— Un malheur ! Oh ! qu'est-il arrivé, Robert ?

— Je ne puis vous le dire pour le moment, Alicia, répondit Robert à voix basse.

Il prit sa cousine par la main et l'emmena tout en parlant dans la salle à manger. Il referma soigneusement la porte et ajouta ensuite :

— Puis-je avoir confiance en vous, Alicia ?

— Pour quoi faire ?

— Pour consoler votre père et lui servir d'amie dans l'affliction qui vient de fondre sur lui.

— Oui ! s'écria Alicia avec vivacité. Comment pouvez-vous m'adresser une pareille question ? Croyez-vous qu'il y ait au monde une souffrance qui m'effrayerait si elle devait adoucir la sienne ? croyez-vous que je reculerais devant n'importe quel sacrifice pour soulager sa douleur ?

Les larmes vinrent aux yeux de miss Audley pendant qu'elle parlait :

— Oh ! Robert... Robert !... comme vous m'avez mal jugée, si vous avez pu croire que ce serait une trop lourde tâche pour moi que celle de me dévouer à mon père, lui reprocha-t-elle.

— Non, non, mon Alicia, répondit tranquillement le jeune homme, je n'ai jamais douté de votre affection, c'est votre discrétion qui m'inquiète ; puis-je compter sur vous ?

— Vous le pouvez, Robert, dit résolument Alicia.

— Eh bien, j'aurai confiance en vous, ma chère fille. Votre père va quitter Audley, pour quelque temps du moins, le chagrin qu'il vient d'éprouver – chagrin inattendu, entendez-vous – doit sans doute lui faire détester cette résidence. Il s'en va, Alicia, mais il ne faut pas qu'il s'en aille seul.

— Seul !... non... non... mais je pense que lady Audley...

— Lady Audley n'ira pas avec lui, dit Robert gravement, elle va être séparée de votre père.

— Pour quelque temps ?

— Non, pour toujours.

— Séparée de lui pour toujours ! s'écria Alicia. Alors ce chagrin a trait à lady Audley ?

— C'est lady Audley qui est la cause de la douleur de votre père.

La figure d'Alicia, pâle jusqu'en ce moment, devint rouge tout à coup. Qu'était-ce que ce chagrin causé par lady Audley et qui allait séparer pour toujours sir Michael de sa jeune femme ? Il n'y avait pas eu de querelle entre eux... l'harmonie avait constamment régné. Ce chagrin venait donc d'une découverte soudaine, il cachait donc le déshonneur. Robert Audley comprit la signification de cette rougeur.

— Vous offrirez à votre père de l'accompagner partout où il voudra, Alicia, dit-il. Vous êtes son soutien naturel dans un moment comme celui-ci, mais vous lui serez plus utile en ne cherchant pas à pénétrer le secret de sa douleur ; votre ignorance des détails sera la garantie de votre discrétion. Ne dites à votre père que ce que vous pouviez lui dire il y a deux ans, avant qu'il se remariât. Soyez pour lui ce que vous étiez avant que cette femme vînt s'interposer entre lui et vous.

— Je le serai, murmura Alicia, je le serai.

— Évitez de prononcer le nom de lady Audley. Si votre père garde le silence, ayez de la patience ; s'il vous semble que sa douleur ne finira qu'avec sa vie, ayez encore de la patience et souvenez-vous que le seul moyen de le guérir, c'est de lui faire espérer, à force de soins, qu'il existe sur terre une femme qui l'aimera jusqu'à son dernier jour et de toutes les forces de son âme.

— Oui, Robert, oui, mon cher cousin, je m'en souviendrai.

Mr Audley embrassa sa cousine sur le front. C'était la première fois depuis qu'il avait dit adieu aux bancs du collège.

— Ma chère Alicia, vous me rendrez heureux en agissant ainsi. J'ai été en quelque sorte l'instrument du malheur de votre père. Laissez-moi espérer que ce malheur ne sera pas éternel. Rendez mon oncle au bonheur, Alicia, et je vous aimerai comme jamais frère n'a aimé une noble sœur, et l'affection d'un frère vaut peut-être mieux, Alicia, que l'adoration enthousiaste de sir Harry Towers, quoiqu'elle ne lui ressemble guère.

Alicia courba la tête et déroba ses traits à son cousin pendant qu'il parlait ; mais, quand il eut fini, elle releva la tête et le regarda bien en face, avec un sourire que rendaient plus brillant encore les larmes qui remplissaient ses yeux.

— Vous avez bon cœur, Robert, et j'ai eu tort de m'emporter contre vous parce que…

La jeune fille s'arrêta tout à coup.

— Parce que quoi, ma chère cousine ?

— Parce que je suis une niaise, Robert, dit promptement Alicia ; mais n'importe, je ferai ce que vous voudrez, et ce ne sera pas ma faute si mon père n'oublie pas ses chagrins avant peu. J'irais au bout du monde avec lui si je pensais que le voyage lui fît plaisir. Je vais tout préparer. Pensez-vous qu'il parte ce soir ?

— Oui, je ne crois pas qu'il veuille rester une nuit de plus sous ce toit.

— Le train part à neuf heures vingt ; nous quitterons donc la maison dans une heure si nous voulons le prendre. Je vous reverrai avant notre départ, Robert.

— Oui, Alicia.

Miss Audley courut vers sa chambre et appela sa servante pour l'aider à faire les préparatifs de ce voyage dont elle ne connaissait pas la destination.

Elle se dévouait corps et âme à la tâche que lui avait confiée Robert. Elle aida la servante à garnir les portemanteaux et la fit sourire en mettant ses robes de soie dans des cartons à chapeau et ses souliers en satin dans son nécessaire de toilette. Elle mit la maison sens dessus dessous pour trouver tout ce qu'il lui fallait, et à la voir entasser ainsi ses cahiers de musique, ses broderies, ses parfums, on aurait supposé qu'elle allait s'embarquer pour quelque île sauvage où les ressources du monde civilisé étaient inconnues. Elle pensait au chagrin inconnu de son père et peut-être quelque peu à la figure sérieuse et à la voix grave de son cousin Robert, qui s'était montré à elle sous un nouveau jour.

Mr Audley monta, lui aussi, au premier étage et chercha le cabinet de sir Michael. Il frappa à la porte et attendit la réponse avec inquiétude. Au bout d'un moment, pendant lequel le cœur du jeune homme battit bien fort, le baronnet vint ouvrir lui-même. Robert vit que le valet de son oncle avait déjà préparé les malles.

Sir Michael s'avança dans le corridor.

— Avez-vous encore quelque chose à me dire, Robert ? demanda-t-il d'une voix calme.

— Je viens seulement savoir si je puis vous être bon à quelque chose. Vous partez ce soir pour Londres ?

— Oui.

— Avez-vous décidé en quel endroit vous vous arrêterez ?

— Oui, au *Clarendon*, j'y suis connu. Est-ce tout ?

— Oui, Alicia vous accompagnera.

— Alicia !

— Elle ne peut rester ici, il vaut mieux qu'elle parte aussi, jusqu'à ce que…

— Oui… oui… je comprends, interrompit le baronnet, mais ne pourrait-elle aller ailleurs… est-il indispensable qu'elle soit avec moi ?

— Elle ne peut aller autre part, elle n'y serait pas heureuse.

— Qu'elle vienne alors ! qu'elle vienne !

Il parlait avec un effort visible, et Robert voyait bien qu'il aurait préféré se taire. Ces exigences de la vie étaient une torture nouvelle pour lui, parce qu'elles venaient le distraire de sa souffrance ; et cela lui paraissait un chagrin plus lourd à supporter que la souffrance elle-même.

— Très bien, mon oncle, alors tout est arrangé. Alicia sera prête pour neuf heures.

— Bon… bon… qu'elle vienne, la pauvre enfant, murmura le baronnet ; qu'elle vienne, si cela lui plaît.

Il soupira en parlant de sa fille. Il songeait à l'indifférence qu'il lui avait témoignée à cause de la femme enfermée en ce moment dans la bibliothèque.

— Je vous verrai au moment de votre départ, mon oncle ; je vous quitte d'ici là.

— Attendez ! dit soudain sir Michael ; avez-vous dit à Alicia ?…

— Je ne lui ai rien dit, excepté que vous quittiez Audley pour quelque temps.

— Et vous avez bien fait, Robert, dit le baronnet d'une voix brisée, vous avez bien fait.

Il tendit sa main à son neveu, et celui-ci la porta à ses lèvres.

— Oh ! mon oncle, comment m'excuserai-je à mes propres yeux de vous avoir affligé ainsi ?

— Vous avez fait votre devoir, Robert, rien que votre devoir, mais j'aurais remercié Dieu s'il m'avait épargné cette angoisse en me faisant mourir avant ce soir.

Sir Michael rentra dans son cabinet, et Robert revint lentement dans le vestibule. Il s'arrêta sur le seuil de la chambre où il avait laissé Lucy, lady Audley, jadis Helen Talboys, la femme de son ami George.

Elle était étendue sur le parquet à l'endroit même où elle s'était agenouillée pour raconter son histoire. Était-elle évanouie, ou bien pensait-elle à la triste situation dans laquelle elle se trouvait ? Robert s'en préoccupa fort peu. Il parut dans le vestibule et envoya chercher la femme de chambre aux rubans roses, qui fut tout étonnée et toute consternée en voyant sa maîtresse.

— Lady Audley est malade, lui dit-il ; conduisez-la chez elle et veillez à ce qu'elle ne sorte pas. Vous voudrez bien rester auprès d'elle sans lui parler ou lui permettre de se fatiguer en parlant.

Lady Audley n'était pas évanouie ; elle se laissa aider par la femme de chambre et se releva. Ses cheveux étaient en désordre, sa figure et ses lèvres avaient perdu leurs couleurs, et ses yeux brillaient d'un éclat terrible.

— Emmenez-moi, dit-elle, et faites-moi dormir, faites-moi dormir, mon cerveau est en feu.

Au moment de quitter la bibliothèque, elle se retourna et demanda à Robert :

— Sir Michael est-il parti ?

— Il partira dans une heure.

— Personne n'a péri dans l'incendie de Mount Stanning ?

— Personne.

— J'en suis bien aise.

— L'aubergiste, Marks, a été brûlé sérieusement, il court un grand danger, mais il peut guérir.

— Tant mieux… je suis contente que personne n'ait succombé. Bonne nuit, Mr Audley.

— Je vous demanderai demain un entretien d'une demi-heure, lady Audley.

— Quand il vous plaira. Bonne nuit.

— Bonne nuit !

Elle disparut en s'appuyant sur l'épaule de sa femme de chambre, et laissa Robert en proie aux plus vives inquiétudes.

Il s'assit devant le foyer dont la lueur diminuait et réfléchit aux changements survenus dans cette maison qu'il avait trouvée si agréable avant la disparition de son ami. Il se demanda ce qu'il fallait faire en cette circonstance et se perdit dans une sombre rêverie d'où le tira le bruit d'une voiture qui approchait de la porte basse de la tour.

Neuf heures sonnèrent à la pendule du vestibule au moment où Robert ouvrit la porte de la bibliothèque. Alicia venait de descendre avec sa servante, jeune campagnarde aux joues roses.

— Adieu, Robert, lui dit-elle en lui tendant la main, adieu et comptez sur moi ; je soignerai mon père.

— J'y compte, adieu, Alicia.

Pour la seconde fois de la soirée, Robert Audley pressa de ses lèvres le candide front de sa cousine ; et, pour la seconde fois, ce baiser fut celui d'un père ou d'un frère, ne ressemblant en rien à celui que lui eût donné sir Harry Towers.

À neuf heures cinq, sir Michael parut, suivi de son valet à cheveux gris. Le baronnet était pâle, mais maître de lui. La main qu'il tendit à son neveu était froide comme de la glace, mais ce fut d'une voix ferme qu'il dit adieu à Robert.

— Je laisse tout entre vos mains, Robert. Je ne sais pas la fin de cette histoire, mais j'en ai entendu assez. Dieu sait que je n'ai pas besoin d'en entendre davantage. Je laisse tout entre vos mains, mais ne soyez pas cruel... souvenez-vous que je l'aimais...

Il ne put achever sa phrase, la voix lui manqua.

— Je me souviendrai, et je ferai tout pour le mieux.

Les larmes empêchèrent Robert de voir le visage de son oncle, et une minute après, la voiture était loin, et le neveu de sir Michael avait repris sa place au coin du feu de la bibliothèque. Il songeait à la terrible responsabilité qu'il venait d'assumer en se chargeant de la destinée d'une femme coupable.

Assurément, se dit-il, Dieu me punit d'avoir mené une vie si indolente jusqu'au mois de septembre dernier. C'est sans doute pour que je fasse amende honorable et que j'avoue qu'un homme ne peut choisir le genre de vie qui lui plaît que la Providence fait peser sur moi cette responsabilité. On ne peut dire : « Je vais prendre l'existence à la légère et me tenir à l'écart des malheureuses créatures égarées qui se lancent avec énergie et courage dans la bataille de la vie. » On ne peut dire : « Je resterai sous la tente pendant que la mêlée est furieuse, et je rirai des imbéciles qu'on foule aux pieds là-bas, sur le terrain de la lutte inutile. » On ne peut se conduire comme cela ; on ne peut qu'accepter humblement, et en tremblant, la tâche qu'il a plu au Créateur de vous imposer. S'il faut se battre, il n'y a pas à reculer, et malheur à celui qui ne répond pas à l'appel ; malheur à celui qui reste dans sa tente, quand le clairon strident donne le signal de l'action.

L'un des domestiques apporta de la lumière dans la bibliothèque et ralluma le feu ; mais Robert ne bougea pas de son siège auprès du foyer. Il resta assis comme il s'asseyait à Fig-Tree Court, les coudes appuyés sur les bras du fauteuil et le menton dans la main.

Au moment où le domestique allait sortir, il releva la tête.

— Puis-je envoyer une dépêche à Londres ? demanda-t-il.

— On peut l'envoyer de Brentwood, monsieur… pas d'ici.

Mr Audley regarda sa montre d'un air pensif.

— On ira à Brentwood, monsieur, si vous désirez envoyer quelque message.

— J'ai une dépêche à envoyer, Richards, chargez-vous de cela.

— Volontiers, monsieur.

— Alors, attendez que je l'écrive.

— Oui, monsieur.

Le domestique apporta ce qu'il fallait pour écrire et

plaça une table devant Robert. Celui-ci trempa la plume dans l'encrier et contempla un instant les bougies avant de commencer.

Voici quelle fut sa dépêche :

Robert Audley, d'Audley en Essex, à Francis Wilmington, de Paper Buildings, Temple.

Cher Wilmington, si vous connaissez un médecin expérimenté qui s'occupe de la folie et auquel on puisse confier un secret, soyez assez bon pour m'envoyer son adresse par le télégraphe.

Mr Audley mit la lettre dans une grande enveloppe et la tendit au domestique en lui offrant un souverain.

— Veillez à ce que cela soit remis à une personne digne de confiance, Richards, et dites-lui d'attendre la réponse. Elle doit arriver dans une heure et demie.

Richards, qui avait connu Robert tout enfant, sortit pour exécuter cet ordre. Dieu nous garde de le suivre à l'office où les domestiques, groupés en cercle devant le feu, discutaient les événements du jour sans y rien comprendre.

Rien ne pouvait être plus éloigné de la vérité que les suppositions de ces dignes gens. Quels fils tenaient-ils du mystère qui s'était passé au coin du feu de cette pièce où une femme criminelle s'était agenouillée aux pieds de son seigneur et maître, pour lui raconter l'histoire de sa coupable vie ? Ils savaient seulement ce que le valet de chambre de sir Michael leur avait dit de ce soudain voyage : que son maître était aussi pâle qu'une feuille de papier blanc, qu'il parlait avec une voix étrange qui ne ressemblait en rien à la sienne, et qu'on eût pu le faire tomber avec une plume s'il nous eût pris l'idée de le renverser avec une arme aussi faible.

Les meilleures têtes de l'antichambre décidèrent que sir Michael avait reçu quelque nouvelle inattendue apportée par Robert – ils étaient assez sages pour mêler le jeune homme à la catastrophe –, soit la mort de quelque cher et proche parent – les plus vieux serviteurs décimaient un à un les membres de la famille Audley en s'efforçant de trouver quel parent ce pouvait être –, soit quelque baisse dans les fonds, quelque mauvaise spéculation ou la faillite d'une banque dans laquelle la plus grande partie de la fortune du baronnet était engagée. En général, on penchait pour la faillite d'une banque ; et chaque membre de l'assemblée, avec une espèce d'avidité et de sombre plaisir, se jetait sur cette idée, quoiqu'une telle supposition dût entraîner leur propre ruine.

Robert s'assit près du foyer, qui semblait triste même maintenant que la flamme d'un grand feu de bois soufflait dans la vaste cheminée ; il écoutait les sourds gémissements d'un vent de mars qui pleurait autour de la maison et secouait le lierre tremblant attaché aux murs qui l'abritaient. Robert était fatigué, car il faut se rappeler qu'il avait été éveillé au milieu de la nuit par le craquement des boiseries de *Castle Inn*. Sans sa présence d'esprit et son sang-froid, Luke Marks eût péri misérablement. Robert portait encore les marques du danger qu'il avait couru : ses cheveux étaient roussis d'un côté, et sa main gauche était rouge et enflammée. Il s'était brûlé en cherchant à sauver l'aubergiste. Il était épuisé aussi par les émotions violentes de la journée, et il s'endormit dans un fauteuil devant le feu. L'entrée de Richards, qui rapportait la dépêche, le réveilla.

La réponse était courte :

Cher Audley, toujours heureux de vous obliger, Alwyn Mosgrave, Mr D., 12, Saville Row. Sûr.

Avec le nom et l'adresse, c'était tout ce que contenait la dépêche.

— Il faudra porter une autre lettre à Brentwood demain matin, Richards, dit Mr Audley en repliant le papier, et je serais bien aise que ce fût avant déjeuner. Le porteur aura un demi-souverain pour sa peine.

Richards s'inclina.

— Merci, monsieur, ce n'est pas nécessaire ; mais comme il vous plaira. À quelle heure voulez-vous qu'il parte ?

— Aussitôt qu'il pourra ; mettons donc que ce sera à six heures du matin.

— Bien, monsieur.

— Ma chambre est-elle prête, Richards ?

— Oui, monsieur, votre ancienne chambre.

— Très bien. Alors, je vais me coucher. Apportez-moi un grog aussi chaud que possible, et attendez que j'aie écrit la dépêche de demain.

Cette deuxième dépêche invitait le docteur Mosgrave à se rendre à Audley Court pour affaire très sérieuse.

Quand la dépêche fut terminée, Mr Audley jugea qu'il avait fait tout ce qui dépendait de lui. Il but son grog dont il avait grand besoin, car il avait été glacé jusqu'aux os par ses aventures pendant l'incendie. Il but lentement le pâle liquide doré et songea à Clara Talboys, à cette jeune fille à figure sévère, dont le frère était maintenant vengé par l'humiliation de celle qui l'avait fait périr. La jeune fille avait-elle entendu parler de l'incendie de l'auberge ? C'était probable : Mount Stanning était un endroit si petit. Mais avait-elle su qu'il avait couru un grand danger et qu'il s'était signalé en sauvant cet ivrogne d'aubergiste ? Je crois bien que, même au coin de ce feu solitaire et sous le toit que venait d'abandonner pour longtemps celui qui en était le maître, Robert Audley eut la faiblesse de lâcher la bride à son imagination, de la laisser s'envoler vers les sapins qui se dressaient sous le ciel froid de février, et de songer aux beaux yeux bruns qui ressemblaient tant à ceux de son ami perdu.

37

L'avis du docteur Mosgrave

Lady Audley dormait. Elle dormit profondément d'un bout à l'autre de cette longue nuit d'hiver. N'a-t-on pas vu des criminels dormir la veille de leur supplice et n'être arrachés à leur paisible sommeil que par le geôlier de la prison qui vient les éveiller ?

La partie était jouée et perdue. Je ne crois pas que lady Audley eût négligé d'utiliser ses cartes lorsqu'elle pouvait gagner, mais le jeu de son adversaire avait été meilleur, et elle avait été battue.

Elle était plus tranquille maintenant qu'elle ne l'avait été depuis ce jour – ce jour si rapproché de son second mariage – où elle avait lu la nouvelle du retour de George Talboys des mines d'or de l'Australie. Elle était rassurée maintenant qu'on savait son histoire et que son secret était découvert. Son naturel égoïste et sensuel avait repris tout son empire. Elle dormait paisiblement sous le duvet et la soie, et à l'ombre des grands rideaux en velours qui entouraient son lit. Elle avait ordonné à sa femme de chambre de coucher dans le même appartement qu'elle et de laisser la lampe allumée toute la nuit.

Ce n'était pas qu'elle eût peur d'être visitée par des spectres dans le calme de la nuit ; elle était trop complètement égoïste pour ne pas se moquer de tout ce qui ne pouvait lui infliger une douleur réelle, et elle n'avait jamais entendu dire qu'un esprit se fût porté à des violences. Elle avait craint Robert Audley, mais elle ne le craignait plus maintenant. Il avait achevé son œuvre, et elle savait qu'il n'irait pas plus loin, de peur d'attirer une honte éternelle sur le nom qu'il vénérait.

Ils m'enverront quelque part, je suppose, se dit milady, et c'est tout ce qu'ils peuvent me faire.

Elle se regarda comme une espèce de prisonnière d'État dont on prendrait soin, un second Masque de fer qu'on enfermerait dans quelque donjon. Elle devint indifférente au sort qui l'attendait. Elle avait vécu autant que cent personnes en l'espace de quelques jours, et elle ne pouvait plus souffrir, pour quelque temps du moins.

Le lendemain matin, elle prit une tasse de thé et quelques tartines avec autant de calme que le condamné qui mange son dernier repas pendant que les gardiens le surveillent, de peur qu'il n'avale un morceau de l'assiette ou une cuillère et n'échappe ainsi au bourreau. Elle déjeuna, prit son bain du matin, se parfuma les cheveux et choisit la plus belle toilette de sa garde-robe. Elle regarda l'ameublement luxueux de son cabinet et soupira en pensant qu'elle allait quitter tout cela ; mais elle n'eut pas un tendre souvenir pour l'homme qui avait orné sa retraite et lui avait prouvé son amour en répandant le luxe autour d'elle. Lady Audley songeait au prix que cela avait coûté et s'avouait que très probablement elle ne garderait pas longtemps toutes ces richesses.

Elle se regarda dans la psyché avant de quitter son cabinet. Le repos d'une longue nuit lui avait rendu le rose de son teint et l'éclat naturel de ses yeux bleus. Le feu terrible qui brillait en eux la veille avait disparu, et lady Audley eut un sourire de triomphe en contemplant sa beauté. Le temps n'était plus où ses ennemis auraient pu lui appliquer les fers brûlants de la torture et détruire les charmes qui avaient causé tant de mal. Sa beauté lui resterait quand même, nul ne pouvait la lui enlever.

Le soleil brillait faiblement, et Lady Audley s'enveloppa d'un châle des Indes, qui avait coûté cent guinées à sir Michael. Elle pensait que c'était une bonne précaution d'avoir ce châle avec elle, parce que si on l'emmenait à la hâte, elle aurait du moins sur elle quelque chose de son ancienne splendeur. Qu'on se rappelle les dangers auxquels elle s'était exposée pour avoir une belle maison, de belles toilettes, des voitures, des bijoux, des dentelles, et on ne sera pas étonné qu'au moment de sa défaite elle ne voulût pas s'en séparer complètement. Si elle avait été Judas Iscariote, elle aurait gardé jusqu'à sa dernière heure les trente pièces d'argent.

Mr Robert Audley déjeuna dans la bibliothèque. Il savoura longuement sa tasse de thé et fuma sa pipe en réfléchissant à la tâche qu'il s'était imposée.

J'en appellerai à l'expérience de ce docteur Mosgrave, se disait-il. Les médecins et les avocats sont les confesseurs de ce prosaïque XIXe siècle. Il me viendra en aide, assurément.

Le premier train venant de Londres arrivait à Audley à dix heures et demie, et, à onze heures moins cinq, Richards annonça le docteur Alwyn Mosgrave.

Le médecin de Saville Row était grand, maigre, et âgé de 50 ans environ. Ses yeux gris pâle avaient peut-être été bleus jadis, mais avaient perdu avec le temps leur couleur première. Malgré toute la puissance de la médecine, le docteur Mosgrave n'avait pu engraisser ou se donner des couleurs. Sa figure n'avait aucune expression, et pourtant elle avait quelque chose de merveilleusement attractif. C'était la physionomie d'un homme qui avait passé la plus grande partie de sa vie à écouter les autres et avait annihilé son individualité et ses passions dès le début de sa carrière.

Il s'inclina devant Robert Audley, prit une chaise en face de lui et écouta le jeune avocat, le cou tendu. Robert remarqua que le regard du médecin devenait pénétrant et fixe.

Il croit que c'est moi qui suis le malade, se dit Robert, et il inspecte ma physionomie pour y découvrir les symptômes de la folie.

Les paroles du docteur Mosgrave vinrent confirmer cette supposition :

— Ce n'est pas pour vous que vous désirez me consulter ?

— Oh, non !

Le docteur Mosgrave regarda sa montre, un chronomètre de Benson de cinquante guinées, qu'il portait dans sa poche comme si c'eût été une pomme de terre.

— Il est inutile de vous rappeler que mon temps est précieux. Votre dépêche m'a annoncé que mes services étaient requis pour un cas… dangereux… sinon je ne serais pas venu ce matin.

Robert Audley regardait tristement le feu et se demandait comment il aborderait la question.

— Je vous remercie, docteur Mosgrave, d'avoir répondu à mon appel. J'ai à vous demander votre avis sur un cas qui me chagrine plus que je ne saurais le dire. Je m'en rapporterai entièrement à votre expérience, qui, seule, peut nous sortir d'embarras, moi et ceux qui me sont chers.

L'air affairé du docteur Mosgrave se changea en un air intéressé en écoutant Robert Audley.

— La confession du malade au médecin est, je crois, aussi sacrée que celle du pécheur au prêtre ? demanda Robert avec un grand sérieux.

— Aussi sacrée.

— On ne peut la violer sous aucun prétexte ?

— Sous aucun.

Robert Audley regarda de nouveau le feu. Devait-il dire peu ou beaucoup de l'histoire de la seconde femme de son oncle ?

— On m'a dit, docteur Mosgrave, que vous aviez consacré une partie de votre existence au traitement de la folie.

— Oui, ma clientèle se compose presque exclusivement de gens malades d'esprit.

— Vous devez alors entendre parfois d'étranges et même de terribles révélations ?

Le docteur Mosgrave s'inclina. Il avait l'air d'un homme auquel on pouvait confier les secrets de toute une nation, sans que le poids de ces secrets l'incommodât le moins du monde.

— L'histoire que je vais vous conter n'est pas la mienne, dit Robert après une pause ; vous m'excuserez donc, si je vous rappelle que je ne puis la révéler qu'autant que le secret sera convenu entre nous.

Le docteur Mosgrave s'inclina de nouveau, mais son mouvement fut un peu plus sec.

— Je suis tout oreilles, Mr Audley.

Robert Audley rapprocha sa chaise de celle du médecin et commença à voix basse cette histoire que lady Audley avait racontée la veille, agenouillée dans cette même chambre. La figure du docteur Mosgrave, tournée vers Robert, n'exprima aucune surprise à cette étrange révélation. Il sourit quand Robert en arriva à cette partie du récit qui avait trait au complot de Ventnor, mais il n'eut pas l'air étonné. Robert acheva l'histoire à l'endroit où elle avait été interrompue par sir Michael. Il ne dit rien de la disparition de George Talboys, ni des soupçons horribles qu'elle avait fait naître. Il ne parla pas non plus de l'incendie de l'auberge.

Le docteur Mosgrave secoua la tête d'un air grave quand Robert eut fini.

— Vous avez terminé ? demanda-t-il.

— Oui, je ne crois pas qu'il soit nécessaire d'en dire davantage, répondit Robert, cherchant à éluder la question.

— Vous voudriez prouver que cette dame est folle et n'est pas responsable de ses actes, Mr Audley ?

Robert Audley fut stupéfait de la pénétration du docteur. Comment avait-il si promptement deviné son désir secret ?

— Oui, si cela était possible, je voudrais lui trouver cette excuse.

— Et éviter le scandale d'un procès, n'est-ce pas, Mr Audley ?

Robert frissonna en s'inclinant en signe d'adhésion à cette remarque. Ce n'était pas seulement un procès qu'il redoutait, c'était la cour d'assises où comparaîtrait, au milieu des curieux empressés, la femme de son oncle, accusée d'assassinat et entourée de toutes parts de figures curieuses qui viendraient contempler sa honte.

— Je ne pense pas que mes services puissent vous être de quelque utilité, dit tranquillement le docteur; je verrai cette dame, si vous le voulez, mais je ne la crois pas folle.

— Pourquoi?

— Parce que rien de ce qu'elle a fait ne prouve la folie. Elle a fui de chez elle parce qu'elle n'y était pas bien et qu'elle voulait trouver mieux. Il n'y a pas de folie là-dedans. Elle a commis le crime de bigamie pour obtenir une position et une fortune: ce n'est pas de la folie; et quand elle s'est trouvée dans une situation désespérée, au lieu de recourir à des moyens extrêmes, elle a tramé un complot qui demandait du calme et de la réflexion. Tout cela n'est pas de la folie.

— Mais la tache de la folie héréditaire…

— Elle peut se transmettre jusqu'à la troisième génération et reparaître chez les enfants de cette dame, si elle en a. La folie n'est pas forcément léguée par la mère à la fille. Je voudrais vous venir en aide si je le pouvais, Mr Audley, mais il n'y a pas de preuves de folie dans l'histoire que vous m'avez racontée. Aucun jury anglais n'accepterait cette excuse en pareil cas. Ce que vous avez de mieux à faire, c'est de renvoyer cette dame à son premier mari, s'il veut la reprendre.

Robert tressaillit à ces mots.

— Son premier mari est mort… du moins il a disparu… et j'ai mes raisons pour le croire mort.

Le docteur Mosgrave vit le mouvement de Robert et remarqua que sa voix était embarrassée en parlant de George Talboys.

— Le premier mari de la dame a disparu, dit-il en appuyant sur les mots, et vous le croyez mort.

Il s'arrêta un instant et contempla le feu, ainsi que l'avait contemplé Robert quelques moments auparavant.

— Mr Audley, il ne doit pas y avoir de demi-confidence entre nous. Vous ne m'avez pas tout dit.

La figure de Robert exprima toute la surprise qu'il éprouvait à ces paroles.

— Je ne serais pas de force à lutter contre les difficultés de mon métier, enchaîna le docteur Mosgrave, si je ne voyais pas où finit la confiance et où commence la réserve. Vous ne m'avez appris que la moitié de l'histoire de cette dame, Mr Audley. Il faut que je sache le reste avant de me prononcer. Qu'est devenu le premier mari de cette dame ?

Il adressa cette question d'un ton décisif, comme s'il devinait que la réponse serait la pierre angulaire de l'édifice qu'il explorait.

— Je vous ai déjà dit, docteur Mosgrave, que je ne le savais pas.

— Oui, répondit le docteur, mais votre figure m'a révélé que vous le soupçonniez.

Robert Audley garda le silence.

— Si vous voulez que je vous serve, ayez confiance en moi, Mr Audley. Le premier mari a disparu : quand et comment ? Il faut que je le sache.

Robert réfléchit quelques instants avant de répondre, mais peu à peu il releva sa tête, qui s'était courbée sous le travail de sa pensée, et il s'adressa au médecin :

— J'aurai confiance en votre honneur et en votre bonté, docteur Mosgrave. Je ne vous demanderai pas de faire tort à la société, mais seulement de sauver un nom de la honte et de la dégradation, si vous le pouvez, en conscience.

Il raconta l'histoire de la disparition de George et de ses doutes, Dieu sait avec quelle répugnance.

Le docteur Mosgrave l'écouta aussi tranquillement qu'auparavant. Robert termina en en appelant à tous les bons sentiments du médecin. Il le supplia d'épargner le généreux vieillard qui avait causé son propre malheur en ayant tant de confiance en sa femme.

Il était impossible de lire sur la figure attentive du docteur Mosgrave une conclusion quelconque. Il se leva quand Robert eut fini et regarda de nouveau sa montre.

— Je n'ai plus que vingt minutes à vous accorder. Je vais voir la dame, si vous voulez. Vous dites que sa mère est morte dans une maison de fous ?

— Oui. Voulez-vous que lady Audley soit seule ?

— Oui, seule, s'il vous plaît.

Robert sonna la femme de chambre de milady, et le médecin fut conduit par l'élégante soubrette à travers l'antichambre octogonale vers le joli boudoir avec lequel elle communiquait.

Dix minutes après il revint dans la bibliothèque, où l'attendait Robert.

— J'ai causé avec cette dame, et nous nous entendons à merveille. La folie existe ! C'est de la folie cachée qui peut ne jamais paraître ou ne paraître qu'une fois ou deux dans sa vie, mais elle est de la plus terrible espèce. Les accès en sont courts et sont occasionnés par une violente pression sur le cerveau. La dame n'est pas folle, elle a seulement la tache héréditaire dans le sang. Elle a la ruse de la folie et toute la prudence de l'intelligence ; en un mot, Mr Audley, elle est dangereuse !

Le docteur Mosgrave fit un tour ou deux dans l'appartement avant de reprendre la parole :

— Je ne discuterai pas les probabilités des soupçons qui vous torturent, Mr Audley, dit-il tout à coup, mais je ne vous conseille pas de faire un *esclandre**. Ce Mr George Talboys a disparu. Vous n'avez pas les preuves de sa mort, et le seul motif d'accusation que vous auriez à faire valoir, ce serait la nécessité où elle était de se débarrasser de lui. Aucun jury des trois royaumes ne la condamnerait pour si peu.

Robert Audley interrompit vivement le docteur Mosgrave :

— Je vous assure, mon cher monsieur, que ce que je redoute le plus au monde, c'est bien un esclandre.

— Sans doute, Mr Audley, mais vous n'espérez pas que je pardonne avec vous une des plus graves offenses faites à la société. Si j'avais des motifs suffisants pour croire que cette femme a commis un crime, je ne souffrirais pas qu'elle échappât à la justice, dût l'honneur de cent familles en dépendre ! Mais comme ces motifs n'existent pas, je vous aiderai de mon mieux.

Robert Audley serra la main du médecin dans les siennes.

— Je vous remercierai plus tard, quand je serai en état, dit-il avec émotion, je vous remercierai pour moi et pour mon oncle.

— J'ai encore cinq minutes, et il faut que j'écrive à quelqu'un, dit le docteur Mosgrave, souriant de la pression de main énergique du jeune homme.

Il s'assit à un bureau et écrivit rapidement, pendant sept minutes environ. Quand il s'arrêta, il avait rempli trois pages de papier. Il mit sa lettre sous enveloppe et la tendit à Robert sans la cacheter.

L'adresse était la suivante : *À Mr Val, Villebrumeuse, Belgique.*

Mr Audley promena ses regards inquiets de l'adresse au docteur. Ce dernier mettait ses gants avec autant d'attention que si cette opération eût été pour lui l'affaire solennelle de sa vie.

— Cette lettre, expliqua-t-il en réponse au regard inquisiteur de Robert, est pour Mr Val, un de mes amis qui est propriétaire et directeur d'une excellente *maison de santé** à Villebrumeuse. Nous nous connaissons depuis longtemps, et il consentira volontiers à recevoir lady Audley dans son établissement. Il prendra sur lui la responsabilité de sa vie à venir. Soyez tranquille, cette vie ne sera pas agitée.

Robert Audley voulut parler et remercier de nouveau le docteur, mais un geste autoritaire de ce dernier empêcha toute effusion.

— Du moment où lady Audley mettra le pied dans

cette maison, dit-il, sa vie sera finie, pour autant que la vie soit constituée d'actions et de variété. Tous ses secrets seront enfermés avec elle, et si elle a commis des crimes, elle n'en commettra plus. Si vous lui creusiez une tombe dans le cimetière voisin, vous ne la sépareriez pas plus complètement du monde. En ma qualité de physiologiste et d'honnête homme, je ne crois pas que vous puissiez mieux faire que de l'enfermer, car la physiologie est un mensonge si la femme que j'ai vue il y a dix minutes peut être laissée libre au milieu de ses semblables. Elle m'aurait sauté à la gorge et étranglé avec ses petites mains si elle l'avait pu, pendant que je causais avec elle.

— Elle devinait donc le but de votre visite ?

— Elle le savait. « Vous me croyez folle comme ma mère et vous venez me questionner, m'a-t-elle dit. Vous voulez reconnaître en moi la tache héréditaire. » Adieu, Mr Audley, ajouta à la hâte le médecin, je suis en retard de dix minutes, et je n'ai pas de temps à perdre pour arriver avant le départ du train.

38

Enterrée vivante

Robert Audley s'assit dans la bibliothèque avec la lettre du médecin devant lui et songea à ce qui lui restait encore à faire.

Le jeune avocat s'était constitué l'accusateur de cette femme coupable. Il avait été son juge, et maintenant il était son geôlier. Tant qu'il n'aurait pas porté à son adresse la lettre qui était là devant lui, tant qu'il n'aurait pas confié au directeur de la maison de fous celle qu'il avait sous sa garde, le terrible fardeau pèserait sur ses épaules, et son devoir ne serait pas accompli.

Il écrivit quelques lignes à milady pour la prévenir qu'il allait la conduire à un endroit d'où elle ne reviendrait pas, et qu'elle ne devait pas perdre de temps à se préparer. Il désirait partir dans la soirée, si cela était possible.

Miss Susan Martin, la femme de chambre, trouva pénible d'avoir à emballer tant d'effets en si peu de temps, mais milady l'aida. C'était un amusement pour elle de plier, d'empaqueter soies et velours et de rassembler bijoux et parures. On l'exilait, c'était évident, mais l'exil n'était pas sans espoir, et dans n'importe quel coin du globe elle saurait, à l'aide de sa beauté, se constituer une petite royauté, conquérir de vaillants chevaliers et trouver des sujets dévoués. Elle travailla donc de son mieux avec sa femme de chambre qui flairait la ruine dans ce départ précipité et ne déployait pas beaucoup de zèle. À six heures du soir, elle envoya dire à Mr Audley qu'elle était prête à partir quand il le voudrait.

Robert avait consulté un volume de *Bradshaw* et découvert que Villebrumeuse était située en dehors des lignes du chemin de fer et qu'on ne pouvait y arriver que par la diligence de Bruxelles. Le bateau pour Douvres partait du pont de Londres à neuf heures, et Robert pouvait y trouver place, puisque le train qui passait à Audley à sept heures arrivait à Shoreditch à huit heures un quart. En passant par Douvres et Calais, ils arriveraient à Villebrumeuse le lendemain, dans l'après-midi ou dans la soirée.

À quoi bon les suivre dans leur triste voyage de nuit ? Milady occupa une des étroites cabines et s'enveloppa de ses fourrures qu'elle n'avait pas oubliées. Son âme vénale aurait trop regretté les belles choses qui lui appartenaient, pour qu'il lui fût possible de ne pas y songer, même en ce moment suprême. Elle avait caché de fragiles tasses à thé et des vases de Sèvres et de Dresde dans les plis de ses robes de soie. Elle avait enfoui ses bijoux et ses coupes dorées parmi son linge ; elle aurait arraché les tableaux des murs et la tapisserie des Gobelins de ses fauteuils si elle avait pu. Elle avait pris tout ce qui pouvait s'emporter et suivi Robert Audley avec une soumission passive qui n'était que l'obéissance du désespoir.

Robert Audley se promenait sur le pont du bateau à vapeur au moment où les horloges de Douvres sonnèrent minuit, et la ville se montra bientôt comme un croissant lumineux qui éclairait la sombre immensité de la mer. Le steamer glissa rapidement vers les côtes de France, et Robert Audley poussa un long soupir de soulagement en se disant que son œuvre serait bientôt achevée. Il pensa à la malheureuse femme coupable qui se trouvait seule dans sa cabine et il eut pitié d'elle, parce qu'elle était femme et abandonnée, mais la figure de George lui apparut telle qu'il l'avait vue le jour de son retour des antipodes, et cette apparition lui rappela l'horrible mensonge qui avait brisé le cœur de son ami.

Pourrai-je jamais lui pardonner ? se dit-il ; pourrai-je jamais oublier la figure de George dans ce café où il lisait le *Times*. Il y a des crimes pour lesquels il n'y a pas de pardon, et celui-ci est du nombre. Quand bien même George reviendrait à la vie demain, la blessure de son cœur ne serait pas guérie, il ne serait plus l'homme qu'il était avant ce mensonge imprimé.

Il était déjà tard, le lendemain, quand la diligence ébranla le pavé inégal de la principale rue de Villebrumeuse. La vieille ville ecclésiastique, triste d'habitude, paraissait plus triste encore sous ce demi-jour grisâtre. Les réverbères, allumés de bonne heure et placés loin les uns des autres, ajoutaient encore à l'obscurité des rues. Ils ressemblaient à ces vers luisants qui rendent plus sombres les coins de la haie où ils ne brillent pas. La ville belge privée de tout commerce était une retraite ignorée, portant les traces de l'oubli et de la décadence sur chaque façade de maison dans les rues étroites, sur chaque toit en ruine, sur chaque bouche de cheminée. Il était difficile de s'imaginer pourquoi les rues avaient été bâties tellement étroites que la diligence frôlait presque les passants sur le *trottoir** et les forçait à se rejeter sur les devantures des boutiques, car il y avait encore du terrain à construire derrière la vieille ville. Robert Audley aurait pu remarquer que les rues les plus étroites et les moins habitables étaient précisément les plus peuplées, tandis que les plus vastes et les plus aérées étaient vides et désertes ; mais Robert ne songeait à rien de tout cela. Il était enfoncé dans un coin de la voiture et regardait milady, assise dans l'autre coin. Il se demandait quelle était l'expression de cette figure qui se cachait avec tant de soin sous le voile.

Ils avaient eu à eux seuls le *coupé** de la diligence pendant tout le voyage, car les voyageurs ne sont pas nombreux entre Bruxelles et Villebrumeuse, et la diligence avait été conservée plutôt comme une tradition du passé que comme une entreprise profitable à ses propriétaires.

Milady n'avait pas prononcé un seul mot pendant toute la route, excepté pour refuser les rafraîchissements que Robert lui avait offerts aux relais. Elle se sentit mal à l'aise en quittant Bruxelles, car elle avait espéré que son voyage finirait là, et elle ferma les yeux avec dégoût et désespoir pour ne pas regarder le paysage toujours semblable de la Belgique.

Elle leva enfin les yeux quand la voiture déboucha dans un grand carré qui avait été jadis le jardin d'un monastère et qui était maintenant la cour d'un hôtel dans les caves duquel criaient et se jouaient les rats, même en plein jour, pendant que le soleil brillait dans les chambres supérieures.

Lady Audley frissonna en descendant de la diligence au milieu de cette sombre cour. Robert était entouré de porteurs qui se disputaient l'honneur de charger ses bagages et décidaient eux-mêmes du choix de son hôtel. L'un de ces porteurs courut chercher une voiture sur la demande de Robert et reparut en poussant de grands cris et en faisant claquer son fouet avec un bruit qui retentissait comme quelque objet diabolique dans l'obscurité ; il ramenait une paire de chevaux si petits qu'on les aurait cru miniatures.

Robert laissa milady dans la salle commune, sous la garde d'une servante à figure endormie, pendant qu'il se rendait dans un autre endroit de la ville. Il avait des formalités à remplir avant de faire enfermer la femme de sir Michael dans la maison indiquée par le docteur Mosgrave. Robert dut voir une foule d'importants personnages, prononcer grand nombre de serments, montrer la lettre du médecin anglais, et signer et contresigner pas mal de papiers, pour ouvrir à la cruelle femme de son ami perdu les portes de cette demeure d'où elle ne devait plus sortir. Plus de deux heures furent employées à tous ces arrangements, et quand le jeune homme revint à l'hôtel, il trouva lady Audley en contemplation devant deux bougies et une tasse de café à laquelle elle n'avait pas touché.

Robert fit monter milady dans la voiture de louage et prit place à côté d'elle.

— Où me conduisez-vous ? lui dit-elle enfin. Je suis lasse d'être traitée en enfant méchant qu'on met dans un cabinet noir pour le punir d'une faute. Où me conduisez-vous ?

— Dans une retraite où vous aurez le temps de vous repentir du passé, Mrs Talboys, répondit gravement Robert.

Ils abandonnèrent les rues pavées et débouchèrent sur une grande place où auraient pu s'élever au moins une demi-douzaine de cathédrales. Ils gagnèrent ensuite un boulevard éclairé par des lanternes et aperçurent des branches d'arbres sans feuilles qui tremblaient au vent comme des spectres décharnés. De chaque côté du boulevard, il y avait des maisons *entre cour et jardin**, dont les grandes portes cochères étaient surmontées de vases blancs renfermant des géraniums. La voiture roula pendant trois quarts de mile environ sur ce boulevard sablé et vint s'arrêter devant une porte cochère encore plus grande et plus massive que toutes celles qu'ils avaient dépassées.

Milady poussa un petit cri en regardant par la portière. Une énorme lampe brillait au-dessus de cette porte cochère, et le vent de mars en faisait vaciller la flamme en pénétrant sous le verre.

Le cocher sonna, et une petite porte en bois à côté de la grande fut ouverte par un homme à cheveux gris, qui jeta un coup d'œil sur la voiture et se retira. Il reparut trois minutes après derrière les montants doublés de fer qu'il avait écartés, et qui laissèrent apercevoir une cour déserte et pavée.

Le cocher fit entrer ses chevaux dans cette cour et amena la voiture jusqu'à la porte d'une grande maison en pierre grise, dont la façade comptait bon nombre de fenêtres ; quelques-unes étaient faiblement éclairées et ressemblaient aux yeux pâles de quelque veilleur fatigué de contempler l'obscurité de la nuit.

Milady surveillait tous ces détails aussi froidement que les étoiles qui se montraient dans ce ciel d'hiver ; elle jeta sur ces fenêtres un coup d'œil empressé et pénétrant. À l'une d'elles, masquée par un mauvais rideau d'un rouge fané, elle aperçut l'ombre d'une femme coiffée d'une façon bizarre qui passait et repassait sans cesse devant le rideau.

La méchante femme de sir Michael plaça aussitôt la main sur le bras de Robert et, lui montrant cette fenêtre à rideau :

— Je sais où vous m'avez amenée. C'est une maison de fous.

Mr Audley ne lui répondit pas. Il n'avait pas bougé de la portière pendant qu'elle lui parlait. Il l'aida tranquillement à descendre de voiture, lui fit gravir quelques marches et la conduisit dans le vestibule de la maison. Il tendit la lettre du docteur Mosgrave à une femme entre deux âges et très proprement vêtue, qui sortit d'une petite pièce donnant sur le vestibule et ayant quelque ressemblance avec le bureau d'un hôtel. Cette femme adressa un sourire à Robert et à lady Audley, et après avoir remis la lettre à un domestique, elle les invita à entrer dans son agréable petite chambre qui était assez bien meublée et chauffée par un poêle microscopique.

— Madame est-elle fatiguée ? demanda la Française avec un air de grande sympathie et en avançant un fauteuil à milady.

Milady haussa les épaules et parcourut l'appartement d'un regard observateur qui n'indiquait pas une très vive satisfaction.

— Quelle est cette maison, Robert Audley ?... s'écria-t-elle avec fureur. Me prenez-vous pour une enfant que vous vous jouez ainsi de moi et que vous me trompez de la sorte ?... Quelle est cette maison ?... Est-ce ce que j'ai dit tout à l'heure ?... Parlez...

— C'est une *maison de santé**, milady, et je ne cherche pas à vous tromper, dit le jeune homme gravement.

Milady réfléchit un moment en regardant Robert.

— Une *maison de santé**... répéta-t-elle. Oui, en France cela s'appelle ainsi, mais en Angleterre c'est une maison de fous. N'est-ce pas, madame, que c'est une maison de fous ? dit-elle en français en se retournant vers la femme et en tapant du pied sur le plancher.

— Ah ! mais non, madame, répondit-elle en protestant avec un cri aigu, c'est une maison d'agrément très convenable où l'on peut s'amuser...

Elle fut interrompue par l'arrivée du directeur de cet agréable établissement, qui parut le sourire aux lèvres et la lettre du docteur Mosgrave en main.

Le directeur se déclara enchanté de faire la connaissance de Robert. Il n'y avait rien sur terre qu'il ne fût prêt à faire pour monsieur, et rien sous les cieux qu'il ne s'efforcerait d'accomplir pour lui, en sa qualité d'ami d'une connaissance aussi distinguée que le célèbre docteur anglais. La lettre de Mr Mosgrave l'avait mis au courant du cas, et il se chargeait volontiers de soigner la charmante et très intéressante madame... madame...

Il se frotta ses mains poliment et regarda Robert. Celui-ci se souvint alors pour la première fois qu'il lui avait été recommandé de présenter lady Audley sous un nom d'emprunt.

Il feignit de n'avoir pas entendu la question du directeur. C'est une chose qui paraît facile, de choisir entre mille le premier nom venu ; mais Mr Audley avait l'air d'avoir oublié tous les noms qu'il connaissait pour ne se rappeler que le sien et celui de son ami perdu.

Le directeur remarqua peut-être son embarras et, pour l'aider à en sortir, il se tourna vers la femme et murmura quelque chose à propos du numéro 14 bis. La femme prit une clé, qui était suspendue avec plusieurs autres au-dessus du manteau de la cheminée, et une bougie qui se trouvait sur une planche dans un coin de la chambre, et l'ayant allumée, elle traversa une salle carrelée et s'avança vers un escalier en bois verni.

Le médecin anglais avait informé son collègue de Belgique que la question d'argent ne devait nullement le préoccuper dans tous ses arrangements pour le bien-être de cette Anglaise confiée à ses soins. Conformément à ces instructions, Mr Val avait choisi pour sa nouvelle pensionnaire un appartement magnifique : l'antichambre était dallée en marbre blanc et noir, mais sombre comme une cellule ; le salon était meublé de draperies en velours peu faites pour égayer l'esprit, et la chambre à coucher renfermait un lit d'un mécanisme si curieux qu'on ne voyait pas par où on pouvait s'y glisser à moins de déchirer la couverture avec un canif.

Milady contempla ces appartements passablement tristes à la lueur de la bougie. Cette flamme solitaire et pâle, ressemblant elle-même à un esprit, était multipliée par les mille apparitions encore plus pâles qui brillaient partout autour de la chambre : dans les profondeurs sombres des boiseries et des parquets pâles, dans les vitres des fenêtres, dans les glaces, dans les grandes étendues de choses brillantes qui ornaient les pièces et que milady prenait pour de coûteux miroirs, mais qui n'étaient en réalité que de méchantes imitations en étain bruni.

Parmi la splendeur fanée du velours usé, des dorures ternies et du bois poli et brillant, elle se laissa tomber dans un fauteuil et se couvrit la figure de ses mains. Leur blancheur et la lumière tremblante, comme celle des étoiles, des diamants qui les couvraient étincelaient dans la chambre faiblement éclairée. Elle s'assit sans rien dire, inanimée, désespérée, fiévreuse, tandis que Robert et le médecin se retirèrent dans une chambre à côté et parlèrent à voix basse. Mr Audley n'avait que fort peu de chose à ajouter à ce qui avait déjà été dit pour lui par le médecin, et avec bien meilleure grâce. Après s'être creusé l'esprit, il remplaça le nom auquel lady Audley avait droit par celui de Taylor, et dit au directeur que cette Mrs Taylor était une parente éloignée qui avait hérité de la folie de sa mère, comme le docteur Mosgrave en avait informé Mr Val. Il le pria de la traiter avec beaucoup d'égards et de compassion, de lui accorder tout ce qui serait raisonnable, mais de ne la laisser sortir de la maison sous aucun prétexte. Mr Val la ferait accompagner dans le jardin par une personne de confiance et serait responsable de sa pensionnaire. En outre, puisque Mr Val était protestant, il trouverait quelque ministre bienveillant qui viendrait prodiguer à cette dame les conseils et les consolations dont elle avait grand besoin.

Telle fut, en résumé, avec les arrangements nécessaires pour la question d'argent qui serait réglée de temps en temps par Mr Audley en personne, la conversation du directeur et de Robert, conversation qui dura environ un quart d'heure ; quand ils eurent fini, ils retrouvèrent lady Audley dans la même attitude que lorsqu'ils l'avaient quittée : ses mains jointes couvraient toujours sa figure.

Robert s'approcha d'elle et lui dit tout bas à l'oreille :

— Vous vous nommez dorénavant Mrs Taylor. Je ne crois pas que vous ayez l'intention de révéler votre véritable nom.

Elle secoua la tête pour toute réponse et n'écarta pas ses mains de son visage.

— Madame aura une servante pour elle seule, dit Mr Val. Tous ses désirs seront satisfaits, tous ses désirs raisonnables, veux-je dire, ajouta-t-il avec son étrange mouvement d'épaule, et nous ferons notre possible pour que le séjour de Villebrumeuse lui plaise et lui soit profitable. Les pensionnaires dînent ensemble quand elles le veulent, je dîne moi-même très souvent à leur table. Je demeure avec ma femme et mes enfants dans un petit pavillon aux environs ; mon second, un habile et digne homme, réside dans l'établissement. Madame peut compter sur tous mes efforts pour…

Mr Val aurait continué longtemps encore sur le même ton, en se frottant les mains et en regardant radieusement Robert et la personne confiée à ses soins, si milady ne s'était levée, furieuse, et ne lui eût enjoint de se taire en le menaçant de ses doigts chargés de pierreries.

— Laissez-moi seule avec l'homme qui m'a amenée ici ! cria-t-elle les dents serrées, laissez-moi seule !

Elle montra la porte avec un geste impérieux si rapide que la draperie de soie s'ouvrit avec fracas sous sa main. Les brèves syllabes françaises sifflaient à travers ses dents pendant qu'elle les débitait et semblaient mieux convenir à son ton et à sa disposition d'esprit que l'anglais familier qu'elle avait parlé jusqu'ici.

Le docteur haussa les épaules et s'en alla dans le noir vestibule en murmurant « Quel charmant diable », avec un geste digne de Mlle Mars[1].

Lady Audley se dirigea rapidement vers la porte qui séparait la chambre à coucher du salon, la ferma, et, tenant toujours le bouton dans sa main, elle se retourna vers Robert Audley.

---

1. Comédienne, de la Comédie-Française, réputée pour ses rôles d'ingénue et de coquette. *(N.d.É)*

— Vous m'avez conduite dans une tombe, Mr Audley ! Vous avez usé lâchement et cruellement de votre puissance pour m'enterrer vivante.

— J'ai fait ce que me commandaient la justice envers les autres et la compassion envers vous, répliqua tranquillement Robert ; j'eusse mal agi à l'égard de la société si je vous eusse laissé la liberté, après la disparition de George Talboys et l'incendie de *Castle Inn*. Je vous ai amenée dans une maison où vous serez traitée avec bonté par des gens qui ne savent pas votre histoire et n'auront aucun reproche à vous adresser. Vous mènerez ici une vie calme et tranquille, madame, comme celle que se choisissent bien des femmes meilleures que vous dans ce pays catholique et qu'elles endurent joyeusement jusqu'à la fin. La solitude de votre existence ne sera pas plus grande que celle de la fille d'un roi qui, pour échapper aux malheurs de son temps, alla s'ensevelir dans une retraite pareille à celle-ci. C'est une expiation bien légère que je vous impose pour tous vos crimes, une faible pénitence à laquelle je vous soumets. Vivez ici et repentez-vous. Personne ne vous tourmentera. Repentez-vous ! je n'ai que cela à vous dire.

— Je ne puis ! s'écria-t-elle, écartant ses cheveux et fixant ses yeux dilatés sur Robert Audley. Je ne puis ! C'était bien la peine d'être belle, de comploter et de ne pas dormir la nuit en songeant au danger pour en arriver à un pareil résultat. Puisque je devais finir ici, il aurait bien mieux valu renoncer à tout, lors du retour de George Talboys en Angleterre, et ne pas résister à la malédiction qui pesait sur moi.

Elle saisit à pleine main les boucles dorées de ses cheveux, comme si elle avait voulu les arracher de sa tête. Elle lui avait servi si peu, après tout, la belle auréole d'or qui contrastait si bien avec l'azur de ses yeux bleus ! Elle détestait sa beauté. Elle se détestait elle-même.

— Je rirais de vous et je vous défierais, si j'osais, reprit-elle. Je me tuerais si j'en avais le courage, mais je suis lâche, je l'ai toujours été. J'ai eu peur de l'horrible héritage de ma mère... peur de la pauvreté... peur de George Talboys... peur de vous.

Elle se tut un moment sans quitter sa place près de la porte, comme si elle avait résolu de retenir Robert aussi longtemps qu'elle le voudrait.

— Savez-vous à quoi je pense ? dit-elle tout à coup. Savez-vous à quoi je pense en vous regardant à la lueur de cette bougie ? Je pense au jour où George Talboys disparut.

Robert tressaillit en l'entendant prononcer le nom de son ami perdu, il devint pâle dans l'obscurité, et sa respiration devint plus rapide et oppressée.

— Il était debout devant moi comme vous l'êtes maintenant, continua milady. Vous avez dit que vous renverseriez la maison de fond en comble et que vous déracineriez les arbres du jardin pour trouver le cadavre de votre ami. Vous n'auriez pas eu besoin de prendre tant de peine, George Talboys est au fond du vieux puits du bosquet, derrière l'allée des tilleuls.

Robert Audley leva les mains au-dessus de sa tête en poussant un cri d'horreur.

— Ô mon Dieu, toutes mes affreuses suppositions n'étaient donc rien à côté de la terrible vérité ?

— Il vint à moi dans l'allée des tilleuls, reprit lady Audley du ton dur avec lequel elle avait raconté son histoire. Je savais qu'il viendrait et je m'étais préparée de mon mieux pour cette rencontre. J'étais décidée à le corrompre, à le cajoler, à le défier, à tout plutôt que d'abandonner la position que j'avais conquise. Il vint et me reprocha le complot de Ventnor. Il déclara que jamais de sa vie il ne me pardonnerait le mensonge qui lui avait brisé le cœur, et qu'il ne lui restait même plus de pitié pour moi. Il avoua qu'il m'aurait tout pardonné sans cette méchanceté calculée, et que rien ne pouvait plus le détourner du projet qu'il avait conçu : celui de me traîner devant mon second mari et de me forcer à tout confesser.

Il ne savait pas que j'avais sucé la folie en suçant le lait de ma mère. Il ne savait pas qu'il était possible de me rendre folle. Il me tourmenta comme vous m'avez tourmentée… il fut sans pitié, comme vous l'avez été. Nous étions dans le bosquet au bout de l'avenue des tilleuls. J'étais assise sur la maçonnerie en ruine du puits. George s'appuyait contre la barre en fer du tourniquet, et cette barre en fer démontée remuait toutes les fois qu'il changeait de posture. Je me levai enfin et je me tournai vers lui comme pour le défier. Je lui déclarai que s'il me dénonçait à sir Michael, je le proclamerais fou ou menteur, et que je le défiais de parvenir à faire croire à l'homme qui m'aimait aveuglément qu'il avait des droits sur moi. Au moment où j'allais le quitter après ce défi, il me saisit par le poignet et me retint de force. Vous vîtes la trace de ses doigts sur mon bras et ne fûtes pas la dupe de mes explications. Je jugeai dès lors, Mr Audley, que vous étiez un homme à craindre.

Elle s'arrêta comme pour donner à Robert le temps de parler, mais il attendit sans rien dire qu'elle achevât son récit :

— George Talboys me traita comme vous m'avez traitée ; il jura que s'il existait un témoin pour constater mon identité, ce témoin fût-il à cent mille lieues d'Audley Court, il irait le chercher pour me confondre. Ce fut alors que je devins folle, que je retirai la barre de fer du montant dans lequel elle jouait et que je vis mon premier mari tomber dans le puits en poussant un cri horrible. Il y a une légende sur l'immense profondeur de ce puits, et je crois qu'il est à sec, car je n'entendis pas le bruit de l'eau. Je me penchai sur la margelle et je ne vis qu'un trou noir. Je m'agenouillai et j'écoutai, mais le cri ne se répéta pas. Je restai là un quart d'heure, et Dieu sait combien ce quart d'heure me parut long.

Robert Audley ne poussa aucun cri d'horreur quand l'histoire fut finie. Il se rapprocha seulement de la porte devant laquelle se tenait Helen Talboys. S'il y avait eu un autre endroit pour sortir, il en aurait profité volontiers. Il reculait devant tout contact, même momentané, avec cette terrible femme.

— Laissez-moi passer, s'il vous plaît, lui jeta-t-il d'une voix glacée.

— Vous voyez que je n'ai pas peur de me confesser à vous, reprit Helen Talboys, et cela pour deux raisons : la première, c'est que vous n'oserez pas vous en servir, de peur de tuer votre oncle en me traînant au banc des criminels ; et la seconde, c'est que la loi ne m'infligerait pas un châtiment plus affreux que cet emprisonnement à vie dans une maison de fous. Je n'ai donc pas à vous remercier d'avoir été indulgent pour moi, Mr Audley, car je sais où me mène votre indulgence.

Elle s'éloigna de la porte, et Robert passa devant elle sans un mot, sans un regard.

Une demi-heure après, il était dans un des principaux hôtels de Villebrumeuse et s'asseyait à la table du souper sans avoir envie de manger. Il ne pouvait chasser de son esprit l'image de son ami traîtreusement assassiné dans le bosquet d'Audley.

39

Possédé du démon

Jamais dormeur emporté par la fièvre dans le pays des rêves n'a paru plus étonné en présence d'un monde idéal que ne le fut Robert à l'aspect des vastes plaines et des peupliers rachitiques qui bordent la route entre Villebrumeuse et Bruxelles. Était-il possible qu'il revînt à la maison de son oncle sans la femme qui y avait régné pendant deux ans en maîtresse souveraine ? Il lui semblait qu'il avait emmené lady Audley secrètement et sans autorisation, et qu'il lui fallait maintenant en rendre compte à sir Michael.

Que lui dirai-je ? pensait-il ; lui avouerai-je la vérité… l'horrible vérité ? Non, ce serait trop cruel. Il ne résisterait pas à cette épouvantable révélation. Et pourtant si je lui laisse ignorer ce qu'elle est devenue, il croira peut-être que j'ai été dur pour elle.

C'était en réfléchissant de la sorte que Robert, assis dans le *coupé** de la diligence, regardait, sans le voir, le triste paysage qui se déroulait sous ses yeux. Maintenant que la sombre histoire de George Talboys était finie, il manquait une page au livre de sa vie. Que lui restait-il à faire ? Une foule de pensées horribles lui vinrent à l'esprit en se rappelant ce qu'il avait entendu conter par Helen Talboys. Son ami, son ami assassiné, était caché au fond du vieux puits d'Audley. Depuis six mois il était là sans sépulture, enfoui dans l'obscurité. Rechercher les restes de son ami, c'était amener infailliblement une descente de justice et révéler le crime de lady Audley. Car on savait que le jeune homme était allé la rejoindre dans l'allée des tilleuls le jour où il avait disparu.

— Ô mon Dieu ! s'écria Robert, en face de cette horrible alternative, faut-il que le cadavre de mon ami reste à tout jamais au fond de ce puits parce que j'ai pardonné à la femme qui l'a assassiné ?

Il arriva à Londres deux jours après son départ d'Audley, dans la soirée, et se rendit tout droit au *Clarendon*, pour prendre des nouvelles de son oncle. Il ne voulait pas voir sir Michael, n'ayant encore rien décidé de ce qu'il lui avouerait, mais il lui tardait de savoir comment il avait supporté cet épouvantable choc.

Je verrai Alicia, pensait-il, et elle me racontera tout ce qui concerne son père. Il n'y a que deux jours que sir Michael a quitté Audley : il n'a guère dû y avoir de changement favorable.

Mr Audley ne devait pas voir sa cousine ce soir-là. Les domestiques du *Clarendon* lui annoncèrent que sir

Michael et sa fille étaient partis dans la matinée pour Paris, avec l'intention de se rendre à Vienne.

Robert fut content de cette nouvelle ; elle lui accordait un moment de répit et de réflexion.

Mr Audley se fit conduire au Temple. Son appartement, qui lui avait toujours paru triste depuis la disparition de George Talboys, le lui parut plus encore cette fois-ci ; car ce qui n'était autrefois qu'un soupçon était devenu une affreuse réalité. Il ne lui restait plus la moindre lueur d'espérance. Ses craintes les plus horribles n'avaient été que trop bien fondées.

Il trouva chez lui trois lettres qui l'attendaient : une de sir Michael, une d'Alicia, la troisième avait été écrite par une personne dont le jeune avocat connaissait parfaitement l'écriture, quoiqu'il ne l'eût vue qu'une fois. Il rougit à la lecture de l'adresse et prit la lettre avec autant de soin que si le papier eût été animé. Il la tourna et retourna en tous sens, examina le timbre, la couleur du papier, puis il la glissa sous son gilet en souriant d'une étrange manière.

Quel être déraisonnable je suis, se dit-il. N'ai-je donc tant ri des faiblesses d'autrui que pour devenir faible à mon tour ? Pourquoi ai-je rencontré cette belle jeune fille aux yeux bruns ? Pourquoi Némésis m'a-t-elle conduit dans le Dorsetshire ?

Il ouvrit les deux premières lettres. Il était assez fou pour garder la dernière pour la bonne bouche, comme un mets délicat à manger après les plats substantiels d'un dîner ordinaire.

La lettre d'Alicia lui apprenait que sir Michael avait enduré son angoisse avec tant de calme qu'elle aurait préféré l'explosion du désespoir à cette désolante tranquillité. Dans cette difficulté, elle avait fait appeler secrètement le médecin de la famille et l'avait prié de rendre, comme par hasard, visite à son père. Il y avait consenti ; et, après être resté une demi-heure avec le baronnet, il avait déclaré à Alicia qu'il n'y avait pour le moment aucun danger sérieux, mais qu'il fallait tirer sir Michael de cette torpeur et le forcer malgré lui à bouger.

Alicia avait aussitôt suivi ce conseil et, reprenant sur son père tout l'empire d'enfant gâtée qu'elle avait exercé autrefois, elle lui avait rappelé une promesse qu'il lui avait faite jadis de la conduire en Allemagne. Elle n'était parvenue que difficilement à lui arracher son consentement ; mais dès qu'elle l'avait eu, elle avait pressé le départ, et elle annonçait à Robert qu'elle ne ramènerait son père chez lui que lorsqu'elle lui aurait fait oublier ses chagrins.

La lettre du baronnet était très courte. Elle renfermait une demi-douzaine de chèques en blanc sur les banquiers de sir Michael Audley.

Vous aurez besoin d'argent, mon cher Robert, écrivait-il, *pour les arrangements que vous jugerez convenables à l'égard de la personne que je vous ai confiée. J'ai à peine besoin de vous dire que vous ne devez pas reculer devant la dépense. Rappelez-vous seulement que je ne veux plus jamais entendre prononcer le nom de cette personne. Toutes les fois que vous manquerez d'argent, prenez sur mon compte la somme qu'il vous plaira, mais ne m'en faites pas connaître l'emploi.*

Robert Audley poussa un long soupir de soulagement en repliant cette lettre. Elle le débarrassait d'un devoir bien pénible à accomplir et lui traçait la marche à suivre relativement à George Talboys. Son âme dormirait en paix dans sa tombe inconnue, et sir Michael Audley ne saurait jamais que la femme qu'il avait aimée était coupable d'un meurtre.

Robert n'avait plus à ouvrir que la troisième lettre, celle qu'il avait placée sur son cœur pendant qu'il lisait les autres. Il déchira l'enveloppe et retira avec soin et tendresse le papier qu'elle contenait.

La lettre était aussi courte que celle de sir Michael. Elle ne renfermait que ces quelques lignes :

Cher Mr Audley,

Le recteur de l'endroit a rendu deux fois visite à Luke Marks, l'homme que vous avez sauvé dans l'incendie de Castle Inn. *Marks est gravement malade au cottage de sa mère, près d'Audley, et l'on ne croit pas qu'il vive longtemps. Sa femme le soigne. Il a témoigné le désir de vous voir avant sa mort. Venez donc sans retard, je vous en prie.*

Votre amie sincère,
Clara Talboys.

À la cure de Mount Stanning, 6 mars.

Robert Audley replia respectueusement le papier et le replaça sous son gilet à l'endroit où l'on croit communément que se trouve le cœur. Il s'assit ensuite dans son fauteuil favori, bourra sa pipe et la fuma en regardant le feu aussi longtemps que dura le tabac. À voir ses beaux yeux gris, on devinait que la rêverie dans laquelle il était plongé n'avait rien d'ennuyeux. Ses pensées s'envolaient avec les nuages de fumée bleuâtre que vomissait sa pipe et l'entraînaient dans un monde où la mort, la douleur et la honte n'existaient pas. Ce monde, créé par l'omnipotence de son amour, n'avait pour habitants que Clara Talboys et lui.

Quand le tabac turc fut entièrement consumé et les cendres secouées sur la dalle du foyer, le rêve s'enfuit vers cette région enchantée des songes fantastiques qui sont gardés par quelque sombre enchanteur qui, de temps à autre, tourne les clés et ouvre les portes de son trésor pour la satisfaction passagère de l'humanité. Mais le rêve s'évanouit, et le pesant fardeau des tristes réalités vint tomber sur les épaules de Robert, plus tenace que jamais.

Que peut me vouloir ce Marks ? se demandait le jeune avocat. Il a peut-être peur de mourir avant de s'être confessé, et il veut m'avouer ce que je sais déjà, l'histoire du crime de milady. Je savais qu'il connaissait le secret, j'en ai eu la certitude le premier soir où je l'ai vu. Oui, il le connaissait et en usait à son profit.

Robert Audley ne voulait pas retourner dans le comté d'Essex. Comment revoir Clara Talboys, maintenant qu'il savait où était son frère ? Que de mensonges il faudrait inventer pour lui cacher la vérité ! Et pourtant serait-ce un service à lui rendre que de détruire ses espérances ? Serait-ce de la pitié pour elle que de lui raconter cette horrible histoire dont le récit jetterait un voile de deuil sur sa jeunesse et détruirait toutes les espérances qu'elle pouvait caresser au fond de son cœur ? Il savait par sa propre expérience avec quelle facilité on espère en dépit de tout, alors même que l'espoir est mort, et il ne pouvait se faire à l'idée que le cœur de la jeune fille fût forcé d'endurer la même souffrance que le sien.

Non, mieux vaut qu'elle espère en vain jusqu'à la fin, se disait-il, mieux vaut qu'elle passe sa vie à chercher à découvrir le sort de son frère perdu que de m'entendre lui révéler l'affreux mystère par ces quelques paroles : « Nos craintes les plus horribles sont réalisées, le frère que vous aimez a été lâchement assassiné dans la fleur de sa jeunesse. »

Mais Clara Talboys lui avait écrit pour le prier de venir sans retard. Comment refuser d'obéir, quelque pénible que fût le voyage qu'on lui imposait ? Et puis le mourant voulait le voir : il serait cruel de se refuser à sa prière.

Il regarda sa montre. Neuf heures moins cinq. Il n'y avait pas de train pour Audley qui partît de Londres après huit heures et demie ; mais à onze heures, il en partait un de Shoreditch, qui arrivait à Brentwood entre minuit et une heure du matin. Robert décida qu'il prendrait ce train et ferait à pied le trajet entre Brentwood et Audley, c'est-à-dire un peu plus de six miles.

Il avait longtemps à attendre avant que le moment arrivât de quitter le Temple pour se rendre à Shoreditch, et il demeura assis au coin du feu à réfléchir tristement aux étranges événements qui s'étaient succédé depuis un an et demi, et qui, s'interposant comme des ombres courroucées entre ses habitudes paresseuses et lui, l'avaient forcé d'exécuter des projets dans lesquels il n'était pour rien.

Ciel ! se dit-il en fumant une seconde pipe, est-ce bien à moi que tout cela est arrivé ? À moi qui flânais ici toute la journée en lisant Paul de Kock, en fumant mon doux tabac turc, et qui avais l'habitude d'acheter une entrée à moitié prix pour rester derrière les loges au milieu de la foule, pour voir une nouvelle farce, et de finir la soirée en prenant une côtelette et une pinte d'ale chez *Evan ;* à moi pour qui la vie était chose si grave ; à moi qui faisais partie de la bande d'enfants qui sont assis à leur aise sur les chevaux de bois, pendant que d'autres courent sans souliers dans la boue et travaillent de leur mieux dans l'espoir de chevaucher à leur tour quand leur tâche sera finie ? Dieu sait que j'ai depuis cette époque acquis une rude expérience de la vie ; et, pour comble de désagréments, me voilà amoureux et tout prêt à grossir de mes piteux soupirs et de mes gémissements le chœur tragique qui chante éternellement les misères humaines. Clara Talboys ! Clara Talboys ! Se cache-t-il dans vos grands yeux quelque lueur de compassion pour moi. Que diriez-vous si je vous avouais que je vous aime aussi franchement, aussi sincèrement que j'ai déploré le sort de votre frère ; que le nouveau but que m'a tracé mon amitié pour l'homme assassiné devient plus absorbant à mesure qu'il se rapproche de vous et me transforme au point que je m'en étonne moi-même ? Que me répondriez-vous ? Ah ! le ciel seul le sait. Si par hasard elle aimait la couleur de mes cheveux ou le son de ma voix, elle m'écouterait peut-être. Mais se croirait-elle forcée de m'écouter longuement, parce que mon amour pour elle est pur et franc, parce que je serais constant, honnête et que ma fidélité serait inébranlable ? Oh, non ! cela ne produirait aucun effet sur elle. Elle en serait touchée, elle me témoignerait peut-être même un peu de pitié, mais ce serait tout. Si une jeune fille avec des taches de rousseur et des cils blancs m'adorait, je la regarderais comme ennuyeuse ; mais si Clara Talboys avait la fantaisie de fouler aux pieds ma grossière personne, je regarderais cela comme une faveur de sa part. J'espère que la pauvre petite Alicia rencontrera quelque Saxon à la belle chevelure dans le cours de son voyage ! J'espère…

Ses pensées s'égarèrent et se perdirent. Il se souvenait d'une histoire qu'on lui avait conté dans une longue soirée d'hiver, et cette histoire était celle d'un homme que hantait l'esprit d'un parent enterré quelque part, loin du cimetière où il aurait voulu reposer. Si cette histoire allait devenir vraie pour lui, si l'esprit de George Talboys allait le hanter ?

Il écarta ses cheveux de ses mains et regarda tout autour de sa chambre. Il se dessinait des ombres dans un coin, et ces ombres lui déplurent. La porte de son cabinet était entrouverte ; il se leva et la ferma à clef avec beaucoup de bruit.

— Je n'ai pas lu Alexandre Dumas et Wilkie Collins pour rien, murmura-t-il ; je connais toutes les ruses des esprits. Ils vous épient par-derrière, viennent danser devant les vitres et ouvrent leurs grands yeux quand il commence à faire noir. C'est une étrange chose qu'un ami bon et généreux, qui n'aurait jamais entrepris une action mesquine de sa vie, soit capable de n'importe quelle petitesse du moment qu'il devient un esprit. Demain je ferai éclairer au gaz l'escalier et coucher le fils aîné de Mrs Maloney dans le vestibule. Il joue agréablement les airs populaires sur un morceau de papier entrelacé avec une petite dent de peigne, et sa compagnie me sera très agréable.

Mr Audley se promena de long en large pour tuer le temps. Il était inutile de partir de chez lui avant dix heures, et même en partant à dix heures, il arriverait à la gare une demi-heure trop tôt. Il était fatigué de fumer. L'influence du doux narcotique est assez agréable en elle-même, mais il faut être bien misanthrope pour ne pas souhaiter, après une demi-douzaine de pipes, la présence d'un ami qu'on puisse regarder rêveusement à travers le brouillard pâle et gris et qui puisse vous renvoyer un tendre regard en retour. Ne pensez pas que Robert Audley n'avait pas d'amis parce qu'il était souvent seul dans son paisible appartement. Le but qu'il avait poursuivi l'avait conduit à négliger ses anciennes connaissances, et c'était pour cette raison qu'il était seul. Comment aurait-il pu assister avec des amis à quelques soirées pour boire de bons vins, ou à quelques agréables petits dîners arrosés avec le chambertin, le pommard et le champagne ? Comment aurait-il pu rester parmi eux et les écouter causer négligemment politique, théâtre, littérature, courses, sciences, etc., lorsqu'il était poursuivi nuit et jour par d'horribles soupçons ? Il ne le pouvait pas ! Il s'était séparé de ces hommes comme si, en vérité, il eût été un officier de la police secrète souillé de mauvais contacts et ne pouvant être le compagnon d'honnêtes gentlemen ; il s'était retiré de tous les lieux fréquentés et s'était enfermé dans sa chambre solitaire, n'ayant pour seul compagnon que le trouble habituel de son esprit, jusqu'à ce qu'il fût devenu aussi nerveux qu'une solitude continuelle est capable de rendre le plus fort et le plus sage des hommes, même s'il se vante habituellement de sa force et de sa sagesse.

Dix heures sonnèrent enfin à l'horloge de St Dunstan, à celle de St Clement's Danes, et à une foule d'autres dont le carillon retentit au loin ; et Mr Audley, qui avait mis son chapeau et son pardessus depuis une demi-heure, sortit de chez lui en ayant bien soin de fermer la porte. Il se renouvela mentalement la promesse de faire coucher Parthrick – c'était le nom que Mrs Maloney donnait à son fils aîné – dans le vestibule. Ce jeune homme devait entrer en fonction la nuit d'après, et si l'esprit de l'infortuné George Talboys apparaissait, il devrait passer sur le corps de Parthrick avant d'arriver jusqu'à la chambre de Robert.

Ne riez pas du pauvre Robert, parce qu'il était devenu hypocondriaque après avoir entendu l'horrible histoire de la mort de son ami. Il n'y a rien d'aussi léger et d'aussi fragile que ce point d'appui invisible sur lequel se tient la raison. Tel est fou aujourd'hui qui sera demain sain d'esprit.

Qui peut oublier l'image presque effroyable du docteur Samuel Johnson ? Le terrible disputeur des clubs, solennel, lourd, sévère, impitoyable, l'admiration et la terreur de l'humble Bozzy, le rigide mentor du gentil Oliver, l'ami de Garrick et de Reynolds ce soir et demain ; et, avant le lever du soleil, un faible et misérable vieillard découvert par les bons Mr et Mrs Thrale, agenouillé sur le parquet de sa chambre solitaire, dans une angoisse, une terreur et une confusion enfantines, priant Dieu dans sa miséricorde de préserver son intelligence. Le souvenir de cette épouvantable matinée, les tendres soins qu'il avait reçus alors auraient dû enseigner au docteur à tenir sa main plus ferme à Streatham, quand il prenait le flambeau de sa chambre à coucher, dont il avait coutume de faire tomber une pluie de petites gouttelettes de cire fondue sur les riches tapis de sa belle protectrice, et auraient même dû avoir un effet plus durable et lui apprendre à être miséricordieux quand la veuve du brasseur devint folle à son tour et épousa cet affreux chanteur italien. Hélas ! qui n'a pas été, qui ne sera pas fou à certain moment fatal de sa vie ? Qui est tout à fait en sûreté sur ce balancier tremblant ?

Fleet Street était tranquille et solitaire à cette heure tardive, et Robert Audley était tout prêt à croire aux spectres ; il aurait été peu étonné de voir s'avancer le docteur Johnson vers le réverbère, ou l'aveugle Milton chercher à tâtons son chemin pour descendre les marches de l'église de St Bride.

Mr Audley prit une voiture au coin de Farringdon Street, qui le mena rapidement vers Finsbury Pavement, à travers un labyrinthe de rues boueuses.

Personne n'a jamais vu de revenant en fiacre, se dit Robert, et Dumas lui-même n'a pas eu cette idée – non qu'il ne soit capable d'écrire un roman de ce genre si l'idée lui en venait. *Un revenant en fiacre* !* voilà un titre qui sonne bien. L'histoire pourrait être celle de quelque lugubre gentleman en noir qui prendrait un véhicule à l'heure, étant obstiné sur le prix des courses, et engagerait son conducteur dans des rues solitaires, au-delà des barrières, et se rendrait de toute manière fort désagréable !

La voiture roula bruyamment sur le pavé pierreux et déposa Robert aux portes de la station peu charmante de Shoreditch. Il y avait très peu de voyageurs pour ce train de nuit, et Robert se promena librement de long en large sur un quai en bois, lisant les énormes affiches dont les lettres gigantesques paraissaient s'évanouir et reparaître à la triste lueur du réverbère.

Il eut à lui seul tout un compartiment du wagon dans lequel il monta. Je me trompe en disant à lui seul : l'ombre de George Talboys le poursuivit jusque dans le coin de son compartiment de première classe. Elle était derrière lui quand il regardait à la portière, et cependant elle précédait la machine qui se précipitait en avant, dans ce fourré vers lequel le train avançait, près de cet endroit caché et non sanctifié où les restes de l'homme mort étaient négligés et oubliés.

Il faut que je fasse enterrer mon ami convenablement, se dit Robert, pendant qu'un vent froid soufflait au-dehors et lui faisait l'effet de la respiration glacée qui se serait échappée des lèvres d'un mort, ou bien je mourrai de quelque panique comme celle qui m'a saisie ce soir. Il le faut à tout prix, quand bien même je devrais arracher la coupable de sa retraite et l'amener au banc des criminels.

Il éprouva un soulagement quand le train s'arrêta à Brentwood, quelques minutes après minuit. Une seule personne descendit avec lui à cette petite station : c'était un campagnard qui revenait d'assister à la représentation d'une tragédie. Les campagnards vont toujours voir les tragédies ; nos jolis vaudevilles ne sont pas faits pour eux. Les jolis petits salons, ornés d'une lampe et de fenêtres à la française, où l'intrigue se déroule entre un mari confiant, une femme coquette et une soubrette rusée qui passe son temps à épousseter les meubles et à annoncer les visiteurs, ne font pas leur affaire. Ce qu'ils veulent, c'est une bonne tragédie en cinq actes, dans laquelle leurs aïeux ont vu figurer David Garrick et Mrs Frances Abington, où eux-mêmes peuvent se souvenir de la belle O'Neil, cette femme charmante dont les épaules et le beau col devenaient cramoisis de honte et d'indignation quand l'actrice représentait Mrs Beverley, et que Stukeley offensait sa pauvreté et son malheur. Je ne crois pas que les O'Neil modernes jouent aujourd'hui leurs rôles avec tant de sensibilité. En tout cas, cette sensibilité n'a plus de charme pour le public depuis l'apparition de Rachel et du genre nouveau qu'elle a créé.

Robert Audley jeta tout autour de lui un regard désespéré au moment de quitter la jolie petite ville de Brentwood et de prendre la route de la colline où la malheureuse auberge de *Castle Inn* avait fini par succomber sous les efforts combinés du feu et du vent.

C'est une promenade désagréable que celle que je vais faire, pensa Robert en cherchant des yeux la route. La nuit est froide, et la lune se cache comme si elle avait envie de me faire croire qu'elle n'existe pas. Je suis pourtant bien aise d'être venu. Si ce pauvre diable est mourant et veut me voir, c'eût été une cruauté impardonnable que de me refuser à ses prières. Puis *elle* désire ma présence, elle demande que le ciel me vienne en aide, et je ne saurais lui résister.

Il s'arrêta contre la barrière en bois qui entourait le jardin de la cure de Mount Stanning et regarda les fenêtres de l'habitation à travers une haie de lauriers. Il n'aperçut aucune lumière, et il fut forcé de s'éloigner sans autre consolation que celle d'un coup d'œil jeté sur la maison qui renfermait la femme désormais maîtresse de son cœur.

Un monceau de ruines s'élevait à la place où jadis *Castle Inn* avait lutté contre les vents. La froide bise se jouait librement au milieu des quelques fragments qui avaient subsisté, et elle souleva en les secouant un nuage de cendres et de poussière qui enveloppa Robert Audley au moment où il passait.

Il était plus d'une heure et demie quand le voyageur nocturne entra dans le village d'Audley, et ce fut là seulement qu'il se rappela que Clara Talboys ne lui avait donné aucun renseignement sur l'endroit exact où se mourait Luke Marks.

C'est Dawson qui a recommandé de transporter le malheureux chez sa mère, se dit Robert un instant après, et c'est probablement lui qui l'a soigné. Il pourra m'apprendre le chemin du cottage.

Cette réflexion amena Robert à la porte de la maison où Helen Talboys avait vécu avant son second mariage. Cette porte était entrouverte, et une lumière allumée dans le petit laboratoire. Robert entra et aperçut le chirurgien qui préparait une drogue à son comptoir d'acajou. Son chapeau était auprès de lui, et il était sans doute rentré depuis peu, bien qu'il fût très tard. Le ronflement sonore de son aide, qui couchait dans un cabinet à côté, arrivait jusqu'au laboratoire.

— Je vous demande pardon de vous déranger, Mr Dawson, dit Robert quand le chirurgien leva la tête et le reconnut ; je suis venu voir Marks, et comme je ne connais pas le chemin de son cottage, j'ai besoin que vous me l'indiquiez.

— Je vais vous le montrer, Mr Audley. Je me rends moi-même au cottage dans quelques minutes.

— Marks va donc bien mal ?

— Tout à fait mal, et le seul changement à attendre, c'est celui qui calmera pour toujours ses souffrances.

— Voilà qui est étrange ! s'écria Robert. Il m'avait semblé que ses brûlures n'avaient rien de sérieux.

— Et vous ne vous étiez pas trompé. Si ses brûlures eussent été sérieuses, je n'aurais pas recommandé de l'éloigner de Mount Stanning. C'est la secousse qu'il a ressentie qui l'a mis dans cet état. Sa santé était minée depuis longtemps par ses habitudes déréglées, et la frayeur a fait le reste. Il a eu le délire pendant deux jours. Ce soir, il est plus calme ; mais, avant demain soir, il aura cessé de vivre.

— Il a demandé à me voir, m'a-t-on dit ?

— Oui ; c'est une fantaisie de malade, répondit le chirurgien d'un ton indifférent. Vous l'avez arraché aux flammes, et, quoiqu'il ait l'écorce un peu rude, il songe beaucoup au service que vous lui avez rendu.

Ils étaient sortis du laboratoire, et le chirurgien avait fermé la porte à clef. Très probablement, c'était pour mettre à l'abri l'argent du comptoir que Mr Dawson prenait tant de précautions ; car le plus hardi voleur n'aurait pas eu l'idée d'aller exposer sa vie pour des pilules, de la coloquinte, des sels et du séné.

Le chirurgien guida Robert le long d'une rue silencieuse et s'engagea tout à coup dans un sentier au bout duquel le jeune avocat aperçut une lumière pâle. Cette lumière devait éclairer une chambre mortuaire, tant ses reflets étaient faibles et d'un aspect étrange à cette heure avancée de la nuit ; c'était celle du cottage où Luke Marks souffrait sous la garde de sa mère et de sa femme.

Mr Dawson souleva le loquet et entra dans la première pièce du cottage, suivi de Robert Audley. Cette pièce était vide et éclairée par une chandelle dont le suif dégouttait sur la table ; Luke Marks était dans la chambre au-dessus.

— Dois-je lui dire que vous êtes ici ? demanda Mr Dawson.

— Oui, oui, s'il vous plaît, prenez des précautions pour le lui dire. Si vous pensez que cette nouvelle puisse l'agiter, j'attendrai ; je ne suis pas pressé. Vous m'appellerez quand je pourrai monter.

Le chirurgien inclina la tête en signe d'assentiment et gravit l'escalier qui menait à l'étage supérieur. C'était un bon homme que ce Mr Dawson, et il fallait qu'il le fût pour être le médecin des pauvres de la paroisse et les soigner pour rien avec douceur, afin qu'ils ne subissent aucune de ces cruautés mesquines très difficiles à prouver, mais pénibles pour ceux qui souffrent.

Robert Audley s'assit sur une chaise devant le foyer sans feu et contempla les objets qui l'entouraient. Quoique la salle fût petite, les coins en étaient sombres ; une vieille pendule se dressait devant lui, et les bruits qui s'échappent d'une pendule après minuit sont trop connus pour que je les décrive. Le jeune homme écoutait en silence le tic-tac monotone qui semblait égrener les dernières secondes de vie accordées au mourant et les voir fuir avec plaisir. Encore une minute ! encore une minute ! avait l'air de dire la vieille pendule ; et Robert eut envie de lui jeter son chapeau dans l'espoir d'arrêter son mélancolique mouvement.

Il fut enfin tiré de ses réflexions par la voix du chirurgien, qui parut au sommet de l'escalier pour lui dire que Luke Marks était éveillé et le verrait volontiers.

Robert monta aussitôt et, avant d'entrer dans cette chambre rustique, il ôta son chapeau. Il ôtait son chapeau en présence de ce paysan, parce qu'il savait que la mort, cette terrible visiteuse, n'allait pas tarder à pénétrer dans ce cottage.

Phœbe Marks était assise au pied du lit, les yeux fixés sur la figure de son mari. Aucune expression de tendresse ne se lisait dans ses regards ; ils peignaient une vive anxiété, et cette anxiété, c'était plutôt l'arrivée prochaine de la mort qui la causait que la crainte de perdre son mari. La vieille mère du malade faisait sécher du linge auprès du feu et préparait quelque soupe que son fils ne prendrait probablement jamais. Luke Marks avait la tête posée sur un oreiller ; sa figure était d'une pâleur mortelle et ses mains s'allongeaient sur la couverture. Phœbe lui avait fait la lecture, car une bible était encore ouverte au milieu des fioles qui encombraient la table auprès du lit. Tout était propre et bien rangé dans la chambre ; le goût de l'ordre et de la régularité avait toujours été le trait distinctif du caractère de Phœbe.

La jeune femme se leva dès que Robert parut sur le seuil et courut au-devant de lui.

— Laissez-moi vous parler un moment, monsieur, avant que vous écoutiez Luke, lui dit-elle rapidement et à voix basse. Je vous en supplie, laissez-moi vous parler avant lui.

— Qu'a-t-elle à dire ? demanda le malade d'une voix faible et courroucée.

Les ombres de la mort s'appesantissaient sur ses yeux, mais il y voyait encore assez bien pour remarquer les mouvements de Phœbe.

— Qu'a-t-elle à dire ? répéta-t-il. Je ne veux pas de complots ni de préparations. Ce que j'ai à révéler à Mr Audley, je le révélerai moi-même, et, si j'ai fait du mal, je veux essayer de le défaire. Qu'a-t-elle à dire ?

— Elle ne dit rien, Luke, mon cher, répondit la mère, s'approchant du lit de son fils qui, bien que rendu plus intéressant par la maladie, ne semblait pas mériter cette tendre épithète. Elle raconte seulement au gentleman comment tu t'es porté depuis qu'il t'a quitté.

— Je lui dirai bien moi-même. Il m'a sauvé du feu, il saura tout ; mais je ne veux pas que quiconque écoute.

— Sans doute, Luke, sans doute, répondit sa mère pour le calmer.

L'intelligence de la vieille était un peu bornée, et elle n'attachait pas plus d'importance aux paroles que prononçait son fils en ce moment qu'à celle prononcées pendant son délire, cet horrible délire dans lequel il s'était vu d'abord enseveli sous des montagnes de briques et de mortier enflammés, puis précipité au fond d'un gouffre d'où la main d'un géant l'avait retiré en le saisissant par les cheveux.

Phœbe Marks avait emmené Mr Audley sur le palier, qui avait trois à quatre pieds de large et était à peine assez grand pour les contenir tous deux, sans qu'ils se poussassent près du mur nouvellement blanchi ou risquassent de tomber dans l'escalier.

— Oh ! monsieur ! s'écria Phœbe avec empressement, j'ai de tristes choses à vous conter. Vous souvient-il de ce que je vous ai dit en vous trouvant sain et sauf la nuit de l'incendie ?

— Oui, je m'en souviens.

— Je vous avouai mes soupçons, mais je n'en ai jamais parlé à personne, monsieur, et je crois que Luke a oublié tous les incidents de cette nuit ; il était déjà ivre quand mila... quand elle vint à l'auberge, et je suppose que la peur a chassé tout souvenir de sa mémoire. En tout cas, il ne soupçonne rien, car il aurait parlé ; mais il est fort en colère contre milady et dit que si elle lui avait procuré une place à Brentwood ou à Chelmsford, tout cela ne serait pas arrivé, et je voudrais que vous ne disiez rien devant lui.

— Oui... oui... je comprends... j'y veillerai.

— J'ai appris que milady avait quitté Audley Court.

— Oui.

— Pour n'y jamais revenir ?

— Jamais.

— Mais elle ne sera pas maltraitée, n'est-ce pas ?

— Non.

— J'en suis bien aise, monsieur. Pardon pour toutes ces questions ; milady était très bonne pour moi.

La voix de Luke se fit entendre à l'intérieur, et Phœbe ramena Mr Audley dans la chambre.

— Je n'ai pas besoin de toi..., dit d'un ton décisif Marks à sa femme quand elle rentra dans la chambre, je n'ai pas besoin de toi ; je ne veux voir que Mr Audley. Descends et emmène ma mère. Non, ma mère peut rester ; sa présence me sera nécessaire tout à l'heure.

La main affaiblie du malade montra la porte à Phœbe, et elle sortit avec soumission en disant à son mari :

— Je ne veux rien entendre, Luke ; mais j'espère que tu ne diras rien contre ceux qui se sont montrés généreux envers nous.

— Je parlerai comme il me plaira. Je n'ai pas d'ordre à recevoir de toi ; tu n'es ni le curé ni l'homme de loi.

Le propriétaire de *Castle Inn* n'avait subi aucune transformation morale sur son lit de mort ; ses souffrances avaient été trop rapides et trop cruelles. Peut-être quelques faibles rayons de lumière, qui n'avaient jamais éclairé sa vie, s'efforçaient-ils de percer faiblement les sombres obscurités de l'ignorance qui remplissaient son âme ? Peut-être quelque demi-rancune, quelque demi-repentir obstiné le portaient-ils à accomplir quelques rudes efforts pour racheter une vie égoïste passée à boire et à faire le mal. Quoi qu'il en fût, il essuya de la main ses lèvres blanches et, jetant un regard sérieux sur le jeune avocat, lui désigna une chaise à côté du lit.

— Vous m'avez sondé de toutes les manières pour connaître mes secrets, Mr Audley, dit-il tout à coup. Vous m'avez tourné et retourné en tout sens, et je n'avais pas lieu de vous être reconnaissant avant l'incendie ; mais je le suis maintenant. La reconnaissance n'est pas une de mes qualités, parce que je n'aime pas, quand on me donne quelque chose comme du gibier, de la soupe, de la flanelle, du charbon, qu'on aille ensuite le crier sur les toits ; j'aurais voulu les envoyer au diable, mais un gentleman comme vous, qui se jette dans le feu pour sauver une brute comme moi, mérite bien qu'on lui dise au moins merci avant de mourir. Je vous remercie donc, Mr Audley ; car je vois à la figure du docteur que je n'ai pas longtemps à vivre.

Luke Marks tendit sa main gauche – la droite avait été brûlée et était entourée de linges –, et il serra faiblement celle de Robert.

Le jeune homme répondit cordialement à cette étreinte.

— Je n'ai pas besoin de remerciements, Luke Marks ; je vous ai rendu ce service avec plaisir.

Marks ne répondit pas tout de suite. Il était couché tranquillement sur le flanc et regardait Robert.

— Vous aimiez bien la personne qui disparut à Audley, n'est-ce pas ? demanda-t-il enfin.

Robert tressaillit en entendant parler de son ami mort.

— Vous l'aimiez beaucoup, ce Mr Talboys, m'a-t-on dit ? répéta Luke.

— Oui, oui, c'était un de mes bons amis, répondit Robert avec un peu d'impatience.

— J'ai entendu raconter par les domestiques du château l'effet que produisit sur vous l'annonce de sa disparition, et le maître de *Sun Inn* disait que vous n'auriez pas été plus inquiet si c'eût été votre frère.

— Oui, oui, je sais… je sais… mais ne parlez plus de cela, je ne puis vous dire combien ce sujet m'est pénible. Écoutez-moi, Marks, j'apprécie toute votre gratitude, et je suis très content du service que je vous ai rendu. Mais avant d'en dire plus long, laissez-moi vous faire une demande solennelle. Si vous m'avez appelé pour me révéler le secret de la disparition de mon ami, ne vous donnez pas cette peine, je sais déjà tout. Je le tiens de la bouche même de la femme qui était jadis en votre pouvoir. Ne parlons donc plus de cela, vous ne pouvez rien me dire que je ne sache.

Luke Marks regarda la figure sérieuse de son visiteur, et un faible sourire illumina pour un instant les traits hagards du mourant.

— Ainsi, je n'ai rien à vous révéler que vous ne sachiez déjà ?

— Rien.

— Alors, ce n'est pas la peine que j'essaye, dit le malade d'un ton pensif ; mais vous a-t-elle tout dit ? reprit-il après une légère pause.

— Marks, je vous prie de vous taire sur ce sujet,

répliqua Robert presque sèchement. Les secrets que vous connaissez vous ont servi à avoir ce que vous vouliez. Vous étiez payé pour garder le silence, gardez-le jusqu'à la fin, cela vaut mieux.

— Vous croyez ?… ferai-je réellement mieux de me taire jusqu'à la fin ? murmura Marks, très agité.

— Je le crois, puisque vous avez reçu de l'argent pour cela ; ce serait du moins de l'honnêteté que de ne pas manquer à votre promesse.

— Mais si milady avait eu son secret, et moi le mien ? dit le malade en grimaçant horriblement.

— Que voulez-vous dire ?

— Supposez que j'eusse depuis longtemps des aveux à faire, et que je m'en fusse abstenu parce que milady ne me traitait pas assez bien, parce qu'elle me donnait de l'argent comme on jette un os à un chien, pour l'empêcher de mordre. Supposez qu'à cause de ce manque d'égards, j'eusse gardé mon secret, et demandez-vous si je dois toujours me taire…

Il est impossible de décrire le sourire de triomphe que grimaça cette figure effrayante.

Il n'a pas sa raison, se dit Robert, ayons de la patience ; c'est bien le moins que je sois patient avec un moribond.

Luke Marks contempla quelque temps Robert en souriant toujours de la même manière. La vieille, fatiguée d'avoir veillé plusieurs nuits de suite, s'était assoupie sur une chaise auprès du feu où bouillait la soupe qu'elle avait préparée.

Robert Audley attendit très patiemment qu'il plût au malade de parler. Le moindre bruit arrivait distinctement à son oreille à cette heure de mort. Les cendres qui s'échappaient de la grille, le pétillement de la flamme, le tic-tac de la vieille pendule, les sourds gémissements du vent de mars – qui paraissait la voix d'un esprit criant son avertissement funèbre à ceux qui veillaient le mourant –, la respiration pénible du malade : chaque son s'entendait séparément et prenait une voix qui retentissait comme un sombre message dans le silence solennel de la maison.

Robert avait caché sa figure entre ses mains et songeait encore à ce qu'il allait devenir maintenant que l'histoire de George Talboys était achevée et que la coupable était enfermée. Il ne pouvait se rendre auprès de Clara Talboys, car il voulait garder pour lui le secret horrible qu'on lui avait révélé. Comment oserait-il l'aborder avec l'intention de ne rien lui dire ? Comment pourrait-il regarder ses yeux et ne pas lui avouer toute la vérité ? Il sentait que toute sa force faiblirait devant ce regard calme et pénétrant.

Entourée de difficultés qui lui paraissaient tout à fait insurmontables, la vie n'avait plus pour Robert Audley le charme d'autrefois, et il s'avouait qu'il eût été préférable pour lui de périr dans l'incendie de *Castle Inn*, bien que son caractère enjoué l'eût aidé à supporter jadis le triste fardeau qui lui pesait tant alors.

Qui m'aurait regretté ? se dit-il, personne, excepté ma pauvre Alicia, et encore sa douleur n'eût-elle pas duré plus longtemps que les roses d'avril ; Clara Talboys aurait-elle pleuré ma mort ?... Non ! elle n'aurait regretté en moi que l'instrument nécessaire à la découverte du sort de son frère... Elle n'aurait...

40

Les révélations du mourant

Dieu sait où les pensées de Robert auraient pu le conduire s'il n'avait été tiré de sa rêverie par un brusque mouvement du malade, qui se leva sur son séant et appela sa mère.

La vieille femme eut un sursaut et se tourna tout endormie vers son fils.

— Qu'as-tu, Luke ? lui dit-elle avec douceur. Il n'est pas encore temps de prendre ta potion. Mr Dawson a recommandé de ne te la donner que deux heures après son départ, et il n'y a pas encore une heure qu'il est parti.

— Qui vous dit que c'est la potion que je veux ! s'écria Marks avec impatience, j'ai quelque chose à vous demander, ma mère. Vous souvenez-vous du 7 septembre dernier ?

Robert tressaillit et regarda le malade avec inquiétude. Pourquoi revenait-il sur ce sujet défendu ?… Pourquoi rappelait-il la date de l'assassinat de George ?… La vieille femme secoua la tête de l'air d'une personne dont les pensées sont confuses.

— Mon Dieu, Luke, comment peux-tu me faire de semblables questions ? Ma mémoire s'est envolée depuis sept ou huit ans, et je ne pouvais pas auparavant me rappeler le quantième du mois. Une femme qui travaille à la journée ne se souvient pas de ces bagatelles.

Luke Marks haussa les épaules d'un air contrarié.

— Pourquoi l'avez-vous oublié, ma mère, je vous avais dit de vous en souvenir. Ne vous avais-je pas prévenue qu'un temps viendrait où il vous faudrait servir de témoin et jurer sur la Bible.

La vieille femme secoua la tête de nouveau.

— C'est probable, puisque tu le dis, Luke, mais je n'en ai pas la moindre idée ; j'ai perdu la mémoire, monsieur, ajouta-t-elle en se tournant vers Robert, et je ne suis qu'une pauvre créature.

Mr Audley plaça sa main sur le bras du malade.

— Marks, n'ennuyez pas votre mère avec vos questions. Je ne veux rien savoir… je ne veux rien entendre…

— Et si je veux parler, moi ! s'écria Luke avec énergie, si je ne veux pas mourir avant d'avoir révélé ce secret pour lequel je vous ai fait venir ! Je vous ai fait venir pour cela, pour tout vous dire, à vous et non pas à *elle*… Oh, non ! pas à elle, j'aurais mieux aimé mourir dans le feu.

Je lui ai fait payer ses insolences, ses grands airs et ses manières, mais elle n'a rien su. Je la tenais dans mes mains et j'en profitais, j'avais mon secret qu'elle ignorait, et elle me payait pour me taire ; mais elle me traitait avec tant de mépris, moi et les miens, que, m'eût-elle payé vingt fois plus, c'eût été comme si elle n'avait rien fait.

— Marks… Marks… au nom du ciel, soyez calme, quel est ce secret que vous cachiez à lady Audley ?

— Je vais vous le révéler ; ma mère, donnez-moi à boire, dit Luke, essuyant ses lèvres desséchées.

La vieille femme remplit un verre de tisane rafraîchissante et l'apporta à son fils.

Il but avec avidité, comme s'il avait senti que la mort arrivait à grands pas et qu'il devait la gagner de vitesse.

— Restez où vous êtes, ordonna-t-il à sa mère, en lui montrant une chaise au pied du lit.

La vieille femme obéit et s'assit lentement en face de Mr Audley. Elle tira ses lunettes de son étui, en nettoya les verres, les plaça sur son nez et regarda tranquillement son fils, espérant sans doute que sa mémoire serait excitée par ces petits gestes mécaniques.

— Je vous poserai encore une question, ma mère, dit Luke, et je crois que vous pourrez y répondre. Vous souvient-il de l'époque où je travaillais chez le fermier Atkinson ? C'était avant mon mariage, j'habitais encore avec vous.

— Oui, oui, répondit Mrs Marks avec la joie du triomphe, je m'en souviens très bien ! C'était au moment où nous ramassions les pommes du verger et où tu as acheté un gilet neuf. Je m'en souviens, Luke, je m'en souviens.

Mr Audley se demandait où aboutirait ce préambule et combien de temps il lui faudrait écouter une conversation qui ne signifiait rien pour lui.

— Si vous vous souvenez de tout cela, peut-être n'aurez-vous pas oublié le reste, ma mère. Vous rappelez-vous que j'amenai quelqu'un chez nous un soir où le fermier Atkinson rentrait ses derniers grains ?

Robert, étonné, regarda de nouveau le malade et écouta avec intérêt les paroles de Luke Marks, quoiqu'il comprît à peine à quoi cela pouvait aboutir.

— Je me rappelle que Phœbe vint avec toi prendre une tasse de thé ou manger un morceau, répondit la vieille femme avec une grande animation.

— Au diable Phœbe ! qui vous parle d'elle ? Qu'est-elle pour qu'on s'en occupe ? Vous rappelez-vous que j'amenai après dix heures un monsieur tout mouillé et couvert de boue ? Il avait le bras cassé et l'épaule presque démise ; il fallut couper ses habits pour les lui enlever, et il s'assit au coin du feu où il regardait les charbons d'un air stupide sans savoir où il était. Vous souvenez-vous que je le lavai comme un enfant, que je l'essuyai et que je fus obligé de lui faire avaler de l'eau-de-vie avec une cuillère que je glissai entre ses dents ?

La vieille femme fit signe de la tête que oui et murmura quelque chose pour prouver que tous ces détails lui revenaient, maintenant que son fils les avait rappelés.

Robert Audley poussa un cri terrible et tomba à genoux à côté du lit du mourant.

— Ô mon Dieu !... merci de ta bonté !... merci d'avoir sauvé la vie de George Talboys !...

— Attendez, dit Marks, n'allez pas si vite. Mère, donnez-moi cette cassette qui est sur la commode.

La vieille obéit ; et, après avoir fouillé au milieu des tasses à thé, des boîtes sans couvercle et des faïences qui encombraient la commode, elle en retira une cassette d'un aspect assez malpropre et dont le couvercle glissait sous la pression de la main.

Robert était toujours agenouillé auprès du lit, la figure cachée entre ses mains. Luke ouvrit la cassette.

— Il n'y a pas d'argent dedans, et c'est dommage, car celui qu'il y a eu est parti depuis longtemps ; mais cette cassette renferme quelque chose qui vaut peut-être plus que de l'argent, et je vais vous le donner, monsieur, pour vous prouver qu'une brute comme moi a de la reconnaissance pour ceux qui lui témoignent de la bonté.

Il retira deux papiers pliés qu'il mit dans la main de Robert.

C'étaient deux feuilles arrachées à un agenda, sur lesquelles on avait écrit au crayon, et l'écriture était inconnue à Robert. Elle ressemblait à celle d'un campagnard.

— Je ne connais pas cette écriture, dit Robert en dépliant rapidement le premier des deux papiers. Qu'est-ce que cela a à voir avec mon ami ? Pourquoi me le montrez-vous ?

— Lisez d'abord, vous me questionnerez ensuite.

Le premier papier que Robert Audley avait déplié contenait les lignes suivantes, très mal écrites et tracées par une main étrangère :

Mon cher ami,

Je vous écris dans un état d'esprit dans lequel jamais homme peut-être ne s'est trouvé.

Je ne puis vous dire ce qui m'est arrivé. Sachez seulement qu'il m'est arrivé quelque chose qui me fait quitter l'Angleterre, le cœur brisé, pour aller mourir dans quelque coin ignoré ; je vous conjure de m'oublier.

Si votre amitié avait pu m'être utile, je n'eusse pas manqué d'y recourir ; si vos conseils avaient dû m'aider, je vous les eusse demandés ; mais ni l'amitié ni les conseils ne peuvent rien pour moi, et tous mes souhaits en ce monde se bornent à invoquer pour vous la bénédiction de Dieu et à vous supplier de m'oublier.

G. T.

Le second papier était adressé à une autre personne, et son contenu était plus court que celui du premier.

Helen,

Que Dieu ait pitié de vous et vous pardonne ce que vous avez fait aujourd'hui, comme je vous le pardonne moi-même.

Vivez en paix. Vous n'entendrez plus parler de moi.

Pour vous et pour le monde, je suis, à partir d'aujourd'hui, ce que vous avez voulu que je fusse.

Ne craignez pas d'être tourmentée, je quitte l'Angleterre pour n'y jamais plus revenir.

G. T.

Robert Audley regardait ces lignes d'un air égaré. Elles n'étaient pas de l'écriture ordinaire de son ami, et pourtant elles portaient ses initiales, et tout portait à croire qu'elles venaient de lui.

Il examina attentivement la figure de Luke Marks en pensant qu'on se jouait de lui.

— Ce n'est pas l'écriture de George.

— Pardon, répondit Luke Marks, ce fut bien sa main qui traça chaque mot ; seulement, il écrivit de la main gauche parce qu'il avait le bras droit cassé.

Le soupçon disparut aussitôt de l'esprit de Robert.

— Je comprends, je comprends… Dites-moi tout. Racontez-moi comment mon pauvre ami fut sauvé.

Il ne pouvait s'imaginer que tout ce qu'il avait entendu était vrai. Il ne pouvait croire que cet ami, qu'il avait cru mort pendant si longtemps, était encore de ce monde et viendrait lui tendre la main quand le passé serait oublié ; il était ébloui par ce rayon d'espérance qui venait de luire d'une façon si inattendue.

— Je travaillais chez Atkinson en septembre dernier et j'aidais à rentrer les grains, commença Luke Marks, et comme le plus court chemin de la ferme au cottage était celui des prairies, je passais toujours par là. Phœbe, qui connaissait l'heure de mon retour, venait quelquefois m'attendre à la porte du jardin pour causer avec moi. Quelquefois elle ne venait pas, et alors je franchissais le fossé qui sépare le potager des prairies, pour aller boire un verre d'ale avec les domestiques ou souper avec eux. Je ne sais pas ce que Phœbe avait à faire en cette soirée du 7 septembre, mais je me souviens très bien que le fermier Atkinson m'avait payé mes gages ce jour-là et avait exigé un reçu. Bref, elle n'était pas à la porte, et comme je tenais beaucoup à la voir, parce que je partais le lendemain pour Chelmsford, je fis le tour du jardin et je franchis le fossé. Neuf heures avaient sonné à l'horloge d'Audley pendant que j'étais dans la prairie entre la ferme d'Atkinson et le château ; il devait donc être neuf heures un quart quand j'arrivai dans le potager.

» Je traversai le jardin et je pris par l'allée des tilleuls. Sur mon chemin se trouvait le bosquet et le puits desséché. La nuit était noire, mais je connaissais l'endroit, et les lumières d'Audley Court brillaient dans les ténèbres. En arrivant près du puits, j'entendis un bruit qui me glaça le sang. Ce bruit, c'étaient les gémissements d'un homme qui souffrait et qui devait être caché parmi les buissons. Je n'avais pas peur des revenants, mais ces gémissements m'effrayèrent, et je restai une minute environ sans savoir que faire. Les gémissements se firent entendre de nouveau, et je me mis à chercher dans les buissons. Je trouvai un homme couché sous des lauriers, et comme ma première idée fut qu'il était là pour commettre un méfait, j'allais le saisir au collet et le conduire à la maison lorsqu'il me prit lui-même par la main, sans se lever, et me demanda d'un ton sérieux qui j'étais et quels étaient mes rapports avec les gens d'Audley Court. Quelque chose dans sa manière de parler me fit penser aussitôt que c'était un gentleman, bien que je ne le connusse pas et qu'il me fût impossible de voir son visage. Je lui parlai donc poliment. “Je veux m'éloigner d'ici, dit-il, sans être vu de personne, entendez-vous. Je suis là depuis quatre heures, à moitié mort, mais je veux que personne ne me voie.” Je lui répondis que c'était facile ; mais ma première idée me revint : il n'avait pas de bonnes intentions, puisqu'il tenait à se retirer sans être vu.

“Pouvez-vous me conduire discrètement quelque part où il me sera permis de quitter mes habits mouillés ? insista-t-il” Il s’était assis en parlant, et je vis que son bras droit était cassé et le faisait souffrir. Je lui montrai son bras en lui demandant ce qu’il avait. “Il est cassé, mon garçon ; mais ce n’est pas grand-chose, ajouta-t-il en se parlant à lui-même. Un bras se raccommode, tandis qu’un cœur brisé...” Je lui proposai de le conduire au cottage de ma mère, et d’y sécher ses habits. “Votre mère peut-elle garder un secret ? s’inquiéta-t-il. – Elle le garderait assez bien si elle s’en souvenait ; vous pourriez lui raconter tous les secrets des francs-maçons, des forestiers, des devins et des vieilles gens d’autrefois ce soir, que demain elle n’en saurait plus rien”, lui répondis-je. Ces paroles le rassurèrent, et il se mit sur ses jambes en s’appuyant sur moi, car ses membres étaient tellement meurtris qu’il ne s’en servait que difficilement. Je sentis quand il me toucha que ses habits étaient humides et couverts de boue. “Est-ce que vous êtes tombé dans la mare, monsieur ?” lui demandai-je. Il ne me répondit pas ; il n’eut pas même l’air de m’avoir entendu. Je m’aperçus alors en le voyant debout que c’était un homme très grand et bien fait. Il me dépassait de toute la tête.

» Je savais que la plupart du temps on cachait dans le mur du jardin la clef de la porte en bois, et je lui fis prendre ce chemin. Il pouvait à peine marcher, et ce n’était qu’en s’appuyant sur moi qu’il mettait un pied devant l’autre. J’ouvris la porte et je l’amenai par les prairies jusqu’à notre cottage, où ma mère était occupée à préparer mon souper. Je le fis asseoir dans un fauteuil devant le feu, et je pus l’examiner alors. Je n’ai jamais vu personne en pareil état ; il était tout couvert d’une vase verdâtre, et ses mains étaient écorchées. Je lui enlevai ses habits aussi adroitement qu’il me fut possible, et il se laissa faire comme un enfant. Il soupirait de temps en temps et regardait le feu sans s’occuper de son bras qui pendait inerte. Le voyant dans un état si fâcheux, je voulus aller chercher Mr Dawson, et j’en parlai à ma mère ;

mais il m'entendit, malgré son air distrait, et me défendit de sortir. Sa présence au cottage ne devait être connue que de ma mère et de moi. Il me permit cependant d'aller lui chercher de l'eau-de-vie, et onze heures sonnèrent quand je fus de retour du cabaret.

» J'avais eu une bonne inspiration en allant acheter de l'eau-de-vie, car il frissonnait de tous ses membres, et il me fallut lui desserrer les dents pour qu'il en avalât quelques cuillerées. Il s'assoupit ensuite, et je veillai pour entretenir le feu jusqu'au point du jour. Il s'éveilla à ce moment et me déclara qu'il voulait partir sur-le-champ. Je l'engageai vainement à retarder son départ. Il insista, et, bien qu'il ne pût se tenir droit deux minutes de suite, il ne changea pas d'idée. Ses habits étaient secs, et je l'en revêtis. Il poussait bien quelques gémissements de temps en temps, pendant que je lavais sa figure et que je relevais son bras dans un mouchoir noué autour de son cou, mais il voulait toujours partir; et, quand il fit grand jour, il se trouva prêt. “Quelle est la ville la plus proche d'ici en se rendant à Londres ? me demanda-t-il. – Brentwood. – Eh bien, si vous voulez m'accompagner jusque-là et me mener chez un chirurgien qui arrangera mon bras, je vous donnerai un billet de cinq livres pour toutes vos peines.” J'y consentis volontiers, et je lui proposai d'emprunter un char à bancs, parce que la distance était de six miles. Il secoua la tête. Il ne voulait personne dans le secret; il préférait marcher, et il marcha effectivement. Chaque pas lui coûtait un effort, mais il tint bon jusqu'au bout. Il s'arrêtait quelquefois pour reprendre haleine, mais il repartait ensuite, et nous finîmes par arriver à Brentwood. Là, je le conduisis chez un chirurgien qui raccommoda le bras cassé et l'invita à attendre qu'il fût mieux avant de quitter la ville. Il répondit que cela n'était pas possible, qu'il était pressé de retourner à Londres; et quand le chirurgien eut terminé l'opération et lui eut mis son bras en écharpe…

Robert Audley tressaillit. Il venait de se rappeler que, parmi les passagers partis à bord du *Victoria Regia* vers Melbourne, figurait un jeune homme portant le bras droit en écharpe.

— Quand son bras fut arrangé, continua Luke, il demanda un crayon au chirurgien. Le chirurgien sourit en branlant la tête et lui dit qu'il ne pourrait pas écrire de la main droite. "C'est possible, objecta-t-il, mais de la gauche je pourrai peut-être." On lui proposa d'écrire pour lui, mais l'affaire était confidentielle, et il ne réclama que deux enveloppes. Pendant que le chirurgien allait chercher les enveloppes, il tira son agenda de sa poche avec sa main gauche et déchira deux feuilles de papier. Il eut bien de la peine à griffonner ce qu'il voulait écrire, mais il y parvint cependant et glissa les deux morceaux de papier dans les enveloppes qu'il cacheta. Il paya ensuite le chirurgien, qui l'engagea à rester à Brentwood, mais il s'y refusa et me demanda de le conduire à la gare, où il me donnerait ce qu'il m'avait promis. Je le suivis donc. Nous arrivâmes à temps pour prendre le train qui s'arrête à Brentwood à huit heures et demie, et nous eûmes cinq minutes de reste. Il me conduisit dans un coin de la gare et me demanda si je voulais porter ces lettres à destination. "Volontiers, répondis-je. – Savez-vous où est Audley Court ? – Certainement, ma fiancée y est soubrette. – De qui ? – De la nouvelle lady Audley, celle qui était institutrice chez Mr Dawson. – Eh bien, cette lettre-ci, qui est marquée au crayon, est pour lady Audley. Vous la lui remettrez sans que personne vous voie ; vous me le promettez, n'est-ce pas ? – Oui. – Cette autre est pour Mr Robert Audley, le neveu de sir Michael ; le connaissez-vous ? – J'ai entendu dire que c'était un élégant, mais qu'il était très affable pour ses inférieurs…" C'est vrai, je l'ai entendu dire, monsieur, ajouta Luke entre parenthèses. "Vous la lui porterez à *Sun Inn*, continua votre ami. – C'est convenu, monsieur." Il me donna la seconde lettre et le billet de banque qu'il m'avait promis, puis il me souhaita le bonjour en me remerciant de mes services et monta dans un wagon de deuxième classe où sa figure meurtrie m'apparut pour la dernière fois.

— Pauvre George !... pauvre George !... s'écria Robert.

— J'allai tout droit au village d'Audley et j'entrai dans *Sun Inn* pour vous remettre sa lettre, mais l'aubergiste me dit que vous étiez parti pour Londres dans la matinée. Il ne savait pas quand vous reviendriez ni en quel endroit vous habitiez à Londres, quoiqu'il pensât que ce devait être dans les environs de Law's Court, Westminster Hall, Doctor's Commons ou quelque chose de ce genre. Que devais-je faire ?... je ne pouvais vous envoyer la lettre par la poste, ne connaissant pas votre adresse, ni vous la remettre, puisque vous étiez parti : je me décidai donc à la garder jusqu'à ce que vous fussiez de retour. Je résolus d'aller le soir à Audley Court et de savoir par Phœbe s'il m'était possible de voir milady. Je flânai toute la journée, et, vers le crépuscule, je gagnai la prairie où Phœbe m'attendait comme d'habitude. J'allai avec elle dans le bosquet, et comme nous approchions du puits où nous nous étions assis plusieurs fois pendant les soirées d'été, Phœbe devint pâle comme un spectre et recula en me disant : "Pas là !... pas là !... – Pourquoi donc ? lui demandai-je. – Parce que je suis nerveuse, ce soir, et qu'on m'a dit qu'il était hanté."

» Je n'insistai pas, et en la menant vers la porte, je lui dis que tous les contes qu'elle avait entendus étaient absurdes. À peine eus-je causé quelques instants avec elle que je m'aperçus qu'elle avait quelque chose, et je lui demandai ce qui l'inquiétait. "Je ne sais pas ce que j'ai ce soir, me répondit-elle, je ne suis pas comme d'habitude ; c'est peut-être à cause de ma frayeur d'hier. – Quelle frayeur ? Ta maîtresse t'a-t-elle fait des reproches ?" Elle ne me répondit pas tout de suite, mais elle sourit de la manière la plus étrange que j'aie jamais vu. "Non, Luke, ce n'est pas cela, milady est toujours aussi bonne pour moi, peut-être plus encore, et je crois que si je lui demandais de m'acheter une ferme ou un fonds d'auberge, elle y consentirait sans que je la pressasse trop."

» D'où venait ce revirement d'idées !… Phœbe m'avait dit, quelques jours avant, que milady était égoïste et dépensière et que nous n'aurions pas de longtemps ce que nous voulions. "Voilà un changement qui m'étonne, repris-je. – Il y a de quoi, en effet", ajouta-t-elle avec le même sourire. Et elle tourna sur ses talons. "Oh ! je vois ce que c'est, Phœbe ; tu me caches quelque chose qu'on t'a dit ou que tu as découvert. Si tu veux agir de la sorte avec moi, tu as tort, je t'en avertis." Elle me rit au nez. "Qu'est-ce qui te passe donc par la tête, Luke ? – Ce sont les idées que tu y as mises, et je te repète que, s'il doit y avoir des secrets entre nous, nous ne serons jamais mari et femme."

» Là-dessus, Phœbe se mit à pleurer, mais je n'y pris pas garde ; j'avais en poche la lettre pour milady et je cherchais un moyen de la lui remettre. "Peut-être n'es-tu pas la seule à avoir des secrets, Phœbe ? lui dis-je. Il est venu hier un monsieur qui voulait voir milady, un grand monsieur à barbe brune." Au lieu de me répondre, Phœbe pleura à chaudes larmes et se tordit les mains ; j'en étais abasourdi, mais petit à petit elle m'avoua tout, et je sus qu'elle avait vu, de la fenêtre où elle était assise, milady se promener avec un monsieur dans l'allée des tilleuls. Ils étaient entrés ensuite dans le bosquet, s'étaient approchés du puits, et là…

— Arrêtez, s'écria Robert, je sais le reste !

— Phœbe me raconta tout ce qu'elle avait vu et ce qui s'était passé entre elle et milady quand cette dernière était rentrée chez elle. Il paraît que Phœbe, habilement, avait insinué qu'elle savait son secret et que, dorénavant, sa maîtresse dépendait d'elle. Vous voyez donc que milady et Phœbe croyaient mort au fond du puits le gentleman qui était tranquillement assis dans un train parti pour Londres. En recevant la lettre, milady apprendrait le contraire, et nous perdions, Phœbe et moi, une bonne occasion pour nous établir. Je gardai la lettre en me disant que si milady était généreuse, je lui avouerais tout et je la rassurerais. Mais elle ne fut pas généreuse. Quand elle me parlait, il était facile de voir que ma figure lui déplaisait, et les paroles grossières ne lui coûtaient rien. Ma bile s'échauffa et je gardai mon secret. J'ouvris les deux lettres et je les lus, mais je n'y compris pas grand-chose ; et je les cachai dans cette cassette d'où elles ne sont pas sorties depuis.

Luke Marks avait fini son histoire et était fatigué d'avoir parlé si longtemps. Il resta immobile dans son lit, regardant Robert d'un air inquiet, comme s'il s'attendait à des reproches, car il avait vaguement conscience du tort qu'il avait causé.

Robert ne lui adressa pas de reproches. Il ne se sentait pas capable de sermonner qui que ce soit.

Le ministre lui parlera demain et le tranquillisera, se dit Robert, et si le malheureux a besoin d'un sermon, il vaut mieux que ce soit un prêtre qui le lui administre que moi… Que lui dirais-je ? Sa faute est retombée sur sa tête, car si lady Audley eût été rassurée, elle n'aurait pas mis le feu à *Castle Inn*. Comment oser après cela se tracer son existence et ne pas reconnaître le doigt de Dieu dans cette étrange histoire ?

Les suppositions qu'il avait faites et en vertu desquelles il avait agi lui parurent bien mesquines. Le souvenir de la confiance qu'il avait eue en sa propre raison lui fut pénible, mais il se consola en songeant qu'il avait essayé de faire son devoir envers les morts aussi bien qu'envers les vivants.

Robert Audley demeura auprès du mourant jusqu'au jour. Luke Marks s'était assoupi un peu après avoir fini son histoire. La vieille femme n'avait écouté que la moitié de la confession de son fils, et Phœbe était couchée en bas. Le jeune avocat veillait seul dans la maison. Il ne pouvait dormir : l'histoire qu'il venait d'entendre l'absorbait complètement. Il remerciait Dieu d'avoir sauvé son ami et il lui tardait de l'avoir retrouvé pour aller dire à Clara Talboys : « Votre frère est vivant, je sais où il est. »

Phœbe remonta à huit heures et reprit sa place au chevet du malade. Robert alla se reposer à *Sun Inn*.

Depuis trois jours, il n'avait dormi qu'en chemin de fer, en bateau ou en diligence, et il était harassé de fatigue. Quand il s'éveilla, il faisait presque nuit, et la chambre dans laquelle il fit sa toilette était précisément celle qu'il avait occupée avec George Talboys, quelques mois auparavant.

L'aubergiste le servit à table et lui annonça que Luke Marks était mort à cinq heures de l'après-midi.

— Il est parti rapidement, confia l'hôtelier, mais il n'a pas souffert.

Robert écrivit ce soir-là une longue lettre à Mrs Taylor, par l'entremise de Mr Val, à Villebrumeuse, et cette lettre racontait à la coupable, qui avait porté tant de noms différents et ne devait plus en changer, le récit fait par le mourant.

Ce sera peut-être un soulagement pour elle d'apprendre que son mari n'a pas péri à la fleur de l'âge, pensa-t-il, en admettant toutefois que son égoïsme lui permette d'éprouver un peu de pitié pour la douleur d'autrui.

41

Retrouvé

Clara Talboys retourna dans le Dorsetshire pour dire à son père que son seul fils était parti pour l'Australie, le 9 septembre, et que très probablement il était encore vivant et reviendrait implorer le pardon de son père de la seule faute réelle qu'il eût commise, en contractant ce mariage qui avait exercé une si terrible influence sur sa jeunesse.

Mr Harcourt Talboys ne sut quel parti prendre. Junius Brutus ne s'était jamais trouvé dans une position pareille ; et Mr Talboys, ne voyant aucun moyen de sortir d'embarras en imitant son modèle, fut forcé d'être naturel une fois dans sa vie et d'avouer que le sort de son fils l'avait vivement inquiété depuis sa conversation avec Robert Audley. Il consentit à ouvrir ses bras à l'enfant prodigue quand il rentrerait en Angleterre. Mais comment savoir l'époque de son retour et entrer en contact avec lui ? Robert se rappela l'annonce qu'il avait fait insérer dans les journaux de Melbourne et de Sydney. Si George était arrivé vivant dans l'une de ces deux villes, comment n'avait-il pas eu connaissance de cette annonce ? Se serait-il montré indifférent pour les inquiétudes de son ami, ou bien n'aurait-il pas lu les journaux ? Comme il voyageait sous un faux nom, les passagers et le capitaine du navire n'avaient pu constater son identité avec la personne dont il était question dans l'annonce. Quel parti prendre ? Fallait-il attendre que George, fatigué de son exil, revînt vers ceux qui l'aimaient, ou bien faudrait-il hâter son retour ? Robert était en défaut ! Peut-être qu'au milieu de l'indicible soulagement d'esprit qu'il avait éprouvé en apprenant que son ami n'était pas mort, il n'avait pas la force de songer à autre chose qu'à cette survie providentielle.

Il partit pour rendre visite à Mr Talboys, qui avait lâché la bride à ses bons sentiments au point d'inviter l'ami de son fils à venir passer quelques jours dans sa maison carrée et en brique rouge. Mr Talboys ne retint que deux choses dans l'histoire de George : le bonheur qu'il éprouvait à savoir son fils sain et sauf, et le regret de n'avoir pas été lui-même le mari de milady, pour se procurer le plaisir de faire un exemple de sa femme.

— Ce n'est pas à moi qu'il appartient de vous blâmer, Mr Audley, lui dit-il, pour avoir soustrait cette coupable à la justice et contrevenu ainsi aux lois de votre pays. Je vous ferai remarquer seulement que si cette femme m'était tombée entre les mains, elle aurait été traitée différemment.

C'était au milieu d'avril que Robert se retrouvait de nouveau sous ces sapins où ses pensées s'étaient égarées si souvent depuis sa première rencontre avec Clara Talboys. Il y avait maintenant, dans les haies, des primevères et des violettes ; et les ruisseaux qui, lors de sa première visite, étaient durs et glacés comme le cœur de Mr Harcourt Talboys avaient dégelé, ainsi que le cœur de ce personnage, à la chaleur du soleil d'avril et couraient capricieusement au milieu des buissons épineux.

On donna à Robert une chambre d'un style sévère et un cabinet de toilette qui n'avait rien de gai ; et, tous les matins, il se réveilla sur un matelas à ressorts métalliques. Ce matelas éveillait toujours en lui l'idée qu'il dormait sur quelque instrument de musique. Le soleil, en pénétrant à travers les persiennes, faisait briller les deux urnes placées au pied de son lit et leur donnait quelque ressemblance avec les lampes en cuivre de la période romaine.

Une visite à Mr Harcourt Talboys était plutôt un retour vers l'enfance et les années de pension qu'un moyen de savourer la vie en sybarite. On trouvait dans la maison Talboys ces fenêtres sans rideaux, ces descentes de lit, ces bruits de cloche le matin et ces prières en commun qui sentent par trop les institutions privées où les fils de bonne maison se préparent à l'armée et à la marine.

Mais, lors même que la maison carrée en brique rouge eût été le palais d'Armide, et les serviteurs qui la peuplaient une légion de houris, Robert n'eût pas été plus content de l'habiter.

Il s'éveilla au son d'une cloche matinale et fit sa toilette aux premiers rayons du soleil, qui brillent sans vous égayer et vous font frissonner sans vous réchauffer. Il rivalisa de courage avec Mr Harcourt Talboys en se plongeant dans l'eau froide ; et quand il descendit pour faire, avant déjeuner, une promenade sous les sapins, dans la plantation touffue, il avait une figure violette comme celle du maître de maison.

Une troisième personne assistait généralement à cette promenade. Clara Talboys marchait à côté de son père, plus belle que le matin, sous son large chapeau de paille à longs rubans flottants. Mr Audley aurait été plus fier d'attacher à sa boutonnière un bout de ces rubans que n'importe quelle décoration.

On parlait souvent de George dans ces promenades du matin, et Robert Audley prenait maintenant place à la longue table du déjeuner, sans se rappeler la matinée où il s'était assis pour la première fois dans cette salle et avait détesté Clara Talboys pour la froideur avec laquelle elle avait écouté l'histoire de son frère. Il savait à quoi s'en tenir maintenant. Il savait qu'elle était aussi bonne que belle. Mais avait-elle découvert combien elle était aimée de l'ami de son frère ? Robert se demandait parfois s'il ne s'était pas déjà trahi, si l'influence magique qu'elle avait sur lui ne s'était pas révélée par quelque regard imprudent, par le tremblement de sa voix qui n'était plus la même quand il s'adressait à elle.

La vie ennuyeuse qu'on menait dans la maison carrée était égayée de temps en temps par un dîner auquel assistaient quelques campagnards chargés de se supporter mutuellement, et par des visites matinales qui faisaient irruption dans le salon, au grand désespoir de Mr Audley. Le jeune avocat se montrait surtout malveillant pour les jeunes gens au teint frais et coloré, qui accompagnaient, dans ces occasions, leurs mères ou leurs sœurs.

Évidemment, il était impossible que ces jeunes gens pussent voir les beaux yeux bruns de Clara sans tomber amoureux d'elle, et Robert était furieux contre tous ces supposés rivaux. Il était jaloux de tout ce qui approchait sa bien-aimée, jaloux d'un vieux fat de 48 ans, d'un baronnet dont les favoris tiraient sur le rouge, des vieilles femmes du voisinage que Clara Talboys visitait et soignait, et des fleurs de sa serre auxquelles elle consacrait son temps au lieu de s'occuper de lui.

Tout d'abord, il y avait eu entre eux beaucoup de cérémonie ; mais peu à peu ils étaient devenus familiers et amis en causant des aventures de George. L'intimité était venue ensuite, et au bout de trois semaines, miss Talboys rendait Robert heureux en lui reprochant d'avoir mené si longtemps une vie inutile et d'avoir négligé les occasions de montrer ses talents.

Quel bonheur d'être sermonné par la femme qu'il aimait ! Quel bonheur de pouvoir s'humilier et se déprécier devant elle ! Comme l'occasion était belle pour lui donner à comprendre que, s'il avait eu un but unique à poursuivre, il eût cherché à être autre chose qu'un *flâneur** et n'eût pas reculé devant les obstacles pour obéir à la voix qui lui disait de marcher ! Aussi, il en profitait largement et concluait d'habitude ses réflexions en disant qu'il allait renoncer probablement à son genre de vie d'autrefois et commencer une nouvelle existence.

— Croyez-vous donc, disait-il, que je lirai des romans français et que je fumerai du tabac turc jusqu'à 70 ans ? Croyez-vous que le jour n'arrivera pas où ma pipe m'ennuiera ainsi que les romans français, et où la vie me paraîtra si monotone que je ne serai pas fâché d'y renoncer de manière ou d'autre ?

Je constate avec peine que, pendant que le jeune avocat se permettait ces lamentations hypocrites, il avait déjà vendu en esprit tout son mobilier de garçon, y compris la collection complète de Michel Lévy et une demi-douzaine de pipes montées en argent, pensionné Mrs Maloney et dépensé deux ou trois mille livres à faire l'acquisition d'un coin de terre verdoyant où se cachait unc maisonnette toute tapissée à l'extérieur de plantes grimpantes et coquettement penchée sur le bord d'un lac.

Il va sans dire que Clara Talboys ne comprenait pas la portée de toutes ces lamentations mélancoliques. Elle recommandait à Mr Audley de lire beaucoup, de prendre sa profession au sérieux et de recommencer la vie sur un autre pied. Elle n'était peut-être pas très agréable, l'existence qu'elle proposait à Robert. Travailler pour être utile à ses semblables et conquérir une réputation n'était pas du goût du jeune avocat, et il grimaçait à cette perspective désolante.

Je consentirais bien à ce qu'elle me propose, se

disait-il, mais il faudrait une récompense à mon travail. Si elle voulait partager mon sort et m'aider à supporter la fatigue de la lutte, rien de mieux ; mais si, pendant que je travaille, elle allait épouser quelque noble campagnard ?...

Avec un caractère irrésolu comme le sien, il est probable que Mr Audley eût gardé son secret, effrayé de parler et de briser le charme de cette incertitude qui n'était pas l'espérance, mais qui était encore plus rarement du désespoir, si, dans un moment d'oubli, la vérité ne lui eût échappé.

Il était depuis cinq semaines à Grange Heath, et il sentait que les convenances lui défendaient d'y rester plus longtemps. Il fit donc ses préparatifs et son portemanteau, et un beau matin du mois de mai, il annonça son départ.

Mr Talboys n'était pas homme à se lamenter en termes passionnés sur le départ d'un convive ; mais il exprima ses regrets avec une froide cordialité, qui chez lui équivalait aux plus chaudes protestations d'amitié.

— Nous avons très bien vécu ensemble, Mr Audley ; vous avez bien voulu trouver à votre goût notre existence calme et réglée, et vous vous êtes même conformé aux usages de la maison avec une complaisance que je regarde comme un compliment à mon endroit.

Robert s'inclina. Il remerciait le hasard qui l'avait toujours éveillé à temps le matin et empêché d'arriver en retard au déjeuner de Mr Talboys.

— J'espère donc, puisque nous nous entendons si bien, reprit Mr Talboys, que vous voudrez bien nous honorer de vos visites toutes les fois que vous en sentirez le désir. Le gibier abonde dans mes propriétés, et mes fermiers seront pleins d'égards pour vous s'il vous plaît d'apporter un fusil et de chasser.

Robert accepta avec empressement cette aimable invitation. Il déclara qu'il n'aimait rien tant que la chasse et qu'il serait très heureux de profiter des avantages qu'on lui offrait avec tant d'obligeance. Il ne put s'empêcher de jeter un coup d'œil vers Clara en parlant de la sorte. Les paupières des beaux yeux bruns interceptèrent un instant leur regard, et une légère rougeur illumina la charmante figure.

Cette journée était la dernière que le jeune avocat passait dans l'Élysée, et bien des heures ennuyeuses devaient s'écouler avant que le mois de septembre lui fournît une excuse pour revenir dans le Dorsetshire. Pendant cette longue absence, les jeunes nobles campagnards ou les vieux fats de 48 ans pourraient user de leurs privilèges de voisins à son désavantage. Il n'était donc pas étonnant qu'il fût soucieux par cette belle matinée, et que sa compagnie fût si peu agréable pour miss Talboys.

Mais le soir, après dîner, quand le soleil baissa à l'horizon et que Mr Harcourt Talboys s'enferma dans son cabinet pour régler ses comptes avec son homme d'affaires et un des fermiers, Mr Audley devint un peu plus aimable. Il se plaça à côté de Clara dans l'embrasure d'une des grandes fenêtres du salon et regarda les ombres du soir qui grandissaient à mesure que les derniers rayons du soleil disparaissaient au couchant. Il était heureux de ce *tête-à-tête** avec elle, bien que sa joie fût troublée par l'ombre du train express qui allait l'emporter à Londres le lendemain ; il ne pouvait s'empêcher d'être heureux en sa présence, d'oublier le passé et de ne pas se préoccuper de l'avenir.

Ils parlèrent de ce frère disparu qui était toujours leur trait d'union, et Clara fut bien triste ce soir-là. Comment pouvait-elle être autrement en se rappelant que, si George vivait, ce dont elle n'était pas certaine, il errait dans le monde, loin de ceux qui l'aimaient, et portait partout avec lui le souvenir de sa vie gâchée.

— Je ne comprends pas comment papa peut se résigner ainsi à l'absence de mon pauvre frère ; car il l'aime, Mr Audley, vous avez dû vous en apercevoir. Ah ! si j'étais homme, j'irais en Australie, je le trouverais et je le ramènerais ici… si toutefois il est encore de ce monde, ajouta-t-elle à voix basse.

Elle détourna la tête et regarda le ciel qui s'assombrissait. Robert plaça sa main sur le bras de la jeune fille. Cette main tremblait malgré lui, et sa voix tremblait aussi quand il parla :

— Faut-il que j'aille à la recherche de votre frère ?

— Vous !… s'écria-t-elle en le regardant, les yeux pleins de larmes, vous… Mr Audley !… croyez-vous donc que je pourrais exiger un pareil sacrifice pour moi ou ceux que j'aime ?

— Et pensez-vous, Clara, qu'un sacrifice me paraîtrait trop pénible, s'il était fait pour vous ?… Pensez-vous que je trouverais trop long n'importe quel voyage, si je savais que vous m'accueilleriez au retour avec des remerciements pour vous avoir servi fidèlement ?… J'irai d'un bout de l'Australie à l'autre pour chercher votre frère, si vous le désirez, Clara, et je ne reviendrai qu'après l'avoir trouvé. Je vous laisse le soin de choisir la récompense de mes peines.

Sa tête était courbée, et elle resta quelques instants sans parler.

— Vous avez bon cœur, Mr Audley, dit-elle finalement, et je sens si bien tout le prix de votre offre que je ne trouve pas de remerciements à vous adresser. Mais ce dont vous parlez ne peut se faire. En vertu de quel droit vous imposerais-je un tel sacrifice ?

— En vertu du droit qui me fait pour toujours votre esclave, que vous le vouliez ou non, du droit que vous donne sur moi l'amour que j'ai pour vous, Clara ! s'écria Mr Audley, se jetant à genoux avec beaucoup de maladresse, il faut l'avouer, et s'emparant d'une petite main qu'il couvrit de baisers. Je vous aime… Clara… je vous aime… Vous pouvez appeler votre père et me faire sortir de cette maison si vous voulez, mais je vous aimerai tout de même et toujours, que cela vous plaise ou non.

La petite main s'éloigna de la sienne, mais pas brusquement, et elle s'appuya un instant toute tremblante sur les cheveux noirs de Robert.

— Clara… Clara… murmura-t-il d'une voix suppliante, faut-il que j'aille en Australie chercher votre frère ?

Pas de réponse. Je ne sais comment cela se fait, mais, en pareil cas, le silence est ce qu'il y a de plus agréable. Chaque moment d'hésitation est un aveu tacite, chaque pause une confession charmante.

— Irons-nous tous deux, voulez-vous, ma bien-aimée ?… Irons-nous comme mari et femme, et ramènerons-nous votre frère ?

Mr Harcourt Talboys parut un quart d'heure après. Il trouva Robert Audley tout seul et se vit forcé d'entendre une révélation qui le surprit beaucoup. Comme tous les gens suffisants, il voyait très peu ce qui se passait sous son nez ; et il avait cru que c'était sa société et la régularité qui régnait chez lui qui avaient charmé son convive et l'avaient retenu dans le Dorsetshire.

Il fut donc un peu désappointé, mais il ne le laissa pas trop voir et se montra plutôt satisfait de la tournure qu'avaient prise les événements.

— Il n'y a plus qu'un point pour lequel j'ai besoin de votre consentement, mon cher monsieur, dit Robert lorsque tout fut réglé : nous passerons notre lune de miel en Australie, si vous le permettez.

Mr Talboys fut pris à l'improviste. Il essuya quelque chose comme une larme qui parut dans ses yeux gris et tendit la main à Robert.

— Vous allez à la recherche de mon fils. Ramenez-le, et je vous pardonnerai volontiers de m'avoir enlevé ma fille.

Robert Audley partit pour Londres, pour abandonner son appartement dans Fig-Tree Court et s'informer des navires en partance de Liverpool pour Sydney, au mois de juin.

Ce n'était plus le même homme : le présent, l'avenir, tout était changé pour lui. Le monde lui apparaissait couleur de rose et radieux, et il se demandait comment il avait pu le trouver si triste et d'une teinte si neutre autrefois.

Il était resté à Grange Heath jusqu'après le déjeuner et, quand il rentra chez lui, il faisait déjà sombre. Il trouva Mrs Maloney qui frottait l'escalier, suivant son habitude de chaque samedi soir, et il lui fallut traverser une atmosphère saturée de vapeur de savon qui rendait la rampe graisseuse sous sa main.

— Vous avez là-haut une masse de lettres, dit la blanchisseuse en se relevant et s'adossant contre le mur pour laisser passer Robert ; il y a aussi des paquets et un monsieur qui est venu plusieurs fois et vous a attendu ce soir, parce que je lui ai dit que vous m'aviez écrit d'aérer votre chambre…

— Très bien, Mrs Maloney, vous me servirez à dîner aussitôt que vous voudrez ; n'oubliez pas la pinte de sherry et veillez à mes bagages.

Il monta tranquillement chez lui pour voir qui était son visiteur. Ce ne devait pas être un personnage important – un créancier peut-être, car il avait tout laissé en suspens en se rendant à l'invitation de Mr Talboys ; et depuis lors, il s'était trouvé si bien dans la planète de l'amour qu'il avait oublié toutes les affaires terrestres et les notes des tailleurs.

Il ouvrit la porte de son salon et entra. Les canaris chantaient leurs adieux au soleil couchant, et les derniers reflets du jour se jouaient parmi les feuilles des géraniums. Le visiteur, quel qu'il fût, était assis le dos tourné contre la fenêtre et la tête penchée sur la poitrine ; mais il se leva en entendant Robert entrer, et le jeune homme poussa un cri de joie et de surprise en tombant dans les bras de George Talboys, son ami perdu.

Mrs Maloney commanda un dîner plus copieux à la taverne qu'elle honorait de sa pratique, et les deux amis veillèrent une partie de la nuit au coin de ce feu qui avait été si longtemps solitaire.

Nous savons tout ce que Robert avait à dire. Il toucha légèrement à ce qui pouvait chagriner son ami ; il parla très peu de la misérable femme qui terminait sa vie dans un faubourg retiré d'une ville belge. George Talboys parla brièvement de cette radieuse journée de septembre, où il avait laissé son ami endormi au bord de l'eau, pendant qu'il allait reprocher à sa femme l'infâme complot qui lui avait brisé le cœur.

— Dieu m'est témoin que, du moment où je tombai dans le puits, connaissant la main perfide qui m'avait poussé là où je pouvais mourir, ma première pensée fut de sauver la femme qui m'avait trahi et avait voulu me tuer. Je me retrouvai sur mes pieds au milieu de la vase, mais mon épaule était meurtrie et mon bras droit s'était cassé en donnant contre un des côtés du puits. Je fus pétrifié pendant quelques minutes, mais mon courage me revint ; car je comprenais que je respirais la mort au fond de ce trou noir. J'avais fait, en Australie, un apprentissage qui pouvait m'être utile, et je grimpai comme un chat. Les pierres du puits étaient inégales et rugueuses et je pouvais remonter en posant mes pieds dans les interstices, m'appuyant du dos contre la paroi opposée et m'aidant de mes mains malgré ma fracture. Ce ne fut pas chose facile, Robert ; et je me demande pourquoi l'homme qui s'était tant de fois déclaré ennuyé de la vie a pris tant de peine pour la conserver. Il me fallut plus d'une demi-heure pour arriver en haut du puits, et cette demi-heure fut pour moi une éternité de souffrances et de périls. Il m'était impossible de sortir du jardin avant la nuit, et je m'étendis sous des buissons et des lauriers pour attendre qu'il fît noir. L'homme qui me trouva vous a dit le reste, Robert.

— Oui, mon pauvre ami, oui, il m'a tout dit.

George n'était jamais retourné en Australie. Il avait effectivement pris place à bord du *Victoria Regia*, mais il avait changé de destination en route et avait été transbordé sur un autre navire de la même compagnie, qui faisait voile pour New York, où il était resté tant que l'exil lui avait été supportable et que la solitude ne lui avait pas fait regretter ses amis.

— Jonathan m'a très bien reçu, Robert, j'avais assez d'argent pour satisfaire mes désirs très modérés, et quand le sac aurait été vide, j'avais l'intention de repartir pour les mines d'or de l'Australie. Les amis ne m'auraient pas manqué si j'avais voulu, mais quelle sympathie pouvait trouver mon cœur blessé chez des gens qui ne connaissaient pas mon mal ? J'ai soupiré après une de vos poignées de main, Robert, et je me suis souvenu que c'était vous qui m'aviez aidé à supporter la plus terrible épreuve de ma vie.

42

En paix

Deux années se sont écoulées depuis la soirée de mai où Robert a retrouvé son ami ; et le joli cottage rêvé par Mr Audley est devenu une réalité. Ce cottage s'élève entre Teddington Locks et Hampton Bridge, au milieu d'une forêt de verdure, et sa façade regarde la rivière. Un petit garçon âgé de 8 ans se roule parmi les lis et les herbes de la rive en pente et joue avec un bébé qui se penche sur les bras de sa nourrice pour regarder d'un œil étonné son image qui se reflète dans les eaux tranquilles.

Mr Audley commence à être connu et s'est distingué dans la grande affaire de Hobbs contre Hobbs. Il a soulevé les éclats de rire de la cour par son compte rendu délicieusement comique de la correspondance amoureuse de Hobbs.

Le beau garçon aux yeux noirs est le fils de George Talboys, qui décline *musa* à Eton, et pêche à la ligne dans l'eau claire qui coule sous les frais ombrages, derrière les murs tapissés de lierre de son collège. Mais il vient très souvent au joli cottage voir son père, qui y demeure en compagnie de sa sœur et de son beau-frère ; et il est très heureux auprès de son oncle Robert, de sa tante Clara et du joli bébé qui commence à peine à se traîner sur la pelouse. Cette pelouse descend en pente douce jusqu'au bord de l'eau, où se trouve un petit chalet suisse et un débarcadère où George et Robert amarrent leurs légers canots.

Il vient encore d'autres personnes au cottage, près de Teddington. On y voit aussi une brillante jeune fille au cœur gai et un vieux gentleman à barbe grise, qui a survécu au malheur de sa vie et l'a surmonté en véritable chrétien.

Il y a plus d'un an qu'une lettre, bordée de noir et écrite sur un papier étranger, est arrivée à Mr Robert Audley pour lui annoncer la mort d'une certaine Mrs Taylor. Cette dame avait expiré paisiblement à Villebrumeuse, après une longue maladie que Mr Val appelait une *maladie de langueur**.

Un autre visiteur apparaît au cottage pendant l'été de 1861. C'est un jeune homme franc et bon, qui caresse le bébé, joue avec George et s'entend surtout à faire manœuvrer les bateaux – qui sont toujours en mouvement quand sir Harry Towers est à Teddington.

Il y a un joli petit fumoir rustique dans le chalet suisse. Pendant les soirées d'été, les hommes vont y fumer ; et c'est là que Clara et Alicia viennent les chercher pour les mener prendre du thé et manger des fraises et de la crème sur la pelouse.

Audley Court est fermé, et c'est une vieille concierge qui est toute puissante dans la maison où retentissait autrefois le rire musical de milady. Un voile recouvre le portrait préraphaélite, et une épaisse couche de poussière dérobe à la vue les Wouvermans, les Poussin, les Cuyp et les Tintoret. On montre souvent la maison à des visiteurs curieux, quoique le baronnet n'en sache rien ; et ces visiteurs admirent le boudoir de lady Audley et posent des questions à n'en plus finir sur la jolie femme à la belle chevelure, qui est morte à l'étranger.

Sir Michael n'a aucune envie de revenir à l'ancienne demeure où il a fait jadis un rêve de bonheur impossible. Il reste à Londres jusqu'à ce qu'Alicia devienne lady Towers, et alors il ira habiter une maison qu'il a récemment achetée dans le Hertfordshire, tout près des domaines de son gendre. George Talboys est très heureux auprès de sa sœur et de son ami. Il est jeune encore, et il n'y aurait rien d'impossible à ce qu'il trouvât quelque jour une autre femme qui le consolerait du passé. Cette sombre histoire s'oublie un peu chaque jour, et un temps viendra où le voile de deuil jeté sur la vie du jeune homme par sa méchante femme aura complètement disparu.

Les pipes et les romans français ont été donnés à un jeune homme du Temple qui avait été l'ami de Robert pendant sa vie de garçon ; et Mrs Maloney reçoit une petite pension, payable par trimestre, pour prendre soin des canaris et des géraniums.

J'espère que personne ne trouvera fâcheux que mon roman finisse en laissant tout le monde heureux et en paix. Si mon expérience de la vie ne date pas de longtemps, elle a du moins touché à bien des choses, et je suis de l'avis de ce grand roi philosophe qui disait que jamais, dans sa jeunesse ni dans son âge mûr, il n'avait vu « le Juste abandonné et ses enfants mendiant leur pain. »

La vie et l'œuvre de la romancière victorienne **Mary Elizabeth Braddon** ressemblent aux aventures de ses héroïnes, libres, ambitieuses et parfois très affranchies. Les premières épreuves surgissent dans la vie de la petite fille née à Londres, dans le quartier de Soho, le 4 octobre 1835, lorsque, avec sa mère et ses trois frères, elle fuit la maison familiale. Le père de Mary, avocat sans cause, n'a plus un sou pour nourrir sa famille. Vingt ans plus tard, la jeune femme a déjà beaucoup écrit mais jamais publié, hormis quelques poèmes. Elle se lance alors dans une brève carrière théâtrale dont le souvenir hantera longtemps son œuvre de romancière. L'éditeur d'une publication populaire lui passe commande d'un roman feuilleton « dans la manière de Charles Dickens ». Mary s'exécute et c'est ainsi que son premier texte de fiction, *Trois fois mort*, est publié au cours de l'été 1860, sous forme de ce que les Anglais nomment un « penny dreadful », un roman à trois sous. Plus tard, le texte, sérieusement amendé, sera republié sous le titre : *La Trace du serpent*. La jeune romancière vend ensuite quelques nouvelles au magazine « Welcome Guest », dirigé par l'éditeur John Maxwell. Et tombe amoureuse de ce patron de presse intrépide et peu scrupuleux. Maxwell est marié et père de cinq enfants. L'épouse de l'éditeur étant internée dans un asile psychiatrique, ils ne pourront se marier qu'en 1874, à la mort de la malheureuse. Mary donnera six autres enfants à Maxwell, dont le romancier W.B. Maxwell qui consignera dans ses mémoires, en 1937 : « Ma mère écrivait comme par magie, stupéfiant son entourage par la facilité avec laquelle ses œuvres venaient au monde. Elle pouvait travailler n'importe quand, sans se soucier de la rumeur qui l'entourait. Les domestiques et ses enfants pouvaient aller et venir dans la bibliothèque où elle aimait se tenir sans aucunement la troubler. »

John Maxwell est malheureusement un homme aussi instable que son propre père et Mary doit travailler sans relâche pour payer ses dettes. Elle produira ainsi, au fil des ans, sous son nom ou le pseudonyme de Babington White, plus de quatre-vingts romans, pour la plupart des œuvres « à sensation » ou thrillers qui en font véritablement, après Ann Radcliffe au siècle précédent, l'ancêtre du roman policier. Ses biographes ont également recensé près de deux cents nouvelles dont certaines relevant du genre fantastique. En 1862 paraît *Le Secret de Lady Audley*, premier best-seller de Mary Elizabeth Braddon et l'un des romans victoriens parmi les plus prisés aujourd'hui encore avec *La Dame en blanc* de Wilkie Collins. Suivront *Lady Lisle*, la même année, puis *Henry Dunbar* (1864), *Le Testament de John Marchmont* (1864), *Les Oiseaux de proie* (1866-67) et sa suite, *L'Héritage de Charlotte* (1868-69)…

En 1866, les Maxwell font l'acquisition à Richmond, dans le Surrey, de Lichfield, une belle demeure de style géorgien, où la romancière vivra et travaillera jusqu'à sa mort, le 4 février 1915. Elle alternera thrillers et romans historiques, mais produira également cinq pièces de théâtre et même un roman écrit directement en français, *Le Pasteur de Marston*, en 1881 !

Longtemps méprisée par le public lettré, Mary Elizabeth Braddon a été redécouverte récemment par les spécialistes du roman populaire. En juin 2000, Jennifer Carnell a publié en Angleterre : *The Literary Lives of Mary Elizabeth Braddon*, qui consacre enfin le talent peu commun d'une romancière dont l'œuvre éclaire d'un jour passionnant l'époque la plus féconde de l'histoire littéraire anglaise.

François RIVIÈRE

Retrouvez les ouvrages de Mary Elizabeth Braddon dans la collection Labyrinthes*

Henry Dunbar

Henry Dunbar est une sombre et trépidante étude en criminalité orchestrée autour de la personnalité d'un richissime banquier revenu à Londres après un long exil indien. Il retrouve son associé, Joseph Wilmot, avec lequel il partage un lourd secret. Quelque temps plus tard, Wilmot est retrouvé assassiné à Winchester. La propre fille du mort, Margaret, qui soupçonne Dunbar d'être l'assassin, décide de mener elle-même l'enquête. Elle est alors sur le point de se fiancer à Clement Austin, caissier de la banque Dunbar. Mais, coup de théâtre : Margaret renonce à ses accusations et à ses fiançailles ! Que s'est-il passé ? Un policier de Scotland Yard, mandé par Austin, se rend à Winchester et fait une incroyable découverte : la victime n'était pas Joseph Wilmot, mais Henry Dunbar…

Labyrinthes n° 110

---

* Pour connaître la liste des titres disponibles, adressez-vous à votre libraire.

Les Oiseaux de proie

Les « oiseaux de proie » : Philip et George Sheldon, et le capitaine Horatio Paget…

Le premier, un dentiste de province venu s'établir à Londres où il a pensé pouvoir faire fortune, épouse la femme de son meilleur ami, décédé fort opportunément sous son toit. Grâce à l'héritage coquet que reçoit Georgy, Philip se lance dans les affaires.

Dix ans plus tard, la fille du premier lit de Georgy, Charlotte, invite son amie Diana, fille du capitaine Paget, homme peu recommandable, à venir s'installer chez elle pour veiller sur sa mère. Charlotte tombe alors amoureuse de l'associé de Paget, Valentin Hawkhurst.

Une longue enquête sur une affaire d'héritage, menée par George Sheldon et Valentin – et dans l'ombre par Philip et Horatio – révèle l'incroyable : Charlotte doit hériter d'une fortune considérable. S'engage alors une lutte féroce entre les deux frères Sheldon, au grand désarroi de Valentin qui ignore la vraie nature de l'ex-dentiste…

Une tragi-comédie de mœurs qui se conclura dans *L'Héritage de Charlotte*.

Labyrinthes n° 111

L'Héritage de Charlotte

Lorsque Charlotte, fille de la veuve Georgy Halliday, s'est trouvée promise à un brillant héritage, les oiseaux de proie n'ont pas manqué de lui faire sa cour. Philip, son beau-père, cherche par tous les moyens à l'empêcher de se marier. Quant à Horatio Paget, homme d'affaires peu recommandable, il n'a de cesse de retrouver l'autre héritier de la fortune des Halliday, un Français qui se nommerait Gustave Lenoble, pour le marier à sa propre fille.

Heureusement, autour de la jeune héritière se pressent aussi de véritables amis. Et quand les malfaisants rapaces projettent d'empoisonner lentement la jeune fille, certains n'hésitent pas à tenter le tout pour le tout pour la sauver. Quitte à y laisser leur vie.

S'engage alors entre les différentes forces une lutte sournoise qui ne trouvera un terme que par la force des armes, et le prix du sang…

Labyrinthes n° 117

Le Triomphe d'Eleanor

Étrange destin que celui de la jeune Eleanor Vane. Après des années d'enfance particulièrement heureuses et des retrouvailles avec son père, elle ne supportera pas d'apprendre que celui-ci s'est suicidé. Elle a compris qu'un mystérieux individu était seul responsable de la mort de son aïeul et elle jure devant Dieu de le venger… Commence pour Eleanor, transformée en véritable détective amateur, une quête âpre et difficile qui s'accomplit en parallèle avec sa nouvelle vie. Elle est en effet devenue la dame de compagnie de Mrs Darrell dont le fils, Launcelot, ne reste pas indifférent aux charmes de la jeune fille. C'est alors que résonne comme un coup de cymbales l'insupportable vérité : celui qu'Eleanor recherchait pour le punir n'est autre que…

Face à une adversité apparemment insurmontable, la victoire d'Eleanor n'en sera que plus héroïque.

Labyrinthes n° 119

Composition réalisée par Chesteroc Ltd

IMPRIMÉ EN ESPAGNE PAR LIBERDÚPLEX
Barcelone
Dépôt légal éditeur : 41461 - janvier 2004
Édition 01
ISBN : 2 - 7024 - 9760 - 8